JN247023

在日朝鮮人資料叢書15

井上學／樋口雄一編

日本朝鮮研究所初期資料

一九六一～六九

3

緑陰書房

凡　例

一、本復刻版の判型（Ａ５判）にあわせて原本を縮小使用した。
一、原本中、今日不適切と思われる表現があるが、歴史的文献であることを考慮し原文のまま掲載した。
一、横組（総目次他）のものはⅤの末尾に付した。
一、解説１・２及び「日本朝鮮研究所のあゆみ」は本巻の巻末に収録した。

目次

V 日本朝鮮研究所の刊行物

当面の朝鮮に関する資料

第一集

日本朝鮮研究所

（日本）朝鮮研究所設立趣意書（案）

今日、朝鮮は最も近くて最も遠い国となつています。

日本の歴史は朝鮮ときりはなせない関係で進んできたにもかかわらず、明治以来、日本人の眼は常に西洋にむけられており、隣国朝鮮の政治・経済・文化の科学的研究はほとんど無視されてきました。

このため、隣国同志の相互理解の必要がますます大きくなつている現在、いまだに少なからぬ日本国民の朝鮮観は、誤解と偏見にみちたまゝであると断じても過言ではないありさまです。

われわれ日本国民は、北朝鮮で行なわれている建設事業についても、南朝鮮のあいつぐ政治的激動の本質についても、よく知つているとは申せません。特に最近、在日朝鮮人帰国問題・日韓会談・日朝貿易の問題など、アジア全体に対する日本の政策に根本的なかゝわりをもち、今後の日本の進路を左右する重大な問題が、次々に日本人の前に投げかけられてきております。われわれが、これらの問題に対し判断を誤まらず、両国民の共通の利益を追求できるようになるためには、朝鮮に対する理解と認識を深めなければなりません。

だから今こそ、過去の誤れる統治政策に由来する偏見を清算し、日本人の立場からの朝鮮研究を組織的に開始することが必要な時であると考えます。

日本の大学には、西欧に関する限り何千人もの研究者がいるのに、現代朝鮮に関しては、信頼できる研究者はほとんどいないといえます。

われわれ発起人は、微力ながら、日本人朝鮮研究者をひろく結集し、朝鮮に関する諸般の研究を行ない、その成果を広め、朝鮮研究の水準向上に資することによつて日朝友好に寄与するため、最大限の努力を払いたいと思い、こゝに(日本)朝鮮研究所の設立を決意致しました。

一九六一年十一月　日

（日本）朝鮮研究所設立発起人

日韓会談と国際環境

日韓会談に対する関係各方面の見解

一、日本政府側見解
①池田首相施政方針
②小坂外相外交方針
③民政移管に関する朴議長声明についての外務省非公式見解
④前田課長報告
二、韓国政府側
①宋堯讃言明
②十月二十八日産経新聞記事
三、米国政府
①十月二十八日毎日新聞記事
四、日本各政党
①自由民主党（公式機関の決定による見解発表はない）
②日本社会党
A、一九六一年三月八日、党大会決定
B、党の方針、朝鮮対策特別委員長中村英男談話
C、十月十七日、池田首相に対する申入れ
③民主社会党
A、一九六一年一月二十五日、党大会決定
B、曽弥書記長談話（六一年十月二十日）
④日本共産党
「アカハタ」一九六一年九月三日号、主張（十月現在までには正式機関の決定による声明がないために「アカハタ」主張をもつてこれに代える。
五、在日朝鮮人団体
①在日朝鮮人総連合会声明、十月十八日
②在日韓国居留民団機関紙「民主新聞」八月三十日社説
③韓国情勢在日学生研究会声明文
六、朝鮮民主主義人民共和国
①日朝協会よりの質問に対する回答（四月五日）
②朝鮮労働党第四回大会における金日成首相の演説（九月十一日）
七、中華人民共和国
①楊勇上将の演説

池田内閣総理大臣の第39回国会衆議院本会議における施政方針演説（一九六一年九月二十八日付官報号外）

……韓国の政治経済の安定と日韓関係の改善は、わが国にとつて重大な関係を持つものであることは申すまでもありません。私は大局的見地から、誠意をもつて韓国との間に懸案打開の方途を講じ、国交の正常化を通じて、日韓の間における経済と文化の交流が活発に行なわれ、相互の繁栄が確保されることを強く期待するものであります。……

同小坂外務大臣の外交に関する演説（同右）

……次に、わが国にとり最も近い隣国である韓国との関係につきましては、多年にわたり両国間の懸案解決のための交流が続けられたのでありますが、去る五月同国において政変が発生し、交渉は中断するのやむなきに至りました。韓国の運命は直ちにわが国の運命に影響すると申しても過言ではないのであります。この意味において、韓国新政権の動向については至大の関心をもってこれを注視していたのでありますが、その後同政権は政情の安定と民心の収攬に鋭意努力し、さらに、去る八月には、二年後における文民政権への移行の意思を宣明いたしました。同時に韓国政府は、日本との国交正常化に対する熱意を示し、交渉の再開を申し出てきた次第でありまして、政府としましては、韓国側の申し出に応じ近く交渉を開始する所存であります。交渉に際しましては、日韓関係の今後に及ぼす重大なる影響を十分に念頭に置きつつ、合理的にしかも互譲の精神に基づいて懸案の解決をはかり、すみやかなる国交の回復に努力したい所存であります。……

韓国の民政移管に関する朴議長声明についての日本外務省の非公式見解

（読売新聞八月一二日）

一、朴議長が示した明後年五月の総選挙による民政移管は一部に期待された〝来年夏〟にくらべれば約一ケ年ずれているが、これを他の革命政権たとえばビルマの革命から民政移管までの約一ケ年半、トルコの約二ケ年、パキスタンの約三ケ年と比較するとほぼ同様であり、この点韓国だけが民政移管をことさらに遅らせていることにはならない。

一、革命政権にとってこの民政移管の時期決定は当面の最重要課題であり、同政権内の意見もこれをめぐって国際関係からみてできるだけ早い方がよいとの考えと国内建設の面から余り早くしては過去の失敗を再びくりかえすことになるとの消極論がはげしく戦わされたようだ。いずれにせよ今回の決定をみたのでこれによって同政権の安定度が高まったとみるのが正しいと思う。

一、日本政府としては従来中断中の日韓会談の再開について先方から申し入れがあればこれに応ずるとの態度を現在もとっており、今回の朴声明によってその方針が再確認されることはあっても後退するなどということはまったくない。

。前田利一外務省アジア課長の訪韓報告

（読売新聞八月一七日）

一、十日間の視察の印象をひと口にいうと、軍事政権を推進している人々はたいへんな意気ごみで仕事に当り、これが韓国の生き残る最後の道との決意に燃えているが、一般の民衆はなおこの政権がどこへ行くかと期待と不安のいりまじった気持ちで見守っているといったところだ。

一、このことはつまり、同政権が、こんご国民の社会、経済生活を少しでも安定、向上させることに成功すれば、民衆の支持も次第に高まるのではないかということを意味する。だから、いま同政権の安定性をうんぬんすることは少し早すぎるのではないか。

一、しかし、ソウルのアメリカ大使館とも話し合ったのだが、革命政権の安定性がいま見通せないとしても、だからといって、あと一二ケ月まてば、よい材料が出てくる可能性もない。従ってこの際はむしろ、この政権を助けることによって、その安定性を確保することが必要であり、そうしてこそ、朴議長が一四日声明した〝二年後の民政移管〟をさらに一日でも早くすることが可能となる。そして、それが自由陣営全体の利益にもなる。私は以上のように考えた。

一、ところで、日韓問題だが、韓国民の現在の気持ちは、日韓会談を一日も早く妥結し、国交を正常化して、両国間の経済提携を進めたいというのがほんとうのところだろう。だからわれわれとしても十分その準備を進める必要があるが、それにしても両国間にはむずかしい諸懸案があるのであり、とりあえずは李駐日公使と外務省との間の予備交渉を進めるのが適当だと思う。

宋堯讃韓国総理の記者会見における言明

（毎日新聞八月一四日付による）

日韓会談再開に対し韓国側は万端の準備ができているので、日本側が誠意を示せばいつでも再開する用意があり早ければ早いほどよい。

一、日韓間の諸懸案は個別的でなく総合的に解決したい。

一、日本漁船の平和ライン侵犯には自粛を望みたい。

一、日本の対韓経済援助は国交正常化が先決で、これが解決するまではいかなる援助の申し入れがあっても受入れない。経済援助と財産請求権問題とを関連させて考える向きもあるようだが、請求権問題が解決される前には援助も受入れない。

一、北送問題は日本の政治指導者たちが共産主義の本質を理解するようになれば、その態度を是正するようになるだろう。

。産経新聞　十月二八日記事

（ソウル二十七日発〃富川三郎特派員）

当地の外交消息筋は二十七日、韓国の朴国家再建最高会議議長が米国を訪問した帰途、日本に立ち寄る意向であることを明らかにした。

朴議長は十一月十三日から二十二日まで米国に滞在、ケネディ大統領ら米首脳と会談するが、その席上、日韓問題が重要な議題となることは確実とみられている。その結果、米国は日韓問題の早期解決を要望するものとみられ、朴議長は米国の意向もふくめて日本訪問のさい池田首相ら日本側の首脳部と会談、早期解決の意向を示すもようである。朴議長は二十二日サンフランシスコを出発、途中ハワイに寄ることになっているため、訪日がいつになるかはまだわからないが消息筋によれば十一月二十四日前後ではないかといわれる。韓国の軍政権は相当な譲歩をしても日韓両国の国交正常化をはかるという熱意がつよい。朴議長が池田首相ら日本側首脳部と〃ヒザづめ〃で話し合えば日本側もある程度譲歩し、妥協できるという自信をもっている。これがいわゆる韓国側の望む〃政治会談〃であり、トップ・レベルの会談でなければ、日韓会談は解決しないという態度は終始一貫しているようだ。

消息筋によれば、朴議長はこのため同議長の片腕ともいわれる金鍾泌中央情報部長を日本に派遣し、朴議長訪日のおぜん立てのため日本側の意向を打診した。消息筋によれば韓国側は日韓会談の事務折衝の大半を朴議長訪日までにすませ、日本側首脳部と朴議長の会談結果の線にそって、年内妥結の見通しである。

ラスク長官両国訪問のねらい

（毎日新聞十月二八日付）

（ワシントン二十七日　石塚特派員）ラスク米国務長官は十一月二日からの日米貿易経済合同委員会出席を機会に一日には別個に池田首相と会談、さらに四日に韓国を訪問して五日まで滞在、その間に朴議長らと会う予定だが、米政府筋は二十六日、この両会談で①日韓関係の改善と対韓経済援助がとりあげられ②日韓関係については米政府として両国に相互理解の増進と懸案解決の促進を要望し、一歩前進のきっかけをつかむようにしたい意向であることを明らかにした。

同筋によると、池田・ラスク会談は全般的には国際問題についての意見交換が主体で、ベルリン危機、核実験、ベトナム問題を中心とする東南アジア情勢、国連での中共加盟問題などについてラスク長官から米政府の分析と当面の方針が説明されるものとみられ、一方、韓国での朴議長との会談では、韓国の政治・経済事情の掌握、特に朴軍事政権の性質と将来についてどういう判断を下すべきかの直接的な材料を得ることが目的だとされている。しかしラスク長官は東北アジアの安定と対共産圏防衛のために日韓両国が両国の関係を改善するだけでなく、さらに一歩進めて連帯関係に入ることを強く希望しており、こんどの両国訪問はその考えを両国首脳に伝える絶好の機会でもあるわけだ。

この問題は四月、日本の経済使節団がワシントンを訪問した際にもラスク長官が持ち出しており、さらに六月の池田訪米の際にも重要な議題となつた。政府筋によると、ラスク長官を中心とする国務省の考え方は、韓国は現在対共産圏防衛のうえで重要な地位にありながら、政治と経済の貧困のために非常な弱点をさらけ出しているという基本的な判断に立つており、この建て直しのためには、まず韓国経済の後進性打破、体質改善——具体的には工業化と社会経済体制の改革が必要であり、その際日本が地理的な近さとともにこれを援助する理想的な体制をもつているとみている。

日本の後進国援助のなかで他の地域より韓国に比重をかけてほしいという希望も、すでにこの線にそつて日本側に伝えられているもようだ。しかし米政府としても日本の対韓援助は日韓会談がいままで実質的に何の成果も生まず、国民感情もお互いに決して良好とはいえない状態ではほとんど不可能だし、また韓国の内情がもつと安定しないかぎり合理的、長期的な借款や援助もできないことも了解している。したがつてその前提条件となる韓国のさし当つての経済安定に米国が責任者的な役割を果す一方、間接的に日米・米韓の関係を通じて話を進める潤滑油を注入してもよいハラ構えはもつているようだ。

しかし、ラスク長官個人としては米国が介入して音頭とりとなるような形はさけたいという気持は強く、将来の日韓関係の希望図を描くことはしても、当面の具体的問題つまり李ラインや財産請求権問題などについて日韓両国間相互の自主的な解決に対する支持表明にとどまり、大局的に空気をよくしていきたいというのが米政府部内の一致した意見といわれる。

社会党第二〇回大会決定

（一九六一年三月八日）

「日韓会談」に反対し、平和統一を促進する方向にそつて南北朝鮮との諸懸案を解決する。

日本の朝鮮にたいする政策は、基本的には、(1)南北の平和統一を促進し、(2)極東の平和を確保するものでなければならない。しかるに現在進められている「日韓会談」は韓国政府を朝鮮における唯一の合法政府として、これと国交を正常化しようとしている。これが祖国のすみやかな平和的統一を念願する朝鮮民族の意思に反して南北朝鮮の対立を固定化し、朝鮮民主主義人民共和国に敵対し、極東に新らしい緊張をつくり出すことは明らかである。正式な国交は南北朝鮮の統一後に、統一政府との間に樹立すべきである。

当面日本のとるべき道は、南北朝鮮それぞれとの間に諸懸案を解決し、友好と平等互恵の立場に立つて、各種交流を積極的に推し進めることにある。

韓国との間には、全朝鮮にまたがる財産請求権、在日朝鮮人の法的地位等の問題をとり扱うべきでない。李ラインは認められない。日本はその立場をゆずることなく、正義と良識のある国際世論を背景として李ライン問題の公正な解決に努力し、それと同時に日本漁民の安全操業を確保する措置を講ずるべきである。なお、日韓共同の科学的調査を実施して、魚族資源の保護をはかる。

朝鮮民主主義人民共和国との間には、国際法と人道主義の原則に立つて、在日朝鮮人の帰国を円滑に推進する。また日朝間の直接貿易を実施することは緊急である。

社会党朝鮮対策特別委員長中村英雄談

（十月二十日）

日韓会談は去る五月の軍事クーデター以来中断されていたが、社会党の再三再四の反対にもかかわらず去る十月十八日、裴首席代表を迎え二十日から第六次日韓全面会談がまさに再開されようとしている。社会党はこの会談再開にさきがけ、去る十月十七日、院内に於て大平官房長官と会見し、左記の二点を骨子とする理由をもつて日韓会談再会に強硬に反対した。すなわち、(一)朴軍事政権はクーデターによつて成立したものであつて、このような政権と国交を樹立することは、極東の緊張を激化させ、わが国の安全をおびやかすものである。従つて、(二)当面、南北両朝鮮とは実務的な関係を維持するにとどめ、統一政府の成立を促進する必要がある。何故吾々がこのように執ように会談再開に反対するかと云えば、朴政権は周知の如く、朝鮮日報社長の李勲求氏や民族日報社長、同監査役、あるいは韓国電通社長等、「朝鮮南北の平和的な文化経済の交流」をとなえた人々に対して軍事裁判に於て死刑の判決をする等、おそるべき民衆弾圧と戦争態勢の政府であるからだ。すでに、五月十六日以降軍事政権は戒厳令をとくことが出来ず保守も革新も一切の政党や社会団体がつぶされ、経済危機も深まる一方でその内実は不安定きわまりないものである。さらにこの政権は、一九四八年十二月十日の国連総会に於ける韓国の承認を示す決議にも違反している。すなわち、「臨時委員会が監視し、協議した地域で（南朝鮮をさす）朝鮮人民の大多数が居住している朝鮮の部分に対して有効なる統制と管轄権を有する一つの合法的な政府が樹立されたこと、この政府はこの部分における選挙民の自由意志の有効な表現であり、かつ臨時委員会により監視された選挙に基礎を有することを宣言する」つまりこのような国連決議にさえ違反するクーデター政権を日本政府はこれから援助し、仲よくやつてゆこうと云うのである。今度の第六次日韓会談に於て、中心となるものは韓国の対日請求権、漁業及び李ラインの問題であると伝えられているが、対日請求権問題一つをとつても、日本政府が韓国に支払うべき金額を五千万ドル程度と算定しているのに対して韓国側は八億ドルの要求を内示したともいわれる。このような重大な問題を明日倒れるかも知れないような不安定な軍事政権と交渉しようとする、しかも吾々社会党などの反対をそらし臨時国会と通常国会の中間をねらつて強行しようとする政府自民党の真の意図は何処にあるのか？それは社会党が一番警戒し懸念しているところのタイ、南ベトナム、フイリツピン、台湾、韓国、そして日本とＮＥＡＴＯ結成につながる危険性が多分にあり、その一環として韓国軍事政権に池田内閣が日米合同委員会と呼応し強力なテコ入れを計画し、すでに実施の段階に入つたと云う点である。それは去る九月二十日に同地を視察したデッカー米陸軍参謀長の韓国軍の装備が強化されて「日本製のトラックなどが装備改善に寄与している」と云う言明、又、藤枝防衛庁長官が韓国日報の記者に「近い将来に韓国に自衛隊幹部を派遣し、かつ長期的に駐留することを私は希望する」と云う記者会見をみても明らかである。すなわち、第六次日韓会談の真の意図は、朴軍事政権と日米安保体制の強化をめざし、日本政府がそれと緊密にむすびつく事によつて、アメリカの極東戦略の一環をになう南北朝鮮の対立を固定化するところにあると思う。従つて、社会党はこのような意図をもつた日韓会談には反対せざるをえないし、又日本政府がそのような意志をすてない限り吾々は将来に於ても反対せざるを得ないのである。日韓会談に対する社会党としての主張は基本的には、㈠南北の平和統一を促進し、㈡極東の平和を確保するものでなければならない。すなわち、現在行われている、韓国政府を朝鮮における唯一の合法政府としてこれと国交を正常化しようとしている第六次会談に反対し、平和統一を促進する方向にそつて南北朝鮮との諸懸案を解決することである。当面する具体的問題としては、韓国との間には全朝鮮にまたがる財産請求権、在日朝鮮人の法的地位の問題をとり扱うべきではない。又李ラインは認められない。日本はその立場をゆずることなく正義と良識のある国際世論を背景として同問題の公正な解決に努力し、それと同時に日本漁民の安全操業を確保する措置を講ずべきである。
大体以上が社会党としての当面の方針である。

日本社会党朝鮮対策特別委員長　中村英男

日韓会談再開に反対する日本社会党の申入れ（十月十七日）

政府は、十月二十日に日韓全面会談を再開することに決定した。我が党は、かねてから日韓関係正常化は南北両朝鮮の分割状態を固定し、朝鮮民族の悲願である南北の統一を不可能ならしめるものであるとの立場から強く反対してきた。

特に朴政権は軍事クーデターによつて成立したものであつて、従来政府が日韓交渉の根拠としてきた国連決議にも反するものであり、このような政権と、国交を樹立することは、極東の緊張を激化せしめ、我が国の安全をおびやかすものである。

よつて我が党は財産請求権問題等全朝鮮に関係する諸問題を、朴政権と交渉することに反対し、当面南北両朝鮮とは実務的な関係を維持することにのみとどめ、統一政府の成立を促進することを要求する。

右申し入れる。

池田勇人殿

民主社会党一九六一年度大会で決定された外交方針（一九六一年一月二五日）

基本的には、南北両鮮の国連又は中立国保障の下における自由選挙を通じての統一とその中立的地位の関係国による保障を目途とする。それまでの間、南北両政府との間の交流をはかる。但し韓国政府が国連の認めた合法政府であるから、同政府との間に懸案の解決、国交調整を行なう。

北朝鮮帰還の問題はあくまで人道的立場から解決する。

民主社会党の朝鮮問題に対する見解

（曾禰益書記長談　一〇・二〇）

一、朝鮮・ドイツ・ヴェトナム等冷戦の結果、一国内に二つの政府が存在するに至つた国については、話し合いによる自由な選挙を通じて平和的に統一するよう希望する。

同時にそれらの国は何れの陣営にもかたよらない態度を保持していくべきだと考える。

二、しかしそれらの国の現状をみると、統一の条件が熟している国は一国もない。朝鮮の場合も同様である。

むしろ現状はドイツの例をみても明らかなように、分離の方向へさえ進んでいる。

三、従つて現実論として考えた場合単に統一を唱えるだけでは問題は前進しない。特に、南鮮と日本の問題を考えた場合、相互に懸案問題をかかえており、しかもそれは現実的に解決を迫られているものばかりである。しかも韓国は、国連において一応合法政府として認められているだけに、これを尊重することは我国としても当然のことである。

これに反して北鮮の場合は共産国だけしか承認していない。これらのことから、韓国政府との間に懸案を解決しそれが、国交調整条約の締結にまで発展したとしても決して不当のことではない。しかし、そういうことを行なうに当っては、例えば財産請求権問題等で、再び北鮮政府から請求を受けるようなことのないように配慮すべきである。

四、南鮮の軍事政権については一刻も早く民主的な民政に移行することを希望する。しかしクーデター政権だから話しあいつきあいをしないという議論は、議論として正当性を欠く。そのことは、過去においてシリヤ軍事政権等に対してとってきた我国の態度等からみて一貫性を欠く。

「日韓会談」再開に反対する

（日本共産党機関紙アカハタ一九六一年九月三日主張）

㈠

南朝鮮では軍部ファッショ政権の裁判所によって、民族の平和統一を主張してきたというだけの理由で、報道関係者八名が死刑その他の極刑の判決をうけた。これはこの政権の反動と売国の正体を示すものであり、わが党はこれに厳重に抗議する。

時を同じくして、自民党日韓問題懇談会の座長石井光次郎の招きで、韓国の金裕沢経済企画院長が「日韓間の経済その他の問題について、日本側の政、財界人と非公式に懇談する」目的をもって来日した。

そして近く池田内閣は、南朝鮮のカイライ軍政権との間に、「日韓会談」を再開し、どのような反対があろうとも今年中に妥結しようとしている。

南朝鮮の「民族日報」紙社長らの死刑、金裕沢韓国経済企画院長の来日、外務省前田課長の南朝鮮訪問などと、「日韓会談」の再開は決して偶然にかさなりあったものでもなければ、異質の問題でもない。これらはいずれもアメリカ帝国主義のさしがねによって、日韓反動勢力の間で計画され、実行されようとしている問題である。

さいきんの国際情勢の進展のなかで、世界反動の支柱であるアメリカ帝国主義は、社会主義と平和・民族解放勢力に追いつめられながら、みずからの地位を守るために世界のいたるところで国際緊張を激化させ、軍事的な冒険と戦争挑発をおこない、アメリカ帝国主義者を中心とする反動陣営のたてなおしをおこなおうと血まなこになっている。ヨーロッパにおけるベルリン問題とともに、アジアにおける南朝鮮をめぐる一連の戦争挑発行為こそ実にこのためのものにほかならない。

㈡

「日韓会談」は、ケネディ・池田会談いらい日本政府が、アメリカ帝国主義の極東政策に一役をかいながら、朝鮮再侵略をねらうものであり、日米安保条約の具体化である。

アメリカ帝国主義が、クーデターという非常手段を使ってまで植民統治と戦争挑発のために仕立てたファッショ軍事独裁政権は、成立以来三ケ月、南朝鮮人民の問題をなんら解決せず、逆に日ごとに状態が悪化し、反動支配は現在大きな困難に直面している。それだけに、ワラをもつかもうとしている南朝鮮の軍事政権にたいし、日本政府はアメリカ帝国主義の支援のもとに、軍事的、経済的つっかい棒をしようとしている。

「日韓会談」の妥結をめざす同じ時期に、反動勢力は国会で再び政暴法案をとりあげ、日本人民の反対を押し切って強引に成立させようとたくらんでいる。両者は決して無関係なことではない。

それは、第一に、日本の反動勢力の人民にたいする圧迫と収奪をさらにつよめ、極東侵略政策を助長するものである。

第二に、会談を成功させることは、日本が再び朝鮮人民にたいする犯罪をおかし、朝鮮人民の解放を妨げるものであり、プロレタリア国際主義の上からも断じて許すことのできないことである。

第三に、それは、東北アジア条約機構（ＮＥＡＴＯ）という軍事同盟を結ぶねらいをもつものであり、アジアと世界の平和にとってきわめて重大な問題である。

アメリカ帝国主義に反対し、朴独裁政権の打倒と自主的平和統一をめざす朝鮮人民のたたかいは、どのような弾圧にも屈せず大きくもり上っている。

われわれは「日韓会談」をめぐる事態の重大性を自覚して、いままで以上に会談反対のたたかいをつよめるために努力しなければならない。

(三)

南朝鮮のファッショ政権の施政にたいして、日朝両国人民は心からの憤りをもっており、日本の保守勢力の内部にさえ、池田内閣が不安定な軍部独裁政権と交渉をもつことに不安をもつものもある。さらに軍政権の弾圧政策にたいして日本の知識人のあいだにも大きな怒りがおきてきている。しかもこのようなファッショ政権を支持して、「日韓会談」をはじめるという池田政府にたいして、日本人民の反対斗争が大きく高まろうとしているのは当然である。

しかし、反面、これまでの「日韓会談」によって十年来の懸案がなんら解決を見ていないことから、今回の会談も中絶になるだろうと見るあまい傾向も民主勢力の内部にある。アメリカ帝国主義者を先頭とする反動勢力は決してそのようにあまいものではない。かれらは現在の情勢のもとであくまで「日韓関係」の調整を急いでいるのである。

九月十六日には国連総会が開かれ、朝鮮民主主義人民共和国代表もオブザーバーとして出席し、朝鮮問題が討議されようとしている。この時期には国際的に世論を高める大斗争の展開が必要である。

共産党、社会党、総評、日朝協会、平和委員会などの四十二団体で結成している日韓会談対策連絡会議は、再び「日韓会談粉砕」の行動を開始した。

われわれは、政暴法粉砕の斗争と「日韓会談」が決して異質なものでないことを明らかにして、この粉砕斗争のためにいま一層の努力をしなければならない。

「韓日会談」の即時中止を要求する声明

（在日本朝鮮人総連合会中央常任委員会）

（一九六一年十月十八日）

一、朝日両国民の強い反対にも拘らず南朝鮮「軍事政権」と日本政府はきたる二十日から「韓日会談」を再開し、その早期妥結をはかろうとしている。

最近、ベルリンに於ける戦争瀬戸際政策に失敗したアメリカ帝国主義者が極東とくに南朝鮮において新しい戦争挑発に狂奔している情勢の中でアメリカ帝国主義者の指図の下に好戦的な南朝鮮の軍事ファッショ政権と日米安保体制下の日本政府が「韓日会談」を再開し、その同盟関係を強めることは、韓日両国の独立と平和・安全においてのみでなく、極東の平和と安全にとっても重大な脅威となるものであることは言うまでもない。

われわれは、これまで「韓日会談」がアメリカ帝国主義者の極東侵略政策に奉仕し、朝鮮の平和的統一を妨げ、「東北アジア軍事同盟」をつくり上げ、極東の緊張を激化するものとしてこれに強く反対して来た。

われわれは、「韓日会談」に対する従来の立場を再確認し、「

会談」の侵略的意図に重大な関心をもつてここにあらためて「韓日会談」反対の意思を強く表明するものである。

一、それそも「韓日会談」は朝鮮戦争のさなか一九五一年十月に「韓日」戦争協力体制の強化をめざして、時の極東軍司令官マッカーサーの指令にもとづいて始められた。以来十余年の間、再開中止をくりかえしながら続けられて来たその歴史は「韓日会談」がつねにその時々のアメリカ帝国主義の極東侵略政策上の要求にもとづいて行われてきたことを示している。

今日、アメリカ帝国主義者と日本政府および南朝鮮の「軍事政権」があわただしく「韓日会談」を再開し、早期妥結を焦つているのは偶然なことではない。それはアメリカ帝国主義者の南朝鮮における植民地侵略政策の破綻と関連している。

アメリカ帝国主義者は、昨年李承晩政権の倒壊以後、とみに熟しつつあつた朝鮮の平和的統一気運をふみにじる目的の下に南朝鮮で軍事クーデターを引きおこし、軍事ファッショ政治を強化した。しかし彼らの植民地支配体制の危機はこれで強まるどころか、かえつて深刻になつてきている。

そこでアメリカ帝国主義者は彼らが育成して来た目下の同盟者である日本軍国主義者の力を借りることによつて南朝鮮における植民地支配体制の崩壊を防ぎとめようとしている。またアメリカ帝国主義者によつて保護育成されてきた日本軍国主義者はアメリカ帝国主義の侵略政策に追従して再び南朝鮮に進出し、あわよくばそれを足場として「大東亜共栄圏」の夢を実現しようとしている。また南朝鮮の「軍事政権」はその延命を図るためにアメリカ帝国主義者のみでなく日本軍国主義者と結び再び国を売りわたそうとしているのである。

「韓日会談」の反人民的、侵略的本質は古くは「会談の目的は三八度線を鴨緑江の向うに追いやることだ」といつた前「韓日会談」首席代表沢田廉三氏の発言や、近くは「南朝鮮軍事政権のテコ入れ」といつた池田・ケネディ会談の協約・藤枝日本防衛庁長官の「三八度線軍事状況視察のための日本自衛官派遣」云々の発言等にはつきりと示されている。

このように「韓日会談」はもつぱらアメリカ帝国主義者の植民地侵略政策に奉仕するものであり、独立と平和、民主主義と友好親善を求める朝日両国民の共通の利益と根本的に相容れないものである。

一、日本政府が「韓日会談」で相手にしようとしているのは、アメリカ帝国主義者がひきおこした軍事クーデターによつて非合法的につくられた軍事ファッショ政権である。かれらは軍事クーデター以後、南朝鮮「国会」をはじめ全ての政党、社会団体を強制的に解散し、一一七〇条の新聞・通信を閉鎖し、初歩的な民主主義的権利をも完全に抹殺し、十万余名にのぼる愛国者と住民を検挙、投獄、虐殺している、平和統一を唱えたという理由だけで「民族日報」と「社会党」の幹部が死刑を宣告され、「民族統一全国学生連盟」の学生幹部が重刑に処されていることに対して、それは古今、未曽有のファッショ的暴挙として日本国民をはじめ、広汎な世界の諸国民に糾弾されているところである。

一方軍事境界線におけるアメリカ帝国主義者と南朝鮮軍事政権の新しい戦争挑発策動は日ごとに激しさをくわえている。

一、日本政府がかかる非合法的軍事ファッショ政権を相手に全朝鮮人民の主権にかかわる重大問題を論議することは全く不当なことであり、例えそれとの間にいかなる取決めが行われようともそれは無効である。

またアメリカ帝国主義者の極東侵略政策にもとづいて極めて好戦的な南朝鮮「軍事政権」と日米安保体制下で海外膨張と軍事強化をおし進めている日本軍国主義者との結合は、朝・日両国民の上に核戦争の危険をもたらすものであり、極東の緊張を激化するものである。

さらにそれが朝鮮の平和的統一を妨害し「東北アジア軍事同盟」をつくりあげ、日本のファッショ化を促進するものであることはさきに述べたとおりである。

このように「韓日会談」は全く非合法的なものであり、侵略的なものであり、かつ朝日両国民の意思と利益に反するものである。

われわれは非合法的で侵略的な「韓日会談」を即時中止するよう強く要求する。

またわれわれは、日本政府がアメリカ帝国主義の侵略政策に追従し、「経済援助」に名をかりて南朝鮮に経済進出を図ろうとしている侵略的行動を即時中止することを要求する。

われわれは、平和と民主主義と独立をめざして斗つている広汎な日本国民が戦争と侵略とファッシズムに通ずる「韓日会談」に反対してより一層力強く斗うであろうことを確信する。

第六次韓日全面会談の開始とわれわれの任務

（民主新聞六一年八月三十日付主張）

さる二十四日、李公使と伊関アジア局長の会談が行われ、①来る九月二十日前後から東京において、第六次韓日全面会談を開く②分科委員会、小委員会の設置は第五次予備会談の通りとする③第五次予備会談で合意をみた点は引き続き有効とする④日本側は北送の早期終了に努力する⑤韓国側は、日本の駐韓代表部の設置は認めないが、関係官吏の入国視察を認める、などの点について合意をみたと伝えられる。

韓日間の早急な国交正常化は、善隣友好を願う両国民の気持や極東自由陣営の強化という国際的な視野からみて、従来とても強く望まれていたのであるが、とくに最近においては、①米・ソ両陣営の対立激化②北韓と中・ソ間の軍事同盟の締結③韓国における革命課業完遂のための経済建設の急務④日本の反共戦における対韓同志意識の向上などによつて、その緊急性が一段と強まり、もはや一日の遷延も許されない事態に立ち至つている。

現在の韓日両政権はいずれも強固な基盤の上に立つ安定政権であり、しかも両国の国交正常化にたいする熱意と合理的な態度という点からみて、過去のどの政権よりも勝つており、われわれは「こんどこそ必ずや早急かつ円満な会談妥結をみるであろう」と、会談の前途に大きな期待をよせているのである。

しかし、なにぶんにも、韓日間の諸懸案は、その内容において広範で、しかも複雑微妙なものがあり、その根差すところも過去半世紀にわたつてきわめて深刻なものがある。

それだけに、過去数次の会談において、常に大きな失望落胆を経験してきた、われわれとしては両当局者にたいして、くれぐれも十分にハラを固め事に当つて貰いたいと願うのである。

このような見地からして、われわれが、もつとも恐れている点を卒直にいわして貰うならば、それは日本側の「経済面における優越意識」と韓国側の「名分論」が会談の過程において、ぶつかり合うようなことがないであろうかということである。なるほど、わが韓国にとつて、日本との協調関係の樹立ということは焦眉の急務ではある。しかし、それはあくまで、両国民の利益と極東自由陣営の強化という大局的な見地にもとづくものであつて、たんなる自国本位の援助要請では断じてない。万一、日本側がこの点について誤解し自らの経済的優位によつて俗にいう「足もとにつけ込む」ような態度をとるとすれば、会談はまたもや決裂の憂き目をみるおそれが多分にあるのである。

一方、わが韓国側も心の隅に存在している「城下の誓い」的な気持を日本側に露骨に押しつけるようなことがあれば、これまた会談の円満な進展を阻害することとなろう。なるほど、われわれはサンフランシスコ平和条約に直接的には加わつていないから、こんど日本側と結ばれるであろう基本条約は、厳密な法理論からみて論議の余地はあるにせよ、実質的には一種の「講和条約」的な性格を持つものである。しかし、だからといつて、それを表面に露骨に押しだすことは、第一次大戦後のベルサイユ条約が第二次大戦の大きな禍因をなした歴史の教訓をまつまでもなく、両国の将来にとつて好ましからざる事態を招くであろうことは明らかである。

もとより韓日間における「過去の清算」は、このさい、きれいさつぱりと合理的に、また、公正につけるべきことは当然であるが、より重要なことは、共存共栄の大局的見地から将来の協力体制を確立することであることを忘れてはならないであろう。

このような考え方は一部の対日感情論者からみれば承服しがたいかも知れないが、公正にして強固な性格を持つわが革命政府は、おそらくこれら一部の論者による不評を意に介することなく、われわれが希望しているような線にそつて勇敢に進み、円満公正な会談妥結に至るであろうと期待されるのである。

すでに半世紀、三代の長きにわたつて日本に居住し、韓日間に介在する諸問題の困難さを知り尽しているわれわれ在日同胞としては、このような重要問題については一言せざるを得ない立場にあり、こんごとも在日同胞の総意を代表したこの種の建議は誠意を以つて卒直にどしどし述べるべきであろう。またこうすることによつて、われわれの特殊な立場を生かし、会談の進展を側面的に促進し得ることになると信ぜられるのである。

現在の韓日両当局者の意気込みや国際的な背景からみて、こんどの会談は比較的に順調な足どりをみせ、早ければ年内、遅くとも来春早々には円満妥結に至るものと予想されるが、そうなると、われわれ在日同胞の法的地位は明確なものとなり、また、それだけにわれわれの在外国民としての責務は一層重大さを加えることになるのである。われわれは予めその日に備えて十分なる対策を講じておかねばならない。

第一に、われわれは国交正常化後においては大韓民国国民としての自覚と誇りを一層高め祖国にたいする忠誠心を昂揚するとともに、永住権の獲得、各種の「内国民待遇」などによつて生ずる「特殊な外国人」としての立場から、日本政府ならびに日本国民との友好協力関係の樹立について、従来より一段と真剣かつ本格的に取り組まなくてはならない。

第二に、会談成立後はわれわれにたいする北韓・総聯側およびこれと結託する日本社会党などの容共諸団体の攻勢が一段と熾烈化することは必至とみられ、われわれとしては予めこれを制圧する対策を十分に講じておかねばならない。とくに日本社会党などの容共諸団体にたいしては、従来の微温的な態度を一擲して、これらの諸勢力が口に、共産党と一線を画する議会制民主主義の堅持、いわゆる積極的中立政策にもとずく「韓国と北朝鮮双方に対する友好関係の保持」を唱えながら実際においては、一方的に韓日間の友好関係の樹立を妨害している矛盾を徹底的に追及し彼等の策謀を完全に封じなくてはならない。

第三は、一般総連系同胞にたいする対策の強化である。これらの人びとは韓日国交正常化後においても幹部の強制により北韓支持の態度を持続することが予想されるが、そうなると日本政府は北韓の存在を正式には認めていないから、事実上、無国籍的外国人の扱いを受けることになり、韓国政府の外交保護権や在外国民保護対策の恩恵から除外されることになるのである。われわれは遠く国外にあつて苦楽をともにし、互いに助け合うべき同胞たちが、一部の共産主義者たちのために、このような憂き目をみるのを傍観するわけには行かない。このような意味において総連系同胞にたいする包摂運動は従来より一層真剣に行われなければならないのである。また、同時にこのことは、われわれが祖国の反共民主革命や自由民主主義による祖国の平和統一に貢献し得る一つの方法でもあるのである。

いずれにせよ、こんど開かれる第六次全面会談によつて、韓日関係を中心とする極東情勢やわれわれ在日同胞社会に大きな変化がもたらされようとしている。われわれは一致団結、決意を新たにして予め十分これに備えるところがなければならないのである。

韓国情勢在日学生研究会の声明文

（十月十七日）

我が祖国、韓国の歴史の一頁を輝かしいものにした、記念すべき一九六〇年！

あの四・一九革命の直後、互いに手を取り合つて感激し、号泣した我々在日韓国人学生は、祖国の情勢を学問的立脚点から洞察、考究すべき韓国情勢在日学生研究会を誕生させた。まさしく、それは祖国の民主主義確立と民族解放の為に斗つた学生達への衷心からの賛意と力強い声援であつた。そして祖国への愛と夢が限りなく我々の胸に拡がつていつた時に組閣された張勉政権は、民族の悲願である統一への第一歩を明示した学生達の南北学生会談開催決議呼訴を、民族の意志に反して屈辱的に無視し、遂に軍部クーデターという非合法的、前時代的暴挙を起させる口実を与えてしまつた。世界歴史上の、全ての軍部ファッショがそうであつた如く、何ら論拠と民族的活路を持たずして、登場した軍部政権は矢次ぎ早やに民衆の目をごまかしえない、そして何ら本質をも顧みようとしない線香花火的政策を乱発させて、我が民族を死路に追いやつている。

民主主義を叫び、自由と平和を唱えた愛国的文化、言論出版人士や、革新政党の基本的権利を剝奪して、権力という重い鎖で、真の愛国者を獄窓につないでいる。今われわれ民族の最も欲しているものが、最もかちとらねばならないものが〃自由か〃、〃鎖か〃答えは明確であるにも拘わらず！

また、過去の悲惨なる圧政に苦悩してきた民衆には、火を見るよりも明らかな従属的、内政干渉、不平等条約である「韓米経済援助協定」や、明らかに言論弾圧を企図する「反共臨時特別法」や、更にまた、言論・集会・結社の自由を侵害する「デモ規制法」に反対して民族の生きる唯一の道である、南北自主平和統一を推進しようとした愛国の学生達に、懲役十五年二名をはじめとする未曾有の重刑を課して、その狂乱ぶりを自らの手で、余すところなく暴露している。自信のない犬ほど牙をむいてかみつくということを、誰が知らない者がいようか。

我々は、自由たる天地の下で一日も早く祖国南北の統一がもたらす民族の繁栄と高揚を死を賭しても欲求してやまない。

「軍部政権」という民族の恥辱とサテツを再びくりかえさないためにも、我々韓国情勢在日学生研究会は、軍部政権につぎのことを要求する。

一、軍部政権の即時退陣および政権を民政に移譲することを要求する。

一、獄窓にある全ての愛国的言論・出版・政党人の即時無罪釈放を要求する。

一、四・一九革命の担い手である民統学連学生を、我々は支持するとともに、即時無罪釈放を要求する。

（なお、このほか法政大学韓国学生同窓会、東大韓国人学生抗議集会、早稲田大学韓国文化研究会等でも抗議の声明を出している。）

日朝協会畑中政春理事長の質問状に対する朝鮮民主主義人民共和国金日成首相の回答

（四月五日）

あなたの電報を受け取りました。私はこの機会に、朝・日両国人民間の親善関係発展のために努力しているあなたと日朝協会の全会員に敬意を表し、平和を愛する日本人民にあいさつをおくります。

あなたが提起した「韓日会談」にたいするわれわれの原則的立

場についてのべるならば、われわれはこれまでにしばしばせん明してきたように、「韓日会談」は、朝鮮人民の利益のみならず日本人民の利益をも厳重に侵害するものであります。

アメリカ帝国主義のあやつりのもとにおこなわれている「韓日会談」は、侵略的な軍事ブロックである「東北アジア同盟」（NEATO）をでっちあげようとする悪らつな策動の一環であります。それはまた、朝鮮の平和的統一をはばみ、朝鮮の分裂を永久化し、南朝鮮をひきつづき植民地隷属状態にしばりつけようとする陰謀策動であります。

あなたが質問した個々の問題にたいするわれわれの立場はつぎのとおりであります。

一、日本政府が「対日請求権」問題をふくむ全朝鮮人民の利益にかかわる問題を、朝鮮人民を代表できないし、また代表したこともない南朝鮮当局と討議するのは、全的に不法なことであります。われわれは「韓日会談」でいかなる合意に到達しようとも、それを認めないであろうし、無効とみなすでありましょう。

二、「韓日会談」で「法的地位問題」を論議するのは、在日朝鮮公民に「韓国国籍」を強要し、かれらを政治的取り引きのもとでにしようとする陰謀であります。それはまた、在日朝鮮公民を政治的に「選別」して迫害を加えようとする策動であります。在日朝鮮公民は朝鮮民主主義人民共和国の堂々たる公民であります。われわれは、共和国公民たちの神聖な人権をじゅうりんするいかなる不法な非人道的な策動も決して許さないでありましょう。日本政府は全在日朝鮮公民に民主主義的民族的権利をはじめ、国際法で公認された外国人としてのあらゆる合法的権利と待遇を保障すべき義務があります。

三、いわゆる「李承晩ライン」問題にたいしては、われわれは「李承晩ライン」そのものを知りません。

四、朝鮮民主主義人民共和国政府の対日政策についてのべるならば、われわれは隣接国との善隣関係を発展させるためにつねにたゆみなく努力しています。しかし、こんにち日本政府は共和国政府を敵視する政策をひきつづきとっています。われわれは日本人民と親善関係を発展させ両国間の経済・文化交流の正常化のためにひきつづき努力するでありましょう。これとともに、アメリカ帝国主義者の侵略政策と日本軍国主義の復活に反対し、平和と民主主義と民族独立と中立のための日本人民の斗争を積極的に支持するでありましょう。日朝協会の事業でこんご成果があらんことを希望します。

朝鮮労働党第四回大会において金日成委員長が行なった「党中央委員会の活動報告」

（九月十一日）

アメリカ帝国主義者は、アジアにおいて、ひきつづきわが祖国の南半分を占領し、これを自己の軍事基地にかえた。かれらは、南朝鮮のアメリカ侵略軍とカイライ軍の兵力をいっそう増強し、原子兵器や誘導兵器をはじめとする各種の新兵器を南朝鮮にもちこみ、軍事境界線附近でたえまなく軍事演習を強行している。

さいきんアメリカ侵略者は、朝鮮で緊張をいちだんと激化させ、あらたな戦争騒動をおこしている。かれらは特別に訓練した新しい部隊をアメリカ本土から南朝鮮につれこんでおり、軍事基地や軍用施設を大々的に拡充し、いっそう多くの青壮年をカイライ軍に強制徴集して、侵略態勢を強化している。

アメリカ帝国主義者は、また、中国の領土台湾を占領して中華人民共和国にたいする敵対行為をつづけており、南ベトナムとラオスにたいして侵略と干渉を強行している。

とくにアメリカは、アジアにおける戦争の根源である日本軍国主義を復活させて、極東侵略の「突撃隊」におしたてようとしている。アメリカ帝国主義者は日本の反動支配グループと日米軍事条約を結んでおり、侵略的な「東北アジア同盟」を結成しようとたくらんでいる。日本の軍隊は、アメリカ帝国主義の積極的な支援をうけて増強されており、新兵器で装備されている。アメリカ帝国主義にかばわれてふたたびアジア征服を夢みている日本帝国主義者は、こんにち、おおっぴらに「海外出兵」を主張して、再侵略の道にふみだしている。……

……朝鮮人民は、日本帝国主義がふたたび頭をもたげて、公然とアジア侵略の野望をむきだしにしているのを黙過できない。とくに日本軍国主義者は、アメリカ帝国主義の後押しで南朝鮮にたいする経済的侵略を画策する一方、南朝鮮をひき入れて侵略的な軍事同盟を結ぼうとたくらんでいる。わが朝鮮人民は、南朝鮮にたいする日本軍国主義の再侵略のたくらみと、それを積極的にあおりたてているアメリカ帝国主義者の犯罪行為を、決定的に糾弾する。日本軍国主義の再軍備は断固阻止されねばならず、アメリカ帝国主義と日本軍国主義勢力のあいだに結ばれた日米軍事条約はただちに破棄されねばならない。

アメリカ帝国主義は、南朝鮮、台湾、日本、南ベトナム、ラオスその他アジアの全地域から撤退すべきであり、その侵略ブロックと軍事基地は撤廃されねばならない。わが朝鮮人民は、アメリカ侵略者をアジアの全地域から撤退させ、極東の平和を守るために、全アジアの人民と固く団結してたたかうであろう。……

前中国人民義勇軍司令官楊勇上将の見解

（北京十月二五日発新華社＝ＡＮＳ）

前中国人民義勇軍司令官の楊勇上将は同軍の朝鮮戦争参戦十一周年（十月二五日）を記念して、二五日の北京「人民日報」に論文をよせている。楊勇上将はこのなかで日韓会談にもふれ、「米国がアジアの東北地区で緊張した情勢をつくりだそうとしていることに高度の警戒心を保たないわけにはいかない」と次のように強調している。

米国は朝鮮問題の平和的解決を妨げるため、南朝鮮を新戦争準備の基地としており、また中国の領土台湾を占領して、中国政府のたびかさなる警告をもかえりみず、中国の領海・空をたえず侵犯している。

特に注目すべきことは、米帝国主義とその手先が最近、南朝鮮でのファッショ支配をよりいっそう強化すると同時に、日本軍国主義者と結託して「日韓会談」なるものを積極的に進め、東北アジアでの緊張情勢をつくりだすことに力を入れ、朝鮮・中国・アジアの平和を大きく脅かしていることである。中朝両国人民と平和を愛する全世界の人民は、こうしたことに高度の警戒心を保たないわけにはいかない。

「日韓会談」略年表

一九五二年二月一五日　第一次会談開催。首席代表－松本俊一・梁裕サン。
一九五二年四月二一日　会談紛糾し、同月二九日決裂。
一九五三年四月一五日　第二次会談開く。首席代表－奥村外務次官・金溶植。
一九五三年七月二三日　日本側から休会を提案し、中断。
一九五三年一〇月六日　第三次会談開く。首席代表－久保田貫一郎・金溶植。
一九五三年一〇月二一日　「久保田暴言」により、会談決裂。
一九五八年四月一五日　第四次会談開く。首席代表－沢田廉三・林炳稷。
一九五九年一月三〇日　藤山外相、在日朝鮮人の北朝鮮への帰国を示唆したため韓国政府側は会談を「自然休会」とした。
一九六〇年一〇月二五日　第五次会談開く。首席代表－沢田廉三・兪鎮午。
一九六一年五月一六日　南朝鮮にクーデター起り、会談は中断。
一九六一年一〇月二〇日　第六次会談開く。首席代表－杉道助・裵義煥。

日韓会談の問題点（解説）

1. 基本関係

朝鮮の解放は、国際的なとりきめとしては第一にカイロ宣言（一九四四・十一・二七）において約束された。第二にはポツダム宣言（一九四五・七・二六）がカイロ宣言を吸収した。第三に日本政府は一九四五年九月二日、降伏文書に調印して、ポツダム宣言を受諾した。この降伏文書には、「下名ハ茲ニ合衆国、中華民国及「グレート・ブリテン」国ノ政府ノ首班ガ千九百四十五年七月二十六日「ポツダム」ニ於テ発シ後ニ「ソヴイエト」社会主義共和国聯邦ガ参加シタル宣言ノ条項ヲ日本国天皇、日本国政府及日本帝国大本営ノ命ニヨリ且之ニ代リ受諾ス、右四国ハ以下之ヲ聯合国ト称ス」とある。（下名＝重光葵、梅津美治郎）これによつて日本は、朝鮮の解放と独立に同意したわけであつた。カイロ宣言には、「ヤガテ（in due course）朝鮮ヲ自由且独立ノモノタラシムルノ決意ヲ有ス」とあり、まず同盟国による進駐が朝鮮に対して行なわれた。

日本が降伏文書に調印すると同時に、連合軍総司令部は、一般命令第一号により、東アジア各地域の日本軍隊の降伏を処理するために同盟各国間に地域的分担を定め、朝鮮の日本軍については、北緯三十八度線から北はソヴェト軍司令官、南はアメリカ軍司令官に降伏することを命令した。（アメリカ国務省「朝鮮白書」によると、当時アメリカ軍の最前進地域が沖縄であつたのに対し、ソヴェト軍はすでに朝鮮に入つていたので、三十八度線による南北の分担を提案し、これにスターリンが同意したので、九月二日の総司令部一般命令第一号のように決つたという）。

つまり、三十八度線は、日本軍の降伏を受付けるために、当時の状況によつて、便宜上、暫定的にきめたものにすぎなかつた。

一九四五年十二月十六日－二六日にひらかれたモスクワ三国外相会議（ソヴェト、アメリカ、イギリス）の協定により、米ソ共同委員会の後見の下に、臨時朝鮮民主主義政府および朝鮮民主団体が参加し、五年後に朝鮮を独立させる方式が決つたが、実行に当つてアメリカ側は南朝鮮に協定反対の団体勢力を強めたため、行きづまり、一九四七年九月十七日にアメリカは、「協定違反」と反対するソ連の反対を押し切り、国連に朝鮮独立問題を提訴した。その結果、総会中間委員会（共産圏六国は不参加）の決議により、一九四八年五月十日、南朝鮮だけの総選挙が行なわれ、八月十五日大韓民国政府の樹立が布告された。これに対し、北朝鮮では、南北朝鮮諸政党社会団体連席会議（四八・四・一九－二三）南北朝鮮諸社会団体指導者協議会（四八・四・三〇および四八・六・二九－七・五）などがひらかれ、これには南朝鮮極右団体の代表たち（のちに李承晩により暗殺）も参加し八月二五日に南北朝鮮総選挙（南は地下で行なったものであろう）が実施され、朝鮮民主主義人民共和国政府が樹立された。

一九四八年十二月十二日、国連総会第三回年次会議は、次のような決議を行なつた。

（四八対六、棄権一）

（一九四八年十二月十二日、総会決議第一九五号、第三）

（前略）（総会は）口、臨時委員会が観察し、協議し得た地域で、朝鮮人民の大多数が居住している朝鮮の部分にたいし、有効な統制と管轄とを有する一の合法政府（A Lawful Government）

が設立せられたこと、この政府は朝鮮の右の部分における選挙民の自由な意志の有効な表現であり、かつ臨時委員会で観察せられた選挙に基礎をもつこと、ならびにこれが朝鮮における唯一のこの種の政府であることを宣言する。

つまり、この決議によってみても、大韓民国政府は、全朝鮮を代表する政府としては認められなかった。

一九五一年九月八日、日本政府はサンフランシスコ講和条約に調印した。これにより、日本は、朝鮮については次のように意志表示を行なった。

（第二条）（a）日本国は、朝鮮の独立を承認して、済州島、巨文島及び鬱陵島を含む朝鮮に対するすべての権利、権原及び請求権を放棄する。

この条項にもとずき、アメリカの仲介の下に、一九五一年十月二十日、日本政府と韓国政府の間に第一次「日韓会談」がひらかれ、以来十年を経過して、今日の第六次会談に及んでいる。

この会談をすすめるにあたり、日本政府は、国会答弁において は、先の国連決議を根拠として、「ベトナムの場合は南ベトナム政府が全ベトナムを代表するが、朝鮮の場合は韓国政府が全朝鮮を代表する政府ではなく、三八度線以南に限られている。これは国としての成立過程が異なるためである。日華条約も、条約適用地域では限定されているが賠償問題などでは全中国を代表しており、朝鮮の場合はこれよりも限定されている」、という見解を表明している。（六一・二・一七、小坂外相および中川政府委員の答弁より）

しかし、降伏文書、サンフランシスコ条約などにより、日本は、朝鮮の独立を承認する義務を負っている。従って、当然日本は全朝鮮との交渉によって、朝鮮との基本関係を樹立し全朝鮮の独立を承認して国交をひらかなければならない。これは、南朝鮮だけを代表し、しかも北朝鮮の政府を否定している韓国政府との間の交渉によっては不可能である。しかしその無理を強行するところに「日韓会談」の基本的に不合理な点がある。「日韓国交を正常化」のための条約草案の内容として検討されているのは、次の八項目である。

①大韓民国と日本は一九一〇年八月二十二日以前に旧大韓帝国と日本国間に締結されたすべての条約が無効であることを確認する。

②大韓民国と日本は、可能な限り速やかに外交ならびに領事関係を設けること。

③友好通商航海条約を締結すること。

④在日韓国人の国籍および処遇に関する協定を結ぶこと。

⑤韓国の日本に対する財産および請求権支払いに関する協定を結ぶこと。

⑥韓国と日本は、両国を結んでいる海底電線を二等分し、その施設を保有すること。

⑦漁業規制および制度、漁業保護と発展のための協定を結ぶこと。

⑧批准書交換に関する手つづき協定。

これらを韓国政府を相手として交渉し、条約締結によって国交正常化を行なうことには基本的な不合理があるため、国会での野党の追及および国民の疑惑を避ける必要上、「日ソ共同宣言方式」によって問題をあいまいに表現して処理する方法がとられるかもしれないと、消息筋は伝えている。

しかも、この第六次「日韓会談」で日本政府が相手としているのは、前述の、国連決議にも違反したクーデターによる非合法政権であるから、交渉は、以前の李承晩政権や張勉政権よりも一そう不合理なものとなっている。

十月七日、衆議院予算委員会における小坂外相の答弁によれば政府は、この軍事政権を相手とする理由として、この政権が「二年後には文民政権に移行する」と言っていること、政策として国連中心主義、日韓友好をとなえていること、尹潽善大統領が留任していること、などをあげている。

しかし、これは、クーデター以前に、同じ小坂外相をはじめ政府側があげていた理由とは全く違っている。クーデター以前には、くり返し、「韓国政府は、国連決議の通り、国民の自由な意志にもとずいて行なわれた選挙によって成立した唯一の合法的な政府だから、交渉の相手とする」と答弁していた。

二年後に文民政権に移行するといってもそれは未来の可能性であって、現実の軍事政権が合法なのではない。国連中心主義とはいっても、現実の軍事政権は国連決議をふみにじって成立したものである。

では、尹潽善大統領の合法性というのはどうであろうか。五月十六日クーデターの当時、尹大統領は、一度辞任しようとしたが、クーデターに一抹の合法的外観を与えるために強制的に留任させられたということは、当時の各報道が伝えたところであった。問題なのは、現在の尹大統領が、国民の自由な選挙による合法的な就任をしたかどうかということだが、その合法性は右の経過によっても否定される。さらに検討すれば、尹大統領は、昨年六月十五日に改正された「大韓民国新憲法」によって選出された大統領であった。

この憲法改正の大きな特徴は、それまでの「大統領責任制」を「内閣責任制」にあらため、国民による大統領直接選挙を、国会による間接選挙にあらためた点である。

改正前

第五三条　大統領と副大統領は、国民の普通・平等・直接・秘密の投票により、おのおの選挙される。

改正後

第五三条　大統領は、両院合同会議で選挙し、在籍国会議員三分の二以上の投票により当選とされる。

軍事政権は、このような改正後の選挙による尹大統領の選挙母体である国会を廃止消滅させ、また「内閣責任制」により行政権の責任をもつ内閣をも廃止消滅させたのである。従って尹大統領が留任していることは、クーデターを合法とする理由とは全くなり得ない。五月十六日以降、十一月現在にいたるまで、まだ軍事政権が戒厳令を布いたままであることは、現実の軍事政権が国民の意志にもとずくものではないことの証明ともなっている。

つまり、対外的には国連決議に照らしても、対内的にみた場合でも、軍事政権は合法性がなく、従って、これを「合法的」と強弁しようとすると、池田内閣の国会答弁も不合理なものとならざるをえないのである。

2. 在日朝鮮人の国籍および処遇問題

「日韓会談」において、懸案といわれる項目のうち、もっとも内容が固まっているといわれているのが、「在日韓国人の法的地位」の問題である。

だが、少し検討してみると、状況次第ではこの項目ほど在日朝鮮人に対して大きな影響をもつものはないし、また同時に、協定の双務的性格からして、日本人が南朝鮮で活動する場合の地位も、そこから根拠を与えられることになるとも考えられる。

在日朝鮮人は大ざっぱにみつもって約六十万人といわれるが、そのうち約四十五万人が「朝鮮籍」、のこり十五万が「韓国籍」といわれる。だがこの場合、二つの籍の性格には従来でも相当なちがいがあった。

一九四七年五月二日に勅令第二〇七号「外国人登録令」が公布、施行された。この施行の目的は、在日外国人の九割を占める在日朝鮮人を管理することにあったといえる。この登録により「外国人登録証明書」が交付されたが、この時、「国籍欄」にはすべて

「朝鮮」と記入された。一九五〇年一月に、登録の切りかえが行なわれたとき、「大韓民国居留民団中央本部」は、法務省に対し、「国籍欄の朝鮮という名称は独立国家大韓民国の尊厳を損傷するものである故『大韓民国』国号をもつて統一すること」を申入れた。外務省はこの申入れに対し、「国籍は講和条約または他の会議で公式に定められるべきで……日本政府は『朝鮮』を使うのは国籍に関することでなく、全Koreaを意味する。日本の現今の立場や、在日朝鮮人の地位に鑑みRepublic of Koreaを意味する『韓国』または『大韓民国』の言葉を使うのは日本政府にとつて不適当である」と回答した。ところが、翌二月二十日、マッカーサー司令部は「朝鮮にかわり韓国の名称の使用」という覚書を出し、「KoreaおよびRepublic of Koreaに対し、それぞれ『韓国』および『大韓民国』、なおまたKoreanに対し、『韓国人』の名称の使用を認可する」ことを命じた。この命令によつて日本政府は二月二三日閣議で公式に「韓国」の名称使用を決定したのである。但し、このときの法務総裁の談話では、「本人の希望があれば『朝鮮』を『韓国』または『大韓民国』の用語にかえる方針」は言明したが、これは「実質的な国籍問題や国家の承認の問題とは無関係で……法律上の取扱を異にすることはない」、としたのである。

だがその一方では、韓国政府は一九五〇年二月十一日に、大統領令第二七九号「在外国民登録施行令」を出し、その日本における事務を「韓国駐日代表部」に代行させた。韓国と日本との間に正式の国交はないが、「駐日代表部」は存在している。これは、もともと、「朝鮮米軍政庁在日本総公館」が一九四八年に「米軍民事処東京公館」と改称されて、東京に存在していたものを、一九四九年一月二九日に「韓国駐日代表部」と代えて、韓国人「公使」をおくようになつたものである。

一九五二年四月二八日、サンフランシスコ条約が発効した日、法律第一二五号「外国人登録法」が公布され、それまでの「外国人登録令」に代えられた。それによつて日本政府は朝鮮の独立を承認したわけであるが、朝鮮との直接の基本関係が樹立されたわけではないから、在日朝鮮人の国籍問題は、本質的には変りがなかつた。

一九五一年十月四日には政令第三一九号として「出入国管理令」が制定され、やはりサンフランシスコ条約発効の日に法律第一二六号として効力を発生したが、この中では在日朝鮮人の在留資格ははつきり規定されていなかつた。これは、日韓会談の成立が間近いことを前提として制定されたものであつた。

これらの経過をみれば、在日朝鮮人の法的地位は、占領時代も、講和発効後も、あいまいなままでありながら、しかも将来、「日韓基本関係」が成立することを考慮に入れて扱われてきたことが分る。

すでに張勉内閣時代、合意に近づいた「法的地位」のおもな論点は、次のようなもので、すでに草案作成の段階に入つているといわれている。

①国籍問題。
②永住権の許容および処遇。
③強制退去および追放の問題。
④本人の意志により帰国する者の財産の搬出および現金の持帰り限度。

このうち、②に対しては、現在日本での居住が許されている「備胞」とその子孫にいたるまで永住権が与えられることに合意をみている。もちろん「朝鮮籍」の者に対してどうするのかは明らかにされていない。

③の強制退去については、韓国側は永住権を与えられたものに対しては、「出入国管理令」第二十四条(退去強制)を厳密に適

用すべきでないとの立場をとり、日本側も貧困や身体障害を理由に退去を命ずることはしないなど、種々の面で手ごころを加えるという原則に立っている。だがその反面、「朝鮮籍」の者に対して、手ごころを加えずきびしいやり方をとる道がひらかれている。ことに日本政府が「日韓両国の友好をそこなう」という理由で、「朝鮮籍」の者に対してきびしい態度をとることが考えられる。

また、韓国側は、永住権を与えられた者に対して、参政権と公務員になる権利を除いて内国民待遇を与えるよう要求しており、日本側はこれに対して、内国民待遇に準ずる「特別の待遇」を与えるといっている。

このことが実は、「在日韓国人」だけの問題ではなく、南朝鮮に進出する日本人に、より有利な法的根拠を与えることになるということを、昨年、まだ言論の自由があった当時、漢陽大学長韓太寿氏が次のように指摘したことがある。

「……もしもそのように在日僑胞が日本で永住権をうるようになれば、日本人が韓国へくることも認めなければならず、これは日本の資本および技術の導入とともに、わが国を急速に日本化させる役割をするであろうことは明らかである。日本居留民を保護する日本領事館と外交のための日本大使館がわが国におかれるのも遠くないのみならず、わが国の経済界が完全に日本に支配されることを、どうするつもりなのか……。」（「国会評論」十二月号「張内閣の政策を批判する」）

前例をいえば、「韓米友好通商航海条約」においても、韓米両国はお互いに「内国民待遇」「最恵国待遇」を対等に与えあっている。ところが条約の上では、平等であっても、実際には、経済力の圧倒的なちがいにより、米国側の南朝鮮に対する完全な制圧を生み出す作用をもつようになっているわけである。平等に権利を与えあう条約によって、実際には不平等が実現される。

④について韓国側は次のように提案しているという。（東亜日報）

(イ)恒久的に帰国する韓僑は、爆発物と麻薬を除くすべての財産を課税なく自由に搬出できるようにすること。

(ロ)恒久的に帰国する韓僑は、一世帯当り現金を一万ドルまで持ち出せるようにし、残りの財産は韓国経済再建のために使用できるときそれを搬出できるようにすること。（これは日本側の出した案の対案である。日本案は、一世帯当り五千ドルの持出しを認め、あとは日銀に預金する。それを本国に送る期間と方法は、実務者会議で決める。第五次会談第六分科委員会）

(ハ)大部分の韓僑は、第二次大戦中、日本による強制労働のために動員されたものだから、帰国する韓僑に対し一人当り二千ドル（七十二万円）の賠償金を払うこと。

(ニ)韓僑に対し、公立学校教育および社会保障制度において日本国民と全く同じ待遇を与えること。

これらの論点において、在日朝鮮人のうち圧倒的多数の「朝鮮籍」の人々は無視されている。その結果、「韓国籍」に入った人人にのみ「特別の待遇」が与えられるようになれば、おのずから「朝鮮籍」の人々に対する差別待遇となり、圧迫が行なわれることになる。その差別の内容としては、以上の論点以外に、「韓国籍」に入った人々に対してのみ、外交保護権、出入国の自由、金融上の便宜、留学権、婚姻の自由など、さまざまな権利を与え、「朝鮮籍」の人々はあくまで正当な国籍を持たぬものとして扱い、生活保護の制限、民族教育の権利の否定にまで及ぶさまざまな圧迫を加えることもありうる。もしも、行政上、外交上、そのような差別が実施された場合、それは、在日朝鮮人のなかに盛んな、南北の民族統一への動きを分裂させるための工作となりうるわけである。従って、この「法的地位の問題」は、一般に日本で考えられている以上に、深刻な紛争を裏にはらむものであり、「日韓会談」のもつ重要な難点といわなければならぬ。

3. 財産請求権問題の経過

一九五九年三月二十日「朝鮮日報」によれば、南朝鮮における日本植民地時代の日本側財産処理は、「帰属財産処理」といわれ、次のような経過をたどつたという。

「今年（五九年）二月末現在、帰属財産総数三二九、〇〇〇件のうち、すでに処理を終つたものは二七五、〇〇〇件で、全体の八〇%。その契約高は総額四六五億圜だが、そのうち収納できた金は半分にも満たぬ二〇六億圜にすぎない。」なぜそんなことになるのかといえば、「権力と情実によつて帰属財産が不当に廉価で処理されているからだ。」という。一九四五年八月十五日、日本が敗戦、朝鮮が解放されてから、南朝鮮に軍政を布いた米軍は、九月二十五日、南朝鮮にあつたあらゆる日本財産を凍結没収した。そして「敵産管理委員会」をつくり、十二月十二日からその処理をはじめた。しかし「解放後の無秩序と混乱、米軍政庁の無責任で消極的な管理行政の隙間を利用して、サギ漢と悪質な韓国人通訳とが結びついて帰属財産の争奪が行なわれ、社会悪の根源となつた。」「高層建築、高級住宅は米軍官吏の住宅となり、五一三件の生産企業体が米軍人、通訳、奸商の結びつきによつて契約された。」「財務部統計によると当時二、二〇〇件の財産が処分されたが、契約高は二六〇〇件にすぎない。」一九四八年八月十五日李承晩政権がつくられると、九月二十日発効の「韓米間財産および財政に関する最初協定」により、帰属財産は米軍から李政権に譲られることになつたはずだが、「処理法規の公布がなぜか遅れ、それに行政技術の未熟さも加わつて、またもやその争奪戦がはじまつた。」そうこうしているうちに、朝鮮戦争がはじまり、とうとうせつかくの「日常遺物の帰属財産」も、その五二%が戦災で失なわれたのであつた。

日本側は、日韓会談において、はじめ、「ヘーグ陸戦法規第四十六条」にもとづき、この「帰属財産」の中の「私有財産」の返還を要求していた。しかし、右のような米軍の実施した既成事実にふれることを避けていた。

「在韓日本人の私有財産が没収されていないという解釈をとれば、アメリカの軍政庁のやつた措置は国際法に合致しているけれども、仮に韓国のように、日本の私有財産は没収されているという解釈をとれば、米国は国際法違反をやつたことになる。日本としてはそういう解釈はとりたくないと、そう申しました。」（一九五三年十月二十七日、参議院水産委員会における第三次会談日本代表久保田氏の説明）

このように、米軍政にふれずに請求権を主張することにより、日本側は、それを韓国側の対日請求権と相殺すべきであると主張していたが、第三次会談のとき、一九五七年十二月三十一日アメリカ政府の対日覚書きにより、請求権を放棄した。しかしこのアメリカ側の見解はそれより五年前、一九五二年四月二十九日、在米韓国大使館あてのアメリカ国務省書簡の形で明らかにされており、それは同年五月十五日在米日本大使館にも通報されていたことである。にもかかわらず、なぜそのあと五年間、日本側が見解を変更せず、なぜ五年後に見解を変更したのかに疑惑が残る。そこから、当時、五年間はアメリカの極東政策が日韓の緊張を必要としたのであろうという推定も生れている。その後日本政府はふたたび「相殺説」「減額説」などを持ち出すこともあつたが、現在では放棄に落着いた。

韓国側の対日請求権項目は、

①韓国国宝と歴史的記念物（美術工芸品、古書籍、その他の文化財）約五千点。
②韓国地図の原版、原図および海図。
③太平洋戦争中の韓国人被徴用者に対する諸未払い金および弔慰金。

④（法人をふくむ）韓国人所有の日本の有価証券（公・社債、株式など）の償還処理に関する件。
⑤韓国内で交換回収した日本銀行券の代金清算に関する件および韓国から持ち出した地金。
⑥旧朝鮮総督府鉄道局共済組合の在日財産。
⑦旧朝鮮奨学金維持財団の在日財産。
⑧太平洋戦争中に戦死、戦没した韓国人に対する弔慰金支払いと韓国帰国者が日本官憲により強制寄託された貨幣代金など。
このほかに、九万五〇〇〇トンの船舶、文化財などの請求がある。

これらの請求権にもとづき、韓国側は一九五八年には二二億二二〇〇万ドルを要求した。その後、張勉政権時代には、十二億ドルに変更し、現在の軍事政権に至っては八億ドルに値下げしていると日本の各新聞は伝えている。この経過からみても、実際には、個々の項目の評価資料はいい加減なもので、問題の本質は別のところにあることが分る。

一九六一年五月十二日、「韓国日報」によれば、五月十六日のクーデターの直前、自民党訪韓議員団とともに南朝鮮を訪問した外務省の伊関アジア局長は、韓国側の金溶植外務次官と秘密会談を行なった。そのとき日本側から示した案は次のようなものであったという。
①韓国が主張する八項目の請求権については項目別ではなく一括した金額として話しあいたい。なぜならば、項目別による交渉は長時日を要するし、法理論的にも日本国会の承認をうることが困難なだけでなく、韓国側でも日本が金額を値切ったという悪印象をのこすことになる。
②請求権に対する補償のほかに一定額の無償援助を供与する用意がある。
③そのほかの経済協力においては、政府対政府借款、輸出入銀行を通じた借款、および純然たる民間対民間借款の三種類とするが、それは韓国の五カ年計画に協力する方向で提供したい。
その提案の結果、韓国側と同意をみたところを、「東亜日報」五月十二日付は左のように報じた。
①日本側は現在難関に逢着している財産請求権問題で大幅な譲歩を行なう。
②日本側は対共防衛上の点から李ラインを認め、韓国は韓日間の暫定的漁業協定の締結に同意する。
③韓日間の経済協力は、原則的には両国間の国交正常化後に行なうが、それ以前であっても在日僑胞の約六千五百万ドルの母国投資が可能なような措置を講ずる。
④両国の経済使節団を交換する。
⑤韓日間の国交正常化後に行なわれる両国間の経済協力、とくにガリオア・エロア資金の韓国に対する転用では、韓米日三カ国経済委員会を設置する。
⑥日本の対韓電力借款は五千万ドルの線で行なうなど、韓国経済の将来にたいして積極的協力を惜しまない。
つまり、この頃から、請求権問題は、具体的な項目別検討をやめて政治的解決をとる方針が明確になった。従って、日韓会談の本質は、懸案解決ではなく、韓国政権援助による日本独占資本主義の対南朝鮮膨脹なのであり、その方針は、五月十六日以降、十一月現在、戒厳令を布きつづけている軍事政権に対してさらに強化されて引きつがれている。

十月三十日、ソウル発＝コリア・ニュースによれば、

「日本政府と与党消息すじでは、韓国との関係が今年末までには満足すべく解決されるものと予想している。

十日余り前まで支配的であった悲観論とは対照的に、幕を開いたばかりの韓日協商会談に関して、日本側官辺筋は、早急な解決を促す韓国側の態度に同調する傾向をはっきりと見せはじめてい

る。

精通した消息筋の話では、日本政府側の態度の転換には次の三つの理由があるという。

一、韓国側が最初に提示した賠償金額八億ドルを半分にして要求して来た事実。（韓国軍事政権の一要人が最近日本を訪問し、日本の与党人士との会談の席で財産請求権金額を半分にすると言明したといわれる。）

二、与党自民党内の佐藤栄作と岸信介両氏を中心とする勢力の圧力が強く作用していること。（自民党の元祖といわれる吉田前首相まで早急な解決に同意しているとさえいわれており、与党内にも韓日会談の早急な解決を支持する見解がほとんど支配的であるという。）

三、北太平洋地域においての自由世界諸国家のより、緊密な団結強化のためケネディ米大統領の要求。

金鍾泌大佐の訪日と、彼との会談に関して論評を加えた韓国問題委員会委員長石井氏は「非常に有益であつた」と語り、岸前首相が日本使節団長としてソウルを訪問する問題と、朴正煕将軍が米国訪問旅行途中、東京で池田首相と会談する問題等が、もし実現されないとしても、両国政府が妥協しうる可能性はどの時よりも大きいものがあると語つた。

☆　☆　☆

観測者たちの話では、池田首相が東南アジア一帯の訪問を終えて帰るまで日本政府の対韓新提議の公式的発表はひかえようという日本側の要求は、韓国側で受諾したと認定されている。

☆　☆　☆

日本の外務省消息筋では、日本側で発表するこの新提議は、韓国に対して、一億ないし三億五〇〇〇万ドルを寄贈形式の借款として提供するということであるという。

☆　☆　☆

もし韓国がその代価として韓国海域での日本漁労作業を正常化させ、ガリオア基金償還問題において韓国側の譲歩をうることができるならば、日本としてもその程度の金額を承認する用意があることをほのめかしている。」

「日韓経済協力」の現状

日韓経済関係が新しい次元で問題になりはじめたのは昨年の四月政変以後である。政変によって「排日感情」をその存立基盤の一つとしていた李承晩政権は打倒された。日本側の条件にも一つの転機が訪れていた。

§四月政変後

政変前にも、一九四九年の日韓交易協定以来、両国の通商関係はあったが、日本人がおゝっぴらに南朝鮮に入ることは許されなかった。そこで、四月政変後日本の新聞記者団の入国取材が許され、九月には小坂善太郎外相が国交正常化と「経済協力」のためソウルにとんだりしたのをきっかけにして、一挙に数百人の日本人が南朝鮮に出かけていくことになった。その大部分が商社の経済調査員等であったといわれる。（朝鮮大学「韓・日会談の本質について」一四九頁）

そして一一月末には日韓貿易協会の招きで、厳敏永参議院議員に引率された学生文化使節団が来日したことは各紙に大きく報道された。団伊能氏を中心とする日韓貿易協会は、四月政変後に経団連副会長植村甲午郎氏を中心にして設立された日韓経済協会とともに、「日韓経済協力」を積極的に推進している大手筋の団体である。この時加盟各社は異常な歓迎合戦で四月政変の立役者たちをとまどわせ、日本政府の官吏もその行きすぎを苦々しく思ったほどであるといわれる。

この歓迎のお返しとして一九六一年一月に日本経済視察団が招待されることになったが、南朝鮮の人々の「日帝再進出反対デモ」によってお流れになった。この実現しなかった視察団のメンバーは次の通りといわれる。

団伊能＝富士精密社長　岡田政次郎＝住友商事専務　太田音吉＝三井物産取締役　保津章平＝伊藤忠商事取締役　佐々木克己＝昭和電工常務　福田英一＝小野田セメント常務　上東野一男＝横浜ゴム取締役　石原正三＝三菱化成常務　増島三樹夫＝日本電気取締役　七海久＝森永乳業常務　福井保＝日本漁網社長　岡内貞夫＝資生堂常務　守谷一郎＝守谷商会社長　高橋藤一郎＝大日本文具取締役　湯川康平＝東洋化工取締役　植松正久＝江商社長　鳥居清次＝全日空常務　安西正造＝同上（以上京郷新聞一月二二日付）

口紅から重機械までのあらゆる業種が南朝鮮の商品販売市場を獲得することに関心を示しているわけである。又、逆に南朝鮮からの鉱・農・水産原料品や軽工業製品の買付けにも、三井・三菱住友・伊藤忠・丸紅飯田等一流中の一流の商社を先頭に群小商社に至るまでが、いい商売を求めて競争を演じ、工業塩・冷凍魚・無煙炭・黒鉛鉱・ノリ・米等の大規模な商談を進めた。（韓国日報二月九日、東亜日報二月九日、民族日報二月一一日、ＫＰ通信二月一三日付等参照）東京食品という専門外の会社が大韓重石会社（公営）の生産するタングステンの一手購入権獲得にあせって贈賄までしたいわゆる重石事件は、今年の冬から春にかけて南朝鮮では大きな政治問題になった。

こうして日韓貿易の実績は急上昇を示し、商社筋では一歩進んでプラント輸出や借款供与によって南朝鮮の産業に直接参与する交渉を進めるようになったのである。

南朝鮮からも和信財閥の朴興植氏をはじめ韓国貿易協会理事李

秦鎬氏・韓国経済協議会副会長李漢垣氏等有力な資本家が資本導入や提携の交渉のため続々来日した。

§クーデター前後

四月から五月にかけて日韓会談の進展と歩調を合せてこのような動きも一段とテンポを早めた。自民党内のいわゆる「コリアンロビイ」は四月二十日日韓関係推進懇談会を発足させて政府に圧力をかけた。四月二五日には植村甲午郎、足立正両氏の率いる財界大物視察団派遣の企てが報道され、五月六日には野田卯一氏を団長とし伊関外務省アジア局長が随行する自民党議員団一行（田中竜夫・田中角栄・田中栄一・金子岩三・床次徳二・福田一・田口長治郎の七議員）の訪韓が早くも実げんした。

南朝鮮側も「理由なく朝鮮国民の対日感情にのみ重きをおき、意義ある経済協調を敬遠する必要は現在となつてはなくなつた」（ソウル経済新聞五月四日付による）というキャンペーンをしき、「援助の価値を周到に検討し、韓国にプラスになる協調なら、国内財源を基本とする産業振興の一翼を隣国に求めてもかまわない」とする考え方（同上）をうちだして、「日帝時代」の悪夢を忘れかねている人々の反対運動を抑圧した。こうして今度の使節団は下にもおかないもてなしを受け、硬骨な民族主義者を憤慨させることになつた。外資導入の適用対象国をアメリカ以外の国にまで広げ、対象事業範囲を従来認められていた工・鉱・農林・水産業のほか、観光・電力・畜産にまで広げるという外資導入促進法改正案も準備され四月二五日には国会の通過をみた。

同じころガリオア・エロア返済金韓国転用問題等「援助」のために米日韓がいかなる協力態勢をとるべきかという具体的交渉も進められていた。佐藤喜一郎氏を団長とする訪米経済使節団の一番の目的もこの問題を相談することであつたといわれる。（毎日新聞五月三〇日）五月一〇日付の毎日新聞は、日米韓三国が協議体を作り、三国の当事者の協議によつて対韓経済協力を進めて行くという具体的構想を報道している。

そして五月二日付の読売新聞は、輸出入銀行を通じて総額二～三百億円の電力借款を、期間二十年利率六分という好条件で供与するという日本側の構想を特報し、続いて五月三日付毎日新聞も無煙炭開発についての援助が企図されていることを報道した。

これに対する韓国政府の反応はやゝ微妙で、部内に若干の不統一があるようにもみられ、朱耀翰復興部長官は「軽工業（玩具装飾品）については日本の技術と機械の導入を許容できるが、電力・石炭等は米・西独・伊・IDA等の国際融資機関等からの借款に頼るべき時期である」という見解を示している。（ソウル経済新聞五月一六日）同じようにアメリカの態度も微妙で、日本が南朝鮮の基幹産業を掌握しひいては全産業に支配を及ぼすに至ることを黙つて容認するものでは勿論ないとみられる。（例えばソウル経済新聞六月一二日付の報ずるスパークマン米上院議員の訪日感想参照）このような事情から生産材生産部門を中心とする援助か、消費材生産部門中心の援助かというニユアンスのちがいも生れてきている。

ともかく読売・毎日両紙の報じた大わくの構想が、その後数カ月の間に（クーデターにも妨げられずに）しだいにより具体的な形で表面に出てきはじめていることは、後述の通り事実である。

経済とは直接関係ないが、敗戦前朝鮮で孤児院を経営していた曾田嘉一氏を韓国に招く運動が展開され、「日韓友好のふんい気」をかもし出していたのもこの頃である。この運動には朝日新聞がヘリコプターを提供したりして後援した。これ以後も文化使節団やスポーツチームの交換訪問が非常にひんぱんに行なわれ、局面を打開したり、つながりをつけるきつかけとして役立てられている。最近一〇月はじめにも新三菱重工の野球チームが南朝鮮に行つている。

このような情勢の急テンポな進展の中で、突如軍事クーデターがひきおこされ、これまでのプランは一応御破算になった。しかし「日韓経済協力」の基本方向に変化はなかった。停頓の時期は非常に短かく或る側面からいえば全くなかったともいえる。

クーデターの翌日五月一七日に早くもクーデターの反共的性格に安心した財界では、足立日商会頭や植村経団連副会長を音頭とりとして使節団の派遣・米麦などの救援物資の発送などを検討しはじめた。又、自民党特別対外協調委員会は韓国と南ベトナムに特別に重点をおいて後進国援助計画をととのえることを決めている。（東京新聞六月一一日）

一方南朝鮮でも五月一九日には軍事委員会が「できるだけ早急に対日関係の正常化のための努力を再開する」と声明し、最高権力者朴正煕議長ものちに「日本のいわゆる経済協力が真に正しい意味において互恵的な原則のもとに通商量を増加し両国の経済関係を深めるというものなら歓迎すべきだ。……日本人商社員の入国をさしとめているというのは事実と食い違っており、現在も多くの入国申請を受けこれを許可している」と語っている。（毎日新聞七月一二日）

§資本投下とプラント輸出

そして大規模なプラント輸出の計画が次々に報道されはじめた。最初に三井物産の仲介で宇部曹達が東洋化工株式会社三陟ソーダ灰工場の建設をうけおう計画が報道された。（読売新聞六月一三日、ソウル経済新聞八月二四日・毎日新聞九月一〇日）これは戦前からあった三井系の朝鮮共同油脂工場の敷地跡に年産ソーダー灰二萬八千トン、カセイソーダ六千六百トンの化学工場を新設するもので、資金はＤＬＦ（米開発借款基金）援助五六〇萬ドルと現地通貨五億ホアンが準備されており、近く（九月十日からみて）正式契約をとりかわし技術者が現地調査して本年内に着工、六四年までに完成、六五年から操業の予定といわれる。建設と並行して朝鮮人技術者の訓練に着手し、本格操業の時には完全に朝鮮人の手で運転できるようにするという。なお宇部がうけとるのは技術契約金七〇萬ドルだけで、残り四九〇萬ドルの施設は国際入札に付せられるものだともいう。

次に七月に入って丸善石油の合弁事業による資本輸出の計画が報ぜられた。（韓国日報七月二日　日本経済新聞七月一七日）

これは、直接単独の進出が政治的に困難なので、形式的には丸善と米ユニオン石油の共同出資したユニマが出資して更に大韓石油なる子会社を南朝鮮に設立するというかたちをとるといわれる。そして日米合弁で必要に応じて韓国資本もいれるという。資本金は一〇〇萬ドルで、日産三萬バレルの精油所並びに付帯発電施設を木浦に建設するといい、実現すれば南朝鮮最初の精油所になる。木浦市当局としては、政府の許可さえおりれば市としては大歓迎だという内意を示しているというが、その後最近まで一層具体化したニュースは伝えられていない。

なお、合弁という形式をとるものについていえば、クーデター前にかなりとりさたされた李ラインにかわる日韓合弁の大漁業会社の構想があり、八月末来日した金裕沢特使も具体的提案をもってきたと伝えられているが詳細はまだ明らかでない。（エコノミスト五月三〇日号）

次に、和一産業の北漢江衣岩水力発電所プラントを日本の蝶理の仲介で富士電機がうけおい、これに期間二十年、年利５％という良い条件で延べ払い借款を付するという交渉が進んでいることが報道されはじめたのもこの頃からで、この商談はその後かなり具体的な展開を示している。（読売新聞七月六日　九月二八日　ソウル経済新聞九月二七日）

この衣岩水電の建設は、南朝鮮の大手土建会社である和一産業が、民間会社としてはじめて発電所建設に当ろうというもので、工事は和一が担当するが資金が不足なので外資を導入しようということになつたという。規模は出力二萬五千ＫＷ、資金千萬ドルといい、九月二六日には仮契約調印、電気事業経営許可申請（改正外資導入法第一七条一項による）のだんどりにこぎつけている。このような長期低利の借款に対する交換条件としては、和一経営の朝雲鉱山の雲母と青陽鉱山のタングステンを直接投資会社（蝶理）にのみ輸出するというとりきめがあるといわれる。従つてこの契約は「日本の資本と技術の大量導入の出発点」（ＫＰ通信六〇年五月一七日）であると同時に、借款を通じての原料供給＝従属経済関係発生の方向を示すものとしても注目されねばならない。

商品市場としての南朝鮮に特に強い関心を示しているのは、トヨタ自動車、いすず自動車、新三菱、日野ディーゼル等の自動車産業、化学肥料工業等、既に国内市場が限界を示している業種である。すでに米軍（在日米軍調達部＝横浜）の調達というルートを通じてにせよ、米国防省予算で日本製の新型トラック（兵員輸送車、武器運搬車）が調達され韓国軍の第一線で使われていることは事実である。（十日一日付韓国日報デッカー発言）このＯＳＰ（域外調達）方式による車輌買付は、今後とも年間一億ドルベースで継続する可能性が強いので南朝鮮の特に軍隊を中心とする需要が日本の自動車産業にとつて大きなみ力であることも事実であろう。

肥料や合成ゴム等の場合、韓国側の買付けは殆んどＩＣＡ資金によるものであつたから、七月頃アメリカのバイアメリカン政策が強行されるにつれ日本側は既得の市場さえ無理にとりあげられそうな状況に直面することになつた。そこで硫安の場合など特別な業界の使節団を派遣してＢＡ政策の緩和を要請しようとの企図がなされ（七月一三日読売新聞）合成ゴムの方でも南朝鮮のタイヤ軍納業者から安価な日本品の輸入を許可するようアメリカの出先担当機関に陳情が出されたりしたが、余り所期の成果を得なかつたもようである。（韓国日報七月一七日）

§「技術援助」

技術援助・技術提携の問題も生産力の植民地的おくれを払拭できずにいる南朝鮮の産業と「協力」するに当つて重要な要素となる。日韓経済協会は、その第一回総会において韓国人研修生受入れ協力事項として

一、旅費および滞在費はアメリカで負担
一、日本国内における研修費は日本政府負担
一、受入れ工場には経費負担をかけない

等と決議した。なお韓国側が研修生を送りたいと指定して来た業種は、陶器、タイル、家具、カミソリ刃、木製床張り、薬剤、清涼飲料、コルク、硫安、繊維染色、亜麻紡等一一業種であるという。（読売新聞）七月六日）

一方、これと別にアジア生産性機構本部も「技術提携」に力を入れている。八月九日から一一日にかけて事務総長押川一郎、顧問野津彰両氏が韓国本部との協議のため派遣されるということがあり、それ以来最近特に又目立つて技術視察の目的で来日する人が多くなつてきている。例えば、八月七日に李鎮沢韓国原子力研究所員は日本の原子力研究所で研究のため、九月二日に鄭光燮京畿大教授が農林行政視察のため、九月一八日に李圭竜カトリック医大教授が医薬品の視察）ため、九月一九日に金在信ソウル工大教授が電源開発および炭坑の視察のため九月二五日には金甲培高陽土木管区長が水資源研究のためそれぞれ来日している。

このような客観情勢の推移につれ、一時中絶していた公的な人の往来も再開された。七月五日にまず崔徳新現外務部長官を代表とする親善使節団が訪日し、一六日には李東煥駐日公使も着任した。八月一日には日本人妻の故国訪問を許す処置がとられた。八

月七日には前田外務省アジア課長と杉山課員が訪韓した。一一日には大山量士氏の主宰するアジア友の会の招きで再び学生視察団が訪日した。八月三十日にはいよいよ日韓会談再開の政治折衝のため金裕沢経済企画院長が特使として来日し、河野・佐藤・藤山三木・大野・石井・足立・植村・石坂の各氏と会談した。九月三十日にはト部外務省参事官を団長とする経済視察団が訪韓している。

このような公式の使節がはなばなしく行ったり来たりしている裏で八月一九日頃、尹河濼ほか三氏（軍人であるという）が朴議長の特命を受けてひそかに来日し然るべきすじと実質的な「経済協力」のとりきめをしていったといわれる。（毎日新聞八月二三日）この使節についてＡＦＰ通信（ソウル経済新聞八月二四日）は次のように報じている。

「……日韓間の経済状態の沈滞を打開しようとする運動の指導者である植村甲午郎・足立正の両氏は、韓国から派遣された三名の高位政府官吏と会談することにより積極的運動を開始したという。その三名の韓国政府当局者は朴正煕将軍が日本の経済的協調の可能性を打診するために日本に派遣したものである。足立・植村両氏は去る二一日に二～三名の韓国官吏と会談し韓国経済の再再建を協議したという。同会談には第一銀行頭取酒井杏之助氏小野田セメント社長安藤豊禄氏　国策研究所長矢次一夫氏等も参加したという。この韓国当局者は、又岸前首相、石井前副首相等とも会談したといわれる。同会談で韓国官吏は、韓国で電力、鉄鋼等の基幹産業を建設するに際しての日本の協力を求めたという」

§九月～十月

こうして九月から十月にかけて「日韓経済協力」の具体的な動きは再びたかまってきた。九月二四日から十月六日にかけて南朝鮮の民間実業家と政府官吏・銀行家等十名がアジア生産性本部の招きで来日し、東京電力、小野田セメント、昭和電工、久保田鉄工、早川電機、東洋木管、阪本紡績、住友化学、日本ミシン、日本陶器等の工場をたっぷり見学していった。

九月二三日、日本の肥料業界は、ＢＡ政策修正について再度ＵＳＯＭ（駐韓米経済援助団）と交渉するため三菱化成専務長谷川隆太郎、硫安輸出会社理事長吉田義一、昭和電工化学肥料部長大島弥太郎の三氏を使節団として派遣した。ＵＳＯＭとこの使節団の折衝は今度も又目的を達しえず、ＩＣＡ資金による肥料買付け入札では日本の会社は参加を拒否されるありさまだったので、南朝鮮の肥料需要の全額をＩＣＡ資金に頼っているわけではないことから、そのわくの外で南朝鮮の米・ノリ等とバーターすることによって一千萬ドル程度の肥料を売る交渉を韓国政府と行なうということにかわってしまった。この交渉の際使節団は韓国政府側から肥料工場又は化学工場建設に資本を投ずる意志があるかときかれたが、パキスタン、インドにおいてこうした例があるとだけ答えて否定も肯定もしなかったといわれる。ちなみに今韓国政府は援助資金によって羅州肥料工場を建設中である。

尹河濼使節団が話をつけていったという基幹産業への投資という方向がこの頃から一層明瞭に表面化してきているといえる。

先にみた東洋化工、衣岩水電等の建設計画もより具体的な形で報道されるようになった。去る四月二九日の入札ですでに日立製作所が落札していた韓国電力三陟火力発電所の設備一式輸出契約は十月六日正式に調印をみた。これは出力三萬ＫＷの規模のもので米貨五五六萬ドルと韓貨二六億五千萬ホアンを投下し、着工後二五ケ月で完成の予定という。支払条件その他はまだ詳しく報ぜられていない。（ソウル経済新聞四月二九日　韓国日報九月九日朝日新聞十月七日）

今迄余り具体化していなかった鉄鋼関係も二三の具体的計画が報道される段階になってきた。徳豊貿易は鉄鉱石、螢石精練工場のため日本・アメリカからの資本導入を考えているといわれる。これは旌善、寧越産の鉱石を処理するためのもので必要外貨は二百萬ドルとみつもられている。（ソウル経済新聞九月二八日）又、在日韓国系実業家、朝日製鉄社長申学彬氏が九月一二日、韓国政府と五カ年計画にもとづく綜合製鉄工場設立を協議するため帰国したというニュースも注目に値する。一説によれば申氏は日韓経済協会の意をうけた使節なのだともいわれる。（読売新聞十月十四日）申氏は帰国後十月十日、足立氏と要談している。以前から八幡製鉄等は、大和製罐など在日朝鮮人実業家をクッションに使つて、外資導入促進法の制限を受けないですむようなかたちの資本輸出をはかつていたといわれるが、この意味で在日朝鮮人実業家の動きは重要であろう。（朝鮮大学「韓日会談の本質について」一五四頁）

基幹産業における「協力」という点で今後大きくものをいつてくるとみられるのは、日本工営電力調査団の訪韓であろう。日本工営の佐藤時彦副社長以下四名の技術者は九月一五日より二六日迄の間滞韓し韓国電力社の要請で北漢江春川地区をはじめ韓国一円にわたつて発電所建設のための調査を行なつた。調査の当面の重点は春川地区に出力五萬KW程度の水力発電所を建設することの適否におかれるが、場合によつては、五カ年計画全体を通ずる発電計画の相談にあずかるものと期待されているという。（毎日新聞九月一六日）なお春川水電については日立製作所が三井物産と提携して建設に積極的に参加するという。特に日立は以前華川、清平両水電の発電機製作を担当した経験と実績があるので、この進出に大きな期待をかけているといわれる。その他三菱電機でも火力発電プラントの新設および補修に関心をもつているといわれる。（ソウル経済新聞十月十八日）

この他に基本建設借款の計画として京城・釜山・大邱の水道拡張工事を一一〇億円全額日本円資金の提供で行なうというのがある。久保田鉄工などの計画によると条件は一五年延払い但し韓国政府又は韓国銀行が米ドルによる支払を保証すること。すでにソウル市とは交渉中といわれる。

以上のような基幹産業、基本建設への投資のほか、「化学肥料、セメント・人絹・都市ガス・石油精製などについても日韓民間企業の間で経済協力の下交渉が進んでいるものがあり、かつて韓国で工場経営の経験を持つたことのある日本人による農器具、搾油カン詰工場など小規模な経済協力計画も少なくない」といわれる。（毎日新聞九月十日）

このうち人絹については、九月一五日付ソウル経済新聞が具体的に伝えている。即ち「大韓織物工業団体連合会はその原料確保のための大規模人絹糸工場建設・円滑な供給及び価格調整・国産織物の海外市場開拓及び販路拡張問題等を日本商社と協議するため専務理事朴慶植氏を派日することにしたが、すでにこのような計画に対し日本の丸紅飯田・帝国人絹が協力を約束しているといわれている。」と。

基幹産業への投資によつて大きく一国の経済に対する支配力を持とうとすると同時に、「人口多く資源の乏しい南朝鮮の経済を建て直すには、日本の資本と技術がぜひ必要だ。われわれとしては、ちょうど香港で軽工業を援助しているように南朝鮮の安い労働力と貿易上の利点を利用したい」（財界ニュース＝朝鮮時報七月二九日）という保税加工貿易の仲介＝日本産業の下請化がもくろまれている。こういうもくろみに関しては、大資本に劣らず低賃金を利用しなれている中小企業が積極的であるとみられる。ソウル経済新聞に二回にわたり報道された西村メリヤスに関する記事を一例として引用しておく。（九月十日・十四日）

「9日午前商工会議所主催で開かれたメリヤス保税加工振興に関する懇談会に滞韓中の東京の西村メリヤス会社社長西村洋次氏が出席し、最近ホンコン綿業が発展してアメリカ市場に出ているが同様に韓国も将来十分輸出市場を開拓できようと語つた。

西村氏は韓国のメリヤス製造施設と技術水準は日本に比して非常に劣つているわけではないが、製造過程を通ずる全体的管理の未熟又市場及び販路開拓が不備であると次の点を指摘した。①最新式の優秀な施設をもつ工場もあるが全体として均衡がとれていない。②一工場で染色から整備に至る全工程を一貫的にやつているが、染色なら染色に専門化させるべきだ。③労務管理面において、熟練工が余り多すぎる。未熟練工を組織して熟練工はへらすべきだ。④清掃・採光の考慮をせよ。⑤機械配置の不合理による労力浪費をなくすべきだ。

西村氏は釜山大新・大田大栄の両社製品メリヤス9千ダースを購買し、技術提携と販路紹介の契約をした。世界的に認められている日本の一流メーカーが韓国品を購入するというので話題になつているが、これは消息通によれば日本のメリヤス業界が韓国業界に友好的な刺戟と後援を与え、将来たがいに技術販路問題等において提携したいと望んでいるのだろうという。一般的にメリヤス工業の高度の技術面は、どこの国でも秘密にしているが西村氏は韓国の業者には全ての技術的問題の便宜を提供すると極めて好意的である。……」

なおこのような小規模技術提携の例として次のようなものもある。

①大韓ガス産業＝岩谷産業（ソウル経済新聞八月二十日）
②盛昌企業のホルマリン工場（同右八月二四日）
③素砂信仰村＝太洋貿易・紀本産業。螢光灯（同右八月二七日）

一般的に「韓国の政情は一応安定の方向を辿つているが、問題は経済安定にかゝつている。日韓両国の国交正常化はまだ曲折が予想されるが、韓国には日本に経済協力を求める機運が高まつてきた」という観点を前提として、先にのべた尹特使に対し日本財界首脳は次のように提言したといわれる。

①韓国経済の建て直しのためには、韓国の余剰労働力を活用するのが有効だから、わが国から資材・技術などを受入れて製品を日本に輸出する加工貿易の体制を整えるべきではないか。②米は最近余つているから、その増産は自給を限度とし、酪農の方向をとるべきだ。③海外から優秀なエコノミストを招け。（毎日新聞八月二三日）

日韓会談と池田内閣の対韓政策（解説）

ワシントンでの池田・ケネディ会談を終つて帰国した池田首相は七月一日帰国報告をかねた記者会見をおこなつた。席上「韓国」問題にふれてつぎのようにのべた。

「日本にとつて韓国は大切な隣人である。韓国を立派な民主国家に育てるのに一貫した方針でいかねばだめだ。軍事政権の代表だからといつて会わない、というスジはない。大国主尊以来の友人ではないか。

私はケネディ大統領に話したよ。アメリカはかつてマーシャルのシナ放棄とロイヤルの朝鮮撤退という二つの誤りを犯した。これを二度とくり返してはならぬと」

池田・ケネディ会談の中身を一語たりともらすまいと顔をこわばらせた池田首相が、こと「韓国」問題でこの程度のことをしやべつたからには、会談ではこの問題が主要な議題で、かなり重大な日米間の決定事項（秘密）があるらしいことを推測させるのに十分であつた。

この会見はいまから四カ月前のことである。それからにわかに「

第 1 表

特需収入の内訳

（単位：1,000 ドル）

	円セール	米軍預金振込み	ICA等資金による調達	その他	合計	外国為替受取額に占める比率 %
昭和25	110,187	38,256	—	446	148,889	14.8
〃 26	228,279	337,459	12,232	13,707	591,677	26.4
〃 27	287,728	503,607	15,686	17,147	824,168	36.8
〃 28	322,618	456,029	16,711	14,120	809,478	38.1
〃 29	313,092	245,837	24,980	12,255	596,164	28.1
〃 30	287,108	193,853	70,081	5,562	556,604	20.4
〃 31	277,670	187,264	123,375	7,052	595,361	22.3
〃 32	259,434	154,600	127,808	7,425	549,269	17.0

（出所）経済企画庁（単位未満4捨5入）

第 2 表

「対韓国」債権累積状況

（単位 1,000 米ドル）

	受取	支払	出入額（—）	入金額	アクチュアルバランス
1950. 12	1,048	552	496		496
51. 〃	12,535	5,572	6,963	2,655	4.805
52. 〃	18,765	4,850	13,915	13,146	5. 73
53. 〃	43,320	5,678	37,642	11,863	31.351
54. 〃	28,777	7,188	21,789	5,695	47.446
55. 〃	6,624	7,048	— 424	0	47.022
56. 〃	7,811	8,121	— 310	0	46.712
57. 〃	7,887	9,214	673	0	47.384
58. 〃	10,179	10,655	— 476	0	46.908

（出所）外務省経済局アジア課

日韓」会談がにつまつた。

十一月二日からひらかれた日米箱根会談は池田・ケネディ会談の延長である。

池田勇人氏自身が語っているようにサンフランシスコ講和のウラの立役者が池田氏自身であり、安保と行政協定の草案にサインして、これを講和と同時に締結しこれを講和の唯一の実質的心棒にするための最大の役割を演じたのもほかならぬ池田氏であつた。（池田勇人著占領下三年のおもいで）

同著の「講和会議の前後」の章で池田氏はつぎのように書いている。

「米国は、真珠湾を手はじめに日本からひどい目に遇つた。その結果沢山の血を流して日本を降伏させた。その上で、約二十億ドルの物資を送って日本人を飢餓から救つた。その内に朝鮮に戦争が起つた。朝鮮で、また米国は沢山の人命を失い、現に今日も戦争が続いている。もし米軍が朝鮮から撤退すれば、第一に共産軍の餌食になるのが日本であることは、地図をみてもわかるはずであるのに、今日、日本はこの朝鮮の戦争には一人の人間を送ることも要求されずに、国内の平和を楽んでいる。これが過去七年間に起つた変化の概要である。もし誰かアメリカ人が『これほどそろばんの合わぬ話はない』といったとしても、別段不思議ではない」

これが池田首相の対米観であり、朝鮮と日本の関係についての判断であることをじつくりあじわつてから池田政府の施策をみる必要があるだろう。

とにかく、戦後の日本経済がアメリカの朝鮮侵略戦争とその特需で息を吹き返したのは事実である。別表は朝鮮特需収入一覧（第一表）と「対韓国」債権累積状況（第二表）である。（K）

日米合同経済委員会の背景（解説）

十一月初旬に箱根で開かれた日米貿易経済合同委員会の第一回会議はこれからの日米関係に何をもたらすのであろうか。去る六日、ワシントンを訪問した池田首相は、ケネディ大統領も面くらう程の対ソ強硬論をベルリン問題について語つたそうである。その調子で、アジアをたのむぞというのが、池田首相に対するワシントンの言分であろう。

この委員会の箱根会議が開れた時は、「東南アジアでは雨期が終るとともに、決定の時期が始まつた（タイム、十月二十日号）」というその時期である。東南アジアにおけるアメリカの軍事拠点、南ヴエトナムの崩壊をくいとめる手段を求めて、大統領の最高軍事顧問テーラー将軍は、十月十八日、サイゴンに到着した。このテーラー使節団は、アメリカの出兵の可否について、大統領に報告することになっている。問題は、南ヴエトナムに限定されないだろう。

ラオスでは、プーマ殿下を首班に新政府をつくる大筋の話合いがまとまり、アメリカがもりたてようとしてきた反共派のブンオム勢力は後退を余儀なくされているが、この後退を何処かでくいとめる手はないかという問題も、テーラー使節団に課せられた宿題である。

国連における中国代表権問題では、アメリカは中国の国連参加をさまたげようとする「重要議題指定方式」に、過半数の支持をうることさえもおぼつかない情勢に当面している。台湾を中国とする〃神話〃を守りきれなくなつたアメリカは、アメリカ第七艦隊による台湾占領を〃合法化〃するために〃二つの中国〃をつくり上げようとしているが、そのための時間かせぎが、この重要議題指定方式であり、これによつて、ワシントンは、今年の国連総会が、代表権問題について決定を下すのをさまたげようとしている。

南朝鮮におけるアメリカの軍事支配体制の危機については、多くを語る必要はなかろう。「日韓会談」は再開され、箱根会議に出席したラスク国務長官は、その直後にソウルを訪問した。

これを要するに、戦後、アメリカが極東地域にはりめぐらした軍事支配体制が、民族解放運動の波にあらわれて、根元からゆすぶられ、崩れてゆくその中で、第一回の日米合同委員会が開かれたわけである。

この委員会自体のとり上げた問題は、新安保条約第二条の経済協力条項を基礎に、両国間の経済協力、貿易の拡大、後進地域に対する経済援助政策の調整など、経済問題が多かつた。具体的に、日本側の要望に則して、当面の問題を拾い上げてみれば、アメリカの対日輸入制限、バイ・アメリカン政策の緩和問題、後進地域援助の〃肩代り〃、ＯＥＣＤ加盟問題などが、あげられるが、これら個々の問題の背後では、何れも、日米両国間の資本の利害が鋭く対立しあつている。それだからこそ、日米双方が経済問題に関係する閣僚をそれぞれの正式メンバーとする大掛りな会議を開いたといつてもよい。経済上の利害の対立が、日米間の軍事同盟体制にヒビを入れないよう〃安全弁〃の役割りをこの会議に果させようとしたものとみられる。

去る六月、ワシントンを訪れた池田首相は、自分の手にたずさえていつた経済問題を何一つ解決できなかつた。彼が持ち帰つた〃おみやげ〃が、この合同委員会の設置であつた。そして、この会議は、米側関係者の言葉を借りれば、「六人の閣僚が、日本行きの飛行機に乗つた瞬間、会議の目的は、九九％達せられたことになる」（朝日新聞、ワシントン九日発）という種類のものだつた。

たしかに、この会議を、議題に則して〃内側〃からみればそういうことであろうが、〃外側から〃——極東情勢の緊迫という観点から——みたらどういうことになろうか。詳論するゆとりはないが、ワシントンは、アジアにおける日本の反民族主義、反社会主義の力量に依存せざるを得ない情勢にぶつかつているし、池田首相は、この期待にこたえるさまざまの約束をしてきた。彼がワシントン会談で振出した手形の支払いを催促する空気、それが、この箱根会議を貫く基調であり、この危険な道への煙幕として、〃日米対等ムード〃をもり上げの演出が、紅葉に映える箱根を舞台に花々しく行われたといえよう。

一一月三日付毎日新聞は次のように伝えている。

「箱根」二日夜明らかにされたところによると、日米経済委ならびに池田・ラスク会談などを通じて米国は日本側に対し「日本は今後世界的な視野に立つて政治・経済両面にわたり具体的な行動を示すべきである」ことを強く求めている。具体的には池田・ラスク会談でラスク長官は東南ア諸国に対し、日本の政治的・経済的な施策の推進の必要性を強調し、また日韓会談に直接介入する言動はさけながらも「韓国問題については日米両国はできるだけのことを行なおう」との態度を表明した。……

日韓会談についての米側の立場は、日韓会談にはまきこまれないが〃きわめて真剣な関心〃をもつているというもので、ラスク長官は日韓正常化が日米韓三国にとつて望ましい旨をとくに強調した。

これは日韓両国が提携して極東の有力な〃反共防衛ライン〃を形成することを希望する米の立場を卒直に表明したもので、日本に大局的な見地からの〃貢献〃を求めたものとみられる。……

朝鮮統一問題の一考察

「武力北進」一点ばりの李承晩が倒れて（一九六〇・四・二七）以来、朝鮮の統一問題は従来と異つた角度で人々の関心をひきはじめた。今次国連総会では南北両朝鮮の代表が夫々オブザーバーの資格で顔を合すことになるのではないかという見通しもあつた。ところが南朝鮮におけるクーデターで事態はまた一変した。そして今、ヨーロッパにおける東西ドイツの問題とならべてアジアにおける朝鮮問題がクローズアップされている。

（一）

朝鮮の「南北交流」「平和統一」のことを口にするだけで死刑にされる李承晩政権が倒れて以後、南朝鮮における統一の世論と機運は未曾有のたかまりを見せた。この民衆の動きにおされてか張勉政府は、「国土統一研究所」を開設し（六一年三月）、統一のための具体案を考えると発表した。

つづいて一九六一年三月二十日、張勉政府はソウルと国連本部とで同時に「統韓覚書」を発表した。その内容は

序論
第一章　韓国分断に対する共産側の責任
第二章　全韓国の唯一合法的政府としての大韓民国
第三章　戦争により荒廃した韓国経済の再建
第四章　民主主義への発展と人権の擁護
第五章　大韓民国の国連統韓原則受諾
結論

という構成である。その「結論」の最後の部分は次の如くである。

「国連は、その憲章　　侵略を撃退するため集団措置をとり、平和と安全を恢復し、　国における平和的な問題を追求するため斡旋し得る全巾的で正当な権限が賦与されている。統一された独立民主韓国を樹立するため、国連監視下の真正に自由な選挙を通じて、国会が構成されなければならないし、全韓国の人口比例で代表が選出されなければならない。

大韓民国政府は、前述した国連の目標と原則が、韓国問題の平和的解決のための必須条件であることを確信して、同目標と原則を今後引き続き遵守するであろう。

従つて、大韓民国は国連が、共産側に国連の目標と原則に対する継続的反抗を断念するよう促すと共に、韓国の早急な統一成就のために倍前の努力を尽すことを心から要請するものである。」

以上の如く統一方案としてはきわめて具体性を欠いている。全体の印象と一般的前提から推測すれば、こゝから出てくる具体策は

《国連軍を南半部に駐留させたまゝ、南半部の国会はそのまゝ据え置いて国連監視下の北半部だけの選挙を行い、それを吸収して統　韓国会を構成する》

ということになろうし、その限りでは李承晩時代の方策と少しも変わつていない。

この《大韓民国憲法による国連監視下の北韓選挙》方式は、「李承晩のスローガンよりもつと実現可能性のないもの」（ＵＰＩ・六〇・一〇・二〇）とか、「それは統一を避けるために提示されている」（「釜山日報」六〇・十一・廿二）とか、「李承晩式の

北進統一論と五十歩百歩だ」(「京郷新聞」六〇・九・廿五)とか西欧陣営や南朝鮮の世論からもさんざんの悪評であった。

たゞ、李承晩時代と大きく変つた点は、この「結論」の直前の「第五章」の第五項で、「武力北進」をはつきりと否定したことである。第五項を全文引用すると次の如し。

「旧政権は、国土両断から招来された不義を改正する手段として、武力行使を度々力説して、結果的には大韓民国が好戦的でしかも国連精神に非協調的であるような、うがつた印象を与えたことは否認されない。

李政権の崩壊につづいて誕生した新政府は、前述した古い統一方案を正式に廃棄し、統一問題解決のための新しい基本方針を闡明して、武力行使ではなく、国連のわく内で平和的解決策を講究することにしたのである。

大韓民国外務部長官は、一九六〇年八月廿四日発表した七項目の外交政策において、統一方案に言及して、韓国統一は国連の監視のもとに人口比例で韓半島全域にわたり施行される自由選挙を通じて成就されなければならないと言明し、また、李政権が主唱してきた無謀な武力統一方案を廃棄することを声明したのである。

このように、古い統一方案を正式に廃棄したことは、大韓民国国民が平和的手段で国土を統一する事において世界のすべての自由国民と新らたに協力しようとする意思を反映したものである。

この部分こそが「統韓覚書」の最大の特徴であり、かつ、張勉政権の性格を表現するものであつた。

張勉やその閣僚が、ならびに、これを後見したアメリカの関係者たちが、すべて、武力北進策を捨て心から平和統一をねがつていたかどうかという主観は問題でない。当時の南朝鮮における政治的な力関係の上で、澎湃たる南北交流・平和統一の民衆の世論と機運の力に押され、張勉たちが心ならずも「平和統一」を口にしたに過ぎないと断定するかどうかもこゝでは問題でない。問題はたゞ、心からであろうと心ならずもであろうと、張勉政権が公然と内外に「無謀な武力統一方案を廃棄することを声明した」という事実である。「平和的解決策を講究する」と発表した事実である。

つまり、この時期には、南半部の米占領軍体制が厳存し、張勉の行政がいかに偽瞞と粉飾に満ちたものであつたかにかゝわらず、その政権は、南朝鮮人民の「平和統一」の意志を、たとえそのほんの一部ででもあれ、ある程度は反映し得る(あるいは、反映せざるを得ない)政治情勢があつたのである。

このような時期における北半部からの統一提案は次のごときものであつた。

世上、「連邦制案」と言われている一九六〇年八月一四日の金日成報告がそれである。

その内容は、南半部からの米軍の撤退を主張し、いかなる外国の干渉もない朝鮮人民自身の手による南北総選挙によつて平和統一を実現しようという朝鮮民主主義人民共和国の一貫した方策を述べた上で、

「もし、それでも、南朝鮮当局が南朝鮮の共産主義化をおそれいまのところ自由な南北総選挙に応ずることができないとすれば、まず民族的に緊急な問題からさきに解決していくために、過渡的な対策でもたてるべきであります。」

とし、過渡的な具体案として、

「われわれは、その対策として、南北朝鮮の連邦制を実施することを提議します。われわれがいう連邦制は、当分の間、南北朝鮮の現在の政治制度をそのまま存続させ、朝鮮民主主義人民共和国政府と大韓民国政府の独自的な活動を保存しながら同時に、両政府の代表で構成される最高民族委員会を組織して、主に南北朝鮮の経済・文化の発展を統一的に調節するという方法で実施しようというのであります」

というものであつた。さらに

「萬一、南朝鮮当局がわれわれが提議する連邦制までも、なおうけいれることができないとすれば、南北朝鮮の実業界代表で構成される純然たる経済委員会でもよいからこれを組織して南北のあいだに物資を交易し、経済建設で相互に協力し援助しあうことをわれわれはかさねて提議します」

というものであつた。

この方策は後にさらに具体化されて六〇年十一月の最高人民会議第二期第八次会議における崔庸健報告や「南朝鮮諸政党と人民におくる手紙」および「南朝鮮における民族経済の自立的発展のための意見書」等々となつた。その「意見書」の概要は、(一)、南朝鮮の農業を復興させ、農民の生活を安定させることについて、(二)、漁業を発展させ、漁民の生活を安定させることについて、(三)、民族工業を発展させ、住宅建設を大々的におしすすめることについて、(四)、民族文化・芸術の復活のために、等々の項目についてこと細かな具体案を提示し、それが実現のために北朝鮮側からどのような建設援助・技術援助をするか、また、どのような機資材の無償提供をするか、さらには、必要な資金援助をするかまでを、年次毎に数字の細目を示していた。

この北からの統一呼びかけは、前記「統韓覚書」が全く抽象的な、建設的具体性を欠いたものであつたのに比し、おどろく程の熱意と誠意の上に綿密周到な具体性を持つていることを南朝鮮の新聞ですら認めざるを得なかつた。「そこには……わが民族の生活に関する問題、国土統一に関する問題について、いつまでも外国勢力に依存して他力本願的にことを決しようとする方案にのみ没頭せず、われわれが主体的に、われわれ同士が胸襟をひらいて論議してみようではないかという意欲がにじみでているので、民族的な親近感を覚えずにはいられない」(「国際新報」六〇・八・一六)というような反響が、南朝鮮の内部から湧く程であつた。

南朝鮮内部の状況から、また、北朝鮮からのこの連邦提案等の刺戟にもより、南における平和統一機運は大きな昂まりを示した。統一はまさに成らんとするかの如き気配となつた。その時、南朝鮮でクーデターが行われた。

(二)

一九六一年五月十六日の軍事クーデター以後、南朝鮮当局の統一問題に対する政策が根本的に変つたことは言うまでもない。

統一問題に関して公表されたクーデター政権の具体案というものは勿論ない。のみならず、張勉がつくつた「国土統一研究所」も五月廿七日に廃止されてしまつた。そして「先建後統」策(南半部における建設が先で、統一は後廻しだ。そうでなければ疲弊している南は統一という名目で北に併呑されてしまうという理論)がさけばれている。しかし、統一の具体案は公表されなくとも、クーデター政権の公然たる施策の中にその企図するところは明白にあらわれている。主な特徴を拾うと、

(1) 平和統一論者に対する徹底的な中世紀的な断圧、(いわゆる民族日報事件、民統学連事件、社会党事件等、別稿南朝鮮における「革命裁判」参照)

(2) 米軍の増強、米・韓合同大軍事演習の未曾有の展開、軍拡方針の強化
(別稿「南朝鮮関係軍事資料」第二・三章参照)

(3) 張勉時代に一応なりをひそめていた「失地回復」「北韓解放」等々の言葉が、クーデター政権要路の人々の公的発言に頻発し、それによつて民衆に対する煽動が行われていること、かつそれによつて「耐乏」ないし「非常措置」を合理づけようとしていること。

代表的なものは六一・七・一五の「軍事援護四法の施行に当

って」なる宋堯讃首相の「失地回復」演説である。

(4) 現北朝鮮政権を内部から転覆させることを公然と北朝鮮人民に呼びかけたこと。

代表的なものは、六一年十月三日、開天節における朴正熙議長の「北韓同胞への呼訴文」である。右はその要旨である。（日本訳全文は「統一朝鮮新聞」九〇号にある）

「本官は今日人類史上かつてなかった最も暴悪な共産党の恐怖政治下に呻吟している北韓同胞諸君に祖国と民族の名で切実懇曲なる呼訴を伝えたい。

我々は民族が分裂したまま生きねばならない現実を考える時、この悲劇をもたらした二つの原因を糾明しなければならない。

北韓同胞諸君！

その原因の第一は我が民族自体にあり、第二の原因は世界赤化を画策しているソ連の共産帝国主義の分割占領政策にある。

一九四六年春に開かれた米ソ共同委員会でソ連は非民主的提案を固執してこれを決裂させ、統一政府樹立を不可能にし、南北韓の分割と北韓の赤化を既定事実化した。

自由はもとより与えられず、個人財産権の徹底的剝奪は農民を土地の所有者からいわゆる社会主義体制の奴隷と化さしめ、現下「千里馬にのった勢で進もう」というスローガンのもとに展開されているいわゆる千里の駒運動は北韓同胞にたえられぬ苦痛とひどい労役を強要している。

北韓同胞諸君！

千里馬運動こそ共産徒輩のもっとも奸悪な統治の一手段だ。

親愛な北韓同胞諸君！

祖国を自由で民主主義的な統一独立国家として建設するための原動力とならねばならぬ南韓は、今偉大な再建と飛躍の段階にある。

国民大衆に背いた自由党は打倒され、国軍将兵はけつ起して国家再建事業に総進軍している。明後年春には、自由で公正な選挙による新しい強力な新政府を樹立する。

北韓同胞諸君！　そして北韓の人民軍将兵諸君！

諸君は南韓同胞の勇気と英雄的斗争を記憶されたい。諸君の心と力を団結して赤色帝国主義ソ連と中共の植民地的支配を果敢においだし、彼らの手先金日成一党を打倒して同胞諸君の意思と利益に合致した新政権をうちたてねばならない。

南北韓の同胞が統一された独立国家の国民として、そして単一民族の兄弟としてひとつの垣根の中で愛情をもって支えあいながら生きていける日を促進させる唯一のかぎは、北韓同胞諸君そして人民軍将兵諸君が、南韓における勇敢なけつきと斗争にならい金日成一党をソ連に追放しソ連と中共の支配を果敢にたおす英雄的解放斗争を展開することにある。

南韓は今その根本的に蓄積された原動力と革命政府の合理的で能率的な指導により数年内に貧困と飢餓と無知と疾病と恐怖とから自由な福祉社会の建設を完成する。

この根本力量の成長とともに北韓同胞の反ソ救国統一斗争の発展は祖国の統一と自由民主主義路線の促進強化に決定的な条件となるもので、民族の死活を左右するものだ。

北韓同胞諸君！

私は十月三日開天節にあたりこのような呼訴を、南韓の二千四百萬同胞の念願と、そして北韓同胞の切実な期待を考えつつ、祖国と民族の名で北韓同胞に伝達し、再びわれることのない統一独立の日が一日も早く来ることを期待しながら、我々は準備し、諸君は奮然とけつきすることを互いに誓いあいたいと思う。」

つまりクーデター政権の統一方式は、大前提として平和統一の否定があり、その上で、武力北進策にたちもどるべくあらゆる準備を努力しつつ、さしづめ現実の力関係の上では、北朝鮮政権の内部転覆（実際は武力北進よりももつとむづかしいことであるが）

のアジテーションに異常な激情を傾け、現実の結果としては、分断の固定化と対立の緊張激化を煽るということになる。

この情況は完全なる李承晩方式への逆転であり、そこにあるものはむき出しのダレス路線である。張勉政権時代とは全く異つた事態――いわば米占領軍の直接的軍政を軽くおおったいちぢくの葉としての朴政権の存在――に対応して、北朝鮮の態度もまた変ってきた。

六一年九月に開かれた朝鮮労働党第四回大会は「祖国の平和的統一のために」なる大会宣言を発したが、それには当然のことながら連邦制のレの字も発見されない。いかに過渡的方策とはいえ北朝鮮がアメリカの第五一州と連邦を形成するわけにはいかないであろう。

宣言の要旨は次の如きものである。

「いま南朝鮮人民のまえには、起ちあがって自由と解放のためにたたかうか、然らずんば座して死を強いられるかの二つの道があるのみである。……たゞ斗争の道のみが、南朝鮮人民の自由と解放をかちとる道であり、祖国統一の大業をなしとげ、自由で幸福に生きる道である」

「南朝鮮におけるファッショ・テロ支配は、朝鮮でのアメリカ帝国主義どもの地位が強まったのではなく、弱まったことを証示するものである……」

「南北朝鮮のすべての愛国勢力は一致団結して、アメリカ帝国主義者をわが祖国の国土から撤退させ、国の統一を達成するための民族解放斗争にたちあがらなければならない」

同大会における金日成委員長の「中央委員会活動報告」は、その報告の第三章、「祖国の平和的統一のために」の中で次のようにも言っている。

「党は終始一貫、わが国の統一問題を自主的にそして平和的に、民主主義的原則にもとづいて解決することを主張してきた。……わが祖国の統一問題を完全に解決するためには、いかなる外部勢力の干渉もうけずに、民主主義の原則にもとづく全朝鮮の自由選挙を通じて統一政府を樹立しなければならない。……朝鮮からアメリカ軍を撤退させて、いっさいの外部勢力の干渉を排除することは朝鮮で真の自由選挙を保障する先決条件である」

「……南朝鮮における革命は、帝国主義に反対する民族解放革命であり、封建勢力に反対する民主主義革命である。この革命の基本的要求は、朝鮮からアメリカ帝国主義侵略勢力を駆逐して、その植民地支配を粉砕し、南朝鮮社会の民主主義的発展と国の統一を達成することである。」

「……このためには、マルクス・レーニン主義を指針とし、労働者・農民をはじめ広汎な人民大衆の利益を代表する革命的党をもたなければならない」

またその報告は
「……労働者はサボやストを組織して敵の軍需生産と軍需物資の輸送を妨害し……

……南朝鮮人民は……アメリカ侵略軍に……一粒の米、一滴の水もあたえてはならず……

……「国軍」の統帥権をアメリカ帝国主義者の手から奪還すべきであり……」

と一連の要求や目標を明示したのち
「こんにち、南朝鮮で、すべての愛国的勢力を包括する反米救国統一戦線を形成することは、革命発展のもっとも重要な要求である」

としている。

（日本訳「宣言」の全文は「朝鮮時報」一七九号、金日成報告の要旨は一七八号、その全文は十月廿一日付「号外」に所収）

これらの資料はいづれも党大会における党の立場、革命の立場で言われているものであって、国ないし政府の立場で言われているものではないにしても、北朝鮮が当面する情勢の中で統一問題をどう処理しようとしているかを充分に明示している。

(三)

日本政府が隣国朝鮮の統一問題についてどういう態度をとってきたかを管見しよう。

「武力北進」の李承晩時代には、日本政府にとって朝鮮の統一問題は存在すらしなかった。この時期の最も典型的な姿は、朝鮮戦争における日本政府の役割である。つまり北朝鮮は「敵」と呼ばれ、その否定殲滅が問題であった。

張勉政権の時期に日本政府の政策の中にあらわれた一つの特徴は、六一年初頭の国会において池田首相・小坂外相の答弁にあらわれた。

「日本政府が対象としているのは国連に認められている韓国政府であるが、朝鮮の北半分には、これと違ったオーソリティが存在していることは念頭に入れておる」

というものであった。

クーデター以後、さらに表われた一つの変化は、今春の国会においての答弁で

「われわれも、隣国の朝鮮が統一をされることを願う点においては人後におちるものではない」

というものであった。

言葉の上におけるこの一連の変化は、恰かも次第に統一を願う立場に移行しているかの如くでもある。

だが実際にとられている政策と行為は、逆行であって、最も果敢に平和統一を断圧しているクーデター政権との国交正常化を企図する日韓会談の妥結への努力である。

日本政府が「朝鮮の統一を願うことで人後におちない」と言ったことは、丁度、軍事クーデター政権が「最も統一に熱心であったのは軍であった」(五月一九日)と言いつつ統一運動を鎮圧しているのに似ている。

このことは、日本政府においても、南朝鮮の政権においても、必死に朝鮮の統一を阻止し分断を固定化する政策と行動をとりつつも、その統一について賛意を表するかの如き言辞を弄せざるを得ない程、その統一問題が避けることの出来ない力として働いている現実に押し動かされていることを物語る。

朝鮮が現実に二分されており、日本としては一先づ西欧陣営に属する「南」と国交を正常化し、しかる後、「北」のオーソリテイとも接触していくのであって、決して「北」を敵視するものではないという「日韓会談」の論理をどんなに上品に述べてみても、その「南」が、統一を否定し、武力北進策にもどろうと狂乱に近い努力をしている「南」である以上、「南」と日本の正常化とは、武力北進の合理化であり、北を「敵」とする立場に自らを固定化する以外の何ものでもないことは自然な論理上の帰結となる。

(T)

南朝鮮の状況

南朝鮮の経済状態についての新聞社説

「再建五ケ年計画案」は根本的に再編成されねばならぬ

（韓国日報七月三一日付社説）

去る二二日、国家再建最高会議で発表した「綜合経済再建五ケ年計画案」に関して、各方面からの分析批判がなされているが、今迄に現れた論議の焦点を綜合してみると全体として問題になるのは計画期間中の七・一％という経済成長率である。これは過去の実績と我国経済の現勢からみて決して低いみこみではなく、むしろ北韓経済に対抗しようという意欲ばかりが先に立ち、今後五年間に予測される経済的与件の変動にてらして実現の可能性が疑問視される数字である。この点殆んどの意見が一致している。

このような疑問の生れてくる論拠としては多くの人々が次の点をあげている。

① 年間平均七・一％の経済成長率を達成するのに必要な、莫大な国内外の投資財源が果して計画案に予測されているように順調に調達できるかどうかということ。

② 国際収支面で外資導入と輸出が予定通り大幅増加して我々が必要とする外貨が十分に確保できるかどうかということ。

元来経済計画が国民に夢を与えつつも現実的に与えられた条件の下に可能な最大限の経済成長の方向と速度を設定し、その実現のために政府の政策目標と国民の進むべき道を明示する所に意義があるのだから、このような問題点は計画の実現可能性を決定的に左右するかぎとみなさねばならない。

五ケ年計画案が示している資本形式と国際収支に関する計画的予測は慎重を期さねばならぬものだが、この計画案が余りに短時日内に少人数で作成されたため、この点に対し余りに粗雑であつた点は遺憾といわねばならない。

第一に資本形成率についてみよう。計画期間中に大きく内資調達が増大しなければならないのに困つて、他の後進国に類例をみない二三・一％という高い資本形成率を仮定しているばかりでなく、これを調達するについても初年度の政府対民間資本形成比率政府六、民間四を、目標年度には逆に四対六に転じさせ、確実性を期待できない資本形成部分を一括して民間資本形成の中に入れ、資本形成額のつじつまを無理に合せようとした形跡がある。

又、政府資本の形成においても、「国防至上の原則」の下に無理に資本を捻出しようとしたために、現在一二・七％にとどまつている租税負担率を一七・五％にひきあげ、そのうちでも大衆課税の性格をもつ間接税に比重を大きくかけ国民の負担をたかくせざるをえない結果になつてしまつている。

このようなことは、資本形成を経済成長とあわせるために無理に数字を操作した結果であろうが、この計画案は理論的にも矛盾を内包している。
計画案の前段で過去の経済成長実績を分析した中で、過去の総限界資本係数が他の後進国の一・八乃至二に比べて非常に高い二・八を示していることを指摘して「これは資本をそれだけ浪費したことを意味する」といっているかと思えば、計画期間中の限界資本係数はこれよりずつと高い三程度にみつもつており、その理論通りとすれば計画期間中にもますます「資本を浪費しよう」といつていることになる。これは資本係数が高いということの意味を知らずに資本の浪費と同一視する誤解から来たものだろうと思うが、ともかく資本形成の部分に関する限り、この計画案は大幅に修正されなければならない。

第二に国際収支面をみても、これ又実現可能性のうすい数字の羅列にすぎぬという感を禁じえない。外貨需要は、経済成長につれて増加するとみるのが原則であるにもかかわらず、計画期間中画一的に約五億ドルの水準と推定していることがそもそも問題だが、それよりも到底実現の可能性があるとはみえない巨大な外資導入と輸出増大を予定することによつて、収支の均衡を無理にとろうとしていることが問題である。

中でも外資導入は米国をはじめとする友邦国の積極的協調さえあれば必ずしも不可能ではないが、少なくとも輸出計画に関する限り、今度の計画は殆んど実現の可能性がないとせざるを得ないことについては衆論が一致しているようだ。

五ケ年間に商品輸出は四倍に、軍納と用益は約二倍に増加するということになつており、保税加工料として新たに三千万ドルが追加されるとみているが、その内容をみれば現在輸出されている殆んど全ての物件が、数倍にも伸びるように仮定されており、その中でも生糸は一三倍、生豚は八倍、冷凍水産物は一三倍、銑鉄は七倍、鉄鉱石は二百倍にという風に驚くべきほどの増加をみつもつている。

これらは全て莫大な投資と財政負担なしには不可能なものばかりだが、特に銑鉄七倍、鉄鉱石二百倍ということは現在の国内需給事情からみても、資源保有量からみても、それこそ絵に描いた餅にすぎない。

重ねていうが計画が計画にとどまる限りそれは一つの観念の遊戯にすぎない。今回の計画案はこの意味で根本的に修正されねばならないものと考えるが、政府が本当に実現の可能性ある計画を作ろうという考えなら、既に本欄で指摘したように少数の人間に巨大な作業を任せることなく、計画担当機関を単一化してここでもう少し深みのある計画を作るようにせねばならない。高度の技術と莫大な資料を必要とする経済計画を数人の手で作成しようという考えがそもそも誤りなのである。この意味で先般発足した経済企画院に対する我々の期待は大変大きい。今後は数字の操作の上の計画ではなく真実に実現可能な基礎の上にたつ、誰がみても納得のいく計画を作成することを望むものである。

（韓国日報九月二七日付社説）

農漁民が再び高利債をかりないでもすむようにせねばならぬ

〜農漁村高利債申告しめきり後の対策に期待する〜

二六日張農林部長官は、二五日二四時でしめきりになつた農漁村高利債申告について、次のように語つた。「二六日午前九時現在の集計で一七八万七二〇六件、四七八億六一一八万ホアンに達する。勿論、最終申告は今明日中に再集計して発表されるが、しかしここに明らかにされたように高利債申告額が四七八億ホアン台を越えたことは確実に成功的なことにほかならない。

このような結果は農林当局の責任者をはじめ関係者の努力の結果と考えるが、又農民が政府の施策に充分な理解をもつていたことをも意味する。このような点から我々・は当局の啓蒙と農民の協調を高く評価したい。

勿論、農村にいまだに深く根を下している古い思考方式と観念が、いわゆる「義理」を重くみて申告をためらわせたことはあつたが、しかし啓蒙と説得によりこのような結果がもたらされたことは大変よかつた。

しかし、我々が心配するのは、今後農民が再び高利債をかりずにすむようにしなければならないという点である。この点に対して関係当局が深い関心を注ぎ、又その対策を講じていることと思うが、問題が非常に困難だということが我々にとつて若干心配になる。我国の産業構造はいまだ近代的なものとは距離が遠いために、農業の比重が非常に高い。従つて年毎に耕地面積が零細化して行く傾向にあり、このような趨勢を何とかして防がなければならない。又、人口構成の大きな部分が農業人口から成つている。五反歩未満の農家が現在全農家の約四三％を占めている実情であり、このような零細農家問題を解決しない限り、今後も再び高利債への依存という問題が起るのではないだろうか。

一部には耕地面積を拡大させてやろうという主張があるが、農村人口を他の産業に吸収しない限り現在の耕地面積では拡大してやることはできない。

このような点から、我々が考えることは、農村問題が農林当局の手だけでは解決できないということだ。いいかえれば、全産業の構造的変質を通じてでなければ解決できないということだ。このような問題は、勿論経済五ケ年計画の進行につれて漸次的に解決されると信じているが、しかしこれは至急を要する問題なので我々はここに問題点を指摘しておく。

従つて、今後計画遂行によつて産業人口の再配置が実現することではあるが、一方現在の条件下でも農業生産性を高め、自給率を高めてやろうという努力がなくてはならないのだ。これは生産技術の昂揚に依り農家収入を少しでも高めねばならないからだ。

一定の計画期間まではこのような方法によつても農家負債の圧力をへらしてやらなければならない。だから高利債申告の事後対策においても関係人士の倍前の努力があるべきことを希望せざるをえない。

「南朝鮮における敗北」（要旨）

アメリカの外交関係委員会編集発行による代表的外交評論季刊誌「フオーリン・アフエアーズ」十月号に掲載されたエドワード・W・ワグナーの論文の要旨。

疲弊した南朝鮮

米国が朝鮮で民主政治の確立を援助するのに乗出してから一六年たつた。しかし米国が協力しているのは、はつきりした全体主義的な政権である。朝鮮戦争が終つてから八年たつたが、米国が朝鮮で当面しているのは、共産主義が南朝鮮の貧しく、警察におさえられている人びとにとつてますます魅力的になつてきそうだということである。南朝鮮の軍隊はアジアで最優秀な自由世界の軍隊として育てられたが、米国の意向を無視して自由な制度の破壊者になった。米国があたえた四〇億ドルの経済援助は朝鮮戦争の傷手を治し、産業を復興させるのに役立ったが、南朝鮮の経済をやっと生存を維持する水準以上に高めることはできず、農村の飢餓状態を防止することもできなかった。

しかし、いまもって、朝鮮における米国の失敗を公然と語る者は少なく、ましてその原因を探求しようとする者はもっと少ない有様である。一体なにがうまく行かなかったのだろう。失敗にはいくつもの要因が働いている。

第一に、米国は成行まかせの政策をとり、自分に負わされた責任を避けてきた。米占領当局がもっとも必要とされた土地改革の実行を長いあいだおくらせたことは一番よい例であろう。

李承晩政権の徹底した改革を頑張れなかったこと、あるいは、李承晩政権を早くおしまいにする方法をみつけられなかったことも、同じような例である。

第二に、国内の安定と戦斗的反共主義という二つの標語のために、米国は共産主義の破壊活動を自力で追いはらうような社会秩序を育てる必要を認めることができなかった。反共を一番やかましく叫んだ政治家が米国当局者の支持をえた。そのような連中が政治的には全くの時代錯誤で、古い朝鮮の社会を変えることなど考えていなかったことなどは、どうでもよかったのである。

第三に、米国は朝鮮の人たちの理解をもとめるという根本の問題にちゃんと取組まなかった。朝鮮にたいする米国のばあいのような全くの無知の状態は、その例をみないものといってよい。

北朝鮮との対照

これからの見通しもこれまでの実績に劣らずわびしいものである。なかでもひどいのは経済問題だ。南朝鮮は世界でも四番目に人口密度の高い国である。人口の七五%が農業で生活をたてているが、耕地は総面積の五分の一しかない。農家一戸あたりの平均耕地はわづか二エーカーで、全農家の四〇%が一エーカーあるいはそれ以上の土地で生活するほかない状況である。都市の住民の生活も農民と大差はない。労働力の二五%が失業している。一九六〇年の国民総生産は二〇億ドルたらず、一人あたり国民所得は一〇〇ドルをはるか下廻った。一年間の輸入(軍需品をのぞいて)二億ドルにたいし、輸出は二千万ドルにすぎない。これだけみても、南朝鮮に経済的奇蹟の可能性が全然ないことがわかる。

米国の経済援助はかなりの成果をあげた。朝鮮戦争の傷は大部分いやされた。米国の援助で新しい工場が沢山たち、朝鮮が南北に二分され、日本との経済関係が制限されていることから生ずる影響を克服するのを助けた。しかし、同時に、米国の朝鮮における援助活動が計画の失敗や無駄で汚されてきたことは、誰れもが認めているところである。たとえば電力開発の失敗、米国資金でたてられたいくつかの工場の製品を国内で消費したり、競争できる価格で輸出したりできない事実は、そのよい例である。

南朝鮮にたいする援助計画で一番期待外れなのは、生活水準をだんだん引上げられるだけの成長率を達成できず、南朝鮮人民の大多数に少しも利益をもたらしていないことである。南朝鮮の経済上の実績を北朝鮮で起ったことにくらべると、それがはっきりしてくる。北の方が南より経済成長のための条件がよいことを考慮にいれても、朝鮮戦争が終ってから今日までの北朝鮮の建設が目立った成功を示しているのは否定できぬ事実である。たとえば電力生産などいくつかの重要分野で、北朝鮮は一人あたり生産では日本やイタリアの水準に近づいている。経済のすべての分野で生産は以前の朝鮮全体の水準を上廻っている。異常に急速な経済成長率が達成された。このような発展のおかげで、北朝鮮の一千万人の人民はいままでになかった生活水準を味えるようになった。在日朝鮮人が北朝鮮に帰る道を選んだのも、物質的生活のこの向上がかれらを動かしたからである。

朝鮮の工業基礎は主に北半部にあった。北朝鮮は人口が比較的少ないうえに資源は豊富である。それが経済の急速な発展に幸いした。しかし、共産党の指導のうまさと適切さも大きな働きをしている。北朝鮮の労働者や農民が自ら経済発展の大事業に参加しているという気持をもっていることも忘れてならない。南朝鮮ではまさにこのような不可欠の要素が欠けていた。米国の経済援助でどんな成果があっても、それだけで経済成長が持続されたり、広い国民層が恩恵に浴することにはならない。南朝鮮人民を全体として自分たちの国の政治、経済、文化生活に全面的に参加させることができず、あるいは、そんな気持もない指導層の手中に政権があるかぎり、そのような成果を期待することはできないのだ。

危険な「確信」のうえにたつ軍事政権

南朝鮮に軍事政権ができてから数ケ月たつたが、その実績からみて、南朝鮮の人たちが切望していたような指導が実現するという希望はほとんどない。韓国の民主制は事実上廃棄されて、行政、立法、司法の権限はすべて朴正熙の国家再建最高会議に集中されている。国民議会はもちろん、村議会にいたるまで、あらゆる審議機関は解体されてしまった。一切の結社と言論が禁止されるか警察の弾圧下におかれた。軍事政権のこのように極端な行動もさることながら、それを実行にうつした速さに注目しなければならない。李承晩が一二年にわたり、その後張勉が一年間、南朝鮮を支配してきた政治機構は根が浅くて、簡単にうちこわせるようなものだつた。軍部以外に有力な指導者はいなかった。したがって権力をとつたり、腐敗を一掃し、生活条件を改善し、反共の姿勢をつよめるには、軍事政権がとつたような荒っぽい性急な行動はかならずしも必要ではなかつた。そこに五月の軍部クーデターの思想的な空しさがあらわれている。軍事政権ははじめ公共の秩序と道徳を刷新する措置をとつて国民の好意を集めた。しかしそれもすぐ消えていつた。あいつぐ弾圧のもとで知識層はますます穏やかでなくなつてきている。経済界は不安のため活気を失つた。経済活動の下降傾向がつづいている。国民の気分は低調である。韓国軍のあいだには他の派閥が朴正熙のよろめくのを待ちかまえているとみてよさそうだ。

五月の軍部クーデターは、昨年四月の民衆暴動と同じように、政権が在来の支配層の一派から他の派に移つただけに終つた。張都暎も朴正熙も張勉や李承晩と本質的には同じ社会層の出であり南朝鮮を一番必要としている徹底した社会革命によつて指導できる人たちだとはとても考えられない。朴正熙にはアラブ連合のナセル、イラクのカセム、パキスタンのアユブ・カンのような個人的人気も思想的な確信もない。かれをとりまく将校たちは献身的精力的、誠実で、規律があり、これまでの政権にはなかつた長所をもつている。しかし、この連中は「真の民主主義」への道は警察国家の指導の時期を通らねばならないと信じている。これは単純で危険な誤りである。

前途の危険

朝鮮の最近の危機が海外でひきおこした衝撃はうすらいでいる。朴正熙の権力が固まるとともに、最近ずつとつづいた騒ぎも終つたというふうに見られている。しかし、過去の経験からすれば、騒ぎが終つたとはいえないようだ。前途に横たわる危険をみてとるように目をみはつていなければならない。米国が朝鮮問題にたいする新しい対処の仕方を探求している証拠があるだろうか。どうもなさそうだ。どうみても米国は京城でのクーデター騒ぎを通じて押出してきた勢力と(それがどんなものであるかにかかわりなく)共存しようとしており、そのような路線がどんな意味をもつているかを検討できなかつたようだ。

たとえば、もし朴正熙が韓国軍内部の反対勢力によつて追いだされるようなことがあっても、米国はなんの施す術もなく傍観しどんな影響があろうとも、事態を成行にまかせるのではなかろうか。個人の自由にたいする厳しい抑圧がつづくばあい、米国は一体どうしようというのだろう。軍事政権が政治の手綱をゆるめるという約束にそむくばあい、あるいは、病気にかかっている南朝鮮の経済がもっと悪化するばあい、米国は一体どうするのだろう。人民の生存に必要な最低のものを満足させることで本物の反共産主義を建設するよりは、反共前線をつくりあげる方が結局もっと効果的だという現実論にもとづいて、国民の不満を遠慮なしに弾圧するのを、米国は大目にみるのだろうか。これから何ヵ月かのあいだには上にあげたような事態がすべて起る可能性がある。したがって米国としては事態の成行をある程度統御できるようにすることが絶対に必要と思われる。

米国が現在の軍事政権を早く解体する方向に動くことが必要な場合もある。米国がそうする権利も手段もないなどと考えてはなるるまい。ボールズ国務次官は、朝鮮の最近のできごとに関連して米国は全能ではない、といった。しかし、米国は無援というわけでもないのだ。西方に属さない世界の他の地域と同じように朝鮮でも、米国の主な任務は普通の人びとの熱望に同調することである。共産主義者は北朝鮮でそうやって成功している。今日、南朝鮮にたいする共産主義の脅威は、ねたみをひきおこすような比較による破壊の脅威である。南朝鮮の人たちがどちらを選ぶかといえば結局、ワシントンかモスクワかではなく、京城か平壌かであろう。もし米国が南朝鮮の社会をきちんとさせて生活状態を改善するように頑張らないとすれば、それは、米国が非常に重要な低開発地域で共産主義と競争する意志や英知をもたないことを認めることになるだろう。

南朝鮮関係軍事資料(一)

1 韓国軍の機構、兵力、米軍との関係
2 在韓米軍の増強と移動
3 軍事演習の状況
4 南朝鮮の戦略的地位
5 韓国軍の指導理念
6 他国との軍事関係
7 米韓相互防衛条約

1. 韓国軍の機構、兵力、米軍との関係

○ 韓国軍の兵力(「毎日」五月十七日)

陸軍は十八個師団の正規軍に十個師団の治安警察軍で約五十七万人。日本の自衛隊の三倍に近い"兵力"をもっている。……第一線部隊は在韓米軍統合司令部(ソウル)の指揮下にある米第八軍の第七師団第一騎兵団ら約二万五千人の駐留軍と一諸に北鮮国境の軍事休戦ライン付近に配置されているが、弾丸、油はわづか二日分しか支給されていない。後方の補給廠は全部米軍が管理している。……いまの将軍たちはほとんどさきの大戦では日本軍に参加した連中が多い。……佐官クラスは戦後韓国にできた士官学校(ソウル郊外泰陵、旧日本軍志願兵学校)の卒業者が多く、貧乏な農村出だ。

海軍は艦艇七〇隻、三八〇〇〇〇トン、兵一六〇〇〇〇人、ほかに海兵隊一個旅団約二七〇〇〇〇人と沿岸警備隊。最近海軍増強が計画されている。

空軍は約二五〇〇機といわれている。

○ 軍隊の配置（「朝日」八月二十日）

ソウルの汝矣島（ヨイドウ）飛行場から韓国陸軍のL十九連絡機で原州（ウオンジユ）へ。ここには前線を統轄する第一軍司令部がある。……朝鮮戦線は東西約二百五十キロ、西海岸に近い方を米軍、韓国海兵隊が守り、中部、中東部、東部の広い地域は韓国陸軍が受け持っている。韓国陸軍は通称五十五万、その主力はほとんど第一軍管下の前線地帯に配置されている。第一軍の下に第一軍団から第六軍団まであって、各軍団は師団、旅団、連隊…という構成、その詳細は秘密だそうだ。（ソウル＝真崎特派員発）

○ 軍事基地所在地（「日本と朝鮮」五月二十五日）

米第八軍司令部、国連軍司令部（京城）ハワイ太平洋統一司令部の指揮下にある。

陸軍（ペントミツク師団二個師）第四ミサイル部隊司令部（春川） ミサイル基地（春川付近）

空軍基地（府中第五空軍傘下三一四航空師団）

（楊口、烏山、金浦、平沢、光州、群山、釜山、浦項）

「韓国」国軍

国防部、三軍司令部（京城）

陸軍軍管区司令部（光州、釜山、論山、大邱、京城）

海軍基地（鎮海、仁川、群山、木浦、済州、浦項、墨湖、麗水）

空軍基地（麟蹄、襄陽、江陵、永登浦、春川、横城、原州、仁川、水原、驪州、忠州、安東、大田、裡里、羅州、鎮海、蔚山、金海、慶州、大邱、済州島）

○ 米軍と韓国軍の関係（「日本と朝鮮」五月二十五日付）

（米軍と韓国軍）

両者の関係は一九五〇年七月十五日の「大田協定」によって生じ、李承晩大統領とマッカーサー国連軍司令官が会談した結果結ばれたもの。当時は朝鮮戦争の最中であり「この戦争がつづく間韓国軍のいつさいの指揮権を国連軍司令官に委譲する」とある。

その後、一九五四年十一月十八日米韓援助協定が締結された際両国の共同声明で「韓国軍事力を国連軍司令部の作戦管理下におく」と再確認され、その取り決めは張勉（ちやん・みよん）政権でも支持されていた。

これにより国連軍司令官は米軍将校を軍事顧問の資格で韓国軍の各連隊にまで配属し韓国軍の弾薬供給、管理権を握つており、五四年には韓国軍参謀総長の作戦活動力を分散して弱化するため、国連軍司令部の下に後方勤務司令部および韓国軍訓練司令部の二下級司令部を設け、国連軍司令官の指揮権の強化をはかつた。国連軍司令官はまた武器、弾薬、ガソリン、などの軍事補給物資を韓国軍に提供する面での規制権をも握つている。在韓国連軍の大部分は米軍で、マグルーダー国連軍司令官は在韓米軍司令官も兼ね、米韓相互防衛条約（一九五五年）に基づくいろいろな行動の指揮をとるという二重の立場にあり、この二つの立場の区別は実際上判然としていない。

○ ＭＳＡ協定による兵器の供与と規則（中保与作「韓国読本」）

アメリカは一九五九年二月一三年李承晩が武力による北朝鮮帰還阻止を言明した時、①韓国軍がもつ武器の大部分はＭＳＡ協定にもとづきアメリカが供与したものであり、②ＭＳＡ協定はその武器の使用を外国からの侵略、国内の反乱もしくは集団安全保障体制の要請による場合に限定している。その外のために使用するときは米国と協議しなくてはならないと指摘し、同時に大田協定により韓国軍は作戦上国連軍の指揮下にあることを明らかにした。更にアメリカはその提供した武器弾薬その他の軍需品を韓国側が勝手に処分することを事実上禁止する処置をとつた。又一方飛行場の管制、ガソリンの供給規制などによって韓国軍の行動を抑制できる措置をとっている。

○　ソウルの警備態勢（「韓国日報」八月八日）

八月七日首都防衛司令部設置法が公布された。全文六条、公布日に発効。同法によれば、最高会議に所属し、ソウル特別市一円の①武力攻撃又はその徴候がある時の防衛出動、②騒擾暴動その他緊急事態において警察力で治安維持が困難な時の治安出動、③災害出動する。これにより戒厳令の宣布なく、軍隊の出動が可能になった。同法によれば部隊出動には最高会議の事前承認又は追認を必要とし、司令官と参謀長は最高会議の承認を得、議長が任命する。六月一日付で設置された金珍曄将軍麾下の防衛司令部がこの法に依り首都防衛の責に任ずることになる。

○　空軍の指揮系統（五月十八日参院内閣委、毎日新聞による）

横川正市（社）韓国軍と在韓米軍との指揮系統はどうなっているか。

西村防衛庁長官　韓国軍の指揮系統は大統領が最高指揮官でその下に総理国防長官があり、シビリアン・コントロールをやっている。しかし軍事境界線にそって展開している実戦部隊の第一軍は国連軍司令官の指揮下に入っている。武器弾薬燃料の補給は在韓米駐留軍が統制している。第二軍的な軍事境界線外の韓国軍に対しては勧告的要請が国連軍からなされることもあるときいている。

横川　第五空軍は東京の府中に司令部を置いて在韓米軍の指揮をとっているがどう考えるか？

防衛庁長官　在日米軍は韓国軍のクーデターについては実に慎重な態度をとっており、直接在日基地から作戦行動を起すようなことはないと思う。

○　韓米共同作戦体制（「韓国日報」十月十三日）

五・一六革命後、初の韓米合同指揮官会議は十三日午前八軍司令部で開かれ、両軍の協同精神を強調しつつ、①韓国戦線の重要性、②現世界情勢の重要性と駐韓米陸軍に与える影響、③小規模部隊訓練の強化、④韓国陸軍の指揮体系忠誠心規律強化、⑤戦斗態勢の完備問題等に関して合意に達したことを表明した。

この日の会議にはメロイ大将、金鍾五陸参総長、朴一軍、閔二軍司令官、ラッセル八軍副司令官以下三十三名の高級指揮官が出席した。

メロイ将軍はその演説で、「この会議が両軍の協同精神を改善する重要な手段だ、と指摘しつつ最近訪韓したデッカー大将が「私の訪韓は米国政府がこの地域にかけている重要性を認識させるためのものだ」と語った事実と、ベルリンが最危険地域とみられるが、米国は太平洋地域も自由世界に全く同じく重要だと思っていることに言及した。又小規模部隊訓練の重要性について「韓国を防衛するのに与える最大の寄与」だといい、韓国陸軍参謀総長が陸軍の忠誠心と指揮体系強化の為に取る措置に賛意を表した。

○　軍の統帥権（「韓国日報」十月十三日社説）

軍事革命後しばらくではあるが、両軍の間に若干の見解の差があったが、このようなことが共同の敵である共産軍に思わざる利得を与えるおそれがあった。ここに全てが正常化され伝統的友好協調関係がもたらされた。国軍の一部は革命政府を担当し、米軍も又理解と協調を与えていることを示した点にこの会議の意義がある。

ベルリン危機、ベトナムゲリラは人事ではなく、韓国戦線にもつながっている。韓国のみでなく自由世界防衛の一翼を担当している韓米両国軍隊は現下の世界的危機を正確に観察し万全の対策をとらねばならぬ。だから韓国戦線がベルリンにおとらず重要な点であることを、内外に宣揚した点にもこの会議の意義がある。

2. 在韓米軍の増強と移動

○ 米一個戦斗団韓国へ移動—前線中央地帯に交替布陣(「ソウル経済新聞」六月十七日=UPI)

全ての耳目が韓国の軍事革命とそれに続く韓国内の事態発展に集中していたために、米陸軍の完全な一個戦斗団は、先月ひそかに——ほとんど目にふれずに—— 韓国へ入ってき、休戦線の南方に布陣した。

この部隊は、カンサス州ポート・ライリーから到着した第一歩兵師団第二戦斗団である。同部隊は、最前線北部、中央地帯に布陣した後米第七師団第一戦斗団となった。

○ 米七兵站司大邱へ移転(「韓国日報」六月十六日=UPI)

駐韓米八軍の補給を担当している米陸軍第七兵站司令部は、駐韓米軍の「戦斗態勢を強化するために」ソウルから大邱へ移転することになった。

同兵站司令官ウイリアム・W・ラブスリー准将は、UPI記者との単独会見で、同司令部のこのような移動は「戦争が再発した場合に駐韓米第八軍に対して兵站支援態勢を強化するためのものだ」と語った。同司令部の大邱への移転は十七日から開始されるが、この移動は今後四年の間には完了しないであろうという。

○ 米第七軍需司移動開始(「ソウル経済新聞」六月十七日)

ソウル市民になじみの米第七軍需司令部が大邱に移動する。

このたびの移動は、従来ソウル・富平・仁川に集中していた米軍需行政を分散させる計画をも包括しているといわれる。

○ 米軍、前線に配置がえ(「韓国日報」七月二六日)

駐韓米軍当局は七月二五日、すべての油類受領および分配をひきうける韓国最初の第一兵站油類補給廠中隊が米陸軍第五三油類補給廠中隊とともに仁川港から軍用および民間用諸般油類を導入している、と発表した。この韓国軍補給中隊は米軍の後方軍需部隊を韓国軍人にとりかえ、米軍兵力を前方またはその他の特殊任務に転用する一環として、さる五月二五日正式に仁川で発足したものという。

○ 米軍将兵の服務期間延長さる(「東亜日報」八月三一日)

駐韓米軍兼国連軍司令官メロイ将軍は八月三〇日配下の米軍将兵に対し、かれらの海外服務期間が三ヵ月延長された理由を説明した。

○ 新兵力投入(「韓国日報」九月二日=AP)

米陸軍は九月一日カンサス州ポートリレイにある第三一歩兵師団所属第一戦斗団が一〇月一日韓国に空輸され、現在韓国に駐屯している一部隊と交代駐屯すると発表した。同戦斗団は一、一四八名の兵力を保有しており、カンサス州トペカ近辺のフオベス空軍輸送隊による特別空輸が実施される。陸軍は三個戦斗団が兵力補充計画に依拠してすでに韓国に送られたが、極東に空輸されたのはこんどがはじめてだという。

○ 補給基地を分散(「韓国日報」九月八日)

駐韓米第八軍はその補給および兵站基地を韓国全域に分散させていると第八軍参謀長ラツセル少将が九月七日語った。ラツセル少将は在韓補給施設は現在ソウルおよび仁川地区にあり、これは将来の仮想戦線にあまり近すぎるから戦争再発時の戦線から遠く離れている大邱、倭館地区に新しい兵站基地を建設中だと語った。同将軍は駐韓米軍および国連軍の装備には第二次大戦中のものが多く残っているが、これは至急かえねばならないと語った。

○ 空軍作戦部隊を統合指揮(「韓国日報」九月一六日)

韓国軍「第三戦場」に新たに戦術司令部ができた。一五日午後当基地(訳注、烏山基地)で空軍作戦司令部が、陸軍の野戦司令部、海軍の艦隊司令部とともに国軍三大戦斗指揮所の一つとして正式に発足し、その創設式がおこなわれた。この新司令部は空軍本部とその戦術作戦部隊の中間に位置し、戦斗飛行団以下すべての作戦部隊を配下にもち、このような諸部隊を統合指揮しながら韓米空軍の国内協同作戦を円滑に遂行する任務を負っている。これは増強に狂奔しているカイライ空軍（訳注、朝鮮民主主義人民共和国空軍）に対する空中戦態勢を強化するのに大きな意義がある。

○　駐韓米軍千名一一日に交替（「韓国日報」九月二四日ＡＰ）

千名ちかくの精選された駐韓米軍兵士が、米国の新防衛強化計画上の「切迫した必要性」に対応すべく一〇月初めに米国にひきあげはじめると当地の米軍当局は二十三日発表した。彼らは最近発表された九〇日間の海外勤務延長に先だち、一〇月十一月に韓国を去る予定とのこと。

３．軍事演習の状況

○　極東最大の上陸作戦（「韓国日報」八月十日）

八月一〇日早暁、浦項北方のブルービーチで米陸軍および海軍ならびに韓国空軍の水陸総合機動訓練「シャープエッジ作戦」が展開された。

駐韓米軍戦斗体制の万全を期するために計画されたこの作戦はカイライ軍（訳注、朝鮮民主主義人民共和国の人民軍のこと）が休戦ライン北方に集結し、これに呼応して南韓各地で暴動が起ったという想定のもとにおこなわれた。この演習は極東地域では今年最初の大演習であるばかりでなく、核兵器の保有をも想定している実際的な訓練である。

米第七師団第三四連隊約二〇〇〇名の将兵は米第七艦隊所属輸送船三隻、ＬＳＴ三隻、駆逐艦三隻、掃海艇五隻などの海上支援と韓国空軍Ｆ八六ジェット機四機の空中支援を受けて、さる六日仁川を出て韓半島（訳注、朝鮮半島のこと）を迂回し、浦項北方五〇韓里の慶北迎日郡ソンラ面祖師里と独石里の間の海岸（ブルービーチ）で一〇日上陸作戦を敢行したものである。上陸軍は八コの核兵器（仮想）をはじめ自動車二五〇台、タンク二二台、一〇五ミリ自動速射砲一二門と駆逐艦の艦砲射撃、空軍の爆撃など、立体的戦略下に上陸に成功したが、つづいて敵の第二、第三防禦線および浦項までを掌握せよという命令を受けている。作戦は一一日朝八時までつづけられる予定である。

○　誘導弾演習に在日米空軍が参加（「韓国日報」八月三十日）

駐韓米第四誘導弾司令部は第四二砲兵団所属第一誘導弾部隊約二〇〇名の兵員と九〇〇万ポンド重量装備の空輸作戦演習を九月五日から金浦で実施するという。日本・立川航空基地の第三一五航空師団の一二台の航空機が同演習に参加し、誘導弾部隊とオネストジョン誘導弾を金浦から群山基地まで空輸する。

○　原子戦演習の「銀星作戦」（「韓国日報」九月十六日）

一一年前の仁川上陸および首都奪還直前の熾烈な模様と将兵の勇猛な攻撃精神を再演し、銀星作戦と名づけられる海兵隊の奇襲上陸訓練は九月一六日午前九時から金浦と江華にわたる西海岸一帯でクライマックスに達した。原子戦を仮想し、空軍の協力を得て実施されたこの日の訓練には朴正煕最高会議議長、宋尭讃内閣首班、金鍾泌中央情報部長ほか最高会議委員、内閣閣僚、外国使臣、韓米高級将校が多数参席し、秋の海岸に展開した将兵の実戦的戦気と攻撃精神を称揚激励した。

上陸訓練は、一〇時三〇分第一波攻撃隊が目標地点たる赤色海岸に上陸を敢行して本格化した。ヘリコプターによる第二波上陸の後に、第三波、第四波攻撃がつづけられた。全上陸部隊の成功が知らされ、敵陣地には核兵器が投下され、仮想敵がせん滅され最後に第五波（ヘリコプター）の着陸により、わずか二時間で赤色陣地はわが軍に完全に占領された。

○　米第一機甲師で野戦訓練を実施（「韓国日報」十月一日）

駐韓米第一機甲師団はきたる三日から六日まで「第三トウルーパタンアウス」と呼ばれる野戦訓練を実施するという。今度の訓練には同師団予下の第九機甲連隊を除く全部隊が参加するといわれる。
○ 米機甲師団「騎兵反撃」訓練（「韓国日報」十月六日）
五日午後一時強力な空地支援を受けた一万四千余名の米第一機甲師団部隊は、西部前線に奇襲攻撃をかけてきた仮想「侵略軍」を撃退する一大反撃訓練を実施した。
「騎兵反撃」と呼ばれるこの機動訓練において反撃軍はヘリコプターと装甲車（ＡＰＣ）に守られ迅速に仮想敵軍の心臓部（スプーンビル高地）に移動することによつてペントミツク師団の威容を誇示していた。国連軍総司令官ガイ・Ｓ・メロイ大将等高位指揮官もこの訓練場に現れ機動訓練を観覧した。
○ 原子戦仮想した演習（「韓国日報」十月十四日）
十四日午前六時半海兵上陸軍の第一戦斗団が浦項近海仮想敵海岸に上陸することによつて、海軍、海兵隊の「ワニ上陸作戦訓練」はクライマツクスに達した。師団規模の上陸軍を韓国海軍と空軍のみの支援で上陸させるこの訓練は、終始、原子戦と化、生、放戦の様相を呈し、休戦線一帯から南侵した仮想敵軍を撃退する目的であつた。上陸軍の第二戦斗団は十五日から十九日の間上陸訓練を続ける予定で、李成浩海軍参謀総長と金聖恩海兵隊司令官が現地で作戦状況を視察した。

○ 米誘導弾装備駆逐艦鎮海で演習（「韓国日報」九月二十六日）
米海軍第七艦隊所属で誘導弾を装備している巡航駆逐艦クンツ号が二十七・二十八の両日、韓国海域で韓国海軍の艦艇数隻と類型訓練をするために二十五日鎮海に入港した。
○ 国軍の日の記念行事（「韓国日報」十月一日）
記念式典には六千名の三軍及び憲兵隊の兵士が参加し、オネストジョン、ロケツト・タンク・ジエツト機、ヘリコプター等新鋭装備が動員された。又二日漢江上空で行なわれたエアショウには米空軍の初速八二五マイルのＦ・一〇二をはじめ、Ｆ・一〇〇、Ｆ・一〇一、Ｆ・八六Ｄ全天候邀撃機、ＫＢ・五〇給油機、Ｃ・一三〇大型輸送機、Ｈ・二一ヘリコプター等一四種二〇〇台の新鋭機が参加した。編隊飛行、母子飛行、空中給油、特殊飛行等々が演ぜられ、Ｆ・八六Ｆ、Ｆ八六，Ｄによるものすごい対地攻撃（機関銃、ロケツト、ナパム弾で爆射場のロケツトを攻撃）が実演された。又Ｆ・一〇〇による原子模擬弾投下、Ｈ・二一ヘリコプターからのスカイダイバーパラシュート部隊の降下も行なわれた。

（以下第二集）

南朝鮮の「革命裁判」

去る八月二十八日南朝鮮の「革命裁判所」が民族日報の幹部に死刑三人を含む重刑を宣告したことは、日本の新聞にもかなり報道された。今、南朝鮮ではその他にも多勢の人々が「革命裁判」にかけられている。

「革命裁判所」発足三ケ月に当る一〇月一二日「革命裁判所」所長崔英圭少将は記者会見を行ない、「三ケ月間の業績と指針」を発表したが、それによると既決八七件二五九被告中、十三人が死刑、五人が無期懲役、三四人が十年以上の有期懲役、四六人が八年以下の有期懲役、十二人が無罪、十人が執行猶予、二人が宣告猶予、三一件八八人が一般裁判所へ移送、二三件四三人が公訴棄却の判決を受けている。

革命裁判所とはなにか

そもそも「革命裁判所」とは崔所長によれば「革命公約第一条反共を国是の第一とし、反共態勢を再整備強化すること、第三条国家社会の全ての腐敗と旧悪を一掃し民族精気を正すために漸進な気風を養うこと等の革命課業を革命裁判を通じて具現しようとするもの」である。（韓国日報十月十二日付）

五月一六日軍事クーデターによって政権を握った軍人は、六月六日それと抵触する憲法の機能を停止して「国家再建非常措置法」を公布した。（第二共和国の滅亡）同法第二二条は、

① 国家再建最高会議は、五・一六軍事革命以前又は以後に反国家的反民族的不正行為又は反革命行為をなした者を処罰するために特別法を制定することができる。

② 前項の刑事事件を処理するために革命裁判所と革命検察部をおくことができる。

としている。これに基き、六月二一日に「革命裁判所及び革命検察部組織法」、翌二二日には「特殊犯罪処罰に関する特別法」が公布された。

組織法によれば、革裁所長と革検部長は、国家再建最高会議の要請により大統領が任命する。「革命裁判」は初級・上訴二段階から成り、審判部五部と上訴審判部二部をおく。審判部は裁判長一人と法務士一人、審判官三人の五人から成り、上訴審判部は審判官が五人になるので全部で七人から成る。両審とも裁判長は必ず国軍現役将校、法務士は軍法務官でなければならない。審判官は初審の場合は軍法務官・判事・弁護士各一人、上訴審では判事二人と国軍現役将校、軍法務官・弁護士各一人によって構成される。革命検察部長、検察官もみな軍人である。要するに軍人が思う通りのことがやれるのが「革命裁判所」なのだといってさしつかえないわけである。

「反国家行為罪」

革命裁判所が取扱う事件は、前記「特殊犯罪行為処罰に関する特別法」に規定されている選挙に関連する殺人傷害放火損壊・特殊密輸・国事又は軍事に関する瀆職・反革命行為・特殊反国家行為・団体的暴力行為及び不正蓄財・不正選挙関係の事件である。（本法には「公布の日から三年六月まで遡及して適用する」と付則がついていて昨年の四月政変前後の行為も裁判の対象とされる

ことになつている！）
中でも問題は特犯法第六条の反国家行為の項である。

第六条（特殊反国家行為）政党、社会団体の主要幹部の地位にある者で国家保安法第一条に規定する反国家団体（政府を僭称したり国家を変乱する目的で構成された結社又は集団）の利益となる情を知りながら、その団体の構成員の活動を讃揚鼓舞・同調し、又はその他の方法でその目的遂行のための行為をなした者は死刑・無期又は十年以上の懲役に処する。

この条項により、昨年の四月デモの時の群衆に発砲を命じた警察官や街の暴力団と並べて、平和統一の思想を表明し、運動を組織した学生や教師や政党員が裁判にかけられることになつた。何故なら平和統一の思想は北朝鮮の利益となるものであるから。今年の三月南朝鮮の治安維持法であり政防法である二大治安法規の制定・国家保安法の改悪に反対した人々も革命裁判にかけられることになつた。何故ならそのような行為は北朝鮮の利益になるものであるから。

現在までにこの第六条によつて裁判されたもの、又は進行中のものは民族日報関係を皮きりとする社会党関係・民族統一全国学生連盟関係・革新党関係・社会大衆党関係・大邱二大悪法反対デモ関係の六つのグループであり、いずれも死刑四名を含む重刑を課せられた。なお統一社会党・民族自主統一連盟・張勉内閣・張都暎一派等が後に続く予定である。

「反国家・反革命・反民族的行為者等の重犯者に対してはその罪状に従い厳重に処断するが、追従者とその犯情が憫涼な者は寛容の精神に任せる」という方針で裁判は進められている。（前掲崔所長の談話）

民族日報事件

死刑三人を出して一番大きく報道された民族日報事件から少したちいつてみていこう。

民族日報事件（一三人）は七月二九日に初公判があり、六回ほど法廷が開かれたのち、八月一二日にはもう検事の求刑があり、八月二八日には判決が下されている。公判のスピードぶりと簡単さがまず注目をひく。この簡単な審理で三人が死刑になつた。

弁護人は最初に「民族日報関係の被告達は第六条のいう〃政党社会団体の幹部〃ではないからこの条項による革命裁判所の裁判権は認められない」と主張したが、この申したては「民族日報社が法律上の商事法人であることは認めるが、社会的機能においては社会的目的をもつ団体であり、広義の社会団体たることは明白である。」という拡張解釈によつて却下された。（言論弾圧のための法、七月四日公布の「反共法」第四条では七年より重い刑を課すことができないのだ）

公判の過程で事実問題としては、滞日中の亡命政治家李栄根氏との接触、金銭授受関係がとりあげられた。李氏は李承晩時代にでつちあげ裁判によつて処刑された曺奉岩氏の秘書であり、公訴状にいわせれば日本に渡つて北朝鮮系の朝鮮総連の手先になつたことになつている。その又李氏の指令を受け李氏から金をうけとつた民族日報の幹部は結局北朝鮮の手先だというわけである。

しかし、李氏は総連の手先などではなく、氏の主宰する統一朝鮮新聞の活動に反対するようにとの指令を総連が出したことさえあることは、日本では周知の事実である。その上報道によれば李氏と被告たちの間の関係も、証人調べの過程では必ずしも明確に立証されていないようにみえる。検察側証人前法務長官曹在千氏すら「昨年末受取人未詳の李栄根の書信を押収した所、革新系が統合すれば資金・輪転機等を援助するとかいてあつたので捜査したが事件にならなかつた」といつており、その問題の書信が証拠として提出されることもなかつた。弁護人側の申請した七人の証人は全員却下されたし、判決文では資金の授受を仲介したことになっている重要人物趙小寿氏も出廷しなかった。こうして立証されなかったことが立証されたかのようにして判決が下されている。この調子なら裁判をはかどらせるのはわけないことだともいえる。

次に判決は「民族日報を創刊し、平和統一・中立化・南北協商文化政治経済の交流を主張する論説二六項を掲載し北朝鮮の主張に同調した」といっている。確かに民族日報は

。民族日報は民族の進路をさし示す
。民族日報は不正と腐敗を告発する
。民族日報は勤労大衆の権益を擁護する
。民族日報は両断された祖国の統一を絶叫する

という四項目の社是によって、平和統一・中立化・南北協商・文化交流を主張したが、それが主観的にも客観的にも北朝鮮の主張に同調したものといえないことは、人的構成からも紙面の内容を一見しても明らかであるといえる。

死刑になった趙鏞寿氏はかつて在日中韓国居留民団の栃木県支部議長として北朝鮮帰国反対運動を指導した人であり、安新奎氏は元来北朝鮮の資産家の生れで朝鮮戦争の際母を背負って越南して来た経歴のある人だし、宋志栄氏も韓国電通社長として日本のフジテレビとの提携の交渉に来るような実業家である。最終陳述においても、趙被告は「今でも罪を犯したとは思っていない。反共民主主義のために働く機会を与えられることを望んでいる」と発言したし、宋被告は「反共のために筆をとって戦ってきたと自負している。審判官の賢明な判断を望む」とのべている。

次に民族日報の紙面には「民主社会主義の道――革新は必ずしも容共ではない……」というような題名から内容を推察できるような論文がしばしば掲載されているし、李相斗氏のように「修正資本主義の立場にたつ」論説委員もいた。社長と編集局長との間で「人民大衆」という用語は共産党用語だから使うべきでないかどうかということが議論になるようなふんいきであった。日韓会談に対しても条件つき賛成という立場をうちだしていたし、軍事政権に対しても、①民生苦の解決に重点をおくこと、②対内対外的に最大限の民主主義を保つこと、③短時日内に議会制を復活させるよう努力すること等を提言していて、必ずしも絶対反対の姿勢を明確に出していたとはみえないふしがある。（五月一八日付軍検済の民族日報社説の削除されている部分は「軍事革命の事業を支持しその事業の進行のために忠言と真正の批判を試みたい」と読める）

「民族日報の全体としての主張は日本の社会党右派或いは民社に近い」という読売島元特派員の定義、「民族日報の階級的基盤は小市民性にある」という韓国日報社説の指摘は当っているといえるかもしれない。

もっともそれでも平和統一を唱えたことが窮極的には北朝鮮を利したというなら、「張勉・張都暎はもとより朴正煕議長自身も極端な政治を断行して南朝鮮の人心を動揺させ、結果的に北朝鮮に利益を与えた」という論理もなりたちうるといわれる。クーデター前、平和統一・南北交流が保守系新民党の政治家まで含めて広汎な与論を形成していたことは当時の新聞をみれば明らかである。

社会党事件等

民族日報事件の次に判決を受けたのは社会党関係者（七人）で崔百根議案部長は死刑を宣告された。有罪の理由は、政党の指導的地位にたち、①韓米経済協定締結反対・二大悪法（反共臨時特別法とデモ規制法）反対の運動を行ない民族自主統一連盟結成準備大会に参加して南北交流等を主張しつつ「腹がへって死にそうだ」等と必要以上のスローガンを叫ぶなどして不安定な社会実情を一層不安定にすることによって北朝鮮の宣伝煽動に賛同鼓舞同

調したということである。

その次に判決を受けた民統学連の学生（九人）に対する起訴文の起訴理由もほぼ同じことである。

「被告達は南北韓の協商、記者交流、経済・文化・書信の交流及び各層人士達の視察、観光等を提案し、また全国学生韓・米経済援助協定反対斗争委員会を組織すると同時に、同協定反対討論大会を開き「第二共和国政府と保守党政客達は統一聖業を促進するかわりに、かえって民族の分割を永久化させ、祖国の主権を屈辱的に侵害する韓米経済協定を締結し、これを黙視しようとしている」というアッピールと「祖国の主権を侵害する韓米経済協定案を決死反対する。良心的国会議員達は屈辱的な韓米経済協定案を即時否決させることによって、愛族勢力の先頭に立て」等の檄文をまき、さらに当時政府が国会に提案しようと準備中であった反共臨時特別法とデモ規制法を、国民の自由権を侵害し政党活動を抑圧するための悪法であるとして悪法反対斗争委員会を組織し二大悪法反対討論大会に参加し、南北学生会談と学生記者交流、学術討論会、あらゆる芸術・学問・創作の交流、学生親善体育大会を短時日内に実現させるための南北学生会談を提議することによって反国家行為を働いたというのだ。

「しかし起訴文が反国家行為として指摘した行為が決して反国家行為ではなく、全民族の望むものであり、学生達の叫びが民族を代弁する声であったことは、当時のいろいろの動きがこれを実証している」という。（統一朝鮮新聞十月五日付）

韓米経済協定（いわゆる二八協定）については一般国民の間に「主権を侵害する屈辱的な不平等条約」として非難の声が高まり保守系新民党の一部議員の間にも同協定を批准すまいという論議があった、といわれる。又いわゆる二大悪法は一番穏健であるといわれる韓国日報も「われわれは過去ナチスドイツが全国民を世界侵略の隊列に引きずりこむために作ったあらゆる悪法を思い出さざるをえない」と極言せざるをえなかった内容のもので、革新系のみならず新民党や法曹界の大法院長をはじめ大法官たちも現行国家保安法で十分にスパイを検挙できるとして制定に反対したといわれる（革新党事件張建相被告の証言）

学生たちは、「統一問題を我々が自発的に研究するのは当然の使命である」という主張を法廷においてものべ、最高一五年の刑が宣告された。

更にその次は「自分たちの路線は民主的社会主義という理想主義と自由主義に思想的基盤をおいたもので英国の労働党と同じ路線である」（黄亀性組織委副委員長の第二回公判における証言）という革新党（六人）が俎上にのせられた。その判決理由もやはり「永世中立と南北交流を主張し、二大悪法反対運動をし、韓米経済協定反対運動においては我国が米国の植民地であるかのように歪曲宣伝し反国家行為を行なった」という点にある。七九才の反日独立運動の斗士張建相氏にも、五年の懲役が言渡された。

その次にすぐ大邱の二大悪法反対デモがソウル以外の地方のこととしてははじめてとりあげられた。大邱は以前から革新的な気風の強い都市として知られている。被告達は去る四月二日に二大悪法反対共斗委員会を作ってデモを行ない「無政府状態をひきおこし」反国家行為を行なった責任を問われている。この事件の判決は現在（十月二十日）まだ下されていないが、二人の指導者（教員と学生）に無期刑が求刑されている。最終陳述において無期の求刑をうけた金汝燾氏（教員）は「共産主義をきらって越南してきた私を共産主義者としてせめたてるとは、私個人の悲哀のみでなく民族の悲哀を感ずる」とのべ同じく丁万鎮君（学生）は「まだ学生の身で共産主義が何であるのかよく知らない。今後勉強する機会が与えられるとよいと思う」とのべた。

そしてその次に社会大衆党関係の人たちがやはり、①南北学生会談主張、②南北経済・文化・体育人交流、③南北書信往来、④

韓米経済協定反対、⑤反共法・デモ規制法等に反対したことによつて起訴された。この事件もまだ判決はないが、求刑では二人が無期刑を言渡されている。

　社会大衆党（七人）は日本の民主社会党とは兄弟党の関係にある。金達鎬前委員長の証言によれば同党の具体的統一案はなく、「ジュネーブ統一案十四ケ条と米国のスティブンソン・マンスフィールド氏の意見を我々に有利に解釈して統一方案を作ろうとしてきた。又我々の永世中立の主張は国連に、或いは米国が我国を永世中立化によつて統一しようという時に限つて提示される。我々の案も共産党の解体を前提としており、ジュネーブ協定の韓国に有利な部分を集めよという私の案が何故誤解を受けるのか分らない」という。

裁判のスピード化

　注目すべきことは、この当りからますます公判のピッチが早くなつてきたことであろう。各事件の開廷から判決に至る日数を左に表示してみよう。

事件	開廷	求刑	判決
① 民族日報	七月二九日	八月一二日	八月二八日
② 社会党	八月二九日	九月九日	九月一四日
③ 民統学連	九月八日	九月二六日	九月三〇日
④ 革新党	九月二一日	九月二七日	十月四日
⑤ 大邱二大悪法反対デモ	九月二三日	十月一八日	
⑥ 社会大衆党	十月四日	十月一六日	

革新党事件では開廷から求刑まで僅か六日間、判決まで一三日間民統学連の場合は求刑から判決まで四日間であつた。検察側と裁判官とが公判のスピード化に協力していることが分る。「組織法」によると公訴提起期間は法施行後五ケ月以内と限られている。そして審判期間も三ケ月以内と制限されているから、結局初審は明年三月一一日までに全部終らせねばならない。この限られた期限内にできるだけ多くの人々を断罪してしまわなければというのが二七回の夜間公判と一五回の休日公判を開いてまで審理を急ぐ理由であろう。八七件の既決事件について過去七五日間に五つの部が合計三二一回の公判を開いたというから、一件について三・七回しか開かれず、五つの部が休日を別とすれば殆んど連日開廷していたということになる。

　このような早さで、今後なおどれだけの人々が「反国家行為」の罪（?）に問われようとしているのだろうか。日本の新聞にも大きく報道された民族日報事件は、暗黒の氷山の一角にすぎなかつたのだといえよう。

　十月三十一日、上訴審判部も民族日報関係者の上訴を棄却し、趙氏等三名の死刑を確定したという。

北朝鮮の状況

北朝鮮における経済発展の主要指標

① 国民所得増加率（諸国との比較）

国	1946	47	48	49	50	51	52	53	54	55	56	57	58	59	60	67(計画)
北朝鮮	48			100	—		—	70	94	116	146	200	285	342	376	900
南朝鮮								100	105	109	110	119	128	134	137	
ソ連					100	112	125	136	153	171	191	205	225	245		
中国				100		139	170	193	204	218	248	260	348	423		
ポーランド					100	108	114	126	139	151	162	177	186	196		
チエコ					100	110	121	128	133	147	156	166	180	189		
東ドイツ					100	122	139	146	159	173	180	193	214	232		
ハンガリー					100	117	115	130	125	136	121	149	159	175		
ルーマニア					100	131	137	158	157	193	178	207	214	242		
ブルガリア					100	141	140	170	169	178	180	203	217	265		
アルバニア					100					170	173	198	211	251		
ヴエトナム										100				190		
日本					100	111	121	128	131	145	159	169	179			

平和と社会主義の諸問題１９６０—１１（社会主義圏）。朝鮮中央年鑑１９５８年版、１９６０年度国民経済発展計画実行総括（北朝鮮）。合同年鑑１９６１年版（南朝鮮）。解説日本経済統計（日本）による。

北朝鮮及び中国がもつとも早い成長率を示している。特に北朝鮮は１９５０—５３年の間に戦争で経済が全く破壊されたという状況があることを計算に入れてみなければならない。日本は資本主義諸国の中では例外的に早い成長を示している国である。

② 工業総生産額の成長指数

国	基準年度	46	47	48	49	50	51	52	53	54	55	56	57	58	59	60	1967年(計画)
北朝鮮	1946 (1944=280)	100	154	218	337	295	157	178	216	326	485	615	890	1246	1906	2153	6890
内 生産手段生産		100	176	254	375	333	123	136	158	299	488	640	936				
消費材生産		100	130	180	288	254	187	218	285	366	497	598	878				
南朝鮮	1958									54	64	79	91	100	115		
ソ連	1948			100		147	171	191	214	242	272	301	329				
中国								100	132	154	166	217	241				
ポーランド	1937			148			282	335	394	439	487	535	—				
チエコ	1937			108		143	163	192	210	219	243	266	299				
東独	1950					100	123	142	160	176	190	202	217				
ハンガリー	1949				100	137	182	255	251	255	277	—	281				
ルーマニア	1938			184		147	126	152	—	—	299	331	359				
ブルガリア	1939			85		298	357	418	476	516	559	638	800				
日本	1955	18	23	30	39	48	65	70	86	92	100	122	144	145	180		

朝鮮中央年鑑１９５８年版。１９５８—６０年国民経済発展計画実行総括。合同年鑑。解説日本経済統計。による。

③　工農業総生産にしめる工業と農業の比重

		工業	農業	計
北朝鮮	1946	28.2	71.8	100
〃	1949	46.7	53.3	100
〃	1953	42.4	57.6	100
〃	1956	60.1	39.9	100
〃	1957	63.4	36.6	100
	1958〜9	71.0	29.0	100
中国	1958〜9	67.6	32.4	100
チエコ	〃	85.9	14.1	100
東独	〃	86.8	13.2	100
ハンガリー	〃	71.0	29.0	100
ルーマニア	〃	66.6	33.4	100
ブルガリア	〃	70.6	29.4	100
アルバニア	〃	55.7	44.3	100
ベトナム	〃	37.1	29.0	100
モンゴル	〃	42.5	62.9	100
ソ連	1959	71.6	28.4	100
日本	1957	64.3	35.7	100

朝鮮中央年鑑１９５８年版。平和と社会主義の諸問題１９６０年１１月。解説日本経済統計。

北朝鮮は社会主義圏の中でも東独、チエコ、ソ連に続きハンガリーに並ぶ工業率を示している。

④　農業総生産額の部門別成長率

	1946	1949	1950	1953	1955	1956	1957	1958	1959	1960	67年計画
糧穀総計	100	140		123		151	169	190	175	196	333
内　水稲	100	110		117		132	139				
トウモロコシ	100	240		144		487	724				
麦類	100	252		193		218	195				
タバコ	100	500		100		600	650				
イモ類	100	159		84		193	241				
飼料作物				100		424	477				

朝鮮中央年鑑１９５８年版。平和と社会主義の諸問題１９６０年１１月。１９６０年国民経済発展計画実行総括。

⑤ 農地面積にしめる社会主義部分の比重

	1950年	1959年
北朝鮮	5.2（1953）	100
中国	—	99.1（農家数）
ポーランド	10.4	13.2
チエコ	22.1	84.4
東独	19.7（1955）	96.0（1960）
ハンガリー	6.6	71.3（〃）
ルーマニア	23.6	81.3
ブルガリア	51.1	98.0
アルバニア	5.6（生産協同組合のみ）	83.2（同左）
モンゴル	0.5（牧民経営）	99.7（同左）
ベトナム	—	72.7（1960）

平和と社会主義の諸問題　1960年11月号。

⑥ 主要生産物生産高

	戦前	1946	1949	1953	1956	1957	1958	1959	1960	（計画）1967
電力	59億KW時	39.2	41.2	10	51	69	76.3	78.1	91.4	238
石炭	400万t	127	400	70	391	500	688	885.4	1062	2500
鉄鉱石	万t					105.7	155.2	270.3	311	715
銑・粒鉄	20万t	0.37	20.3	—	22.9	33	39.3	69.4	87.2	250
鋼鉄	14万t	5.0	14.4	0.4	3.6	27.7	36.5	45.1	64.1	250
電動機	万台		0.07	—	0.92	1.2	1.7	48.8万KW	3.3	187万KW
金属切削工作機	台		0	1955 300	1000	1022	1450			
化学肥料	万t	15.5	40.0	—	19.3	32 3	45.7	39.1	56.1	168
セメント	50万t	10.3	53.6	3	59.7	89.5	124.4	192.6	228.5	450
板ガラス	万m^2					256.8	326.8	377.9	507	1000
トラクター	台	—	—	—	—	—	—	104	3002	27100
自動車	台			—	—	—	—	111	3111	10000
綿織物	940万m	164	948	2091	7412	8500	9100	12500		
漁獲高	万t		27	12	36	56.4	68.2	—	—	120
塩	万t					31	43.9			
履物類	580万足		577	710	1748	1800	2100	1710	2330	
糧穀	240万t	193	270	238	234	320	370	340	380	646
牛	788万頭			50.5	48.5	56.9	66.7	71.7		100
豚	66.0万頭			54.3	71.0	133.9	144.2	161.3		300

各年度国民経済発展計画実行総括。朝鮮中央年鑑1958年版。
平和と社会主義の諸問題1960年11月。

⑦　労働者事務員数（平均在籍数）

1946年	26　万名	1954年	69.00
1947	36.76	1955	76.33
1948	44.26	1956	80.82
1949	56.50	1957	84.45
1950	46.50	1958	98.3
1951	35.18	1959	
1952	41.83	1960	
1953	57.46	1961	

朝鮮中央年鑑　1958年版。

⑧　労働者の賃金

	1949	1953	1954	1955	1956	1957	1958	1959	1960
貨幣所得	100	105	127	141	165	236	256	365	387
物価指数		100	65	60	55	53			

平和と社会主義の諸問題　1960年11月号。

朝鮮中央年鑑　1958年版。

日本の鉄鋼業と朝鮮

日本の鉄鋼業は戦前・戦後を通じて資本主義世界の中では異常に早い速度で成長を続けてきた。

戦前の高成長の基盤は何といつても軍備拡大による所を知らなかつた日本軍国主義の底なしの需要であつた。戦後も回復・成長の過程は非常に速く、一九五五年には早くも生産指数において戦前最高の一九四三年を遙かにこえ、一九五九年の生産指数は更に一九五五年のそれの一七〇％を示した。その基盤は最初は戦後復興過程の建設資材需要であり、更に続いて起つた設備改新・拡張ブームによつて維持された。非常に高い経済全体の拡大生産テンポが大量の生産材を要求し、これを充す必要上無理なく鉄鋼業は発展できたのであり、一時的以外にそれ程強く海外市場に関心を示す必要はなかつた。この傾向の基本的延長の上に池田内閣が登場し「所得倍増計画」がはなばなしく誇示されるとともに異常な設備拡張競争が起り原料鋼材に対する需要も殺到することになつた。各鉄鋼メーカーとしても注文をみすみす袖にして将来のシエアを狭めるようなわけには行かないからこゝにも古くて新しい設備拡張・重複投資劇が波及することになつた。

最初一九五九年秋に作成された長期生産計画では一〇年後の一九七〇年の需要みとおしを粗鋼ベースで三八〇〇万トンとしていたが、その後の修正計画では一九六五年に既に三八〇〇万トンに達し七〇年には実に四八〇〇万トンと想定された。

然しこのような大きな計画に漸く大きな困難がみえてきた。その第一は原料問題である。日本の鉄鋼業はその原料鉱石の七割を輸入にあおいで来たが、その実績と将来の輸入計画は次表の通りである。

輸入先	1960年	1965年	1970年
フイリピン	1202千t	1500千t	800千t
マラヤ	5354	5400	3000
インド	2442	4200	10000
ゴア	1997	5000	9500
カナダ	1084	2000	1500
アメリカ	825	800	1300
中南米	1271	12000	12000
南亜連邦	286	4000	6000
その他	400	5100	7900
計	14861	40000	50000

注：１９６５年、１９７０年の数字は、夫々銑鉄生産２９７０万トン、３３５０万トンとしての鉱石所要量。１９６０年は実績数字。

一般に先進鉄鋼生産国では国内鉱石資源の枯渇が顕在化しはじめ、アメリカですら外からの輸入に頼ろうとしている位で、アメリカの屑鉄を大量に買つてくるというわけにも行かなくなつている。といつてフイリピン・マラヤのような近い所からの輸入の拡大はそれ程望めず、だから中南米、南ア連邦のような船賃のかさむ不利な所からの輸入にウェイトをかけて計画が作られねばならなかった。ブラジルのミナス製鉄所の例にみられるように原鉱開発のため 資本投下のみならず、搬出・港湾施設等に対する尨大な負担をかけてまで原料確保に努力している。しかし鉄鉱石生産国における民族運動の潮流は、戦前のような過大な経済的特権を主張することを不可能にしている。その上、鉄鉱石資源をめぐる国際競争の激化を背景として、鉄鉱石生産国は従来の帝国主義的支配によっておしつけられていた不当に安い輸出価格の是正を強く要求しつつある。

一九六〇年度のインドからの鉄鉱石輸入価格は協定にもとずきFOB・トン当り八二シルであったが今年に入ってインドは一挙に四シルの値上げを要求、日本ははじめこれを拒否したが、遂に二シルの値上げを承認、八四シルで妥結した。

このような状況下で、某メーカの控え目な試算では、六三年から鉄鉱石不足がはじまり、六七年には六七〇万トンの不足に達するであろうとしている。

前記計画表によって、「その他」の地域が六〇年度実績四〇万tから七〇年の計画七九〇万tに拡大されている構想の中には、当然、中国とならんで北朝鮮の茂山鉄鉱石が考慮されている。

なかんずく、日本の輸入鉄鉱石の海上輸送距離が平均三七五〇マイルであることをみるならば海上輸送距離わずか七〇〇マイルの茂山の経済性は、日本の鉄鋼資本としても極めて注目せざるを得ない所以である。しかも距離的な利点のみでなく、磁鉄鉱で粉鉱である茂山の鉱石は日本の鉄鉱業にとって原料としてもっとも適当な品質のものであるといわれる。そういう技術的点でも茂山の鉱石には魅力があるのだ。かくして、今年四月頃より、高炉九社の北朝鮮への瀬踏み工作がはじまっている。それは当面年五〇万tの輸入という控え目なものではあるが将来の拡大が考慮されている。

これに対し北朝鮮の七ケ年計画によると六七年までに銑鉄及び鉄鋼各二二〇〜二五〇万トンが生産されるに至るはずで、これにともなって鉄鉱石の採掘量も六〇年の二・三倍に拡大する計画といわれる。従って現在すでに茂山の精鉱の一部が中国に輸出されているといわれているが、そういう余裕も一層大きくなるわけである。

北朝鮮は、日本鉄鉱業の代表の訪問を歓迎しており、積極的な商談の開始が望まれている。

一方、製品販売市場の問題もある。

現在の日本鉄鋼界の尨大な長期生産計画は、池田政府の「所得倍増計画」に合わせたものであり、厳密な見通しに立つものではない。逆に、今年五月十一日の第九回鉄鋼輸出会議においての「本年度（六一年四月〜六二年三月）の輸出環境のみとおし」（二八〇万t、四億五九四七万ドル）は次のように悲観的である。

㋑ アメリカ、カナダは大巾な増大は期待できない。

㋺ 一九六〇年度に急速にのびたオーストラリア市場は衰退する。

㋩ アメリカのドル防衛措置の影響によって、東南アジア諸国への輸出が減退する。*

㋥ 国際輸出競争が激化する。

㋭ 内需の増大から、一部品種は輸出余力が乏しくなる。

*一九六〇年一月から九月までの援助資金による鉄鋼輸出の状況はつぎの通り。

国別	日本よりの鉄鋼輸出の合計	ICA.DLF資金による輸出	%
インド	188,110トン	88,606トン	47.1
台湾	89,835	46,134	51.4
韓国	17,209	10,067	58.5
パキスタン	35,811	18,698	52.2
南ベトナム	6,034	4,180	69.3
カンボジア	5,350	2,012	37.6
イラン	10,337	10,326	99.9
小計	352,686	180,023	51.0
全市場合計	1,724,771	180,023	10.4

これらの情況は、日本の鉄鋼資本が北朝鮮・中国市場を無視し得ない状態にあることを物語つているし、事実、原料確保と並行して北朝鮮への輸出計画の動向をも示している。

北朝鮮は、第一次五ケ年計画の達成によつて、自立的民族経済の土台を完成し、工業化は極めて快調に進んでいる。

五九年の黒色冶金工業生産指数は四四年を基準として三〇〇%というテンポで大きくなつている。今日北朝鮮では鉄コークス法等の独自の条件に合致した技術体系が創案され、一一〇余種の鋼材が生産され、高速度鋼、構造用鋼の輸出は年毎に増加しているほどでさえある。しかし、こうした工業化の進展はそれこそ無限の鉄鋼需要を招くのであつて、いささかも日本の輸出問題のさまたげになるものではない。

一方、南朝鮮に対しても、僅かなものではあるが日本鉄鋼界は鉱石開発の資本投下を企図しているし、また、製品市場の拡大の点でも対象としている。

したがつて、実際の動きは、日本の総資本の総意志の中で、南朝鮮対策（ひいてはアメリカとの関係）の中で規正されていくことになろう。

在日朝鮮人の帰国事業

去る十月二十七日、第七十八回目の在日朝鮮人帰国船が新潟港を船出した。一九五九年以来、クリリオン・トボリスク（最近ノリルスク号と交代した）という二隻の帰国船が、新潟と清津の間を週一回づつ定期便のように往復しつづけている。この定期便を利用して、なが年生活した日本をさり、朝鮮民主主義人民共和国に帰った朝鮮人はすでに、現在までだけで七三六八五名に達している。

川崎市中留在住の朝鮮人が祖国に帰り建設に参加したいという希望を書きおくつたことが契機となつて、日朝両国の赤十字社の代表がジュネーブに集まり、人道問題としての帰国問題についての交渉をはじめたのは一九五九年の四月であつた。

交渉の過程で様々の困難に逢着したため、一時は決裂状態にもなつたが、赤十字国際委員会の介入を条件としてようやく妥結にこぎつけ帰還協定が調印されたのは八月一三日のこと、調印の場所はインドのカルカツタであつた。そうしてその年の十二月十四日になりようやく準備とゝのい、日朝両国民の盛んな歓送を受けつゝ新潟を出港する運びとなつた。列車の前に坐りこむというような妨害も、海上から砲撃するという李承晩政権の脅しも結局効果がなかつたわけである。

新潟ー清津は海上僅か三八時間である。「近くて遠い国」だつた朝鮮民主主義人民共和国と日本とを結ぶ最初の道が開かれた。

所で七〇船までの帰国者の年令別構成は第一表の通りである。つまり、少なくとも帰国者の半数は、終戦後に日本で生れ、日本で育つた青少年で占められているわけである。それ以上の年令の人の中にも、日本に渡つてきて二〇年、三〇年と生活してきた人々が非常に多い。その上、帰国者の九四パーセントは、現在大韓民国の支配下にある南朝鮮の出身者である。中には南朝鮮に肉親を残している人も少なくない。

第１表　帰国者年令構成

年令別	
1－6	11989人
7－12	14258
13－15	5790
16－28	14932
29－60	20029
61－	2145

このような条件にある人達が、しかも現在までだけで七万人もの多勢、住みなれた日本におけるもろもろの関係をたちきつて北朝鮮に帰国する決心をしたということは余程の理由がなければならない。

確かに、日本における在日朝鮮人の疎外された地位、苦難の生活にその一つの原因があるといえる。多くの在日朝鮮人は戦争末期日本の労動力を補うために強制的につれてこられて以後、苦しい生活を続け、持ち帰り金額数千円という数字に示されるような状態で帰国していつている。しかし、単にこれだけの原因ではない。祖国をもたず将来への希望もなく日をすごしていた人々にとつて、はじめて信頼するにたる祖国を持つた喜び、その建設に参加したいという人間的な希望がその最大の動機になつているといわれる。

解放後朝鮮略年表

北朝鮮

一九四五、八、一五
八、二六 ソ連軍、平壌に入る
一〇、一〇 朝鮮共産党創立
一〇、一四 金日成、帰国
一二、二六
一九四六、二、八 臨時人民委員会創立
三、五 土地改革法令公布
七、二八 労働党結成
八、一〇 国有化法令公布
一九四七、二、二二 人民委員会成立
一九四八、二、八 人民軍創設
三、二七 労働党第二回大会
四、一九
八、二五 最高人民会議代議員選挙
九、九 朝鮮民主主義人民共和国創建
一二、二六 ソ連軍撤退完了

第二次大戦終結

モスクワ外相会議、朝鮮問題に関する決定

南北諸政党社会団体連席会議、平壌で開催

南朝鮮

一九四五、八、一五 呂運亨朝鮮建国準備委員会結成
九、七 米軍軍政宣言
一〇、一六 李承晩アメリカから帰国
一九四六、二、一四 民主議院開設
九、四 南朝鮮労働党結成
一九四七、三、二二 全朝鮮二四時間ゼネスト 翌日左翼要人二〇七六名が検挙された。
五、一二 呂運亨撃たれる
一九四八、五、三〇 制憲国会開院
七、二〇 初代大統領に李承晩就任
八、一五 大韓民国政府樹立宣言、
一〇、二〇 麗水・順天地区の兵士叛乱
一一、二〇 国家保安法を可決

一九四九、六
　六、二五　祖国統一民主主義戦線結成
一九五〇、六、二五
　一〇、一九　中国義勇軍参戦
一九五三、七、二七
一九五四、一、　農業協同組合化運動はじまる
一九五六、四、二三　労働党第三回大会
（経済復興発展三ヶ年計画）
一九五七、
一九五八、八　農業協同化と個人商工業の社会主義化完了
　一〇、二六　中国義勇軍撤退完了
一九五九、（第一次五ヶ年計画）
　六、
　八、一三　在日朝鮮人帰国協定締結
　一二、一四　帰国船第一船出航
一九六〇、八、一四　連邦制提案

南北労働党会同
朝鮮戦争
休戦協定調印
ジュネーブ会議

一九四九、六、二六　金九暗殺される
一九五〇、一、二六　米韓相互防衛援助協定調印
　四、六　農地改革を施行
一九五二、八、五　大統領選挙　李承晩再選
一九五六、五、一五　大統領選挙　李承晩三選
　一一、一〇　進歩党結成
　一一、二八　米韓友好通商航海条約調印
一九五七、七、二八　李承晩休戦協定無効宣言
一九五八、一二、二九　保安法改悪
一九五九、四、三〇　京郷新聞に廃刊命令
　七、三一　曹奉岩進歩党首に死刑執行
一九六〇、二、一九　韓米投資保障協定締結
　三、一五　大統領選挙、馬山・光州で不正選挙反対デモ
　四、一八　各地に大規模なデモ
　四、一九　戒厳令しかれる　デモ隊への発砲で死者一一六名に達す。
　四、二六　李承晩大統領辞任声明
　四、二八　許政過渡内閣成立
　六、一五　内閣責任制改憲案国会通過
　七、二九　総選挙　民主党圧勝
　八、二三　張勉内閣成立

一九六一、七、 朝ソ朝中条約締結

九、一一 労働党第四回大会

（七ケ年計画）

一九六一、二、八 韓米経済技術協定に調印

二、二四 民族自主統一中央協議会発足

三、九 デモ規制法・反共臨時特別法国会に提出

五、三 ソウル大学民統連南北朝鮮学生会談開催提案

五、一六 クーデターによる軍事革命委員会成立。

六、六 国家再建非常措置法公布　憲法停止

七、三 張都暎国家再建最高会議々長失脚。議長朴正熙内閣首相に宋堯讃

八、一二 朴議長政権移譲は二年後と声明

（日本）朝鮮研究所所則（案）

一、名　称
本研究所は（日本）朝鮮研究所といゝ、事務所を東京都におく。

二、性　格
本研究所は、朝鮮に関する各分野の研究者によつて構成される、民間研究機関である。

三、目　的
本研究所は、日本人の手による、日本人の立場での、朝鮮研究を目的とする。

本研究所は、朝鮮研究者を広く結集し、朝鮮に関する諸般の研究を行ない、その成果をひろめ、朝鮮研究の水準向上に資することによつて日朝友好に寄与する。

四、事　業
本研究所は、その目的（第三条）を遂行するため、左の事業を行なう。
(1) 各種研究会の開催
(2) 各種の講演・講座・講習会の開催
(3) 定期刊行物の発行
(4) 各種単行本・研究紀要・年鑑・便覧類の発行
(5) 関係資料の蒐集
(6) 関係研究機関・団体との国際的・国内的交流
(7) 各種委託調査・委託翻訳の実施
(8) 研究者の養成
(9) その他必要なる事業

五、構　成
本研究所の構成員は、所員・顧問である。
(1) 所員　朝鮮に関する各分野の研究者にして、研究所の活動に一定の義務を負つて参加し、一定の所費を納める。所費額は総会において定める。
(2) 顧問　本研究所の活動の大綱について助言し、必要なる指導と援助を与える。

六、機関と役員
(1) 研究所総会　全構成員をもつて年に一回ひらき、研究所の研究、経営上の前年度計画を総括確認し、次年度計画を審議、決定し、予算・決算・人事等をきめる。
総会は、理事長が招集する。
総会における議決権は、全構成員によつて平等に行使される。
(2) 理事会　総会は、理事若干名を選出し、理事会は研究所の運営にあたる。理事会は年一回以上開く。
理事会は、理事長（一名）、副理事長・専務理事等を選出し、事務局長を任命する。
(3) 常任理事会　理事会は常任理事を互選し日常事務を代行させることができる。
常任理事会は、理事長が必要に応じて召集する。
(4) 会計監査　総会で選出され、研究所の会計を監査する。
(5) 理事長は、研究所の活動を掌握し、総会・理事会の決議に基く事項を処理する。
副理事長は理事長を助け、理事長支障あるときは代理をする。
専務理事は、理事長を助け、日常事務を代行する。
(6) 役員の任期は、全て一年とする。但し、留任をさまたげない。

七、賛助会
研究所の目的と事業に賛同し、援助する法人・団体・個人によって賛助会を構成する。
賛助会の運営等については別に定める。

八、財

本研究所の財政は、所費・賛助会費・寄付金・事業収入等をもつてあてる。

本研究所の会計年度は、毎年四月一日にはじまり、翌年三月三十一日に終る。

九、所則改廃

この所則は、研究所総会の議を経て改廃することができる。

―以　上―

（日本）

朝鮮研究所事業計画案

一、各種研究会の開催

(1) 所内研究会として

イ、全員の参加による情勢分析研究会をもつ

ロ、個々の専門による分野別研究会をもつ

ハ、必要に応じ、北朝鮮部会・南朝鮮部会・国際部会・貿易部会・歴史部会・文化部会等々をもつ。

(2) 問題に応じ、公開研究会をもつ。

二、各種の講演・講座・講習会の開催

(1) 朝鮮事情に関し各層の要求に応じ、所員を講師として派遣、さらにその種会合の開催を積極的に開拓する。

(2) 所内研究会の成果を適当な方法により発表し、啓蒙のための各種の公開講座やゼミナールを開催する。

(3) 朝鮮語の講習会を開設する。

(4) これらの事業は将来漸次拡充し、常設的ないし学院的なものとすべく努力する。

三、定期刊行物の発行

(1) 月刊の「所報」を発行する。

「所報」の編集方針は

イ、流動する現情を適確に把握する材料としての情報・資料の提供

ロ、所内外の研究者の論稿・解説

ハ、研究所の研究成果の発表

ニ、南北朝鮮の出版物の翻訳

ホ、諸外国の朝鮮研究文献の翻訳

(2) 「経済資料」の定期的発行

「経済資料」の編集方針は

イ、南北朝鮮の経済実態を示す材料

ロ、南北朝鮮の経済人の動向

ハ、南北朝鮮の経済学文献の翻訳

ニ、朝鮮に関する諸国の経済動向

ホ、その他

(3) その他の資料

四、各種単行本・研究紀要・年鑑・便覧類の発行

(1) 研究紀要を定期的に刊行して、研究成果を公表するよう努力する。

(2) 単独ないしはシリーズとして各分野あるいは時局の問題毎に解説・資料等を発行する。

(3) 年鑑・便覧・文献目録等の類を早急に発行し、年次毎に続行する。

このため、所内に特別の編集、発行の委員会をつくる。

五 関係資料の蒐集

(1) 南北朝鮮の資料、日本及び諸外国の朝鮮に関する新旧文献を広く蒐集し、整理・保存にあたる。

(2) 将来は朝鮮研究資料センターないし図書館として常設されることを努力する。

六、関係研究機関・団体との交流

(1) 国内における関係研究機関・団体との研究資料や成果の交流をはかる。

(2) 南北朝鮮の関係研究機関・団体との人的・物的な交流を計る。

(3) 国際的な朝鮮研究者との交流をはかり、将来は朝鮮研究者の世界会議を提唱開催する。

七、各種委託調査、委託翻訳の実施

当面は、日本国内の地域開発と対岸貿易に関する委託調査に主力を置く。

八、研究者の養成

九、その他必要なる事業

一、概略、以上の如くなるも、あらゆる項目を通じ、当初は政治・経済の現状分析に努力を集中し、ついで社会・文化の分野に研究範囲を拡げ、さらには歴史的研究に拡張する段取りである。

二、なかんずく「所報」、「経済資料」の定期発行に努力し、可及的速やかに「年鑑」「文献目録」刊行の挙に及びたい。

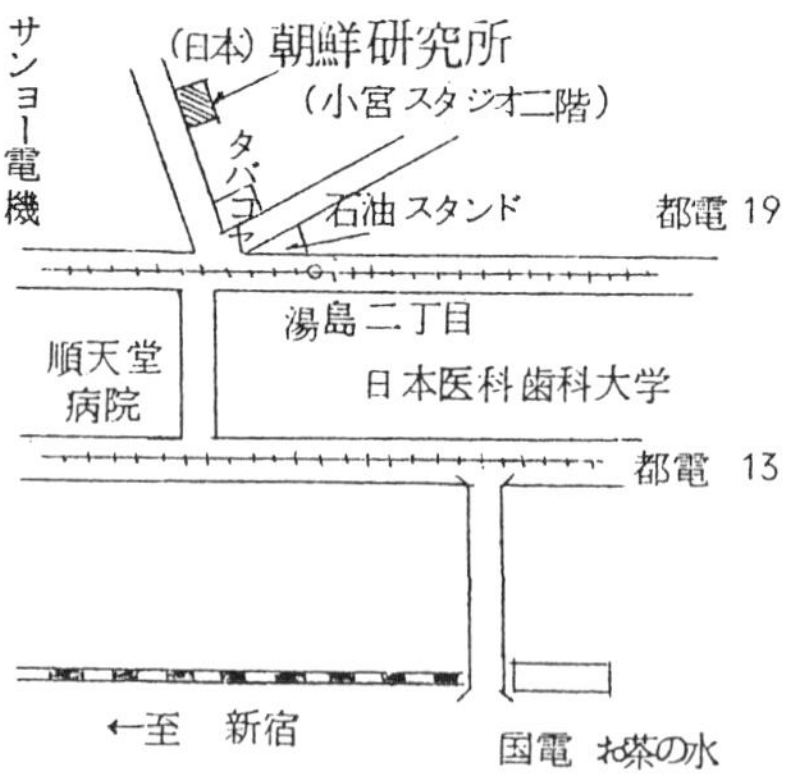

一九六一年十一月十一日発行

当面の朝鮮に関する資料
——(第一集)——

編集 藤島宇内

発行 (日本)朝鮮研究所準備会

東京都文京区湯島四の一八
TEL (829)〇三六二

当面の朝鮮に関する資料

第二集

目次

日本朝鮮研究所

朝鮮関係主要条約、決議（その一）

韓米経済および技術協定

（一九六一年二月八日発効）

〔一〕総合覚書

(1) アメリカ合衆国政府と大韓民国政府は、経済・技術及び関連諸援助が、国連の諸目的および諸原則に従つて大韓民国防衛の維持という至上目的を達成するにおいて基本的な要件であることを、ともに再確認する。

(2) アメリカ合衆国政府は、大韓民国の関係機関の代表によつて要請され本協定に基づいてアメリカ合衆国政府により責任事項を遂行するよう指名された機関の代表によつて承認され、あるいは両国政府によつて指名されたその他の代表によつて要請され承認されるべき、経済的・技術的及び関連諸援助を提供する。

このような援助の提供は、アメリカ合衆国の関係法令と規則に基づかねばならない。援助は上記の双方の代表間で結ばれる別途約定に基ずいて使用される。

(3) 大韓民国政府は、一九五三年十月一日付でワシントンにおいて調印され一九五四年十二月十七日付で発効したアメリカ合衆国と大韓民国との間の相互防衛条約、一九五〇年一月二十六日付でソウルにおいて調印された相互防衛援助協定及び一九五二年一月四日及び七日付で釜山において署名された覚書の交換により発効をみた協定等において規定された諸約定を再確認し、このような援助の目的を達成するために、人的資源・施設および一般的経済事情のゆるす範囲内において最大限の寄与をなし、かかる援助の効率的利用を保証するため適切な措置をとり、購買が合理的な価格と条件のもとに施行されることを保障するために、アメリカ合衆国政府と協調し、アメリカ合衆国代表が下記の計画・事業および関係記録を制約なしに観察し再検討することを許容し、かかる計画、事業に関する完全な情報と、アメリカ合衆国政府が事業の性質ならびに規模を決定したり、またすでに提供されたかあるいは構想中の援助の効率性を評価するのに必要なその他の関連情報とを、アメリカ合衆国政府に提供し、下記の計画に関して韓国国民に充分周知させることを再確認する。

下記の技術協調・援助に関して大韓民国政府はまたその計画の経費の適正な部分を分担し、韓国内で遂行中の技術協調計画の調整・統合のために最善を尽し、かかる計画に参与するその他の国家と技術に関する知識および技能を交換するにおいて協調する。

(4) 物品または役務の導入または売却によつて発生する収入は韓国政府に帰属するという約定に基づいて当物品および役務が贈与の形式で提供される場合には、大韓民国政府は、第二項で言及された代表者相互間において別途に合意をみる場合を除いて、韓国政府自体の名儀で韓国銀行に特別勘定を開設し、かかる特別勘定に上述の収入と同価の韓国通貨を早急に払いこみ、韓国通貨の必要量に対してアメリカ政府から通告をうけ次第随時、アメリカ政府が要請した方法で特別勘定の残高から上記通告文に明示されたこの必要量を充当するに必要な金額をアメリカ合衆国政府が使用しうるように提供する。

大韓民国政府は第二項で言及された代表者によつて随時合意をみる所に従つて、大韓民国政府の有益な目的のために上記の特別勘定残額を使用しうる。

大韓民国政府に対する援助の終結の際に特別勘定に残つている基金純残高は、アメリカ合衆国の法律あるいはアメリカ合衆国議会の合同決議文による承認を経て、第二項において言及された双方の代表により合意された目的のために処分しうる。

(5) 大韓民国政府はアメリカ合衆国の責任を遂行する下記の特別使節団ならびにその構成員を受け入れる。アメリカ合衆国政府から適切な通告を受けた場合、大韓民国政府は大韓民国に駐在するアメリカ合衆国の外交使節団とその構成員の階級と職位に従つて供与される特権および免除を享有させる目的のために、上記の特別使節団とその構成員をアメリカ合衆国の外交使節団の一部とみなす。

大韓民国政府は特別使節団ならびにその構成員に対して全般的に協力する。この協力においては本協定の規定を遂行するに必要な施設の提供を含む。

(6) 本協定に基づいて提供される援助が大韓民国国民に最大の利益をもたらし得るよう保障するために

(a) アメリカ政府または同政府によつて財政支援を受けている契約者が、本協定によつて事業あるいは計画を遂行する目的で、大韓民国に導入するかあるいは大韓民国内で取得する自動車を含む供給物資・原料・機械・物品または基金は、かかる事業と計画に関連して使用される場合には、財産の所有、使用に対する課税およびその他の課説、大韓民国における投資または預置金に対する規制ならびに通貨統制を免除される。自動車を含むかかる供給物資・原料・機械・物品あるいはかかる計画と事業に関連する基金の輸入・輸出（但し、アメリカ合衆国政府によつて財政的支援を受ける契約者の場合を除外して輸出取引は第二項で言及された代表者間による別途の約定に基づかねばならない）と　購買・使用または処分（但し、アメリカ合衆国政府によつて財政的援助を受ける契約者による販売の場合は除外する）においては、大韓民国政府の関税、通関税、輸出入税、財産の取得・処分に対する税金（但し、アメリカ合衆国政府によつて財政的支援を受ける契約者による販売の場合は除外する）ならびにその他のいかなる税金からも、また類似の負課金をも免除される。

(b) かかる計画を遂行するにおいて大韓民国内に居住するアメリカ政府あるいはその代行機関の被雇傭者は、大韓民国国民と永住者を除外して、アメリカ政府にたいして納付すべき義務をおう個人所得または社会安全保障税にたいしては、大韓民国の法律に基づいて負課される所得税ならびに社会安全保障税を免除される。彼らは私用の自動車を含む個人所有の動産の購買・所有・使用または処分（但しアメリカ合衆国政府あるいは大韓民国政府、あるいは両政府の機関が契約している個人または機関の被雇傭者による販売を除く）に関する税金を免除される。かかる構成員とその家族は、私用のため韓国に導入した自動車を含む個人所持品・器具・供給物資あるいは物品等にたいする輸出入税および関税の支払いに関しては大韓民国政府がソウル駐在アメリカ大使館の外交官に供与しているのと同一の待遇をうける。しかしいかなる場合もこれよりさらに有利な待遇をうけることはない。

(c) 本協定に基づく援助を提供する目的で大韓民国政府に導入される基金は、兌換に当つて大韓民国内における非合法的でない米ドル貨対韓国圜の額数で表示された最高の率に基づいて韓国通貨と交換される。

(7) 本協定による援助計画の全部または一部は、アメリカ合衆国政府が事情の変動によつてかかる援助の継続が不必要または不適当になつたと決定した場合は、アメリカ合衆国政府によつて中断されうる。同規定に基づくかかる援助の中断は、いまだひきわたされていない物資にたいする引渡しの中断をも含みうる。

アメリカ合衆国政府によつて大韓民国政府に直接あるいは国連軍統一司令部を経由して提供される経済・技術その他の関連諸援助に適用される協定等本協定によつて全部または一部が代替されるものは、第二項で言及された代表者間の補充的約定で個別的に明示される。

× × ×

本官は、上述の解釈が大韓民国政府に受諾されうるならば、本覚書と上記の解釈に同意するとの閣下の解答覚書は両政府間の協定を構成するものであり、同協定は大韓民国政府が大韓民国国会が本覚書に同意したと駐韓アメリカ合衆国大使館に通告した日付をもつて発効し、同協定を中断する意図に対する文書上の通告を両当事国中いずれかの一方が受領した後三十日が経過する迄有効であり、また同協定の規定は第二項に基づいて要請され提供される援助が引続き有効であるとの解釈のもとになされていることなどを提言できるのを光栄と考える次第である。

本官はこの機会に最大の敬意を閣下に表示するものである。

〔二〕 合意議事録

一九六一年二月八日付の覚書交換によつて発効した協定文第八項に基づいて、アメリカ合衆国政府と大韓民国政府は一九四八年十二月十日ソウルにおいて締結された「アメリカ合衆国と大韓民国の間の援助協定」と、

一九五二年五月二十四日付で釜山において大韓民国と国連軍統一司令部の資格あるものとしてのアメリカ合衆国との間で締結された「経済調整に関する協定」ならびにこれにつけ加えられた交換覚書と

一九五三年十二月十四日ソウルにおいて国連軍司令部経済調整官と大韓民国国務総理の間で「経済再建と財政安定計画のための合同経済委員会の協定」という題目で締結された協定ならびにその附録は、一九六一年二月八日付の覚書交換によつて発効する協定によつて代替されることに合意する。

但し上記の「経済調整に関する協定」の第三条第十三項は別途の約定に基づくものと諒解する。

大韓民国政府及びアメリカ合衆国政府間の協定

（一九五〇年四月三日発効　条約第四号）

首　文

大韓民国政府及びアメリカ合衆国政府は、国際連合憲章の範疇内で、その憲章の目的と原則に忠実な各国をしてその目的と原則を支持するのに有効な自衛策を発展させる能力を増進させることにより、国際平和と安全を育成することを願い、又その憲章が規定している如く国際連合に武力を備置し又は犯法に対抗しうる適切にして信頼すべき保障の下に普遍的に軍備を縮少及び整備することに対して各加盟国の合意を得るのに公明正大に最大の努力を継続することを願い、侵略に対する恐怖に起因する不安全を除去する対策としての経済発展を向上させることを認定し、この原則を促進するためにアメリカ合衆国が大韓民国に軍事援助を提供するために一九四九年の相互防衛援助法を制定したことを考慮し、一九四九年の相互防衛援助法により米国政府が援助を提供することと大韓民国が此を受取ることとを規定する相互間の諒解事項を明示することを願い、左の如き協定を締結する。

第一条　経済復興は国際平和と安全に絶対必要であるからこれを優先実行せねばならないという原則に順応して、各政府は、援助、供与、政府が許諾する機具、物資、労力乃至其他の軍事援助

を該政府が同意する約定及び条件の下に相手方の政府或いは其他の政府に提供或いは継続提供する。協定国中一方が正当であると認定して相手方に提供する援助は、国際連合憲章に順応しなければならない。本協定によりアメリカ合衆国が提供する援助は一九四九年の相互防衛援助法の各規定条件、約定及び終了規定と今後施行される其他の米国法令に依拠する。両国政府は随時に本項の規定を実行するに必要な詳細な調整を協議する。

2. 大韓民国政府は本条第一項により受取る援助をその供与目的のために有効に使用することと、米国政府の事前承諾なしには援助供与目的以外の他目的のために流用しないことを公約する。

3. 大韓民国政府は、米国政府の事前承諾なしには本条に規定する設備・物資乃至労力の所有権又は占有権を韓国政府の官員や代表者でない個人や其他の国家に移譲しないことを公約する。

第二条　韓国ソウルで一九四八年十二月十日大韓民国政府とアメリカ政府間に調印された経済協調協定第八条が本協定終了前に失効した時には、大韓民国は本協定が有効な期間内は、合意した条件と約定によって米国が資源欠乏又は欠乏可能性によって要求し、韓国内で求得することができる原料品及び半製品を所定期間中に所定量生産し、米国政府にこれを譲渡するよう便宜をはかる。このような譲渡の調整においては韓国の国内使用と商業輸出用に必要な適当な量を考慮する。

第三条　各政府は保安上支障がない限り本協定によって運営される事業を公表するよう適当な措置を取る。

2. 各政府は、本協定により相手方政府が提供する軍用品、技術又は情報の機密が発露したり漏洩するのを防止するために両政府協議下に安全保障の方途を取る。

第四条　両国政府は一方が要請する時には本協定下に提供される機具、物資又は技術に関する発明、加工、技術、情報及其他の法律が保護する財産の専売特許権と類似した要求権に対し適正な調整を協議する。このような協議において各政府は、各自国民の前記の要求とその管轄区域内に発生した本協定国以外の外国国民の要求に対しても責任をおうという公約を協議事項に包含することを考慮する。

第五条　大韓民国政府は他に協定がない限り、本協定に関連して国内に輸入する製品、財産、資材乃至機具の輸入又は輸出に関税と国内課税を免除する。

第六条　両国政府は一方政府の要請が有る時には、本協定の適用及協定に依って行なう運営又は調整に関する事項に対して相議する。

2. 大韓民国政府は、正式米国代表に対し本協定により提供された援助の利用状態を自由に又充分に視察できる便宜を提供する。

第七条　両国政府は相互安全と復興目的のために戦力資料、機具及び可能な範囲内の技術資料等の輸出に関して有効な統制を行なうことに相互に関心があることを認定し、両国政府は、かゝる目的を達成するに必要な対策を樹立するために協議する。

第八条　本協定は双方代表の署名と同時に効力を発生し、一方政府が相手方から協定を終了したいという意思の書面通知を受取った後三ケ月まで有効である。本協定は大韓民国国会の批准を要する。

2. 本協定は国際連合憲章第百二条規定により国際連合事務総長に提出登録する。

本協定は一九五〇年一月二十六日韓国ソウルで韓国文及び英文により二通作成する。韓国本文と英本文は同一の効力をもつが、相異ある時は英本文による。

右を立証するために両国政府の正式代表者が本協定に調印する。

米国代表　ジョン・ムチオ

大韓民国代表　申性模

金度演

大韓民国とアメリカ合衆国間の相互防衛条約

（一九五四年一一月一八日発効、条約第三四号）

本条約の当事国は、全ての国民と全ての政府と平和的に生活したいという希望を再確認し、又太平洋地域における平和機構を強固にすることを希望し、当事国中のどの一国かが太平洋地域において孤立しているという幻覚をいかなる潜在的侵略者ももつことがないように外部からの武力攻撃に対して自身を防衛したいという共通の決意を公々然と又正式に宣言することを希望し、又太平洋地域においてより包括的で効果的な地域的安全保障組織が発達する時まで平和と安全を維持したく集団的防衛のための努力を強固にすることを希望し、次の如く同意する。

第一条　当事国は関連するかもしれないいかなる国際的紛争でも、国際的平和と安全と正義を危殆にひんせしめることのない方法で平和的手段によつて解決し、又国際関係において国際連合の目的や当事国の国際連合に対して負つている義務に背馳する方法で、武力による威嚇、武力の行使をつつしむことを約束する。

第二条　当事国中どの一国の政治的独立又は安全かが、外部からの武力攻撃による脅威を受けたと、どの当事国かが認定する時には、いつでも当事国はたがいに協議する。当事国は単独的にも共同でも自助と相互援助により武力攻撃を阻止するための適切な手段を持続し強化し、本条約を実行してその目的を推進する適切な措置を協議と合意の下にとるものである。

第三条　各当事国は、他当事国の行政支配下にある領土と、各当事国が他当事国の行政支配下に合法的に入つたと認定する今後の領土において、他当事国に対する太平洋地域においての武力攻撃を、自国の平和と安全を危殆におとしいれるものと認定し、共通の危険に対処するために各自の憲法上の手続に従つて行動することを宣言する。

第四条　相互的合意によりアメリカ合衆国の陸軍と海軍と空軍を大韓民国の領土内とその附近に配備する権利を大韓民国は許与し、アメリカ合衆国はこれを受諾する。

第五条　本条約は大韓民国とアメリカ合衆国により、各自の憲法上の手続に従い批准されねばならず、その批准書が両国によつてワシントンで交換された時に効力が発生する。

第六条　本条約は無期限に有効である。どの当事国でも他当事国に通告した後一年後に本条約を終止させることができる。

以上の証拠として下記全権委員は本条約に署名する。

本条約は一九五三年十月一日にワシントンにおいて韓国文と英文で二通作成された。

大韓民国のために　卞栄泰

アメリカ合衆国のために　ジョン・フォスター・ダレス

大韓民国とアメリカ合衆国間の友好通商及び航海条約

（一九五七年一〇月七日発効　条約第四〇号）

大韓民国とアメリカ合衆国は、両国間に伝統的に存在する平和と友好の関係を強化して両国国民間の一層緊密な経済的ならびに文化的関係を促進することを希望し、また相互間の有益な投資を促進し相互間の有利な通商関係を助長し其他相互の権利と特権を定めた協定によりこれらの目的の達成に寄与しうることを認識し、無条件に付与される内国民待遇と最恵国民待遇の原則を一般的な基礎とする友好通商及び航海条約を締結することに決定し、このために次の如く各自の全権委員を任命した。

大韓民国
大韓民国外務部長官署理　曹　正　煥
アメリカ合衆国
大韓民国駐在アメリカ合衆国特命全権大使　ワルター・C・ダウリング
双方の全権委員は互いに全権委任状を提示しあい、その妥当なことを認定した後、次の諸条項を協定した。
第一条　各締約国は、締約相手国の国民と会社の身体・財産・企業及び其他の利益に対して常に公平な待遇をする。
第二条　一方締約国の国民は、(イ)両締約国領域間の貿易を行ないこれに関連する商業活動を行なう目的をもつて、(ロ)当該国民が相当な額の資本を投下し、或いは現在投下の過程にある企業の運営を発展させ指揮する目的をもつて、又は(ハ)外国人の入国及び在留に関する法令が認定する其他の目的をもつて、締約相手国の領域に入り、またその領域に在留することを許される。
2.　一方締約国の国民は、締約相手国の領域内で、(イ)自由に旅行し或いは自己の選択する場所に居住し、(ロ)良心の自由を享有し、(ハ)公私の宗教上の儀式を行ない、(ニ)国外の公衆に伝達するための資料を蒐集し、或いは送付し、(ホ)当該領域の内外にいる他人と郵便・電信・其他一般公衆用に供与されている手段によつて通信することを許される。
3.　本条の規定は、公の秩序を維持し又は公衆の健康・道徳及び安全を保護するために必要な措置を取る締約国の権利に抵触みない。
第三条　一方締約国の国民は、締約相手国の領域内において如何なる種類の迫害も受けず、又いかなる場合でも国際法によつて要求される保護と保障よりも少なくない不断の保護と保障を受ける。
2.　一方締約国の領域内において締約相手国の国民が抑留された場合には、当人の要求に基づいて最近接地に駐在している当人の本国の領事官に即時通告されねばならず、該領事官は当人と面会し、通信する権利をもつ。当人は、(イ)相当にして人道的な待遇を受け、(ロ)自己に対する被疑事実を正式にかつ即時通知され、(ハ)自己の弁護のための適当な準備に支障がない限りにおいて迅速に裁判に回附され、又(ニ)自己の選任する資格ある弁護人の役務を含む自己弁護に当然必要な全ての手段を享有する。
第四条　一方締約国の国民は、締約相手国の領域内で業務の結果及び業務の遂行中に生ずる或いは業務の性質に起因する疾病、負傷或いは死亡を理由として行なわれる金銭上の補償其他の給付或いは役務を定めた法令の適用において内国民待遇を受ける。
2.　本条第一項に規定された権利と特権の外に、一方締約国の国民で締約相手国の領域内にいる者は、(イ)老齢・失業・疾病或いは身体障害による賃金又は所得の喪失、又は(ロ)父・夫・其他自己を扶養する者の死亡による経済的扶助の喪失に対して、経済上の需要を個別的に審査せずに給付を行なう強制的な社会保障制度を定めた法令の適用において内国民待遇を受ける。
第五条　一方締約国の国民と会社はその権利の行使及び擁護において、締約相手国の領域内における全ての審級を通ずる司法裁判所・行政裁判所及び行政機関に対して提訴する権利に関して、内国民待遇と最恵国民待遇を受ける。一方締約国の会社で、締約相手国の領域内で活動をしていないものは、登記又は其他の国内手続の要件が賦与されることとなしにこのような提訴を行なう権利を享有するものと諒解する。
2.　一方締約国の国民及び会社と締約相手国の国民及び会社の間に結ばれる仲裁に依る紛争の解決を規定した契約は、どの一方締約国の領域内においても、仲裁手続のために指定された場所がその領域外であるという理由、又は仲裁人中一人或いは二人以上が該締約国の国籍をもつていないという理由のみによつて、執行しえないものと認定されてはならない。このような契約に従い正当に行なわれた判定で、判定が行なわれた場所の法令により確定され執行されうるものは、どの一方締約国の領域内においても、判定が行なわれた場所がその領域外にあるという理由又は仲裁人中一人或いは二人以上が該締約国の国籍をもっていないという理由のみによっては、無効と認定されず、又その執行のための有効な手段は拒否されない。

第六条　一方締約国の国民と会社の財産は締約相手国の領域内で不断の保護と保障を受ける。

2. 一方締約国の領域内にある締約相手国の国民と会社の住居、事務所、倉庫、工場及び其他の建造物は正当な理由なく妨害又は侵入を受けない。このような建造物とその中にある物件に対して必要な場合に行なわれる当局の捜索及び検査は、必ず占有者の便宜と業務遂行に対して周到な考慮をなし又は法律に依拠して行なわれねばならない。

3. 一方締約国は締約相手国の国民と会社がその設立した企業・その資本・或いはその提供した技能・技芸又は技術に関して、当該一方締約国の領域内で適法に取得した権利又は利益を害なう憂慮のある不当な又は差別的な措置をとってはならない。

4. 一方締約国の国民と会社の財産は、締約相手国の領域内で、公共目的のための場合を除いて収用または使用されてはならず、又正当な補償を迅速に行なわずに収用されてはならない。その補償は実際に換価することのできるもので行なわれねばならず、又収容或いは使用された財産と充分に同価のものでなければならない。その補償を決定又は実施するために、収用又は使用時或いはその前に適当な準備をせねばならない。

5. 一方締約国の国民と会社は、締約相手国の領域内で本条第2項及び第4項に規定する事項に関して如何なる場合にも内国民待遇と最恵国民待遇より不利でない待遇を受ける。その上、一方締約国の国民及び会社はその実質的な利益をもっている企業を公有とし又は公の管理下におくことに関する全ての事項において、内国民待遇と最恵国民待遇より不利でない待遇を受ける。

第七条　一方締約国の国民と会社は直接であるか代理人によってであるか又は何らかの形態の適法な団体を通じてであるかを問わず、締約相手国の領域内であらゆる種類の商業、工業、金融業及び其他の営利活動（実業活動）に従事することに関し内国民待遇を受ける。従って当該国民と会社は、当該締約相手国の領域内で(イ)、支店・代理店・事務所・工場其他その事業遂行上適当な施設を設置し、又は維持し、(ロ)当該締約相手国の一般会社法に基き会社を組織し、又は当該締約相手国の会社で過半数の利益を取得し又は(ハ)、自己が設立し、或いは取得した企業を支配し経営することを許される。その上当該国民と会社が支配する企業は、個人所有の形式であるか、会社の形式であるか、其他の何らかの形式であるかを問わず、その事業の遂行に関聯するすべての事項において、当該締約相手国の国民と会社が支配する同種の企業がうける待遇より不利ではない待遇を受ける。

2. 各締約国は、外国人がその締約国の領域内で運輸・通信・公益事業・預金又は信託業務を包含する銀行業務・又土地其他天然資源の開発を行なう企業を設立し、当該企業の利益を取得し、又は当該企業を経営しうる限度を定める権利を留保する。但し、一方締約国がその領域内でこのような事業を経営するに関して、外国人に内国民待遇を与える限度に対し新たに課する制限は、その実施の時その領域内でこのような事業を行なっており、又は締約相手国の国民と会社が所有或いは支配している企業に対しては適用されない。更に、一方締約国は締約相手国の運輸事業・通信事業及び銀行業を経営する会社に対し、その会社が行なうことを許されている本質的に国際的な業務に必要な機能を遂行するために支店及び代理商を維持する権利を否認してはならない。
3. 本条第1項の規定は、一方締約国が外国人の支配する企業の自国領域内での設立に関して特別な手続を定めることを妨げるものではない。但しその手続は本条第1項に規定された権利を実質的に害するものであつてはならない。
4. 各締約国の国民と会社又は当該国民と会社が支配する企業は、本条に規定された事項に関しては、如何なるばあいにも最恵国民待遇を受ける。

第八条 一方締約国の国民と会社は、締約相手国の領域内で、自己の選択する計理士及び其他の技術者・事務要員・弁護士・代理業者・其他の専門家を雇傭することができる。更に、当該国民と会社は、当該締約相手国の領域内における自己の企業並びに自己が財政的利益をもつている企業の企画と運営に関し、自己のために検査・監査及び技術的調査を行なわせ又は自己に報告させる特定の目的で、当該領域内で自由職業に従事するための資格如何を問わず計理士と其他の技術者を雇傭することができる。
2. 一方締約国の国民と会社は、締約相手国の領域内で学術・教育・宗教及び慈善の活動を行なうことに関し内国民待遇と最恵国民待遇をうけ、又その目的のために当該締約相手国の法律に基づき団体を組織する権利を付与される。この条約のいかなる限定も、政治活動を行なう権利を付与し又は認定するものと看做してはならない。

第九条 一方締約国の国民と会社は、締約相手国の領域内で、(イ)、第七条と第八条に基いて許される活動の遂行及び居住のために適当な土地・建物・其他不動産を賃借し占有し又は使用することに関する内国民待遇と(ロ)、締約相手国の関係法令に依り認定される不動産に関する権利が付与される。
2. 一方締約国の国民と会社は、締約相手国の領域内で、あらゆる種類の有形無形の動産を購入・賃借或いは其他の方法で取得し所有し占有するに関して、内国民待遇と最恵国民待遇をうける。但し、一方締約国は、公共の安全の見地から危険だと認定される物品及び特殊な種類の活動を行なう企業の利益を外国人が所有することに対しては、第七条又は其他本条約の規定に依つて保障される権利と特権を害さなわぬ範囲内で、これを制限することができる。
3. 一方締約国の国民と会社は、締約相手国の領域内で、遺言によるか依らないかを問わず遺産として又は司法手続を通じて、あらゆる種類の財産を取得することに関し、内国民待遇をうける。当該国民と会社が、外国人及び外国会社だという理由で、このような財産を継続所有する資格がない場合には、かれらはその財産を処分するための最少五年の期間が許される。
4. 一方締約国の国民と会社は、締約相手国の領域内で、あらゆる種類の財産の処分に関し、内国民待遇と最恵国民待遇をうける。

第十条 一方締約国の国民と会社は、締約相手国の領域内で、特許権の取得及び保有商標・営業用の名称・営業用の標号に関する権利と、あらゆる種類の工業所有権に関して内国民待遇と最恵国民待遇をうける。
2. 両締約国は、特に各自の領域内での生産力の増進と生活水準の向上のために、科学及び技術に関する知識の交換と利用を促進することに協力することを約束する。

第十一条 一方締約国の国民で締約の領域内に居住する者及び一方締約国の国民と会社で締約相手国の領域内で貿易其他の営利的活動又は学術・教育・宗教・もしくは慈善の活動を行なう者は、当該領域内で、所得・資本・取引活動・其他の対象に対して賦課される租税・手数料・其他の課徴金又はその賦課及び徴収に関する要件において、当該締約相手国の国民と会社が負担する課徴金又は要件よりも重い課徴金又は要件を賦課されない。
2. 一方締約国の国民で締約相手国の領域内に居住してもおらず、

又貿易、其他の営利的活動を行なつてもいない者、及び一方締約国の会社で締約相手国の領域内で貿易其他の営利的活動を行なつていない者に関しては、当該締約相手国は本条第一項に規定された原則を一般的に適用することを目標とせねばならない。

3. 一方締約国の国民と会社は、締約相手国の領域内で、所得・資本・取引活動其他の対象に対して賦課される租税・手数料・其他の課徴金又はその賦課及び徴収に関する要件において、如何なる場合にも、第三国の国民、居住者及び会社が負担する課徴金又は要件よりも重い課徴金又は要件を賦課されない。

4. 一方締約国の会社で、締約相手国の領域内で、貿易・其他の営利的活動を行なう者、及び一方締約国の国民で、締約相手国の領域内で、貿易其他の営利的活動を行なつているが当該領域内に居住していない者に対しては、当該締約相手国は、租税・手数料・其他の課徴金を当該領域に対して適正に配定され又は配分される課徴金を超過して賦課することができず、又当該領域に対し適正に配定され又は配分される額より少ない額の控除と免除を認許してはならない。専ら学術・教育・宗教又は慈善の目的で組織され或いは運営される会社に対してもまた同様とする。

5. 各締約国は、(イ) 相互主義に基づき租税に関する特定の便益を付与する権利、(ロ) 二重課税の防止もしくは歳入の相互的保護のための協定に基づき租税に関する特別な便益を付与する権利、及び(ハ) 自国に居住していない者に対し所得に関する租税と相続税に関する個人的な免除を許与することにおいて、特別な規定を適用する権利を留保する。

第十二条 一方締約国の国民と会社は、両締約国領域間及び締約相手国の領域と第三国領域との間の支払、送金及び資金又は金銭証券の移転に関し、当該締約相手国から内国民待遇及び最恵国民待遇をうける。

2. 各締約国は、その通貨準備の水準が顕著に低下することを防止し、又は顕著に低下した通貨準備を適当に増加させるのに必要な範囲内で行なわれる場合を除いては、本条第五項に定める為替制限を行なつてはならない。本条の規定は、締約国が国際通貨基金に対しておつている義務を変更するものではなく、又国際通貨基金が特定の為替制限を行なうことを締約国に特に認定し又は要請する場合にその為替制限を行なうことを妨げるものではない。

3. 一方締約国が本条第二項に従い為替制限を行なう場合には、当該締約国は自国民の保健と福祉のために必要な貨物及び役務の入手に必要な外国為替を確保するのに必要な全ての準備をなし、又重大な経済的不安を排除するのに必要な措置をとつた後、(イ) 第六条第四項に言及する補償として支払われる金額 (ロ) 給与・利子・配当金・手数料・権利の使用料・技術的役務に対する報酬もしくはその他の所得の金額、及び(ハ) 借入金の償還、直接投下資本の償却及び資本の移転に関する金額の締約相手国の通貨で表示された外国為替による回収において、其他取引のための特別な需要を考慮しながら、適当な準備をせねばならない。二個以上の為替レートが実施されている場合には、当該回収に適用される為替レートは、国際通貨基金によりこのような取引のために特に承認された為替レート、又、このように承認された為替レートがない場合には為替移転に関する租税又は追加料金を包含した公正で妥当な実効的為替レートでなければならない。

4. 為替制限は、どの一方締約国によつても、締約相手国の国民と会社の請求権・投資・運送・貿易・其他の利益又は競争的地位に対し、不必要に有害な又は恣意的に差別的な方法で行なわれてはならない。

5. 本条において「為替制限」というのは、一方締約国が課する全ての制限・規制・課徴金・租税・其他の要件により両締約国領域間の支払・送金又は資金や金銭証券の移転に対し負担又は妨害となるものをいう。

6. 各締約国は、締約相手国に対し、本条の適用に関して何時でも協議する充分な機会を提供する。

第十三条　一方締約国の国民と会社で、当該領域内で事業を行なう者を代理する商業旅行者は、締約相手国の領域に出入する時又はその領域に在留する間、関税及び第十一条第五項に規定する例外に従うことを条件として、その携帯する見本及び注文の取集に対して賦課される租税・其他の課徴金を包含する其他の事項とその業務の遂行を規制する規則に関して最恵国待遇をうける。

第十四条　各締約国は、いかなる場所から来たか、いかなる種類の運送手段によつてもたらされたかを問わず、締約相手国の生産品に対し、又経路と運送手段の種類如何を問わず締約相手国に輸出されることになる生産品に対し、輸出又は輸入において或いはこれに関連して賦課され或いは輸出品又は輸入品のための支払手段の国際的移転に対して賦課されるあらゆる種類の関税及び課徴金・当該関税及び課徴金を賦課する方法又は輸出及び輸入に関連するあらゆる規則と手続に関し最恵国民待遇を与える。

2. どの一方締約国も締約相手国の生産品の輸入又は締約相手国領域への生産品の輸出に対して制限又は禁止をなしてはならない。但し、全ての第三国の同種の生産品の輸入又は全ての第三国への同種の生産品の輸出が同様に制限又は禁止されている場合にはこの限りではない。

3. どの一方締約国も、締約相手国が重大な利害関係をもつている生産品の輸出又は輸入に対して量的制限を行なう場合には、(イ)当該一方締約国は、特定の期間中に輸出又は輸入することができる生産品の総数量又は総価額とこのような数量又は価額又は期間の変更に対し、原則的に事前に公表しなければならない。(ロ) 当該一方締約国は、どの第三国に配定を行なう時にも、その生産品の貿易に影響を与える特別な要因に妥当な考慮を加えた後、締約相手国が以前の代表的な期間中に供給した或いは供給されたその生産品の総数量又は総価額に比例する配定を当該締約相手国に付与しなければならない。

4. 一方締約国は、衛生上の理由其他商業的性質をもたない慣習上の理由により、又は詐欺的な不公正な慣行を防止するために、生産品の輸出又は輸入を禁止又は制限することができる。但し、その禁止又は制限は、締約相手国の通商に対して恣意的な差別をするものであつてはならない。

5. 一方締約国の国民と会社は、輸出及び輸入に関するあらゆる事項に関して、締約相手国から内国民待遇と最恵国民待遇をうける。

6. 本条の規定は、一方の締約国が付与する次の便益には適用しない。

(イ) 内国漁業の生産品に付与する便益

(ロ) 国境交易を容易にするため隣接国に付与する便益

(ハ) 当該一方締約国が一構成員となつている関税同盟又は自由貿易地域の存在によつて付与する便益。但し、これは当該一方締約国が自国の計画を締約相手国に通報し、又は協議のための適当な機会を当該締約相手国に付与する場合に限る。

7. 本条第2項及び第3項(ロ)の規定に拘らず、締約国は貨物の輸出と輸入に対し、第十二条により行なう為替制限と同等な効果をもつ又はその為替制限を効果的に行なうために必要な制限又は統制を行なうことができる。但し、その制限又は統制は、必ず前記条項の規定から必要以上に離脱してはならず、又外国との間の非差別的な貿易の最大限度発展を助長し又はその制限の必要を除去するに足る国際収支状況と通貨準備の達成を促進する政策に符合するものでなければならない。

第十五条　各締約国は、法令及び一般に適用する行政上の決定によつて、関税・租税・其他の課徴金の類、関税のための品目分類、又は輸出品と輸入品及びそれに対する支払手段の移転に関する要件或いは制限に関すること、又は輸出品と輸入品の販売・分配或いは使用に影響を与えることを迅速に公表し、又その法令及び決定を一律、公平かつ適切に実施しなければならない。行政上新たに定める要件又は制限によつて輸入品に影響を与えることは、衛生上又は公共の安全上の理由で課されるものを除いては、一般の慣行に従い公表後三十日を経過する前には実施しないか、或いは公表時に輸送中である生産品には適用しないかでなければならない。

2. 各締約国は、締約相手国の国民と会社又は締約相手国の生産品を輸入する者が、行政官庁に依る罰金及び其他不利益処分の賦課・没収と関税分類及び評価の問題に関する決定を包含する関税事項に対する行政処分の迅速かつ公平な審査をうけ、又は正当だと認定される場合にはその是正を要求することのできる訴願及び提訴の手続を規定しなければならない。関税及び海運に関する法令に対する違反のうち、書類の作成に関することを理由とする不利益処分は、その違反が記載上の過誤から生じた場合又は善意によるものであることが証明された場合には、たゞ警告的なものにとゞめねばならない。

3. どの締約国も一方締約国の生産品を輸出又は輸入する者が、その生産品を任意の一方締約国の会社の海上保険に付することを、妨害又は阻止する差別的措置をとつてはならない。但し、本項は第十二条の規定の適用を妨げない。

第十六条　一方締約国の生産品は、締約相手国の領域内で、国内での課税・販売・分配・保管及び使用に影響を与えるすべての事項に関して内国民待遇と最恵国待遇をうける。

2. 一方締約国の国民又は会社又は一方締約国の国民又は会社が支配する締約相手国の会社が、当該締約相手国の領域内で生産した物品は、その領域内で輸出・課税・販売・分配・保管・及び使用に影響を与える全ての事項に関して、生産した者又は会社が誰であるかを問わず、同種の内国原産物品がうける待遇より不利でない待遇をうける。

第十七条　各締約国は、(イ) その政府が所有し又は支配する企業とその領域内で排他的な又は特別な特権が付与されている独占企業又は機関が、締約相手国の通商に影響を与える輸出又は輸入を随伴する販売又は購入を行なうとき、必ず価格・品質・入手可能性・市場性・運送・其他の販売又は購入の条件等に関する考慮を包含する商業的考慮をなすべきこと、及び(ロ)、当該締約相手国の国民・会社と通商に対し、このような販売及び購入に参加するために競争することのできる適当な機会を、通常の商慣行に従つて付与することを約束する。

2. 各締約国は、締約相手国の国民・会社及び通商に対して、(イ) 政府による需要品の購入 (ロ) 特権の付与其他政府による契約、及び(ハ) 政府が行なう又は排他的或いは特別な特権が付与された独占企業乃至機関が行なう役務の販売に関して、第三国の国民、会社及び通商に付与する待遇に比べて、公正かつ衡平な待遇をせねばならない。

第十八条　両締約国は、競争を制限し、市場への参加を制限し、又は独占的支配を助長する事業上の慣行によつて商業を行なう一又は二以上の公私の企業又はそれらの企業間の結合・協定・其他の約定によつて行なわれることが、それぞれの領域間の通商に有害な影響を与えることがあることに対して一致した意見をもつ。従つて、各締約国は、締約相手国の要請がある時には、そのような事業上の慣行に関して協議し、又有害な影響を除去するために適当であると認められる措置を取ることに同意する。

2. 公有又は公管理の社団法人・団体及び政府機関を含む一方締約国の企業が、締約相手国の領域内で、商業・工業・海運業又は其他の営業活動を行なう場合には、自己又は自己の財産のために、私有又は私管理の企業が負つている課税訴訟裁判の執行又は其他当該領域内でおつている義務から、当該領域内において免除されることを請求することができず、又そのような免除を享有しない。
第十九条　両締約国の領域間には通商及び航海の自由がある。
2. 一方締約国の国旗を掲揚した船舶で、国籍の証明のための当該締約国の法令の要求する書類を備置しているものは、公海と締約相手国の港・場所及び水域で当該一方締約国の船舶として認定される。
3. 一方締約国の船舶は、締約相手国の船舶及び第三国の船舶と均等な条件で、外国との通商及び航海のために開放された締約相手国の全ての港・場所と水域に積荷をつけて入つて行く自由をもつ。その船舶及び積荷は、当該締約相手国の港・場所と水域で、全ての事項に関して内国民待遇と最恵国民待遇をうける。但し、各締約国は、沿岸貿易・内水航行及び内国漁業に関して自国の船舶のために排他的な権利と特権を留保することができる。
4. 一方締約国の船舶は、締約相手国の領域へ又はその領域から、船舶で輸送することのできる全ての生産品を輸送する権利に関して、当該締約相手国により内国民待遇と最恵国民待遇をうける。これらの生産品は、(イ) 関税及び各種課徴金、(ロ) 税関事務、及び(ハ) 奨励金、返還金其他此種の特権に関し、当該締約相手国の船舶が輸送する同種の生産品がうける待遇より不利でない待遇をうける。
5. 遭難中の一方締約国の船舶は、最近接地による締約相手国の港又は碇泊所に避難することを許され、友好的な待遇と援助をうける。
6. 本条での「船舶」とは、私有又は私運営のものであるか、公有又は公運営のものであるかを問わず全ての種類の船舶をいう。但し、本条第二項及び第五項の場合を除いては、漁船と軍艦は含まない。
第二十条　次の人物と物件は、国際通過のために最も便利な経路により、各締約国の領域を通過する自由があるものとする。
(イ) 締約相手国の国民とその手荷物
(ロ) 当該締約相手国領域へ又はその領域からの途上にある其他の人物とその手荷物
(ハ) 原産地の如何を問わず当該締約相手国の領域へ又はその領域からの途上にある生産品
このような通過中の人物と物件は、関税・通過を理由として賦課される租税及び不当な課徴金と要件を免除され、又不必要な遅延と制限をうけない。但し、第一条第三項に言及した措置と通過の特権の濫用を防止するために必要な非差別的な規制には服する。
第二十一条　本条約は、次の措置を取ることを妨げない。
(イ) 金又は銀の輸出又は輸入を規制する措置
(ロ) 核分裂性物質、同物質の利用又は加工に依る放射性副産物又は分裂性物質の原料となる物質に関する措置
(ハ) 武器・弾薬及び軍需品の生産又は取引又は軍事施設に供給する目的で直接又は間接に行なわれる其他物資の取引を規制する措置
(ニ) 国際平和と安全の維持又は回復のための自国の義務を履行し又は自国の重大な安全上の利益を保護するために必要な措置
(ホ) 一個又はそれ以上の第三国の国民が所有又は管理において直接又は支配的利益をもつている会社に対して、法律上の地位の認定と裁判所に対する提訴権とを除いて本条約に規定している便益を拒否する措置
2. 本条約中の貨物に関する最恵国民待遇の規定は、アメリカ合衆国又はその準州と属領とが相互に付与しあい、又同国がキューバ共和国・フィリピン共和国・太平洋諸島の信託統治地域及びパナマ運河地帯に付与している利益に対しては適用されない。
3. 本条約中の貨物の待遇に関する規定は、一方締約国が「関税及び貿易に関する一般協定」の当事国である間、当該締約国が同

同協定により要求され又は特に許容される措置を取ることを妨げない。同様に、本条約の最恵国民待遇規定は、前記協定に基づいて付与される特別便益には適用されない。

4. 一方締約国の国民で、特定の目的のために締約相手国の領域に入ることを許された者は、その入国許可の条件として法令により明示的に賦課された制限に反して営利的職業に従事する権利をもたない。

第二十二条　「内国民待遇」とは、一締約国の領域内で付与される待遇にして、当該締約国の国民・会社・生産品・船舶又は其他の対象に対し、その事情に従い同様の状況の下でその領域内で付与される待遇よりも不利ではない待遇をいう。

2. 「最恵国待遇」とは、一締約国の領域内で付与される待遇にして、どの第三国の国民・会社・生産品・船舶又は其他の対象に対し、その事情に従い同様の状況下でその領域内で付与される待遇よりも不利ではない待遇をいう。

3. 本条約での「会社」とは、有限責任のものであるかいなかを問わず、又金銭的利益を目的とするものであるかいなかを問わず、社団法人・組合・会社及び其他の団体をいう。一方締約国の領域内で関係法令に基づき成立した会社は当該締約国の会社と認定され、又締約相手国の領域内でその法律上の地位を認定される。

4. 本条約の規定に基づき、大韓民国の会社に付与される内国民待遇は、アメリカ合衆国のどの州・準州・属領においても、当該地域でアメリカ合衆国の他の州・準州又は属領で創設又は組織された会社に付与される待遇とする。

第二十三条　本条約の適用をうける領域は、各締約国の主権又は権力下にある陸地及び水域の全区域である。但し、パナマ運河地帯と太平洋諸島の信託統治地域は除外する。

第二十四条　各締約国は、締約相手国が本条約の実施に関するいかなる事項に関して行なう提議に対しても、好意的考慮を払い又その提議に関する協議のために適当な機会を供与しなければならない。

2. 本条約の解釈又は適用に関する両締約国間の何らかの紛争にして、外交交渉によつて満足に調整できないものは、両締約国が何らかの他の平和的手段に依る解決に合意をみない限り、国際司法裁判所に付託することとする。

第二十五条　本条約は批准されねばならない。批准書はできるだけ速やかにソウルで交換される。

2. 本条約は批准書の交換日から一ケ月後に効力を発生する。本条約は十年間効力をもち、その後は本条に定める所により終了される時まで効力を存続する。

3. 一方締約国は締約相手国に対して、一年前に文書に依り予告を行なうことにより、最初の十年の期間満了時又はその後のいかなる時においても本条約を終結させることができる。

以上の証拠として各全権委員は本条約に署名調印した。

西暦一九五六年十一月二十八日、ソウルにおいて同等に正文たる韓国語と英語により本書二通を作成した。

大韓民国代表　曹　正　煥

アメリカ合衆国代表　ワルター・C・ダウリング

議　定　書

大韓民国とアメリカ合衆国間の友好・通商及び航海条約に署名するに際して、下名の全権委員は各自の政府に依つて正当に委任をうけ、再び同条約の不可分の一部と認定される次の規定を協定した。

1. 第二条第一項(ロ)の規定は、一方締約国の国民にして、その雇傭主が相当な額の資本を投下したり又現在投下の過程にある締約相手国の領域内の企業の運営を発展させ指揮する目的のみをもつて当該締約相手国の領域に入ることを願う者にも、拡張適用されるものと解釈する。但し、当該雇傭主が、その出願者と同一な国籍の国民又は会社であり、又その出願者が当該国民又は会社によつて責任ある地位に雇傭された場合に限る。

2. 第五条第一項で使用した「……提訴をする権利……」というのには、特に訴訟上の救助・訴訟費用の担保及び裁判のための担保に関する権利を包含する。

3. 第五条第二項は、一締約国の公序良俗に反する仲裁判定を当該締約国が執行することを要求するものではないと理解する。

4. 補償の支払を定めた第六条第四項の規定は、締約相手国の領域内において収用された財産に対して一方締約国の国民と会社が直接又は間接に利益をもつものに対しても適用する。

5. 第七条第二項における「公益事業」とは、一般公衆に給水し又ガスや電気の生産及び分配を行なう企業を包含するものとみなす。

6. 第七条第四項に関して、一方締約国は相互主義に基づかずに公有地で鉱業に従事する権利に関して最恵国民待遇を付与する義務はないものと理解する。

7. 各締約国は、第十二条第二項で規定したように、その通貨準備を保護するための必要に従い外国資本の導入に対して諸種の制限を課することができる。

8. 第十七条第二項(ロ)及び(ハ)及び第十九条第四項の規定は郵便業務に対しては適用されない。

9. 第二十一条第一項の(ホ)は、いかなる第三国又は第三国の会社が所有又は管理において直接又は間接に支配的利益をもつている会社にも適用されるものと解釈する。一方締約国はその領域内で締約相手国の国民が、全ての個人に一般的に適用される法律に違反して第三国又は第三国の国民や会社の代表として営業することを許可する義務をもたない。

10. 第二十一条第二項の規定は、プエルトリコに対してその政治的地位の変化如何に拘らず適用する。

11. 第二十三条の規定は、専ら軍事基地として、又は一時的な軍事占領に依つて、どの一方締約国の権力下にある地域にも適用されない。

以上の証拠として各全権委員はこの議定書に署名調印した。

西暦一九五六年十一月二十八日ソウルにおいて同等に正文たる韓国語と英語によつて本書二通を作成した。

大韓民国代表　曹　正　煥

アメリカ合衆国代表　ワルター・C・ダウリング

一九四七年十一月十四日第二回国連総会における朝鮮問題に関する決議

(A)

総会の議題にある朝鮮問題は、第一義的には朝鮮人民自身の問題であり、且つ、朝鮮人民の自由と独立に関するもので、また、本問題は、原住民の代表者の参加なくしては、正確かつ公正に解決し得ないことを認識し、

総会は、

1. 朝鮮人民の選ばれた代表者が、本問題の審議に参加するよう勧誘されるべきであると決議し、

2. このような参加を容易にし、且つ、促進するため、又朝鮮人の代表者が事実朝鮮の人民により正当に選ばれたもので、朝鮮における軍当局が単に任命したものではないことを観察するため、朝鮮にあつて、朝鮮全土にわたつて、旅行し、観察し、且つ協議する権利を有する国際連合臨時朝鮮委員会を直ちに設置することを更に決議する。

(B)

総会は、

朝鮮人民の独立への緊急且つ正当の要求を認識し、
朝鮮の民族的独立が再び確立されるべきであり、また、その後すべての占領軍が最も早い実行可能な期日に撤退すべきであることを確信し、
朝鮮人民の自由と独立とが、朝鮮人民の代表者の参加なくしては、正確且つ公正に解決し得ないという総会の先の結論と、朝鮮人民の選ばれた代表者のこのような参加を容易にし、且つ、促進する目的で、国際連合臨時朝鮮委員会（以下委員会という）を設置するという総会の決定を想起し、

1. 委員会が、オーストラリア、カナダ、中国、エルサルヴァドル、フランス、インド、フイリピン・シリア、ウクライナの代表者で構成されるべきことを決定し、

2. 朝鮮人民の自由と独立の迅速な達成について、委員会が協議することができ、且つ、国民議会を構成し朝鮮国民政府を設立することができる代表者を成年選挙制無記名投票によつて選ぶ選挙が一九四八年三月三十一日以前に施行されることを勧告する。各々の選挙区又は選挙地帯からの代表者の数は、その住民に比例し、また選挙は、委員会の観察の下に行われるものとする。

3. 選挙後できる限りすみやかに、国民議会が会合し、国民政府を樹立し、且つ、その樹立を委員会に通告することを更に勧告し、

4. 国民政府樹立の後直ちに、同政府が委員会と協議し、(a)政府の国家保安隊を組織し、且つ、その中に含まれないすべての軍事的又は準軍事的組織を解体し、(b)南北両朝鮮における軍司令部及び民政部の政府機能を引き継ぎ、また、(c)占領国の軍隊のできる限り早期の且つできうれば九十日以内の朝鮮からの完全な撤退のため、占領国と打ち合わせるべきことを更に勧告し、

5. 委員会が朝鮮における委員会の観察と協議とを考慮に入れ、朝鮮の民族的独立の成就及び占領軍の撤退のための前記の計画の達成を容易にし、且つ、促進すべきことを決定する。委員会は委員会の結論を付して、総会に報告を行わなければならない。また事態の発展に照らして、この決議の適用に関し、中間委員会（設立された場合は）と協議することができる。

6. 各関係加盟国に対し、委員会の責任の遂行に当り、あらゆる援助及び便益を委員会に供与するよう要請し、

7. 国際連合のすべての加盟国に対し、朝鮮の独立の樹立に至る準備の中間期間中は、総会の決定に基く場合を除き、朝鮮人民の事項に干渉することを慎しみ、且つ、その後は、朝鮮の独立及び主権を害するいかなる行為をも全く慎しむよう要請する。

一九四八年十二月十二日第三回国連総会における朝鮮独立問題に関する決議

総会は、

朝鮮の独立問題に関する一九四七年十一月十四日の総会決議一一二(II)を尊重し、

国際連合臨時朝鮮委員会（以下臨時委員会という。）の報告及び総会の中間委員会の臨時委員会との協議に関する報告を審議し、臨時委員会報告中に記述された困難のため、一九四七年十一月十四日の決議に定められた目的が未だ完全に達成されていないという事実、及び特に朝鮮の統一が未だ成就されていないという事実を念頭におき、

1. 臨時委員会の報告中の結論を承認し、

2. 臨時委員会が観察し、且つ、協議することができたところの、朝鮮の人民の大多数が居住している朝鮮の部分に、有効な支配と管轄権を及ぼす合法な政府（大韓民国政府）が樹立されたこと、この政府が、朝鮮の前記の部分の選挙民の自由意思の

有効な表明であつたし、また、臨時委員会が観察した選挙に基くものであることと、この政府が朝鮮における唯一のこの種の政府であることを宣言し、

(Declares that there has been established a lawful government (the Government of the Republic of Korea) having effective control and jurisdiction over that part of Korea where the Temporary Commission was able to observe and consult and in which the great majority of the people of all Korea reside; that this Government is based on election which were a valid expression of the free will of the electorate of that part of Korea and which were observed by the Temporary Commission; and that this is the only such Government in Korea;)

3. 占領国に対して、その占領軍をできる限り早く朝鮮から撤退すべきことを勧告し、

4. 臨時委員会の任務を引き継ぎ、且つ、決議に定められている朝鮮政府の状態に留意し、本決議の規定を実施し、特に次のことを行う、オーストラリア、中国、エル・サルヴアドル、フランス、インド、フイリピン及びシリアからなる朝鮮委員会を一九四七年十一月十四日の決議に定められた目的の完全な達成のための手段として、設立すべきことを決議し、

(a) 一九四七年十一月十四日の決議中で総会が設定した原則に従い、朝鮮の統一及びすべての朝鮮の保安隊の統合を将来するよう周旋すること。

(b) 朝鮮の分割により起つた経済的、社会的その他の友好関係への障害の除去を容易にするよう努力すること。

(c) 人民の自由に表明された意思に基く代議制政府の一層の発展に当り、観察と協議を行う態勢にあること。

(d) 占領軍の実際的撤退を観察し、撤退が行われた際は、撤退の事実を確証すること。またこの目的のため、二占領国の軍事専門家の援助を、委員会がこれを希望する際は、要請すること。

5. 委員会が、

(a) 本決議採択後三十日以内に、朝鮮におもむき、同地に本部を維持すること、

(b) 一九四七年十一月十四日の決議により設置された臨時委員会に代つたものとみなされるべきこと、

(c) 朝鮮全土にわたつて、旅行し、協議し、且つ、観察する権限を与えられること、

(d) 委員会自身の手続を決定すべきこと、

(e) 事態の発展に照し、且つ、本決議の規定の範囲内で、委員会の任務の遂行に関し、中間委員会と協議できること、

(f) 総会の次の通常会期及びそれに先立ち本決議の標題の事項を審議するため招集されることのある特別会期に報告を提出し、また委員会が適当と認める中間報告を、加盟国に配付するため、事務総長に提出すべきこと、

を決定し、

6. 事務総長に対して、委員会に充分な職員及び便益を、必要とされた技術顧問を含み、提供するよう要請し、また、事務総長に対して、委員会の各構成国の代表一人及び代表代理一人の費用及び日当を支給する権限を与え、

7. 関係国、大韓民国及びすべての朝鮮人に対して、委員会の任務遂行に当つて、これにあらゆる援助と便益を提供する

よう要請し、

8. 加盟国に対して、朝鮮の完全な独立と統一を将来しようとするに当つて、国際連合が達成した及び達成するであろう結果を損うようないかなる行為をも慎しむよう要請し、

9. 加盟国その他の国に対して、大韓民国と関係を設定するに当つて、本決議第二項に記述した事実を考慮に入れるよう要請する。

一九四九年十月二十一日第四回国連総会における朝鮮の独立問題に関する決議

総会は、

朝鮮の独立問題に関する一九四七年十一月十四日及び一九四八年十二月十二日の総会決議を尊重し、

国際連合朝鮮委員会の報告を審議し、同報告中に述べられた結論を了知し、

委員会の報告中に記述された困難のため、前記諸決議に定められた目的が完全に達成されていない事実、特に朝鮮の統一と朝鮮の分割により起つた経済的、社会的その他の友好関係への障害の除去とが未だ達成されていない事実を念頭におき、

委員会が米国占領軍の撤退を観察し、且つ、確証したが、未だ報道されたソ連占領軍の撤退を観察し、又は確証する機会を与えられていないことに注目し、

朝鮮委員会が観察し、且つ、協議することができたところの、朝鮮人民の大多数が居住している朝鮮の部分に、有効な支配と管轄権を及ぼす合法な政府（大韓民国政府）が樹立されたこと、この政府が、朝鮮の前記の部分の選挙民の自由意志の有効な表明であつたし、また、臨時委員会が観察した選挙に基くものであること、この政府が朝鮮における唯一のこの種の政府である旨の一九四八年十二月十二日の総会の宣言を想起し、

委員会がその報告中で記述した事態が大韓民国及び朝鮮人民の安全と福祉を脅かし、且つ、朝鮮における軍事的紛争の開始に導くことがないかと懸念し、

1. 国際連合朝鮮委員会が引き続き次の構成国をもつて存続し、オーストラリア、中国、エル・サルヴアドル、フランス、インド、フイリピン及びトルコ、

且つ、一九四七年十一月十四日及び一九四八年十二月十二日の総会決議に定められた目的並びに、後者の決議に定められた大韓民国政府の状態を念頭におき、次のことを行うべきことを決議し、

(a) 朝鮮における軍事的紛争に導くか又は別に軍事的紛争をもたらす虞のあるいかなる進展をも観察し、且つ、報告すること。

(b) 朝鮮の分割により起つた経済的、社会的その他の友好関係への障害の除去を容易にすることに努力し、一九四七年十一月十四日の決議中で総会が設定した原則に従い、朝鮮の統一を将来するよう、委員会が、好機会が生じたと判断する時はいつでも、援助する準備を整えておくこと。

(c) 本決議のこの項(a)及び(b)号に定めた目的を達成するため、オブザーヴアーをその裁量により任命し、且つ、委員会における代表であるか否かを問わず一人又は二人以上の人員の役務と周旋とを利用する権限を有すること。

(d) 全国選挙を含む、人民の自由に表明された意思に基く代議制政府のその後の発展につき、朝鮮全土にわたつて観察し、且つ、協議する態勢にあること。

(e) ソ連占領軍の撤退を委員会が確証しうる地位にある限り確証すること。

2. を決定し、
委員会が、
(a) 本決議の日から三十日以内に朝鮮で会合すべきこと、
(b) 引き続き朝鮮に本部を維持すべきこと、
(c) 朝鮮全土にわたつて旅行し、協議し、且つ、観察する権限を与えられること、
(d) 引き続きそれ自身の手続を定むべきこと、
(e) 事態の進展に照し、且つ、本決議の規定の範囲内で、委員会の任務の遂行に関し総会の中間委員会（同委員会が継続される際は）と協議できること、
(f) 総会の次の通常会期及びそれに先立ち本決議の標題の事項を審議するため招集されることのある特別会期に報告を提出し、また委員会が適当と認める中間報告を、加盟国に配布するため、事務総長に提出すべきこと、
(g) 総会の新らしい決定があるまで存続すべきこと、
を決定し、

3. 加盟国、大韓民国政府及びすべての朝鮮人に対して、委員会の任務遂行に当つて、これにあらゆる援助と便益を提供することと、本決議の目的を損うようないかなる行為をも慎しむことを要請し、

4. 事務総長に対して、委員会に充分な職員及び便益を、必要とされた技術顧問及びオブザーヴアーを含み、提供するよう要請し、また、事務総長に対して、委員会の各構成国の代表一人及び代表代理一人並びに、本決議第一項(c)に基き任命されることある人員の費用及び日当を支給する権限を与える。

大韓民国と占領下日本との間の通商協定
（一九五〇年四月一日発効）

第一条　本協定の両当事国の一方である大韓民国（以下韓国と称す）代表は、他方の当事国である占領下日本に代つて行動する聯合国最高司令官（以下日本と称す）代表と、両国間の貿易を拡張し又実行することのできる最高の水準を維持する意図のもとに採られる有益な方法を討議し、次の如き基礎の上に貿易を行なうことに同意する。

1. 一年を期間とする物品の購入及び売却に関する全ての取引と役務の提供に関する貿易計画を採択する。
2. 別途指定する場合を除いて、全ての貿易は本協定と同時に締結される韓国と日本間の通商に関する金融協定の条件及び規定によつて行なう。
3. 貿易は政府系統及び民間系統の両者を通じて行なう。
4. 通商計画の範囲内で、韓国は日本に対する輸出入を、日本は韓国に対する輸出入を最少限貿易計画に表示された金額まで許可することに同意する。

両当事国は貿易計画の評価金額により外国為替又は外国為替信用を割当又は承認する。採択される貿易計画は制限的なものでなく、何時でも相互の合意によつて拡張又は修正することができる。

5. 貿易計画は決して制限的なものではなく、本協定期間中韓国と日本国に取引されることと期待される貿易量と最も予想される貿易性格を本協定両当事国が入手しうる最善の情報にてらして表示するものである。

貿易計画は、実地における貿易の、計画内に表示される比率を達成し性格を表示しなければならないという両当事国間の拘束として作成されるものではない。

むしろ、貿易計画は本協定の両当事国間の貿易を最高の水準ま

で発展させたいという双方の希望の結果としてあらわれるであろうとみられる販売と購入の量に対して善意をもつて行なわれる妥当な算定を表示するものである。

以上の考慮を条件として、両当事国は貿易計画に表示される商品の販売及び購入をあらゆる方法で容易にさせる。

6. 如何なる段階においても、本協定の当事国の一方が、貿易計画に予見される販売及び購買の量及び性格が現存法規の変更のような理由によつて実現されないだろうと信ずる時には、関係両当事国の一方が重要視する利益を保護するのに必要だと認定する貿易計画の変更を達成するために協議する。

7. 本協定の運営に関して、両当事国は正確で最新の情報を入手できるようにし、一般的に貿易計画の実行を確保するために、両当事国の合意によつて特殊な機構を設置する。

8. 各当事国は、輸出入統制為替管理及び他方の管轄地区において随時に行なわれる国際貿易に関する其他の統制の遵守を確保するために実行することのできる全ての措置をとる。

9. 貿易計画に規定される商品貿易は、西暦一九四九年十月三十日ジュネーブで調印された関税及び貿易に関する一般協定の修正された原則によつて此を運営する。

10. 韓国・日本及び第三国との貿易を促進するために本協定の当事国は情勢に従い多角的貿易を発展させる可能性に関して協議する。

第二条　本協定は、両当事国の合意により修正することができ、書面により九十日前事前通告で大韓民国政府・聯合国最高司令官又は同司令官の後継者の要請により廃止することができる。

本協定は、両当事国が別途の意志を成文で表示しない限り、聯合国又は聯合国のある一国との講和条約或いは大韓民国と日本間の友好通商条約の公布と同時に終結するものである。

本協定の如何なる改正、廃止、又は効力終結も、このような改正、廃止、又は効力終結の効力発生日に先だち、本協定によつて発生し招来されたいかなる権利又は義務を害なうことがない。

第三条　本協定の両当事国は、韓国と日本間の貿易状況を一方の要請によつて随時一般的に再検討する。

第四条　本協定は両署名国が署名する時、一九五〇年四月一日から効力を発生する。

一九五〇年六月二日

大韓民国代表　商工部長官　金　勲

一九五〇年六月六日

占領下日本に代り行動する

連合国最高司令部代表

司令官補佐官　A・Γ・レーエ少佐

大韓民国と占領下日本との間の通商に関する金融協定

第一条　本協定書の目的は、大韓民国（以下韓国と称す）と占領下日本（以下日本と称す）間の通商に関する金融協定を制定することにある。

第二条　アメリカ合衆国貨幣で表示される一勘定を日本東京所在日本銀行に維持し、此を韓日相互清算勘定（以下勘定と称す）とする。本協定に規定される目的のために、日本銀行は、日本に代つて行動する連合国最高司令官の代行者と指定され、大韓民国政府がその代行者と指定する銀行の取引銀行として業務を行なう。

第三条　別途規定のない限り、韓日間の貿易に関する全ての商取引と役務提供は、本勘定に記録する。

韓国の日本に対する全ての輸出品の価格は本勘定の貸方に記録され、日本から韓国への全ての輸入品の価格は本勘定の借方に記録される。

但し本勘定に記録された金額に対しては無利子とする。

第四条　日本銀行は、毎月末現在の勘定残高を連合国最高司令官総司令部

が指定する機関に送付し、写本を日本東京所在の韓国代表に伝達する。

第五条　本条第二項及び第三項に規定する場合を除いては借方と貸方は相互清算し、支払は本勘定の純残額に限つてのみ行なう。

支払はアメリカ合衆国通貨たる米貨又は支払日に両当事国間で相互合意された其他の通貨によつて行なわれ、次の如き条項によつて行なわれる。

1. 本条第二項第三項及び第四項の制約下に純残額二百万ドルを超過した金額は、超過と同時に負債となり、債権国の要請により支払われねばならない。

2. 前項により日本に支払われる純残額二百万ドルを超過する金額は、前項の規定に拘らず日本銀行に接受され、信用保証書に表示され、日本が韓国からする定期輸入金額が二五〇万ドルに到達する迄は支払われない。

3. 前項の規定に拘らず、何時でも信用保証書に表示される韓国の購入総額と日本の購入総額の差額が五百万ドルを超過する時には、韓国は債権国要請により前記差額五万ドルを超過する金額は勘定に現金で払込むことを要す。

4. 第1項の規定は勘定運営に一般的に適用されるものだが、本協定運営初期においては勘定運営は第2項第3項の制約を受けるものとする。

第2項に規定されているように、日本銀行に接受された信用保証書の金額総計が二五〇万ドルに到達したなら、第2項第3項の条項は無効となり、第1項の条項のみが超過金額支払時に適用される。

5. 本勘定の純残額の最終決算支払は、おそくも本協定の取消日又は終結日の翌月から四箇月目の月末日までに行なわれねばならぬ。

本取消日又は終結日から九十日内に完結されず、完結できず、又は代金取尋書類が提示されない商取引は、両当事国が別途に合意する場合を除いては再交渉を要す。

第六条　本協定当事国以外の第三国との貿易によつて当事国に生じた債権は、両当事国と当該第三国間の相互合意によつて第三国が本協定における当事国であるかの如く認定して勘定に記録する。

第七条　本協定は、両当事国間の合意により修正することができ、書面による九十日前通告で大韓民国政府、連合国最高司令官又は同司令官の後継者の要請により廃止することができる。

本協定は、両当事国が別途の意志を成文で表明しない限り連合国又はそのある一国と日本との間の講和条約或いは大韓民国と日本間の友好通商条約の公布と同時に締結されるものとする。

本協定の如何なる改正・廃止又は効力終結も、そのような改正廃止又は締力終結の効力発生日に先だち本協定により発生し招来されたいかなる権利又は義務をも害なわない。

第八条　大韓民国政府代表及び連合国最高司令官又はその後継者の代表に本協定の履行に関する事務手続を協議決定する権限を付与する。

第九条　本協定は両署名国が署名した時一九五〇年四月一日から効力を発生する。

一九五〇年六月二日

大韓民国代表団商工部長官　金　勲

一九五〇年六月六日

占領下日本に代り行動する

連合国最高司令部代表　A・T・レーエ

覚　書

韓国と占領下日本との間の特定商品の交易

1. 金融協定、通商協定及び貿易計画参照

2. 金融協定第三条及び通商協定第一条1項及び2項の規定により、韓国の米穀輸出と日本の食料輸出は前記協定の範疇に属さず、

両国権威者の相談によつて個別的に交渉されるものとする。両国間の貿易を拡張するために上記の商品の現金購入及び販売に対して個別的に考慮する。

3. 米国経済協調処又は米国政府其他機関が資金を全部又は一部支出し、支出処の規則によつて購入される韓国の輸入は協定の条件の制約を受けない。大韓民国政府はこのような購買の可能な市場として日本を指定するよう努力する。

覚書

大韓民国及び占領下日本間の通商・金融協定の解説

1. 本覚書は、一九五〇年六月二日付大韓民国及び占領下日本の通商・金融協定及び付属貿易計画を迅速に実行し、本協定により両国間に実行されることが予見される貿易に関して韓国又は占領下日本においての事務手続又は規則の制定及び適用に関する指針とするために共同で作成する。

(1) 通商協定第一条第1項に記載された「役務」という用語は、次の如きものを意味する。代理店手数料及び費用・商業人の旅費・加工費・船舶及び機械修理・技術者訓練費用・技術提供・事務所賃貸料・業務従業員給料・広告料・其他随時に通商協定の両当事国の合意をみた其他の役務。

上述以外の役務に対する支払は相互清算勘定によることができないが、上述した全ての服務に対する支払は承認された範囲内で相互清算勘定又は現金で行なう。

(2) 通商協定第一条第4項には次の如き原則が適用される。

各国における外国為替又は外国為替信用に関する予算編成は有効な需要協価に依拠して行なうべきであり、一般的に四半期予算は少くとも貿易計画内に包含される全ての商品に対して差別なく年間計画の四分の一又はそれ以上となることを要す。

非常事態を除いては上述の理由による外国為替信用の割当又は承認をどちらの一方も停止することができない。たゞし、東京所在関係国代表に事前通告を手交するばあいにのみ停止することができる。

このような通告書においては停止に関する相談を招請せねばならず、通告書接収後二十日以内に会議を開催し合意に到着できなかつた場合には、通告書に記載された発効日付から停止することができる。

(3) 前項通告書を接受した後、両当事国の代表は通商協定第一条第6項の規定によりできるだけ早い時日内に会談し、相互間に満足の行く実質的方法を案出するよう努力せねばならない。

(4) 通商協定第一条第7項にいう特別機構とは、両国間に貿易に関する情報が迅速に交換される手段と方法を意味するものであり、貿易計画を実行するために政府独占機関を承認する必要があるという意味ではなく、通商協定の本質は可能な最高限度の個人貿易を推進することにある。

両国間において交換される情報は、貿易計画に表示された品目別に、輸入承認額及び輸入許可額の月別統計と当事者間で必要とする其他の情報を含む。

(5) 通商協定第一条第10項に規定された条項は中継貿易に適用されるものである。

世界各国の貿易に関する諸般の統制により、中継貿易乃至多角的貿易は、利害当事国間に事前合意をみることとなしに推進することが困難であるから、最短期間内に必要な同意を得るために相談し、このような同意なしには中継貿易は容認されない。

(6) 通商協定第四条及び金融協定第九条は、一九四九年四月二十三日に調印された韓日間の金融及び交易調整と交易計画案により発生又は発効した全ての取引の施行を認定し、又同調整案により発生した権利の行使又は負債及び義務の履行と同調整により発生又は開始した全ての取引を承認するものと解釈する。

前記の調整による権利の行使又は負債及び義務の履行を除いては、本通商協定及び金融協定の発効日以後に発生又は有効となつた全ての取引は本協定の条項による。

2. 必要により通商協定の解説を随時発行する。両当事国の同意の下にこのような解説は韓日両国において行政上有効な指針と認定される。

※ 平和条約締結後これらの協定に規定された諸関係は「『大韓民国と占領下日本との間の貿易のための金融協定』により設定された相互勘定中の諸権利と利害関係の移譲と引受のための連合軍最高司令官、日本政府及び大韓民国政府間の協定」（一九五一年十一月七日）により日本政府にひきつがれ今日に至つている。その間の貿易実績は左表の如くである。（但しこの表の輸入の項には協定の範囲外の米国援助資金による域外買付分が含まれている）

南朝鮮の貿易構造の第一の特徴は輸出入の極端な不均衡ということである。対日貿易においても表にみられる通り、毎年日本からの輸入額は輸出額の5～10倍に達している。（対米貿易等ではこの不均衡は一層甚だしい。日本はこれでも常に南朝鮮の総輸出額の五〇%以上を輸入している最大の市場である）

このような輸出入の不均衡から来る国際収支の赤字は結局毎年莫大な援助によつてうめられて来たのだが、韓国政府が協定に従つて清算勘定のスイング超過分をドルキャッシュで決済しえたのは一九五三年前半までであつた。それ以後韓国政府は、日本が中国貿易を行つていることを非難し、これを口実として清算勘定の借越分の支払に一切応じない態度を示したので、日銀の勘定尻には南朝鮮側の輸入超過分だけがどんどん債権として累積して行き、忽ち四千万ドル余に達してしまつた。

南朝鮮側は日本から買いたいものは沢山あつても日本に売るものが何もないということで、債務が無限に増大して行くことを防ぐためには輸入制限をしないわけには行かず、対日輸入権方式（一定の輸出実績のある者のみが輸入の権利を与えられる）を設定することになつた。

こうして輸出入の均衡はとれたが、日本への輸出がふえないまゝ日韓貿易は頭打ちとなり、日本銀行の韓国政府に対するコゲツキ債権も四千万ドル台で横ばいを続けてきた。

このような縮少不均衡状態を恒常的輸入超過による従属関係発生の危険を冒してまで打破しようと韓国政府が決意したのは張勉執権時代であつた。本年二月二日韓国政府は対日輸入権制度を撤廃した。そしてこの措置にともなう旧債権整理問題についての交渉が日韓両国代表の間で行なわれ、次のような趣旨の交換書簡が四月二十二日牛場信彦外務省経済局長と朴昌俊在日韓国代表部員との間でとりかわされた。（外務省情報文化局発行「世界の動き」一九六一年6月号による）

(1) 韓国政府は日韓清算勘定の本年一月末現在残高が四五七二万九三九八ドル八セントであることを確認し、その早期決済に妥当な考慮を払う。

(2) 韓国政府は、本年二月一日以降新規に発生する債務を毎月確実に現金決済する。

(3) 両国政府はなるべく早期に清算勘定を廃止して現金決済に移

日　韓　貿　易　総　額

	喩出(日本への)	輸入(日本からの)
1950.4〜1951.3	953.5万ドル	2550　万ドル
1951.4〜1952.3	591.2	1505
1952.4〜1953.3	1028.0	2438.6
1953	856.7	1,0683.0
54	810.1	6856.8
55	954.0	3949.5
56	1112.2	6360.7
57	1220.4	5699.4
58	1103.9	5669.4
59	1204.6	6238.0
60	1857.9	1,0008.9
61(1〜8月合計)	1491.4	8902.4
1月	276.3	979.5
2月	152.0	1011.6
3月	127.0	1392.4
4月	181.7	1851.9
5月	159.3	1166.4
6月	202.8	873.9
7月	180.7	901.5
8月	211.6	725.2

資料「朝鮮の経済」

大蔵省税関部調　「外国貿易概況」

行すべく協議する。

(4) 日本政府は、韓国生産品の輸入増大のためその権限の範囲内で適当と認める措置をとる。

輸出入の量的不均衡と南朝鮮の貿易のも一つの特徴である原料輸出製品輸入という質的ゆがみを対日従属という方向で解決しようという基本方向は軍人政権によつてうけつがれている。

ともかく、経済的後進性は国際収支の不均衡をもたらし、国際収支の不均衡は援助への依存を余儀なくせしめ、そのことによつて経済的後進性からの脱却を望まぬ外国勢力に対して無抵抗となる。だから工業化を進め生産力を発展させ外国の援助に依存しないですむ経済体系を成立たすために国際収支をつりあわせねばならない。その際、余剰農産物等一部を除き輸入品の大部分は、南朝鮮では生産しえない原燃料、生産手段等国民経済の必要かくべからざる所とするものだから輸入削減という道はありえず、輸出振興以外に手はないということになる。

軍人政権はともかく熱心に輸出振興のための立法行政措置を講じ、プランを作成した。去る十一月二十八日に発表された六二年上半期貿易計画によると、その輸出目標は五ケ年計画に従つて前年比一六〇〇万ドル増の五六〇〇万ドルと予定されている。

しかし現在の南朝鮮で生産される何が輸出できるのか？又、どこへ輸出できるのか？

六一年度の八〇〇〇万ドルという輸出計画にしても、今日までの実績から推算して国連軍現地調達まで含めても五〇％達成できるかどうかという状況なのだ。米やノリ、魚、タングステン、黒鉛等の鉱産物等現に南朝鮮で生産されている一次生産物の輸出がこれ以上のびるみこみはない。戦前米は大量に日本に輸出されていたが、今日本では米はだぶついている。十一月下旬南朝鮮から来日した米売りこみ使節団も極めて冷たくあしらわれた。一時米国が戦略物資として大量に買入れ南朝鮮の輸出額の過半を占めたタングステンも今ではだめだ。一次原料生産物輸出国の交易条件悪化は世界的傾向であるそこで輸出用製造工業の振興ということになるが、そのためには又必要な大量の生産手段をどうして手にいれるか？まず外国からひもつきの借金をし、国内の労働力の古典的搾取によつて蓄積を強化するほかない。従来不足を補なう消費材援助をうけつゝも、半封建的生産関係はそれなりに伝統的な形で維持されてきたとすれば、今度は生産関係の内部に迄外国勢力をひきいれて生産力の展開をはかろうとしているのだといえよう。所が今日南朝鮮と交渉をもつ資本主義国の中でその経済を支配しようという意図なしに生産材を供与し借款を与えようとしている国はない。

製品の販売市場についても同様の問題がある。そのような製品をどこに売るのかといえば、南朝鮮より更に遅れた「東南アジア」ということになる。（韓国日報九月十七日社説輸出振興と東南ア市場参照）しかし自由化と輸出競争の波の中で実績のない国がどうやつて割こめるか？既存の日本等の商業網に従属依存するのが唯一の実現可能なみちとなる。

かくして日本から生産材と技術と労務管理術を導入し、極端に安い労働力で競争力をつけ、日本の商社網に製品をのせるという「保税加工貿易」の構想が生れ、労働集約的な工業の振興により日本の下請工場化が必然化する。

既に五月二十八日大韓商工会議所・貿易協会の献議があり、六月十五日に商工部令として保税加工貿易許可手続が公告されたが、これによりかゝる事業には営業税・物品税全額免除、法人税所得税三割減、原料の輸入制限及び関税の免除等の優遇処置がとられた。更に十一月十七日商工農林両長官共同談話によると、①関税法改正による外国人に対する保税工場設置特許及び保税工場外における作業特許、②保税加工収入への輸出奨励補助金ドル当り二五〇ホアンの交付 ③運営資金融資、④技術導入・市場開拓等のための立法行政措置が完了し、保税加工貿易センター設置が準備されており、既に日米等の商社を通じての契約予定額は造花・メリヤス被服・玩具等三五万ドルに達しているという。

日韓会談と四つの連鎖会談

十一月前半、戦後はじめての日韓米三国の政治責任者の会談が実現した。クーデター以後中絶していた日韓会談も第六次と銘うつて十月二十日正式に再開された。これと平行して民間での経済人の動き、経済交流の動きもかつてない活潑さをみせはじめている。関係方面では「もうまとめ時というムード」が強いといわれる。（毎日新聞「近事片々」欄）しかし、一方今迄会談の進展を阻止してきた要因がなくなつたわけでないことも勿論である。

一、事前準備

或る面では、日本側の動きはややジグザグである。首席代表問題でもたついたのは日本側の安く買いたたくためのかけひきであつたともいわれている。韓国側が政治的解決の可能な立場にある政界の大物岸信介氏か石井光次郎氏の首席代表就任を望んでいる事情を承知の上で、日本側は十月五日財界から、しかも今迄韓国に名の通つていた足立正氏や植村甲午郎氏ではなく、全くノータッチだつた前大阪商工会議所会頭杉道助氏を首席代表に任命することに内定した。

韓国側は直ちにこの「なめた態度」に抗議の意志を表すため会談の再開延期を通告してきたが、日本側が杉首席の方針をかえないので、結局折れて出ざるをえなかつた。韓国側は十月十二日既に内定していた主席代表、元大統領代理許政氏をひつこめ、なが年ハワイで生活していて昨年の四月政変後許政氏によびよせられ、韓国銀行総裁になつたがすぐやめたという経歴で、米国市民権をもち英語の方が朝鮮語よりも達者だといわれる裵義煥氏（エドワード・裵氏）を首席に任命し、十三日に至り二十日からの会談再開を申し入れてきた。

六二年一月からはじまる経済開発五ケ年計画のために日本からの財産請求権支払金や経済援助を予定しているといわれる（読売新聞十月二十日付による。韓国側はそのような事実はなく日本側のためにする宣伝だといつている。韓国日報十月三十一日付社説）韓国側の宋堯讃内閣総理は記者会見の席上で会談年内妥結の可能性があるといつているが、日本側は事務的検討が進まないことを理由にもつとゆつくりした日程をとる意向を示した。

こうして開かれた二十日の第一回本会談では、両側の顔合せの後、日本側が主張していたように第二回本会議を二六日に開き今後の議事運営、委員会の段取りを相談することを決定し、杉裵両首席代表の政治折衝と並行して、ゆつくり事務折衝を進めるということになつた。そして、十月二十六日から二十七日にかけて漁業、法的地位、一般請求権等の委員会が一斉に開かれ、終戦時に朝鮮人が日本の郵便貯金に幾ら預けていたかというようなこまかい作業をはじめた。

§　南朝鮮のCIA長官来日

これに対して自民党内で親韓派語問団を結成したといわれる（韓国日報十月十三日）岸・石井氏等は十月十二日池田首相に面会して「全面会談を早急に再開し、対日財産請求権問題などの懸案については韓国の政治的安定と経済再建にテコいれするとの角度から政治的に解決すべきだ」という進言を行なつているが（読売新聞十月十三日）、更に十月二十四日に韓国中央情報部長金鍾泌大佐が内密の下交渉をやりにきた時から局面はにわかに変ってきた。金大佐は蒋介石に招待されて台湾の双十節に出席し、金門島の第一線を視察して「韓国は自由中国とともに永遠に対共斗争を続けるだろう」とあいさつしたその足で来日したもの（韓国日報十月十日）で、二十八日迄四日間滞京し池田首相、小坂外相、佐藤通産相、岸前首相、石井光次郎氏等と重要協議を行なっていったといわれる。金大佐は朴正熙国家再建最高会議議長の甥で、クーデター計画当初からその片腕的存在であったといわれ、（読売新聞六月六日）韓国のＣＩＡといわれる中央情報局を支配して大きな権力を握っている人物である。所が八月下旬金鍾泌大佐に比べれば権力の核心から離れた地位にあるといえる金裕沢企画院長が来日した時さかんにかきたてた日本の新聞が、今度は殆んど協議の内容等について報道しなかった。この影の実力者はかなり極端な軍人精神の持主ともいわれるが、池田首相は「軍人らしいハキハキした物のいい方でよい」と好感を持ったといわれ、金大佐も帰国後「日本の指導者は日韓国交正常化への努力に以前よりずっと真剣であると思う。私の日本訪問の目的は両国間の共通の利害問題の解決をはかるため卒直な意見交換を行なう機会をもつことであった」と語っている。（ソウル二十八日発ＡＰ＝毎日）

二、池田・ラスク――ラスク・朴

このような発言の背景には日韓正常化が日米韓三国にとって望ましいとするアメリカの「きわめて真剣な関心」があり、朝海駐米大使が「ラスク長官から（箱根会議で）とくに日韓会談について話したいという話は聞かなかった。しかしアメリカ側としては日本と韓国に早く何とか話をつけさせたいと思っている。しかし具体策を持って日韓両国間の仲介をするというような話は聞いていない」とわざわざ弁明しなければならなかったような事情がある。

十一月二日から箱根で開かれた日米経済合同委員会は、単なる顔みせで、本番は小坂外相も除外して行なわれた池田・ラスク会談にあったといわれている。この会談でラスク国務長官は「日本は今後世界的な視野に立って政治・経済両面にわたり具体的な行動を示すべきである」と強く迫り、日韓両国が提携して極東の有力な「反共防衛ライン」を形成することを希望するアメリカの立場を卒直に表明し、日本に大局的な立場からの「勇断」を求めたといわれる。（毎日新聞十一月三日）　又ラスク長官は「このためアメリカとしてできるだけのことはしたい」と公式に発言し、実際にできるだけのことをした。大局的な見地から池田首相を説得したラスク長官は直ちに四日ソウルにとび、この合意事項をもって今度は韓国側を説得にかかり、帰りがけには再び横田基地で小坂外相とうちあわせを行なうなど「積極的な仲介」の労をとった。朴議長はラスク長官との会談後「米国の対韓援助や日韓問題については話が出なかった」といって、会談内容を発表しなかったが、ラスク長官は訪韓直前箱根で「私はソウル訪問のさい日韓問題を取り上げるつもりだ」と述べている。（十一月一日ＵＰＩ＝共同＝毎日新聞）

こうしてお膳立てが調えられ、十一月十二日池田首相と朴議長との両国最高首脳の会談が実現し、「現在進行中の日韓会談を妥結するため引き続き双方で最大の誠意をもってこの推進に努力する」という基本方向がひっこみのつかないかたちで公けにされることになった。（池田・朴会談後の小坂外相の発表）

§　杉訪韓

この池田・朴会談は形式的には杉道助氏が十一月二日池田・ラスク会談の直後訪韓し池田親書を手渡したことによって実現をみたことになっている。杉氏は大阪に帰っていたのを急によびよせられて、日韓両国が自主的に池田・朴会談を準備したかのようにみせかけるロボットの役割を果させられることになつたにすぎないといわれる。思いがけず急に首席代表になつた杉氏には日韓会談についてのはつきりした見識はないといわれる。そのことを実証するかのように、杉訪韓の際に、韓国紙記者が会見を求めたのに随行の前田外務省北東アジア課長が制止して記者たちを憤慨させたという事件があつた。(韓国日報十一月三日) この事件につき前田課長は「韓国外務部の要請による」と弁明したが、外務部では又「日本側の意向」をくんだのだといつているという。それでも杉代表は韓国側での対日強硬派ともいわれる宋首相との会談のさい、朴・池田会談で日本側からも請求権についての誠意ある数字を示すと言質を与えてきて、後で失言を政府側から責められる破目におちいつたといわれる。

そのほか杉氏は「過去三六年間の日帝強占期間を通じた精神的、物質的侵略に対する報償を要求する朝鮮政府国民感情を日本指導者が十分理解しており、そのために国内一部勢力の反対をものともせず、この会談に誠意をもつて臨もうとしている。野党の反対は自民党が多数であるから抑制できる」等と語つている。

§ 基本的合意と「請求権」をめぐる暗闘

ともかくこうして大局的に見解が一致したが、内部での矛盾、特に経済的な問題でいくらどういうかたちで出すかという点についての前々から日韓両国の間にあつたみぞがうまつたというわけではない。返済金に条件をつけて、経済的地歩を築こうとする日本独占資本の思惑と、韓国側のそうさせまいとする抵抗、その背景に極東の「安定」を第一義とするアメリカの世界戦略がある。

そこで韓国日報(十一月三日付)は社説で次のごとく 共通の利益をふりかざした圧迫について論じた。

「米日会談両側首席代表間に米国及び日本の対韓関係を規制する政策がひそかに合意され、われわれがこれをやむをえず承服せざるをえないはめになつたり、二者択一イエスかノーかという決断を迫られる窮地においこまれるかもしれない。

われわれは米国が米日会談を通じてわれわれの利害問題に対し充分同情的・好意的にその影響力を行使してくれたものと信じて疑わない。三国が一致してこの機会を利用し、懸案問題を最終的に解決し、日韓経済協力関係の設定、例えば日本の対韓経済再建投資のための借款供与を実現することをのぞんでいる。

だが、それには我々が提示せねばならないいくつかの原則が前提として承認されねばならない。それは、①米日会談において韓国に直接間接関連するいかなる問題も、我々の意見を尊重して手続きをふみ協議を進めるという友好原則が具体的事実として示されねばならないこと。②米日両国は韓国が自主独立国家であり、過去日本帝国主義にじゆうりんされた経験を通じて感情を激発させやすいという事実を十分に理解しなければならないこと等である。」

実際バーガー駐韓米大使は「韓国経済育成は米日共同の目標である」と発言し、(九月六日) あとで韓米共同目標のいいちがいであつたと弁解したようなこともあつた。

「極東の安定」という「共同の利益」のために、まず何をおいてもせつぱつまつた状態にある南朝鮮の経済に何らかの急場をつくろうテコいれをしなければならぬということで、当面問題の焦点はいわゆる「経済協力」具体的な会談の項目では請求権問題に集中していた。

韓国側では請求権はあくまで法的根拠にもとづくもの、従つて無条件で支払われるべきもので、ひもつきの「経済協力」(有償借款)ですりかえることができるようなものではないとしている。

その額については、去る八月に金裕沢氏が提示した8億ドルの線を一歩もゆづれぬ線だとしている。

この8億ドルの内訳は、①旧朝鮮銀行を通じて日本に搬出された地金二四九トン、地銀五七トンの対価、②旧総督府の債務、③一九四五年八月九日以後に朝鮮から送金された金、④韓国に本社支店のあつた法人の在日財産、⑤韓国法人自然人の日本国債株券・賃金・補償金の未清算分、⑥旧日本官吏の恩給等、⑦⑧返済利子の8項目である。

韓国側の主張によれば第①項の金銀は不換紙幣にすぎない朝鮮銀行券と国債で支払われているにすぎず、まだ決済がついていないということだ。

これに対し日本側はこれらの内大口の第①項第②項の大部分は支払の法的根拠がないとして個人的な未払賃金等の項目についてのみ請求権を認め、5千万ドル程度の額は支払わねばならぬとしている。

いずれにしろ韓国が数億の外貨を必要としている事実にかわりはなく、このように8億ドルと5千万ドルの開きの間に政治的折衝の余地が存在していたわけである。

§「請求権」のかわりに「経済援助」?

こうして池田朴会談の直前まで種々の臆測が乱れとんだ。韓国側は本来8億の請求権があることは固執しつつ6億の線(毎日新聞十月二十九日)から、更に4億まで譲歩したと伝えられ、それを又韓国側代表が事実無根と否定したり、日本側でも法的根拠はともかく、3億(石井光次郎氏の主張)とか2億(岸信介氏の主張。いずれも韓国日報十月十四日)とかの額を韓国側の主張通り払つてやるべきだというような主張が公にされたりした。

日本政府筋の言は「韓国側は過去にこだわる「うしろむきの姿勢」だが、こちらは名目のないものは払わないとしても将来韓国の必要とする資金を別のかたちで提供するにやぶさかでない「前向きの姿勢だ」と説明しているが、これが韓国側から「法律論的詭弁に名をかり、ひもつきの経済援助を足がかりとして、再び進出しようとする意図をひめているもの」と警戒されたのは当然であろう。ともかく軍事政権は国交正常化前には経済協力はうけないとしばしばくりかえしている。しかし「経済協力は請求権とは全く別個の問題だから、会談終了後の問題だ。五ケ年計画に巨大な資本が必要なので友邦諸国から果敢に借款する方針だ。」(十一月七日韓国日報)

という朴議長談のように、むしろ国交さえ正常化すれば「経済協力」のうけほうだいだという、ものほしさがはじめから軍事政権につきまとつていたともみられよう。

池田・朴会談が近づくにつれ請求権をいくらで手をうつかがそこでの中心的問題だということが伝えられ、自民党内実力者がそれについて意見を交換した結果大勢ははつきりした額を示さぬ慎重論に傾きつつあるというようなことが直前まで日本の各紙には報道されていたが、韓国側代表は最後まで政治折衝に期待をかけた楽観的なみかたを示していた。

三 朴・池田会談

そして、十一月十一日、日本の右翼二千人の歓迎をうけて朴正熙議長は羽田に到着し、十二日には池田・朴会談が行なわれた。「池田――朴会談は、首相官邸で日韓双方の随員が同席して行なわれたが、途中、池田首相と朴議長の二人だけの話し合いに移り、約一時間半続いた。この両首脳の会談では、当面する日韓関係の問題だけでなく、アジア問題、国際情勢についても話し合いが行なわれた。この結果、請求権問題のほか、日韓両国の正常な外交関係の樹立や経済協力の問題についても大局的な了解がついたと報じられている。会談後、両首脳は、会談はきわめて満足すべきものであつたと述べ、とくに、池田首相は心か喜びの色をみせている。

会談において、まず池田首相から請求権問題についてつぎのような要旨の発言が行なわれた。

請求権については、平和条約第五条の線にそつて合理的に解決したい。請求権の内容は、各項目毎に事務当局で検討しているものを積みあげていかないと説明がつかない。請求権問題について、両国政府間で話し合いがついても、日本の国会で通らなければ実際に実行できない。

経済協力は、いろいろな仕方でやれると思う。日本の国民感情は、韓国がいろいろな困難に直面していることに同情的だが、請求権による支出が多過ぎると、反発を感じるようになる。これは経済協力に影響してくる。請求権が合理的にきまれば経済協力もやりやすくなる。

この池田発言をうけて、朴議長は、アジア情勢について語つたのち、請求権による要求は、決して日本に対する報復的または賠償的な性質のものからでているのではなく、韓国が経済的・軍事的に強くなることを目的としている（注　これはかねて日本側が主張していたところで、池田—朴会談は九九％成功だというのはこの点）」（エコノミスト　十一月二十八日）

要するに「日本の対韓援助問題は国交正常化のあとでなければ話し合いに入らないという態度を変え、正常化以前でも、日韓会談と並行して話し合いを進めることに朴議長が同意したことは大きな成果の一つであつた」（十一月十三日毎日新聞）ということになる。

「援助の仕方はいろいろある。しかし、韓国の五ケ年計画に歩調をあわせてやらなければならない。請求権については、日本の大蔵省の調査では三千万ドルという線がでている。経済援助と請求権とは実際にはからまつてくるが、それでは韓国側はこまるだろうと思われるから、形式的には別のものとして行ないたい。

池田首相は、こう述べたのち、援助の形式として政府借款、贈与、民間協力の三つをあげた。

これに対し朴議長は、援助、贈与はやめて経済協力の形でやつて欲しい旨述べたようだ。（注　贈与は韓国のメンツにかかわるという理由）。ここで池田首相は、日本のビルマ賠償のいきさつなどを説明し、池田・朴両者とも援助は民間でやつた方がいいということに双方の意見が一致し、援助の方法についてはさらに検討することにしたようだ。

ついで、軍事問題に話は移つた。朴議長は、まず南ベトナム情勢について述べ、これが好例だが、アジアにおける反共国家を強化するためには、米軍を増強してもダメで、現地軍を強くすることが必要だ。日米、米韓の軍事同盟の関係から日本の自衛隊が強くなることは、韓国が強くなることになるからお互いに国防を強化しようと訴えたもよう。

そこで池田首相は、韓国の軍事情勢について朴議長にたずね、朴議長から説明が行なわれ、さらに沖縄、台湾、南ベトナムなどの軍事情勢についても話し合いが行なわれたようだ。

このほか、李ライン問題、日韓貿易の促進についても話し合われた。」（エコノミスト　十一月二十八日）

十一月十二日小坂外相は会談の成果について次のように発表した。
一、日韓問題、アジア問題、さらに世界情勢全般にわたり意見を交換し、大部分の点で合意した。
一、現在進行中の日韓会談を妥結するため引き続き双方で最大の誠意をもつてこの推進に努力することになつた。
一、現在の懸案問題のほか、日韓間の将来の諸般の問題についても今後さらに隔意なく意見交換することに意見が一致した。
会談の成果は公式に発表されうるものとしては右の様な非常に抽象的なもの以外には何もなかつた。伝えられたような請求権金額についての合意はみられなかつた。

両者は大義名分において、しかも韓国側の日本側の力に対する全面的屈服において、一致をみたと評価されている。

ともかく自民党指導者は財産請求権が朴議長の提案に立脚して行なわれるなら、七～八千万ドルですむとみて安心していると共同通信が報道している。（韓国日報十一月十六日）

§ 朴議長の屈服とその反響

このような朴議長の屈服は特に南朝鮮の世論に大きな衝撃を与えた。

十一月十五日付韓国日報は次のように論じている。

「共産勢力の侵略態勢に対処しつつ民主主義体制を維持し、繁栄をもたらそうとすれば日本との提携が必要条件であることは事実だ。しかし日本側として、いわば膨脹限界に達し市場条件の改善なしには経済成長を維持できなくなっているという経済体質の必然的要請が韓日問題のおくに根深く内在している。

戦後十六年の不均等性は減少し、米日経済力は極東および東南アジア地域における両国の利害関係の調整という新しい課題を提起している。」

又韓国系在日朝鮮人中の平和統一勢力を代弁する統一朝鮮新聞は次のようにいっている。

「この度の朴・池田会談で、朴正煕が対日請求権につき、大幅に日本側の主張に歩みよったと伝えられているが、歩みよったというのは誤りで、朴正煕が完全に日本側へ膝を屈したといった方が正しい。

朴正煕は、滞日中の記者会見で対日請求権は「賠償的性格のものでなく、確実な法的根拠に基くものである」とのべ、さらに、日本の伊関アジア局長は、自民党日韓問題懇談会で朴・池田会談の内容について報告し、この点についてもっと詳細に次の如く述べている。

すなわち「請求権は現在進行中の第六次日韓会談の事務折衝に基づき法律的根拠のあるものについて支払うことで両首脳は合意した」こと、また、「請求権は賠償的性格のものでなく、個々の韓国人が日本に対してもつ恩給、郵便貯金、徴用に対する未払賃金であって、この請求権については日本人と同様な待遇として取扱うことで合意した」ことを、あきらかにした。

先づ日本が主張し朴正煕が納得した「法的根拠」とは一体何を意味しているか。これはかつて、久保田が「朝鮮の独立は不法である」ときめつけた時に、基準にとった「法」のことである。

この法に照らす時、三十六年間にわたる朝鮮民族に対する日帝の搾取と抑圧と虐殺と侮蔑はすべて「合法」であるのである。請求権が「法的根拠にのみ基く」ということは、実際には、三十六年間の日帝のあらゆる不法行為を棚上げすることであり、日帝の野蛮な植民地政策の旧悪を認めることにほかならない。

また日本側のいう「法的根拠」に立つとき終戦のどさくさにまぎれ、塵紙のように紙幣を乱造して持ち去った一部の財産に対する請求権は御破算にしなければならない。というのは、日本側からいわせると朝鮮に対する植民地支配の「法」的終結は、進駐軍が韓国の公共機関を接収した一九四五年十一月を以って画されるからである。従ってそれ以前の略奪行為はそれまで生きていた日本の法にてらして弁償の義務を持たない遵法行為とみなされるのである。

なお、個人の請求権について日本人と同様な取扱いをするということは、とりもなおさず朝鮮人が「皇国臣民」として蒙った被害を、日本の法律の範囲でみとめようということでしかない。

請求権問題に関して、日本側は過去の朝鮮の植民地支配を「合法」とみなす立場を一歩も譲っていないし、過去の罪悪に対する呵責の念もなければ、反省の色もない。そこにはただ過去の「奴隷」に対する「旧主」のおごりがあるだけである。

日本の侵略戦争に加担し、独立運動家を虐殺してきたかつての日本軍中隊長朴正煕に、日帝に対する朝鮮民族の憤激と正しい立場を代弁させることは決してできない。……

朴正煕も、池田日本首相との会談で請求権の具体的額を提示しなかったところから、請求額の決定を全面的に、事務折衝にゆだねてしまったようにおもわれる。朴・池田会談における「政治的接触」は韓・日両国の「大局的立場」＝「東北亜反共防衛」の立場をお互いに確認しあうことに止まったようである。

「政治的解決」を排し、「資料をつきあわせて」請求額をきめるというと、きこえはいかにも科学的である。

しかし対日請求額を法的根拠できめることの不当はもちろんのこと「資料」をつきあわせて決めることは同様に不当である。何故なら「資料」は朝鮮総督府の官公吏が、ほとんど焼却してしまったり、海中へ棄却してしまったので、現在ほとんど残されていないからである。また個人の間の貸借関係でも十六年もたてば、その根拠を示すことは困難である。

また「法的根拠」と「資料」をたてにとることは、日本側が、真剣な対日請求問題を五千万ドル位の小遣銭（たとえば、日本のとうもろこしの一九五九年一年間の輸入額だけでも五千万ドルをこしていた）でお茶をにごそうとしていることを意味している。

この点について、クーデター政権首脳部は何度も念をおして「政治接触」を重視することを国民に約束してきた。日本側も石井氏、岸氏ら対韓積極派を通じて、請求権問題の「政治的解決」に応じる用意のあることをほのめかし、池田日本首相は、態度をにごしていたが、朴訪日前日の十一月十日になって「数字に深入りしない」方針をあきらかにし、自民党もこの説で最終的に結束した。

朴正煕は「政治的解決」によっておびきよせられ「事務的解決」をご馳走させられた恰好になったのである。もっとも、「政治的解決」を主張していたのは宋堯讃―崔徳新―「外務部ラインにすぎず、朴正煕は、はじめから米国の「調停」で、池田首相と内通し日本側の主張に同意していたとみるむきもある。請求権問題における朴と宋ラインとの食違いが、両者の対立によるものか、それとも、国民の目をあざむくための芝居であったか、その辺の事情はさだかでないが、おそらく後者の方が本当であろう。」（十一月十六日統一朝鮮新聞）

§ 「経済協力」の新展開

ともかく、会談において朴議長が「日韓会談と平行して、経済協力を討議したい」という日本側の主張に同意した結果、「日韓関係」は請求権等個々の条項をのりこえて急激にその実質的内容において密接になりはじめた。民間での「経済協力」の動きがかつてない活発なものになってきて、比重の増加とともにその意味もこれまでと質的にちがった重要性をおびてきたとみられることは後述の通りだが、政府筋でも公然と五ケ年計画を「現実的」なものにかえさせる干渉をするに至っているといわれる。（日本経済新聞十一月十四日）

「日韓会談日本側代表の連絡会議が十四日午後三時から外務省で開かれ、急速打開の見通しのもとに請求権などの事務折衝をいっそう促進していくことに意見が一致したが、これと並行して両国政府間で経済協力問題が具体的話し合いに乗せられる情勢となってきた。

自民党の日韓問題懇談会（石井光次郎座長）は十四日、伊関外務省アジア局長から池田・朴会談のもようを聞いた。それによると、

一、請求権は法的根拠のあるもの（恩給、郵便貯金、戦時中の徴用者にたいする処遇など個人にかんするもの）だけ、日本側が支払うことで合意に達した。

一、経済援助は韓国側が〃無償〃を要求せず、長期低利の援助とすることで話し合いがついた。
一、李ラインは請求権問題が片づけば事実上撤回され、日韓両国間に魚族保護のための漁業協定が結ばれることになろう。
というもの。このうち請求権の額は少なくとも五千万ドルを若干上回る線で話し合いがついており、この場合経済協力は一億ドルないし三億ドルとし、無償供与などと同じていどの効果をあげるため、世銀なみの低金利とし、償還期限は二十年以上の長期となるようだ。

経済協力は韓国の経済再建五カ年計画と密接に関連しているので、実際の協力方法もかなりの計画性をもたなければならないが、外務省筋では、従来の米国の対韓経済協力がほとんど実効をあげていないので、日本の経済協力の実施にはまず韓国経済の実情を的確につかまなければならないといっている。

日本側は海外経済協力基金から韓国政府に支出し、回収責任は日本政府が負うこととなろう。協力業種としては電力（水・火力）の開発が最重点となる。また日本が独力で経済協力を行なうことは金額的に限りがあること、韓国側に日本の〃経済侵略〃といった疑念をいだかせないようにしたい、などから、国際的な経済協力集団を結成したい考えだ。この場合、組織に加入する可能性のあるものは、米、西独、イタリア、フランス、英、豪州、カナダなどとみられる。

政府としては池田首相が朴議長に誠意ある〃経済協力〃を約束した以上、たと　え経済協力集団が結成されなくても、米国とともに対韓援助を実施したい方針で、この場合は、ガリオア、エロア返済資金の流用も考えられるものとみられる」（十一月十五日東京タイムズ）

日本の国際収支悪化の折とて、この国際資本家連合について左のような報道もある。

「（東京十六日発AFP＝合同　韓国日報十一月十八日）日本は韓国との経済協調のために国際的な資本家連合を構成する案に対して米国の諒解をえたと当地の精通せる消息通は語った。政府消息通は朴議長が去る十二日池田首相との会談の時、韓国が、日本に対する請求権解決のための巨額の資金を日本国会が承認してくれそうもないから、日本は同請求権の一部を補充するために相当な額の経済協調資金を提供するようにしたいという池田首相の提案を受諾したという事実を明らかにした。

従って今後、日韓会談は一億ドルをこえないものとみられる請求額、漁撈問題、そして韓国に提供する経済協調資金の性格と範囲のような問題に中心が移るものとみられる。

経済協調問題に関しては日本のみが提供することのできる金額には限界があると精通せる消息筋は語った。同時に日本政府は韓国に提供される日本の経済協調資金は韓国民間に日本が再び韓国を経済的に支配しようとしているという憂慮をうむことだろうと考えている。

日本政府は韓国に経済協調資金を提供するために国際的な資本家連合を形成する案に関して米国の意向を探ぐったがこのような着想に対して米国の諒解と支持をえたという。

十二月初、パリで開かれる開発援助機構ＯＥＣＤ会議に参加する日本代表は非公式にこのような資本家連合の構成問題を提案するかんがえである。このような構想に参加するものとみられる国には米国と日本以外に西独、英国、イタリー、フランス、オーストラリア、カナダ等がある。もし国際資本家連合が構成されれば丁度第二世銀の場合のように調査団を派遣するという。日本は同調査団に参加する考えだと精通せる消息通は語った。一方もし資本家連合の構想が挫折しても、朴議長に韓国に対する経済協調を約束した池田日本首相は米国と協調して援助措置を遂行する考えである。そうなればガリオア・エロア基金が利用されるかもしれない」

四、朴・ケネディ会談

しかし、アメリカ自体は朴議長の軍事援助と軍備増強に関する要求は全面的に認めたが、経済援助については何の約束も与えないどころか、来年度3千万ドルの援助削減を発表するという冷淡さを示した。アメリカは南朝鮮の経済的発展に対して、その戦略的価値以外に何も認めていないことを示した。しかし、アメリカは、軍備近代化の援助をふやすことに決定したことにより、南朝鮮をあくまで確保しようという決意を示した。

池田首相がネール氏に日本の対韓援助は経済を主としたものとしたいといつているのも当然このことを計算にいれているとみられる。

政府でさえそうなら、民間の資本家の冷淡さが一層なのも当然で、時を同じくして訪米訪欧した李秉喆氏一行等の外資導入交渉団は何のみるべき成果もあげえなかつた。

このような情況に対して韓国日報十一月二十一日付の社説は、要旨左の通り批判をしている。

「朴議長は、ワシントンの公式的な滞在日程を終り、帰国の途上にある。

朴議長はワシントンをたつ前、韓国記者達だけと会見した席で、我々の立場から見る時、今回の韓米首脳会談の核心的議題であるところの経済及び軍事援助問題等に関しては、具体的な援助約束を受けることが出来なかつたといいつつも、会談結果を総括して「至極、満足」だし、「米政府がみせてくれた誠意と深い関心は想像以上に暖かいし、真実であつた」と語つたのであつた。

今回の訪米目的が基本的には韓米間の友誼を篤くし、軍事革命の真情を披瀝することにあつただけに「想像以上」の満足すべき成果を挙げたという消息は、我々にとつてもうれしい。

だが、我々が期待していた経済面で少し具体的に会談成果を分析してみるとき、どの点を満足すべき結果といつているのかを判断するのに若干ためらわずにはおられない。

我々が全幅的に期待をかけていた五個年経済計画については米国政府から具体的な言質を取ることができず、単に長期経済発展を積極支援するとの抽象的な確約を受けただけのようだが、それだけでは、満足と思う訳にはいかない。伝えられるところによると、米国の専門家達は、総二十億弗乃至二十三億弗に達する計画的投資を予定している五個年計画の自立経済構想の実際性につき若干の疑問を表明しながら、「ごく野心的なものだが、粗雑で統一性にかける」と指摘したという。

朴議長は楽観的な展望をもつことができるとしているが、米当局者の主張は野心的な工業化に目標を置くよりも直ちに効果をみせる消極的な失業者解消策か、家内工業的な小規模産業、そして村落産業等に重きを置けということのようで、我々が要望している積極的な失業対策や、自立経済の為の構造的な体質改善企図とは、へだたりがあるように思う。勿論、五カ年計画自体が「計画」として完璧とはいえないし、一部急進的な工業化構想は、我々も性急だという感をもたない訳ではない。しかし今日、韓国経済がつきざる外部からの支援にも拘わらず、慢性的な失業者大群を解消しえず、「エネルギー」生産分野でのひどい落後はさておき、日常、消費品の需要も充足できず、貧困な状態から抜けでられずにいるのは、消費財を主とした、今までの援助方式が韓国の実情に合つていないということを反証しているのではなかろうか。

加えて、消費財中心の米国の対後進国援助がその国の自立度を高めることよりも、自立の基盤を蚕食しているとの批判をうけている時、韓国における米国援助の劃的な政策転換の必要性は、単に我々の念願であるだけではない。それをしてこそ、米国援助についての芳ばしからざる批評を払拭することができるのである。

我々は朴議長が「ケネディ」大統領から「可能な、あらゆる経済援助を継続」するとの抽象的な確約をうけたことだけで、五ヵ年計画や、その他の別種の長期計画を推進するのに、米国の継続的支援をうけることができるとは考えない。

「ケネディ」行政府内で、対外援助政策が変ったというが、米国の対外援助とは、あの有名なＥＲＰ（通称マーシャル・プラン）以後も一貫して、米国の世界政・戦略に重点を置いているものだ。韓国が自由世界の前哨基地として、それ自身の財政的破綻の主因となつている過重な国防費負担を負つて六十万大軍を維持している間、米国でも防衛支援的な性格を持つ経済援助をしない訳にはゆかないということなのだ。

このような意味の「経援確約」は五ヵ年計画に対する援助と同一視することはできないだろう。

それに外電が新年度の米国対韓援助が一億五千万弗程度（三千万弗減）に減少されると伝えているが、今回の朴議長訪米に随行した千財務も又、新年度ＡＩＤ（ＩＣＡ）援助が大分減らされると示唆しているだけでなく、米国大統領専権下の特別援助基金、幾千万弗をうける言質すらも得ることができなかつたようだと伝えられている。

そうでなくとも「バイ・アメリカン」政策のために、同額の援助でも、物量に換算して従来のそれに比べて少なくなるのに加えて、援助絶対額すら相当に減るだろうというのだから、我々の事情もかなり苦しい。

我々は勿論、朴議長の訪米成果について韓米間の友好と軍事的な紐帯強化の面では満足しているが、この友好と紐帯の恒久的な基盤を鞏固にする為の経済的援助面では、卒直にいえばそのように満足できなかつたので、もう一度米国政府当局者達に、自由世界の前哨基地の繁栄と安定の為の対韓経援の質量両面にかかる政策と方策転換の劇的な英断を促がさずにはおられない。

五、日本からの経済協力

このような南朝鮮に対して関心を示し、「かつての経験にものをいわせて」南朝鮮の「経済再建」を行なうのだという「自信」を示しているのが日本の資本家である。

経済援助、資本投下を足場として、南朝鮮を日本の下請工場、日本の労働者の条件をおしさげるのに利用しうる産業予備軍のプール、恐慌のはけ口にかえてしまう結果になる可能性の大きい「経済協力」は、池田首相がテレビ会談で卒直に披瀝したように日本の「高度成長」を維持するために韓国や東南アジアへの資本投下をしなければならぬという要求（国際収支の赤字と商品市場不足を対韓・対東南ア資本投下による超過利潤の獲得によつて解決しなければならないという）にもとずいている。

李承晩排外主義を過去のものとした軍人政権はすでにそのような日本側の動きを受け入れる一連の制度的な準備をもととのえている。

§ 外資導入促進法

「来年一月から始まる経済再建五カ年計画の発足を目の前に控え、計画のキメ手となる外資導入を促進するため韓国は目下欧米に政府ならびに民間の使節団を派遣しているが、いまのところ成果はほとんどなく、外資導入のむずかしさに対する反省と悲観的な見方が広まつている。それだけに、朴議長の米国からの帰国後日本の財界が植村経団連副会長を団長とする調査団を韓国に派遣し、韓国との経済協力に立ち上がろうとしている動きが注目をひいており、韓国の現状は好むと好まぬとにかかわらず、経済危機打開のために対日経済接近の方向をたどろうとしている。……

必要な投下資金の総額三兆二千五百億ホワンの二八・二パーセントに相当する九千百五十七億ホワン（約七億ドル）を政府間借款、民間投資などの外資に依存しようとしている。

したがって外資導入が五ヵ年計画を達成できるか否かのカギなので、韓国政府はその軍事革命が一応安定期に入ったとみられる夏ごろから外資受け入れ体制づくりに懸命となり、八月には外資導入促進法を改正、九月末には外資導入の対象となる事業の選定や審査の基準をつくるほか経済企画院に外資導入局を新設した。

このような情勢に関連して注目されるのは、韓国の外資導入法が外国資本に対して考えられる限りの恩恵と特権を与えた世界にも類例の少ない法律だということだ。

たとえば外国資本は株式持ち分の四分の一以上を持たなければならないと、株式の最低保有率を定めてはいるが、最高限を定めていない。つまり韓国では外資が株式の全額を保有してもよいわけだ。（日本は四九％以下）

また資本投下、借款いずれの場合も三年以上経過すれば投資元本、利潤の外貨送金を認めるほか、この法律に基づいて登録した企業は投資後八年間にわたる租税の大幅な減免措置が与えられる。

韓国が外資に対しこのように破格の優遇措置を与えようとしているのは、いうまでもなく外資を受け入れるに必要な政治的、社会的安定が欠けているからでもある。西独、イタリアなど韓国が望みをかけていた西欧諸国からの外資導入は、ここ二年来の韓国の政治不安が禍いしてほとんど実を結んでいない。頼みとする米国も政府援助以外の民間投資は、消費物資や、流通部門のいわば〝腰かけ〟的なものしかみられない。

その点むしろ積極的なのは日本の企業である。日立製作はすでに韓国電力と契約して江原道三陟の出力二万二千キロワットの火力発電所建設に乗り出し、大阪の商社〝蝶理〟は和一産業と協力し漢江の上流にある衣岩水力発電所（最大出力三万キロワット）建設のため返済期間二十年、一千万ドルの借款契約を結び、近く認可がおりる予定である。西欧や米国と違って、日本の政府や経済界が対韓投資に勇敢なのはやはり経済的な動機以上のものがそこにひそんでいるためであろう。」（十一月二十二日毎日新聞）

§　財界主流の言動

基幹産業を掌握することにより大きく韓国経済全体を左右しうる権力をとろうという構想を推進している日韓経済協会中心の財界主流中の主流の動きについて次のような報道がなされている。

「財界は池田・朴会談によって日韓話し合いの空気が促進されこれまでの政治ベースの話から貿易拡大、経済協力などの経済ベースの交渉が活発になるものと期待している。財界としては今春日韓関係正常化を民間ベースで促進するため、救援物資の贈与などを考えていたが、韓国政変などでのびのびになっていた。ところが朴議長の来日を機に韓国側においても経済協力の機運がもり上がってきたので、わが国財界としても積極的にのり出すことになったものである。このような空気を反映して経済団体連合会（会長　石坂泰三氏）日本商工会議所（会頭　足立正氏）日韓経済協会（会長　植村甲午郎氏）の財界三団体は十三日午後六時から東京丸の内の工業倶楽部に杉道助日本首席代表、裵韓国首席代表を招いて歓迎パーティーを開いた。このパーティーで植村日韓経済協会会長は「すみやかに日韓会談を妥結し、経済協力など民間ベースの協力を推進したい」とあいさつしたが、財界としては韓国の経済再建五ヵ年計画（一九六二―六六年）ができ上がり次第早ければ今年中にも足立日商会頭もしくは植村日韓経済協会会長を団長とする経済調査団を派遣して経済協力問題を話し合うよう準備をすすめている（韓国からは両氏のほか高杉三菱電機会長、安藤小野田セメント社長らが招待をうけている）

日韓経済協会など韓国関係団体を通じて、これまで経済協力の申し入れまたは意向打診のあつたものは①火、水力発電（五カ年計画で約五十万ＫＷＨ増強する見込み）②繊維産業の転換（綿紡から合、化繊への転換）③鉱産物の開発（鉄鉱石、タングステン、モリブデン、無煙炭、高嶺土、黒鉛、ウランなど④水産（漁獲と加工技術）⑤セメント⑥肥料などの各部門におよんでいる。

なお日韓関係をつなぐ民間団体としては現在日韓経済協会、日韓親和会（渋沢敬三会長）日韓貿易協会（団伊能会長）日韓友愛協会（星島二郎会長）アジア友の会（大山量士事務局長）日韓漁業協議会（小浜八弥会長）などがあるが、経済協力をすすめるためには財界側の窓口を一本化する必要があるのではないかとされている」（十一月十四日読売新聞）

この点についての韓国側からの見方は次のようである。

日実業界　朴・池田会談注視

「十一日発＝東京同和（ソウル経済新聞十一月十二日）

日本の産業、商工及び貿易業界は、朴・池田の韓・日頂上会談を前にして、かつてない活発かつ積極的な動きをみせている。

かれらは朴・池田会談の結果が、韓日経済協力に及ぼす影響力が至大であることと推断することにより同会談に対して非常な関心と希望をかけている。

生産過剰とコストインフレ傾向にある現日本の産業界を支配している重鎮と主要商工団体の人士は、朴・池田会談で対韓請求権支払額とその方法の輪郭が必ずはつきりすることと推測し、財産請求権問題の支払額の多寡は第二次的な問題であるとしても、請求権問題解決の基本原則のみでも、今回の会談で両国が合意に到達することを渇望していると語つた。

このような動きの裏面には、日本の産業人が今後の国交及び経済正常化が早速にもたらされるということを前提として事前準備を進めることが必要であり、対韓請求額支払が必ず経済協力とともに処理されるだろうという一方的見解があり、万一経済協調面で解決をみれば日本の産業界はこれに便乗して現在過剰になつている生産品を対韓輸出市場を通じて消化を促進しようという心算である。

このような消化は、日本が以前から注視して来た電力鉄鋼等基幹産業を建設するのに要する施設機械技術の提供となる。これは経援名目の贈与借款等の形式で代替支払をし、「かねをかしてもうける」一石二鳥を狙つたものだ。このように語る当地実業界専門家と斯界のオブザーバーは前記のうごきに対して大体、韓国政府が受諾するかもしれないという一致した見解を示している。」

父「経済協力」の推進者の一人である足立正氏のソウル経済新聞記者との会見における意見は次の通りである。

「私はだれよりも韓国との関係改善を熱望しており、一日も早く国交正常化がもたらされ、韓国経済復興に寄与できるようになることをのぞむ

韓国の五カ年計画が確定すれば、これを検討して協力方案を研究するだろうが、現在では電力等基幹産業への投資に関心をもつている。適当な時期に植村氏を団長とする経済使節団を編成し訪韓したいが、具体的な韓国の経済実情を把握した後訪韓することがおたがいに有益であろうと考えている。まだ正式招請はうけていない。

韓国の経済資料を知るため駐日代表部と連絡している。韓国は加工貿易即、労働の輸出に重点をおかねばならぬだろう」（十一月二十三日）

そして基幹産業の支配を前提として、ここに卒直に表現されている。「南朝鮮の安い労働力の輸出」という目的を具体化するための構想としての「保税加工貿易」を振興しようという動きは主としていま一つの日韓貿易協会によつて推進されている。

§　「保税加工貿易」＝労働力の輸出

本来、ホンコン生れのいわゆる「保税加工貿易」は、南朝鮮では左の記事に示されているような意味であるといわれる。

「日韓の国交正常化を待つものにはまた、最近釜山実業界の話題の一つになっている〝保税加工〟貿易がある。これは簡単にいうと日本から工場の設備と技術を受け入れ、韓国の原料と安い労働力を使用して商品をこしらえ、日本の輸出網を利用して輸出し韓国の外貨獲得に役立てようというものだ。しかがってこの種工場製品には税金をかけられないのがミソであるが、釜山ではすでに水産カン詰、同加工品、メリヤス工業など国交正常化を見越して日本業者との間に商談が進められている。(毎日新聞十一月二十日付松本記者釜山ルポ)(なお詳しくは次号「日韓貿易の概況」参照)

元二二六参加将校湯川日韓貿易協会専務理事一行の訪韓によってこの動きは飛躍的な展開をとげつつあり、韓国工業振興会社(ある意味で東洋拓殖の再版ともいわれる)が設立される迄に至った。

「(ソウル(京城)＝真崎特派員一日発)　韓国鉱山プラント調査団長として来韓中の東洋化工建設社長湯川康平氏(日韓貿易協会専務理事)と韓国側各業者との間に保税加工貿易工場建設の話がまとまり、一日あつせん契約が結ばれた。これは湯川氏が橋渡し役となり、今後日本の各専門業者との間に具体的な契約を結ぶための予備的なもの。

あつせん契約を結んだのはソウル市永登浦の韓永紡績(電気製品、ビール、砂糖工場などを予定)仁川郊外の国産自動車(オートバイ、自動車工場を予定)仁川埋め立て地の仁川造船(かん詰製かん、冷凍倉庫などを予定)など数種にのぼっている。

保税加工貿易は韓国政府が経済復興の有力な方法として重視しており、これを促進するのに必要な法的措置を近日中に構ずるといわれている。現在すでに日本から技術者が派遣されて、小規模な工場を操業している例はあるが、機械、設備を日本から持ち込み、韓国の遊休施設と労働力を利用して大きく事　を行なおうというのは、これが初めてである。」(朝日新聞十一月二日)　湯川団長は「韓国政府と交渉の結果、日本からの加工輸出貿易が認められ、韓国側七社との間に総額百五十億円のプラント輸出について仮契約を行なった」と四日発表した。

同調査団は大韓工業会の招待で先月二十一日に訪韓、さる二日に帰国した。

韓国の賃金水準は日本の三分の一という現状で電力も安いので東南アジアへの輸出品の加工工場としては有利だといわれ、すでに松下電器、ブリヂストン・タイヤ、日本通運などから日韓貿易協会へ進出の意向が伝えられている。」(朝日新聞十一月四日)

「池田・朴会談で日韓経済協力を促進する方針が打ち出された折から、日韓貿易協会(会長団伊能氏)は、日韓経済協力民間ベースの窓口として韓国工業振興株式会社を設立することになり、二十四日東京赤坂のホテル・ニュージャパンで設立総会を開いた。

新会社は受権資本三千万円、社長湯川康平氏で、日韓貿易に関心をもつ日本鋼管、久保田鉄工、日本セメント、日魯漁業など十三社が参加した。本社は東京銀座東洋化工内、参加各会社は重役一名を出し五八、〇〇〇円の株をもつ。

新会社は、とりあえず来月十日、韓国工業調査団を派遣して、冷凍、農機具、石油などの遊休工場の復旧事業と市場調査を行ない、韓国の工業開発計画案をまとめることになっている。

また湯川社長はさきに訪韓した際約百八十億円の復旧事業の仮契約を結んでいるが、この事業も新会社が引きつぐことにしており、民間ベースでの日韓経済協力第一歩として注目されている。

なお新会社には富士製鉄、松下電器東京銀行なども将来参加する意向である。(十一月二十五日毎日新聞)

「(ソウル経済新聞十一月一日)　保税加工貿易促進方案検討

のための懇談会が三十一日午前大韓商議会議室で我国貿易業者及び湯川氏の参席の下に開かれた。

この日の懇談会では韓国中小企業の遊休施設と低廉な労賃を保税加工貿易に動員活用することができるということについて両国側の関心が表明され、韓国側は韓国と日本業者が互いに提携して韓国で保税加工しても製品の販路に対して日本の輸出市場を割愛してくれなければ、隘路が多いということ、又日本が無換輸出又は輸出に適用している関税障壁を撤廃しない限り実際の運営において難点が多いと指摘した。

一方湯川氏は韓日間の保税加工貿易が運営される場合市場の変化又は景気変動に対処するために製品の約ろ割は製造国内で消費されねばならぬと語った。

この日の懇談会は輸出市場確保と相互間の貿易及び関税政策上の障がいをなくすように相互に理解を接近させることを約束した。」

六、軍事的性格

前記の通り経済援助には渋い顔をするアメリカも、軍事的援助には熱心で、朴正煕に韓国軍の軍備近代化の約束を与えた。軍事的には米日韓の足並は完全に揃っているといえる。

朴正熙議長は十一月五日、米国ＡＢＣ放送会社のテレビ番組で「訪米してケネディ大統領と会見するさい、東北アジア地域の安全保障を強化する必要を説くつもりだ」と語ったが、東北アジア地域には、南朝鮮、日本、沖縄、台湾が含まれるという。（ソウル五日発ＡＰ＝共同＝毎日新聞）

崔徳新外務部長官は十月十九日記者会見の席上東北アジア軍事同盟について発言し、「各国の利益と目的が一致し精神的に結合しているとき軍事同盟を必らず公式化乃至文書化する必要はない」と語った。（韓国日報十月二十日）

そのことばをうらがきするように十一月二十日、九州板付基地における墜落事故により、すでに韓国機が日本に入っていることが明らかになった。（朝日新聞十一月二十日）

又十一月四日に行なわれた記者会見で尹大統領は「日本は韓国と国交を結んだら北朝鮮と二重に国交関係をもつことはできない」と念をおしている。

又ハミルトンＡＩＤ長官のテレビインタビューにおける「われわれの対外援助計画は、軍事面では、韓国や日本のような重要地域の強化をそのねらいとしている。非軍事的な面では、中立維持を目ざす国々の強化におかれている。（ワシントンＡＰ十一月二十九日）」という発言は、その後の朴・ケネディ会談の内容とも関連して注目されるべきだろう。

そして、全体としての軍備増強の中での日本の役割は益々重要になりつつある。

「ワシントンの国防関係筋が三十日語ったところによると、最近米国の対日軍事援助は無償、有償を問わず大きく引き締められる方向が打ち出され、重要な転換期にはいった。このような背景の中でもっとも注目されるのは、国防総省当局が有償援助の主体である日米共同生産方式の経費分担比率を米一九六二会計年度（本年七月から来年六月まで）から日本三、米国一の割合に大きく切り下げつつあることである。また無償援助と有償援助中の米負担額を加えた援助の絶対額も相当減少する見込みが強く、防衛庁が第二次五カ年計画（昭和三十六年度から四十年度まで）の中で米国に期待している毎年平均五千万ドルの援助は実現の可能性が非常に薄いと伝えられる。

……米政府はこの数年経済力が飛躍的に増大して工業先進国の間へはいった日本にいぜんとして多数の軍事援助を提供するのは議会対策および国内世論の手まえもはや不可能と考えており、日本が防衛力維持の主体的責任をとる時期がすでにきていると判断

しているわけである」（産業経済新聞　十二月一日）

七、内外各勢力の動き

このような動きの中で、日本国民の間では日韓会談に反対する運動が急激な展開をみせつつある。

十一月八日日比谷公園野外音楽堂で開かれた日韓会談対策連絡会議主催の集会には四千人が参加した。また十一月二十八日に開かれた総評の臨時大会でも、日韓会談に反対する決議がなされ、大衆行動をすすめる決意がしめされた。又河上日本社会党委員長は十一月七日、同党第三十五回中央委員会の席上、次のように挨拶をした。

「日韓会談は先日行なわれた池田・ラスク会談の前後から急速な進展をみせ、年内妥結にもつていこうとする動きがはつきり表面化してきた。

第二次大戦後朝鮮は南北に分割されているが、これは東西両陣営の間の〝冷い戦争〟の産物で、我々日本人としては、朝鮮の悲劇的分裂に対し同情を寄せ、その統一が一日も速かに実現することを心から期待している。社会党としては日本は朝鮮の統一を促進するような方向で、対朝鮮外交を進めるべきであり、南北の分裂を固定化するような動きは、厳にこれを慎しみ、当面は南北両政権とは経済、文化など実務的な関係を維持するに止めることを主張している。

自民党政府の方針はこれとは全く正反対で、かつて日韓会談の日本代表は「共産勢力を現在の三十八度線から鴨緑江まで押し返さなければ先祖に対して申し訳ない」と言明したが、これは自民党政府の真意を最も露骨に、正直に告白したものといえよう。しかし北朝鮮が中ソ両国と軍事同盟を締結した今日、このような向こう見ずの冒険がわが国に何をもたらすかは、すぐにわかることである。またアメリカが戦後四〇億ドルもの援助を注ぎ込んで、今日なお何百万という失業と飢餓とにさらされている韓国に対して、外貨危機に悩む日本が一体何の「援助」をするつもりなのかという疑問も生ずる。

ところがこのような数多くの疑問の中で日韓会談は国民の目から隠れて進められている。私は自民党政府の諸君に対し、卒直に警告を発したい。「反共」でありさえすればどんな軍事独裁政権でもよい、というなら、諸君はこのような政権の行く末について、ごく最近の歴史の教訓から何も学ばないのか、と。また既成事実を先に作る、というやり方に対しては、昨年、安保闘争がどういう教訓を与えたかを振り返つてみないのか、と。

現在、わが国の外交は重大な岐路に立つている。一つは日韓会談を強行成立させ、日韓台軍事同盟結成に向かい、わが国の安全をも進んで火中に投ずる道である。もう一つは日ソ平和条約を結び、日中国交正常化を実現し、中ソ両国の広大な市場との貿易を拡大して、わが国の経済を安定させる道である。自民党政府が前者の道を歩むなら、国論は分裂し、昨年の安保闘争のような事態が生れることは容易に想像される。またもし自民党政府が後者の道を取るならば社会党は喜んでこれを支持する。

社会党が正しい方針を打ち出し、冷静にハネ上がりを戒め、院外の運動とを巧みに結合させて闘うならば、成功は我々の側にあることは「警職法」「安保」「政防法」の経験を顧みて確信している。」（十一月七日毎日新聞　夕刊）

国外でも、ソ連、中国、朝鮮民主主義人民共和国の公式報道機関はいずれも日韓会談、日米会談に対する多くの論評を大々的に報道し、大衆抗議集会ももたれている。（各論評については世界政治資料十二月上旬号参照）

このような動きの動きが盛んになるにつれて、これまで会談に賛成していた反対勢力のなかにも、慎重論がみられはじめた。

〔民社党曽弥書記長談話〕
一、わが党は隣邦の韓国から朴議長が来訪したことを歓迎する。この機会に朴政権がすみやかに完全な議会主義と文民政治を復活することを強く要請する。
一、南北両朝鮮がすみやかに平和的に統一することを望むが、冷戦の現状においては当面韓国との間に諸懸案の解決につとめ、ひいては正式に国交を回復することに賛成である。
一、しかるに今回の会談は準備不足の理由によつてわれわれの期待をみたしえなかつた。今後あくまで拙速をさけ、ことに請求権問題の処理などにあたつて無原則的な、いわゆる政治的解決をおこなつて悔いを残すことのないよう警告する。」（十一月十二日読売新聞夕刊）

自由民主党大野伴睦氏はこれまで対韓積極派とみられていたが、十一月二十七日旅行先岡山において、自分も日韓会談には慎重を期すべきであると考えるし、党内でも慎重論が大勢を占めていると語つた（朝日新聞）

これに対して前尾、大平氏ら首相側近は、「国民の納得するかたちにしなければ、第二の安保斗争になりかねない」と「言論界等に打診工作を進め、国内世論の動向をつかむこと」に努力を集中し、「今後もＰＲを重ねる」方針であるという。（毎日新聞十月二十九日、読売新聞十一月十三日）

これをバツクアツプするかたちで財界等を背景とする「日韓親善」の民間運動を進める動きが最近目立つ。

「第六次日韓会談の妥結を促進するための時事通信代表取締役長谷川才次、評論家坂西志保、日本放送連合会専務理事高田元三郎、評論家御手洗辰雄、在日韓国居留民団中央総本部団長権逸、元京城大学教授文博辛島驍、衆議院議員田中竜夫、星島二郎、田中榮一、日韓漁業協会事務局長石井省一郎の各氏は六日午後、東京丸の内の外人記者クラブで懇談、民間運動を展開して日韓親善の空気を盛り上げるため政府ならびに各界に呼びかけることになつた」（毎日新聞十一月七日）

「日韓親和会（会長渋沢敬三氏）日韓経済協会（会長植村甲午郎氏）日韓友愛協会（会長星島二郎氏）など六団体の代表者は十一日午後一時東京有楽町の日本クラブで日韓親善団体連絡会議を開き、「日韓会談をすみやかに妥結し、両国の国交正常化を一日も早く実現することを要望する」旨の決議を行なつた。

連絡会議は同日中にも池田首相および朴議長にこの要請決議を手渡す予定である。」（読売新聞十一月十一日）

「経団連・商議・日韓経協共同で十三日夜丸の内工業会館で韓日会談の両国代表を招いた。

出席は裵首席以下……：小野田社長以下実業界名士多数、ヨーロツパ訪問途中の丁商工部長官も参席」（韓国日報十一月十四日）

「全日本婦人連盟（中河幹子会長）によるアジア婦人親善のつどい」（毎日新聞十一月十一日）

自民党内の積極派石井・岸氏らは自己の訪韓によつてこのような動きに拍車をかけようとしているという。十二月一日付の韓国日報は池田訪韓説まで報じている。

石井光次郎氏はソウル経済新聞記者に次のように語つている。（十一月二十日付同紙）

「訪韓の招請を公式にうけたことはないが、良い機会があれば訪韓したい。岸前首相と同道するかどうかは訪韓の日取等により現在予想できない。

日韓国交正常化は来年早く即ち二三月頃とみている。双方が熱意をもつて推進すればうまくいくだろうと期待している。

国交が正常化すれば日本の実業人が韓国人とともに働くために投資することになろう。韓国との経済協力を信じており、又そうきいている。

（日本の好景気に韓国が寄与しているのではないかという質問に

に対し）

日本経済が発展したのは憲法により軍事費を少なくおさえたこととと社会保障制度が強化されたことによる。請求権問題は日本国内の情勢がむつかしく、一般国民の間には何のために我々の税金で賠償をしなければならないのかという不満をもつている人が多い。このような状況なので、池田首相及び岸前首相とともに国会と国民が納得できる最大限の賠償をするように論議している。

池田首相も先の朴議長との会談でこのことを説明した。

生産過剰商品を韓国に売りさばくため国交正常化を急ぐということはない。韓国を日本の市場化しようというという考えは絶対ない。韓国が一日も早く政局と経済の安定をもたらすよう協力したいと考えているにすぎない。

足立・植村等を中心とする経済使節団の訪韓についてはきいていないが、韓国に経済使節団を派遣する必要はあると思う。

政治的考慮から、米・ノリ・薬工品等を輸入することを論議している。日韓問題懇談会の中に大石武一氏を委員長として貿易改善小委員会を新設した位だ。」

南朝鮮関係軍事資料（二）

4. 南朝鮮の戦略的地位

○レムニツアー米合同参謀本部議長談（「韓国日報」七月十九日＝ワシントンＵＰＩ）
七月十八日上院外交委員会で、「もし米国が対韓援助を削減したなら、韓国は急速に中立化の道をたどり、遠からず米国はアジアにおけるその利益と一切の同盟国を失なうであろう。」と語つた。

○太平洋地区米軍総司令音フェルト提督米下院外交委員会で秘密証言（ワシントン六月三十日＝「韓国日報」）
「韓国の軍事政府が長い歳月韓日両国間に存続してきた亀裂を解決する方向へうごいているものとみている。私は、韓日両国が協定を締結することを希望する。共産主義の老大な脅威の下に我々の両友邦が互いに反目していることは私の責任上の困つた、悲しむべきことだとせざるをえない」

○韓国の守護は太平洋の守護フェルト提督談（ホノルル発「韓国日報」十一月二十四日）
米太平洋地区総司令官フェルト海軍大将は、二十二日朴最高会議議長を主賓とする午餐会で、米国は極東政策をひきつづき強化していると言明し、ケネディ大統領の「米国は韓国防衛を強化している」という発言をうらうちした。

フェルト提督は、その司令部で催された午餐会の席上で太平洋軍麾下の全将兵は韓国の守護が太平洋の守護を意味することを常に銘記していると語り、韓国に加えられるいかなる攻撃に対しても即時反撃の態勢をととのえていると強調した。……

○　対韓援助増額（ワシントン発AP＝韓国日報七月二十七日）
米国務省は七月二十六日米議会の援助浪費という批判にこたえて、戦争で破壊された韓国を共産主義に対抗する強力な要塞として再建するために莫大な援助を提供することを要求した。

○　米国防省極東担当官ハインツ少将の米議会での証言（「韓国日報」七月三日＝UPI）
ロレンス・カーティス下院議員の質問「貴官のいう一九六二会計年度の対韓軍事援助額（機密上削除した）は、他の援助額に比べ非常に多いようだが、こんなに大した金額を提供するほど韓国地域は重要であると考えるか？」
答「本官はまず同金額が軍隊維持費（固定額）と軍事力の改善費（機密上削除）に分けることができる点を指摘したい。貴下の質問に直接的に答えるなら、我々が韓国に強力な軍隊を維持せねばならないということは必須的なことである。この軍隊は、南北韓間の非武装地帯を守護するために配置されている」

○　ウチエル国連軍参謀総長離任談（「韓国日報」八月二十五日）
韓国の革命政府は過去の対日感情を忘れて威厳ある和解を示すよう希望する。韓国は経済的理由で日本の支援が必要であり、又日本は防衛面で韓国なしではうまくないという重要な関係にある。

○　米第七艦隊の主力仁川を親善訪問（「韓国日報」九月二十二日）
旗艦セントポール号以下が二十一日仁川に入港し、グリフィン第七艦隊司令官は記者会見で、「訪韓は極東地域において日ごとに緊張が高まっている状況に対処する意味を含んでいるか」との質問に対し、世界の緊張の焦点ベルリン問題にふれながら、「共産党はいつも問題が起きた時には、それを別の地域に関連させようとしてきた。我々は韓国のような自由友邦を守るためにつねに戦斗態勢に万全を期している」と答えた。又「朴議長を指導者としてもつ韓国は強力な反共国家になるだろう」との見通しをのべた。

○　米陸軍長官、大兵力維持の必要を強調（「国防」一九六一年十二月号）
スタール米陸軍長官は九月二十九日、米国防教育会議で演説を行ない、「通常軍備の増強は米国が核兵器を使用しないことを示すことになる」という論説に反対してつぎのように述べた。

「通常軍備の増強が核阻止力を弱化するというのは幻想的で、米国は核装備を有しながらソ連の侵略を阻止できなかった。米軍の配置されている場所またはその近くではソ連は失敗している。このためケネディ大統領は核阻止力とともに通常軍備の必要を感じている。ベルリン危機が解決しても現在の兵力は維持すべきでこれが世界の平和を維持しうる唯一の途である。」

○　第七艦隊に核ミサイル潜水艦（台北二十七日UPI＝東洋＝ソウル経済新聞十一月二十八日）
強力な米第七艦隊司令官は二十七日近い将来、核ミサイルを装備したポラリス潜水艦が第七艦隊に配属される予定だと言明した。最近艦隊司令官に就任したウイリアム・A・ショーチ海軍中将は新聞記者会見でこのように言明した。

5.　韓国軍首脳の指導理念

○　六・二五をむかえての軍首脳談話（（「韓国日報」六月二十五日）
金鐘五陸軍参謀総長　我々は形式的なスローガンにとどまらずかつての反共決意を一新し、革命の契機に新たな決意をもって共産主義の全ての直接間接侵略要素を粉砕し、国土統一の聖業を成就せねばならない。我々陸軍将兵も、活潑に国家再建運動の先鋒としてつくすことはもちろん、国土守護の大任を充実的に完遂するために戦斗力強化と警戒態勢確立に努力することをちかう。

○　尹大統領月例記者会見における談話（「韓国日報」十月八日）

韓日会談には両国が誠意を尽し、善隣相互間の協調と東亜における共産侵略に対する防衛戦線を構成しなければならない。

最近のベトナムの事態は、共産党の世界征服の野望の発露である。対岸の火災視してはならない。あすは我々の所に来て火をつけようとするかもしれない。革命政府は間接侵略粉砕に全力を尽してはいるが、敵の正面攻撃にも万全の備えをせねばならない。精神上の準備と装備が整えられていねばならず、国軍は常に臨戦態勢になければならない。

○　十月一日、国軍の日記念行事（「韓国日報」十月一日）

ソウル運動場での記念式・文化芸術人軍装行列等にあいさつ。

尹大統領　陸海空軍を通じて今大韓民国の国軍は全世界にほこる偉大な軍隊となつている。万一アジアに国軍が存在しなかつたら今東西両陣営の勢力版図は大いに異つており、太平洋周辺におけるいくつかの国に致命的打撃が与えられていたろう。

国際情勢の方向は今冷戦から熱戦に転ずる重大な段階におかれている。今、国際事情に精通した人々の神経はラオスやイラクのみでなく大韓民国休戦線上にうつつてきている。ソ連はベルリン問題を有利に解決する方法として他の地域にも侵略行為を敢行する二重奏を必らず演ずるであろう。

我々は何よりもこの現実この危機において我々の力を再整備し、精神的団結と不屈の勇気をもつて臨戦態勢をととのえねばならない。今、国際的に物議のかもされている二つのドイツが万一認められるなら、二つの韓国も承認される可能性が憂慮され、このような論議には自由人民の共同の名分と利害から反対せざるをえない。

朴議長　国家を再建し間接侵略を粉砕するに当つて軍戦力の強化よりも緊要なものはない。我々は常に屈することなく、国連の絶対支持と我々の強靱な忍耐によつて共産徒党の横暴を封じてきた。革命後初の国軍の日を迎え、国家民族の生成発展のために身体を賭して革命課業を完遂することを国民の前に再び誓うとともに、目にみえない戦争に備えて精神武装を一層堅くし、強力な戦力を維持培養すべきことを強調する。

メロイ国連軍司令官　一九五〇年国連加盟国による共産侵略撃退の決議があつた後、自由の戦場で大韓民国軍隊ほどよく戦つた軍隊はなかつた。我々は、諸君とともに戦つたことを昔も今もほこりに思つている。今日の大韓国軍は共産軍と対決している六十万の大軍と優秀な装備をととのえている極東最大の橋頭堡である。

自由は、容易にもたらされるものではない。我々は変らぬ警戒心と自由守護のために共同の決意を銘心し、共産侵略に備えねばならぬ。

6.　諸外国との軍事関係

○　「韓国親善使節団」と西村防衛庁長官との会談のもよう（「韓国日報」七月六日＝東京発東洋）

崔徳新特使の引卒する韓国親善使節団は、五日午後西村防衛庁長官との防衛庁長官事務室で開催された会談で、日本に対し、国際共産党の破壊工作を阻止するのに協調するよう要求した。防衛庁首脳局者によれば、これに対し原則的合意ができたといわれる。

崔特使は、日本の陸上、海上、及び航空自衛隊司令が同席したこの日の会談において、このような協調は日本の安全のためにも必要だということを強調したと語つた。

親善使節団は、この日午後椎名通産相と韓日通商振興問題に関して会議を別途に開催した。親善使節団は日本と北韓傀儡集団間の現行通商関係は、共産浸透の可能性があるから危険であり、又韓日関係にも悪影響を及ぼしていると日本側に話した。

崔特使は、椎名氏が韓日通商が将来増大することを希望するとといつたと語つた。

（「韓国日報」六月四日）

尹大統領は六月三日ＮＡＴＯ体制の如き集団安全保障機構が一日も早く極東にも実現することが必要だと言明した。

尹大統領は、この日記者会見で、地理的に赤化した中国大陸をまん中にしてアジアは共産勢力圏に入るか中立路線をとる国が大多数であり、反共を固くかかげている国は韓国と数個の島国であると指摘し、民主主義を守るために集団体制が必然的に要請されると語つた。

（ソウル十一月五日ＡＦＰ＝共同＝朝日新聞十一月六日）

朴韓国国家再建最高会議議長は五日、米国ＡＢＣ放送会社テレビ番組の特派員との会見で、「訪米してケネディ大統領と会見するさい、東北アジア地域の安全保障を強化する必要を説くつもりだ」と語つた。東北アジア地域には南朝鮮、日本、沖縄、台湾が含まれる。

（「韓国日報」九月二十五日〜三十日）

十月一日の国軍の日に参加するため各国から続々軍関係者が南朝鮮に入りこんでいる。

①フィリピン国防相アレホ・Ｓ・サントスを団長とするフィリピン代表団は二十七日出発、途中東京にたちより、二十九日入京。随員はＦ・Ａ・コルズ参謀次長、Ｐ・Ｓ・オエダ前派韓比部隊長Ｆ・Ｒ・タナベ国防省補佐官。他にサントス夫人一行三名も随行する。サントス比国防相は韓国訪問後バンコクにゆき、十月二日から開かれるＳＥＡＴＯ軍事会議に出席する。

②国府代表彭孟緝大将一行は二十九日来韓。随員は羅英徳情報参謀次長、馮啓聡企画参謀次長、蔣緯国装甲部隊司令官、呉炳鐘総長副官、于九剛総長副官。

○　英軍首脳訪韓（「韓国日報」十月十八日、二十日）

英国極東空軍司令官Ａ・Ｐ・サルウェイ中将は十七日朴議長訪問、十九日尹大統領を訪問した。

○　金鐘泌中央情報部長台湾訪問（十月十二日台北ＡＰ＝韓国日報）

双十節に出席し（韓国大統領特使として）台中方面の視察に十二日向つた。金信空軍参謀総長も随行している。八日午後には金門島を訪問し守備隊司令官に韓国は国府とともに共産主義者と戦うといつている。九日蔣総統は彼らに勲章を授与した。

○　陳嘉尚国府空軍総司令官来韓（「韓国日報」九月二十日）

九月十九日に来韓し、飛行場で「兄弟の如き関係にある韓国訪問を光栄と思う」とあいさつした。その後韓国高位層と会談を行ない（二十日朴正熙、尹潽善を訪問）空軍基地を視察し（同日）二十二日離韓した。

○　蔣総統、反共連盟結成を強調（「中華日報」（台湾紙）十月十七日社説）

蔣総統は十月十二日、訪華中のフィリピン大学学長ロセス氏と会見した際、中華民国、韓国、日本、タイ、ベトナム、マラヤ、フィリピンで東亜反共連盟を組織して共産党のアジア地区における転覆活動を阻止することに賛成の意を表明された。……われわれは東南アジア条約機構の強弱を論じるつもりはないが、この組織の中にアジアで最強の反共堡ルイである中華民国や韓国、高度の工業力をもつ日本が参加していなければアジア共同の反共組織とはいえない。蔣総統が主張された東亜反共連盟結成は今日の情勢からみて切に肝要とされるところであり、誠意をもつてわが盟国当局に訴えたい次第である。

○　クルスフイリピン少将韓国視察報告（「韓国日報」十月九日＝八日マニラ発ＡＰ）

陸軍参謀副長フェラジオ・クルズ少将は、八日晩「韓国はいかなる外国侵略軍からも自からを守る準備をりつぱにととのえている韓国の軍事力は信頼するに足る程度のものだ」と語つた。

○　日本製兵器で装備（「韓国日報」九月二十五日）

デッカー米陸軍参謀総長は九月二十日来韓、二十五日離韓にあたって記者会見を行ない、五・一六後の韓国の軍事情勢は私の在任中ちっとも変っていない。ある分野では私のいたころより軍事能力が進んでいる。例えば対戦車火器攻撃訓練は私がみたなかで最も秀れており、戦術部隊訓練も大変よかった。装備面でも多くの発展がみられ、M46、タンクはM47型にかえられており、日本製の新型トラックも多く入っている、と述べた。

韓国防衛上の現兵力及び装備を増し、あるいは減らす必要があるかという問題については、軍事力の所要量は正確に判断することはむずかしいが、国家経済力等凡ゆる要素を参酌して最　善を尽さねばならない。韓国は軍事的に深刻な状況にある。一九五三年の休戦は単純な休戦にすぎぬ。北韓共産軍はいつでも短時間内に中共軍の援助を再びあおぐことができる。韓国の軍事力縮少は危険な冒険をひきおこすと思う。

五・一六直後以来の国連軍の指揮権動揺問題については、韓国軍に対する指揮権は大田協定により国連軍総司令官がもっており、五・一六後にもこれが再確認され、メロイ将軍は円満に韓国軍指揮権を行使しているときいた、等々と語った。又南ベトナムの状態についての質問に対し、米国は対遊撃戦能力を強化し、ベトナム軍自身が事態を収拾できるようにしたいと語った。

○　ドッド米上院議員談（「韓国日報」五月三十日夕刊）

「米国の空軍と兵站支援をうけたアジア人の三個師団をもってラオスの主要部門を共産主義者から奪還することができるというのが現地軍人の一般的見解である……優秀な装備と訓練をつんだ百万以上の韓国、ベトナム、国府軍を参加させるようシアトを改編せよ……」

7. 追補

臨戦態勢強化と軍事演習

○　韓国海軍を増強（ワシントン二十六日発同和＝九月二十七日韓国日報夕刊）

丁一権駐米大使は二十六日米国防省に海軍作戦部長ジョージ・アンダーソン提督を訪問した。信ずべき筋からの情報によれば、米国は来年初めに韓国に貸与する可能性のある駆逐艦三隻と今年末までに引渡す予定のPCE型軍艦四隻で、韓国海軍が相当に強化され　もようだという。三隻の駆逐艦中には、戦斗用駆逐艦一隻と護衛用駆逐艦が含まれている。韓国海軍は今迄護衛用駆逐艦より大型の戦斗用駆逐艦をもったことがなかった。ワシントン当局は現在韓国海軍が遠からず大型軍艦を扱いうる充分な能力をもつようになるだろうと評価している。

○　米誘導弾装備駆逐艦鎮海へ（九月二十六日韓国日報夕刊）

米海軍第七艦隊所属で誘導弾を装備している巡航駆逐艦クンツ号が二十七日、二十八日の両日、韓国海域で韓国海軍の艦艇数隻と類型訓練をするために二十五日鎮海に入港した。

○　全ての装備を再生修理、韓国最大の兵科基地廠竣工（「韓国日報」十月二十六日）

兵器と各種軍装備を再生修理する現代式工場と、兵食や医務材補給品を管理する我国最大の綜合兵科基地廠が釜山にたてられた。

この現代式基地廠が建設されたので、今迄友邦の手をかりていた各種軍装備の再生修理が、今は我々の手でなされることになり、二十六日午前この基地廠の竣工式が釜山巨堤里で盛大に行なわれた。

○　韓国基地にB52（「韓国日報」十一月三十一日）

アジア駐在米官吏は、米国が少なくとも特定時期に韓国にある米空軍基地に核兵器を運搬する爆撃機を配置していたと語った。

○ 野戦車機動訓練「再建作戦」創軍以来最大の規模で

（「韓国日報」十月二十二日）

創軍以来最大規模の野戦軍秋季大機動訓練たる「再建」作戦は、さる二十日早暁、南漢江中流三ケ地点で渡河作戦を強行した高句麗〝北軍の強力な進出を反撃する新羅〝南軍の大規模逆襲で最高潮に達した。

十月中旬から六万余名の兵力を動員し、京畿道驪州地区南漢江中流一帯で展開された「再建」作戦は、五・一六革命後最初の自由機動訓練として原子戦を仮想した野戦軍の綜合戦力を再評価、検討するための師団規模の機動訓練であった。この作戦は、今月下旬第一段階を終り、十月下旬から十一月初旬までつづけて第二段階の機動訓練をもつ計画である。

（「韓国日報」十月二十三日）

中部戦線驪州利川等南漢江中流一帯に展開中の野戦軍による再建作戦は三日目の二十二日新羅軍（南軍）の反撃が軌道にのり、一層熱を加えた。この訓練で両軍はみな同じサイズの師団級兵力を保有し、戦術空軍と米軍によるオネストジョン及びヘリコプターの支援を受けている。

泥まみれの歩兵が敵陣に突撃し、タンクのキャタピラが敵のトーチカをふみつぶす時、完全援護された砲台からは砲撃が行なわれ、ミサイルが兵力密集地点を爆破する等……全てが実戦をほうふつさせる。……この作戦の統制部長で野戦軍司令官の朴林恒中将はこのような師団級自由機動訓練は莫大な費用と訓練時日が必要であるから、めったにできないといい、この訓練で指揮官の能力が試される……と語った。

○ 兵站施設改善される　コリンズ大将談（「韓国日報」十一月三日）

米太平洋地区陸軍司令官ジェイムス・F・コリンズ大将は三日午前九時汝矣島基地で記者会見をおこない、韓国軍の兵站物資管理制度は大変発展しており、韓国軍の臨戦態勢は変りないと語った。

同職に就任後二度目の来韓であるコリンズ大将は「自分の訪韓目的は米太平洋地区司令官フェルト提督に韓国の軍事実情を報告建議するためであった」と明らかにし、去る五月初めて訪韓した時より、特に印象深いことは兵站施設改良と各級指揮官の能力の向上した点であると強調した。コリンズ大将はこの日午前九時十分軍用機便で日本に向って離韓した。

○ 全国的にターンバック訓練（「韓国日報」十一月四日）

韓国にいる軍隊の戦斗態勢を試すためにターンバック訓練を来る八日から二十一日迄十四日間全国的に実施すると三日午後国連軍司令部は発表した。この訓練には国連軍と韓国軍、そして駐韓米軍が参加することになる。

軍事政権の文教政策

§　南朝鮮における学生

近代的な産業労働者がまだ十分に成長していない南朝鮮で、文教政策は軍事政権が最も頭を悩ましている分野の一つであり、学生・知識人対策は彼らが最もてをやいている問題である。

昨年の四・一九デモの時もそうだったが、今迄の所南朝鮮では「学生はいつも難境において先頭にたってきた」（韓国日報十一月三日社説）確かに合理的精神と社会的意識にささえられた学生の行動は南朝鮮人民に大きな影響を与えてきた。

クーデター直後、全ての言論機関等が沈黙を守るか大政翼賛会みたいになってしまった時から、学生の軍事政権への抵抗の動きは表面に出たものだけでも幾つもあった。例えば、五月二十五日利川の中学生がストライキを起し九名が軍事裁判にまわされ、六月八日朝陽高校生教師排斥事件では実に三十八名が軍裁に回附されて最高十カ月の実刑を宣告された。同じ頃忠清道の清州大学でも「無能教授の解任」「後援会費削減」を要求してストライキが行なわれ、同じく軍裁で最高一年六カ月の刑をうけている。又、十月七日ソウル文理大外語新聞は日本人記者の「韓国の学生は学問の自由を全くもっていない」という談話を掲載し、学校当局から配布を禁止されたが、同誌編集代表者卞鐵和君は「強力な手段で対抗する」と反駁したという。（統一朝鮮新聞十一月二日）

十一月三日にはソウルの首都医大で、不当に高い登録金の減免を要求するストライキが起り、学校側の強硬な態度で多くの犠牲者が出たが、事件は拡大する一方である。

「在学中はペンをとり、スクラムを組んで韓国歴代政権の足元を掘りくずし、卒業すると、社会のすみずみにちらばって『おだやかならざる思想』を伝播し、買弁勢力の生棲にふさわしい空気を汚染する厄介な敵」（統一朝鮮新聞十月二十六日）を、きりくずすために、軍事政権は、学生運動の指導者をまず牢獄に投じた後（民統学連の学生は既に「革命裁判所」で最高十五年の重刑を課されている。前号「南朝鮮の『革命裁判』」参照）、従来の学生自治会を解体して御用機関に再編成しようと試みた。

§　「大学整備」政策

十月十九日付韓国日報の伝える所によれば、「軍事政権は全国六十六大学と一八〇〇の中・高等学校の学生自治会又はクーデター後にできた「再建国民運動単位別促進隊」を更に廃止再編成して、年内に「再建学生会」として再出発させる方針である。このような措置は各級学生を汎国民運動の前衛隊として効果的に再建運動に参与させるため、各分野の組織体系を全面的に一貫化させ再建国民運動（註　南朝鮮におけるいわば大政翼賛運動で全国本部を中心とする中央集権的な機構になっている。兪鎮午博士が本部部長であったが、軍事政権の思い通りにならないためにつめ腹をきらされ、柳達永氏と交代させられた）の外郭組織としての面目を整えることを目的としている。総務部、運営部、指導部、体育部、学芸部等から成る各単位再建学生会の上には「再建学生会全国連合会」というような全国規模の組織がおかれる予定だ。」といわれる。労働者についてはすでに八月三十日に「韓国労働組合総連盟」という御用全国組織が一応作りあげられているが、この学生の方の作業は余り進んでいないようで、まだ発足したという発表もない。

尚、これと並んで軍人の学園への直接介入も強化されている。全国十六大学から集められた「学徒訓練候補生」は、七月二十九日から四週間にわたり三二五時間の野営訓練をうけた。クーデター後、各大学高校の配属将校はとみに横暴さをまし、十月二十日には陸軍当局によつて「ソウルの大学在学生の軍事訓練を一時間増加して全部で一週六時間とする」という発表がなされるという情況である。

しかし、こういう直接的な強制のみで学生を思うとおりに動かすことはできない。このことをみてとつた軍事政権はからめ手から改める手を並用することにした。「学制の不備」「役に立たないインテリを作る大学が多すぎる」等という口実の下に、学制再編成の措置がやつぎばやにとられた。文熙奭文教部長官は五月二十六日基本文化教育政策を発表し、六月八日に開かれた全国大学総学長会議では大学整備方針を示し大学の地方分散の必要を説いた。七月二十二日には大学整備の基本原則が示され、八月一日には現在の大学人口十二万を三万に縮少するという趣旨の「国家再建最高会議企画委員会」の学制改編案が発表され、七月六日にはソウル市文教当局の手で早くも首都無電技術学院等二〇の学校を閉鎖し、八月十六日には第二次大学整備方案が提示された。八月十三日、文長官は国公立大学の総長および学部長の任命権を教授会から奪うべきだと述べた。七月十五日には中・高校入試と大学入試国家試験制及び国家学士制（大学卒業者に学士号を与えるに際し国家試験を行ない国家が資格の授与に介入する）等思いきつた国家統制を行う要綱原則が発表された。（これらは十月から十一月にかけてその明年度からの実施要項が次々に発表されている）

そして九月二日には、これらの政策を集成した「教育に関する臨時特例法」が発表され、翌日いよいよソウル師範大学の廃校を含む具体的な「国立大学整備手続」が公表された。なお九月十四日の国公立大学総長及、学長会議において、文文教部長官は大学定員の半減（国公立二万、私立三万）という原則を公表し、十月一日にはソウル大学だけで定員を四〇六〇名をへらして八六四〇名とすることが発表されている。続いて整理の波は私立大学にも及び十一月十八日には全国三七の四年制私立大学のうち国学大、檀国大、国民大、弘益大、馬山大、青丘大、東洋医薬大、円覚大、関東大、韓国社会事業大、徳成女大、同徳女大の十二校の閉鎖処分を含む大なたがふるわれた。これによつて今迄五五〇四〇名であつた私立大学の定員は三五〇〇〇名に減ることになつた。

又、九月三十日には先の「臨時特例法」によつて定年退職させられることになつた大学教授は五二〇名であるということが明らかにされ、十一月五日には教育課程改定要項が発表された。

以上列記した所からもよみとれるように、軍事政権の文教政策は大学生対策と非協力教授対策等に重点がおかれている。

§ 大学は多すぎるか？

第一に、軍人政権は「大学整備」によつて何かにつけてうるさい大学生の存在そのものを消してしまうか、そうでなければ地方に分散させることをねらつている。前記の通り現在六万乃至十万といわれる大学生を三万乃至五万に半減させるというのがその目標である。（もつとも、どの大学のどの部分をきるかという作業は種々の事情を考慮して現在進行中で新学年の定員についての具体的な数字はまだきめられる段階になつていない。）

軍人の言分は、韓国には大学生が多すぎるということである。「全人口の七〇％が農民で、大学生の五〇％が農村出身だとすれば毎年農村から二七〇億ホアンが大学の会計課に集中することになる。だから毎年政府が農村に散布する営農資金三〇〇億が殆んど大学にすいあげられてしまう。これでは農村の復興は期待できない。」（文文教部長官の発言九月一四日）「一家の財産をはたいてまで大学を卒業しても就職は至難のこと大部分の卒業生は高等失業者になるのがおち」（朝鮮時報十一月四日）という状況がその証拠とされている。確かにそれは事実である。しかし、二千万余の南朝鮮で一〇万の大学生が過剰とされている時、人口一千万の北朝鮮では一九六一年現在九万七千名の大学生がいても、まだその社会的需要をみたしえず、一九六七年までには二十二万名まで増加させる予定にしている。

農村が荒廃するのは大学生のせいではなく、もっと基本的な社会経済構造のゆがみを是正してはじめて解決する問題であることはいうまでもなかろう。大学卒業者が役に立たないのも彼等のせいではない。

軍事政権の指摘するような学科構成の偏りという事実は確かに存在するといえる。（日本にみられると同じような文科系特に法科の学生が非常に多いという現象）しかし、後掲の社説のように経済学を減らして経営学をふやすというような軍事政権の方策がこのような口実の下に何をねらっているかは明らかであるといえよう。「例え自然科学をふやしてみても恐慌のはけ口として近代産業の発達の抑制を強制されている南朝鮮では働きたくても働く場所がない」というのが実情だ。

南朝鮮では教育に対する熱意は非常に高い。「韓国の電力事情は日本とくらべると非常に悪かったと思うんですが、（一般家庭用は定時停電がある）夜街灯のもとで書物をひもといている学生―これはソウルでもだいぶ目につきましたし、ソウルから釜山におりてくる夜行列車が駅を通過するときに、窓から見ていますと、恐らく夜学を終って家路を辿っておる学生だと思うのですが、ホームの街灯の下で二三人づつ教科書を開いて読んでおる姿が目につきました。これは駅を通過するごとに三回か四回見た光景ですが、それがいまだに目の前に浮んでくるんです。非常に強烈な印象をうけました。」（訪韓高校籠球チーム引率者高橋政利氏談＝親和九十六号所載）家財をはたいて大学に進んだが学資に苦しんで退学処分を受けたことを悲観して服毒自殺した淑明女子大の尹春子さん（朝鮮時報十一月四日）のようなケースもある。

このような異常ともいえる教育熱は、一つには、文字そのものが階級的所有物であり、学問が栄達の早道とされていた封建時代の特異な意識状況の残滓に由来し、又日帝時代に教育への門を閉されていた時の苦い思い出の反動としても説明できようが、南朝鮮の学生が学問を身につけることによって、社会的に役立つ仕事をできるようになりたいと考えているのは事実だ。

§ 「文教政策」への抵抗と批判

だから、定員削減問題に対する学生の反対は激しかった。中でも九月五日の発表で廃校処分とされたソウル師範大学生の斗争は激しく、教授を含めて多数の犠牲者を出したが、一定の譲歩もかちとった。九月九日に行なわれた師範大学生の与論調査では、全員一二七五名の内、廃校処分を承認するもの僅か五名という結束が示された。同じく廃校処分となった釜山大学法学部学生一同も文教部に対して公開質問状を出している。又、ソウル商業大学新聞もその第二二号に「人口資源が不足している現実のもとで定員減縮は再考慮すべき問題だ～当局者の良識ある合理的処置をのぞむ」という社説をかゝげたが、社説の論調が余り過激すぎることを心配した学校当局によって発禁処分をうけた。その他同じような立場に至った大学ではどこでも多かれ少なかれ同じような動きがあったものと推定される。

第二に、国家試験制度は教科の内容の側面から規制を強化していくために、進められている。その規制は大学だけでなく初等学校にまで及んでいる。

更に、引上のような学生に対する統制とともに、教授陣への弾圧も厳しい。クーデター後、その著述や行動によつて個別に投獄された大学教授は数多いし、「教員労組事件」は「革命裁判所」が早くとりあげたものの一つである。六〇才停年制の新設や予算縮減による時間講師の縮減によつて職を失なつた教授は多いが、更にどこから圧力がかゝつたのか理由も知らされずにいきなり解雇をいいわたされた中央大学事件のような例も少なくない。特に社会科学系では学問の内容をめぐつて、強い干歩があり、学問的良心をまげた講義を行なうよう直接間接の圧力を加えられるというような状態が広汎に存在していることと想像されるが、事の重大性のためか学生の問題ほど公開の報道機関にあらわれていないので不明な点が多い。（教授に対する行政的、思想的圧力については次号で改めてとりあげる予定）

所でこのような軍人政権の弾圧政策の一つの特徴は、その方針が確固としていないこと、うちだされる方法がずさんなことである。一旦決めた定員を反対によつて変更したり、六〇才停年制の原則を名誉教授制によつて骨抜きにしてみたり、成案の論理的矛盾をつかれて往生している場合も少なくない。例えば、臨時特例法によつて来年度から施行されるべき教育課程改定要項がようやく十一月五日になつてできあがり、これでは教科書が印刷がまにあわぬというので問題になつているというような例がみられる。（韓国日報十一月十二日）

これによつても、「もつとも慎重を要すべき文教政策が、粗雑な軍人の手で大急ぎで遂せねばならぬ一定の目的のためにガタガタにされている」状況をよみとることができる。

このような傾向に対しては軍人政権下の南朝鮮の新聞さえ批判を示している。最後にその幾つかを要約紹介しておこう。

。私学に対する干歩の過多　（韓国日本九月四日）
〜教育に関する臨時特例法をみて〜

政府はさる二日教育に関する臨時特例法を公布実施した。これは名の如く教育の方法や内容を規定したものではなく、教育機関の構成と統制を主眼としたものであるから錯覚を起す。その統制が私学に対して余りに過重なのでこのような法律が果して民主主義的な政治理念に合致するものかどうか疑わざるをえない。本法の規定する私学教員の停年六〇才制限や、学校法人の臨時理事任命権の文教部長官による掌握は度をこした干歩である。

国家が法律をもつて国公立学校を規制することは、国公立学校自体が権力活動の所産であり、一切の経費を国家が負担しているのだから、或いはかまわないこととも いえよう。しかし、何の恩恵も与えていない私学に対して政府権力を及ぼすことは民主主義的憲法の精神に反する。学校財団の紛糾は、私法人の私権争いなのだから裁判所に任せればよいことだ。

大学整備と学科定員　（韓国日報十月五日）
〜整備や定員決定には慎重を期さねばならぬ〜

文教当局は大学の整備を宣言し、国公立大学の学部、学科の廃令を断行したが、決定された各学科間の定員の配分には関係者をしてとまどわせるに足るものが多い。

その一つの例としてソウル商科大学経済学科の新定員の問題がある。全国の国公立大学で経済学科が存置されるのはソウル商大のみであると思うが、その新入生定員が僅か二十五名に定められている。今後私立大学経済学科にもいくらかの定員は認められるのだろうが、それにしても二十五名とは余り少なすぎる。他の国公立大にも同じ学科が存続される商学科、経営学科に対してソウル商大にも各百名、三十名の定員を配定している所をみれば、これは経済学の比重を極めて低くみたものと解釈される。

しかし、我国のような後進国ほど経済体制や制度又は構造を分析し、生産又は生産力の問題を生産、交換、分配の全過程としてとりあげる経済学の現実的必要性は大きい。むしろ経済機構の確立した先進国では流通部門をとりあげる商学・経営学だけあれば充分ともいえるのだ。

経済学を単に空疎な理論のみを扱う学問だと考えてはならない。各層指導者は正しい経済学的知識をもつことによって、問題の核心を正しくつかみ、事態の推移を展望することができるのだ。

文教当局と関係人士の熟考を望む。

学士試験出題傾向は大学教育の質を左右する

（韓国日報十一月二日）

～論文試験を追加できないか～

学士資格試験実施の日も近い。すでに応募願書受付も一日から始り、出題委員の委嘱、試験実施要領の通達もすんでいる。今はこと新しく原則論を語っている時ではないが、たゞくれぐれも出題方式と出題内容に慎重配慮するよう要望しておく。大学入試や中高校入試の例でも推測できるように、この試験の出題内容と方式は全大学教育を支配する要因となり、場合によっては最高学府の教育の質を左右することにもなりかねない。

もし経費の関係で○×式の客観式出題形式が採用されるとすれば、多様にして深遠な大学教育をこのような機械的な出題で採点できるものかという疑問が残る。機械的な出題が客観式テストの範囲内の浅薄な大学教育への道を開くことが憂慮される。

大学教育の正常化の為の三つの問題

（韓国日報十一月十日）

教育に関する臨時特例法が公布されてすでに三月たっている。本法は教育法や教育公務員法の例外規定の形式をとっているが、実質的には旧教育秩序をねこそぎにして新しい秩序をたてる内容を含む革命立法である。所が、この法令に規定された特例のその後実施にうつされたものは停年制等の箇条にすぎず、いまだにその具体的な要項が示されておらず「国民教育の正常的秩序確立とその質的向上」をはかるという趣旨にもとるものが少なくない。

第一は第三条の私立大学の新定員策定問題である。すでに私大経営者には秘かに整備内容が示されたなどと噂されているが、これが発表されないので来年三月の入試をまじかにした進学希望者は混乱状態におとしいれられている。（註その後十一月十八日になってやっと前記整備案が示された）

第二に第九条の国公立大総長学長が文教再建諮問委員会の諮問をへて文教部長官の要請により内閣首班が任命することになったが、既に諮問委員会も構成されているのにいまだにこの新手続による総長任命が正式に発令されず、総長代理が運営を行なわざるをえない状況になっている大学が多い。最高決定権者なしに数ケ月も放置されて長期計画もたてられないでいる大学の困惑を知るべきである。

第三には今度新たにはじめられる学士資格試験の試験日時や課目がいまだに具体的に発表されていない点である。このことは受験生を非常な不安におとしいれている。

これらの点が急速に文教当局により決定発表をみることを希望する。

太平詞（意訳）

朴　仁　老

壬辰祖国戦争（一五九二—九八年、豊臣秀吉の侵略に対して立ち上った戦争）が終った一五九八年、詩人　三八才の作品。

国ひろからず、東海にのぞみ
うるわしき遺風、いにしえより今にかわらず、
二百年このかた、礼儀をとうとび、
衣冠文物の栄え、漢唐宋にもさながらなるに、
わざわいなるかな、島夷百萬、一朝にして襲いきたれり。
億兆の民心おどろき、白刃は背《そ》びらに迫る。

白骨は累《るい》々として野によこたわり、
豺狼のすみかとなりし雄都巨邑、
凄涼たり玉輦、豪塵して都をいずれば、
煙塵のうちかすみ、日月もおぼろなり。

朝明の軍《いくさ》あわせて、怒れるつわもの戈をとり、
平壌に巣喰える兇徒、一刀両断なぎたおし、
疾き風の如、南下して、そを海口に追いこめたれど、
窮寇追うなかれ、寛容これ幾歳年。
江左一帯、孤雲の如くつどいしわれら、
幸なるかな、時いたり、武侯竜に逢えるなり。
かれ五徳そなわりたれど、猟狗の身かなしかりに、
英雄の仁勇を、玉命はよみしたまえり。
かれありて南方やすらかに、兵馬また精強なりしを、
皇朝一夕、大風ふたたび起りきたれり。

竜なるか将師、雲霞なす勇士、
蜿々たり旌旗、空を蔽うて萬里、
つわものら、鬨の声、泰山もゆるがす如し。

兵房の御営大将、先鋒を引具し、
賊陣さして突撃す。
疾風大雨、雷鳴の落つる如、
清正の小童、掌中にはあれど、
天雨わざわいして、士卒つかれたり。
しばし囲みをときて、士気やすらうべきも、
窟穴をうかがえば、堅塁とみえたれど、
灰燼となりはてては、すでに憂いなし。

上帝の聖徳、吾王の恵沢、
津々浦々にあまねく、
天、猾賊を誅し、仁義を佑けたり。

海しずまりて波たたず、いまぞわれひと共に帰りぬ。
功勲もなき身なれども、君恩かたじけなかりしを、
決死の覚悟かためつつ、奔命に戦野めぐりし七星霜。
いまぞ太平の世をみたり。

兵とどめ戈をおさめて、細柳営に帰るとき、
太平の簫の高なりに、鼓角まじりてひびきたる。
水宮ふかきところより、魚竜こぞりて鳴くごとし。

竜旗うちなびき、西風にはためくは、
ひとひらの五色の瑞雲、中空にかかれる如く、
太平の世のさまや、いよよめでたき。

弓かかげ矢を挙げて、凱歌おくれば、
きそう歌、よろこびの声、碧空に和す。
三尺の長剣、唐にかつぎて打ち興じ、
仰天長嘯、舞袖ふれば、
天宝の竜光、星空の間に閃めく。
手の舞、足の舞、おのずから楽し、
歌七徳、舞七徳、やむときぞなき。
人間の楽事、これに若くものやある。

華山に馬をいこわせん、
天山に弓をかかげなん、
いまなすべきはただひとつ、忠孝一事あるのみぞ。

堂中いとまあるままに、長きねむりに横たわり、
思えばこの日いつの世ぞ、
そのかみありしうまき世の、ふたたびいまにめぐり来たりし。

天に淫雨なく、白日煌々。
白日煌々、萬方を照らす。

遠ち近ちのくまぐまに、散りはぐれたる老いも若きも、
東風に舞う新燕、わが家たずねて帰りくる。
昔にかえる心地して、誰かなつかしからざらん。
ここかしこ、よろこびは満ちあふれたり。

生きとし生ける同胞に、
聖恩あまねくふかければ、
五倫はここに明らけし。
民を教えてひたすらなれば、国おのずから栄えゆかん。
天運のめぐりを佑けたまえ。万才無窮たらしめたまえ。
栄《さか》えある天地《あめつち》に、日月てらさしたまえ。
千萬年とこしえに、兵革を絶たしめたまえ。
田を耕し、井を穿ち、敵撃ちはらう歌うたわせたまえ。
われらまた聖主をまつり、ともに太平を讃えゆかん。

略年表

朴仁老

一五六一　八月十一日慶尚北道永川郡道川に生る

一五七四　「かっこうの歌」作詩（十三才）

一五九二　祖国防衛戦争に参加する

朝鮮

一五五五　倭寇全羅道を犯す

一五七六　東西党論起る

一五八三　満洲人の攻撃を退ける

一五八七　倭寇全羅道を犯す

一五八九　鄭汝立叛す、日本通交を求む

一五九一　東人南北に分党

一五九二　「壬辰倭乱」＝「祖国防衛戦争」

日本

一五四三　ポルトガル人渡来

一五八二　本能寺の変、山崎の戦

一五八三　賤ケ嶽の戦、太閤検地、秀吉国わり、城わりはじめる

一五八六　秀吉大陸進出の意を表す

一五九〇　朝鮮使節二人来る

一五九二　秀吉大陸遠征（文禄の役）

中国

一五五五　倭寇南京を犯す

一五八三　ヌルハチ挙兵

一五九二　朝鮮に援兵出動

一五九八　「太平詞」作詩（三十八才）
「嶺南歌」作詩

四月　慶尚道に義軍おこる
五月　全羅道義軍おこる
七月　忠清道義軍おこる
八月　江原道、黄海道義軍おこる、諸道の義軍連絡す
十一月　諸道の義軍統合
一五九三　一月京城市内抗日叛乱
一五九八　日軍撤退

四月　侵略開始
六月　平壌占領
七月　閑山島の海戦に敗れる
八月　慶尚道の日本軍圧迫さる
一五九三
一月　平壌の戦に大敗す
二月　日本軍の厭戦上層部に及ぶ
四月　京城撤退
八月　諸将に内地帰還を命ず
一五九四　和平交渉
一五九五　明使京城着、和議停滞
一五九六　明使来る、講和決裂　秀吉再出兵を決意
一五九七　大陸再征へ慶長の役
一月　清正出陣、日本軍釜山着
十二月　明軍蔚山城を囲む
一五九八
一月　蔚山包囲の明軍を破る

一六〇五　「統舟師」の任につく。
釜山戦船上で「船上嘆」作詩
故郷へかえる
「陋巷詞」作詩
一六三六　女真族侵攻に際して愛国の至情「述懐」を作詩
一六四二　没（八十二才）

一六〇〇　明軍撤退
一六〇七　日本と修交を復す
一六〇九　日朝己酉条約
一六一九　サルホに出兵して敗る
一六二二　明将毛文竜椵島に入る
一六二四　李适叛し、仁祖南走
一六二七　後金軍入寇
一六三六　清軍入寇

八月　秀吉死す
一六〇〇　関ケ原の戦
一六〇三　江戸幕府始る
一六〇五　家康朝鮮に和親を申し入れる
一六三三　鎖国令
一六四三　田畑永代売買の禁

一六〇三　ヌルハチ興京老城を築く
一六一六　ヌルハチ汗位につき国を後金と号す
一六一九　サルホの戦
一六二二　山東白蓮教の乱
一六二四　蘭人台湾占領
一六二七　後金、清と改号
一六四四　明亡び清北京に入る

朴仁老の生涯とその背景

——ことし世界平和評議会が顕彰を提案している世界文化巨匠の一人に朴仁老がある。彼の生誕四〇〇年にあたる今年八月十一日、朝鮮民主主義人民共和国では、その業績をたたえる集会が開かれ、韓雪野氏によって詳細な報告がなされた。朴仁老は豊臣秀吉が侵略したときの朝鮮の愛国詩人である——

§ 朴仁老の時代とおいたち

朴仁老の生きた十六世紀後半から十七世紀にかけての時期は、朝鮮封建社会の固有な矛盾が尖鋭化して、人民の抗争が激化した時代であり、強力な外敵の侵攻をうけた時代である。外国侵略者に対する人民の斗いは果敢にかつねばり強く続けられ、ついに国土の防衛に成功した。この歴史的経験が朝鮮民族の意識のなかに深く蓄積され、朝鮮人民の愛国的伝統の大きなよりどころとなつていることは、多くの民話や伝承によつてもうかがうことができる。

朴仁老は一五六一年八月十一日慶尚北道永川郡道川の村の貧しい学者の息子として生れた。父親は実学思想の共鳴者で当時の腐敗しきつた政界にあきたらず、わずかの土地をたがやしながら、ひたすら未来の世代の教育にうちこむ憂国の志士であつた。このような家庭状況は幼ない朴仁老に大きな影響をあたえた。彼は幼ない時から農事を手伝うかたわら、父親から文学および武術を教示された。その十三才の時に作つた詩を次に紹介しよう。

かつこう、かつこう
都の金持ちの軒さきでお鳴き
田んぼを耕したらどうだい、と
鳴いてそういつてやるがいい

これは、働かないで豪奢なくらしをしている京城の上層階級を諷刺したもので、ここにすでに彼の思想的面目の片鱗がうかゞわれる。

朴仁老はその父親と同じように、封建支配階級の腐敗を憎み、当時の知識人一般のように官吏登用試験を受けようとはしないで、農事にたずさわりながら、さらに文学と武術の錬成にはげんだ。

一三九二年李氏朝鮮王朝が成立して以来、二百年間一応外敵の侵入もなく、安定した封建社会の時代がつゞいてきており、支配階級は太平を謳歌しながら、支配階級内部の権力抗争に無駄な精力を費やしていた。が、当時の心ある人々は都に出て立身出世をすることを快しとせず、国の将来を憂い、外敵に対する心構えも怠らなかつた。

§ 秀吉の朝鮮侵略とその背景

一五九二年、朴仁老が三十二才の年、日本の国内統一を一応完成した豊臣秀吉は、統一の過程で蓄積拡大された国内の矛盾を外にそらせるため、二十万の兵力からなる侵略軍を朝鮮にむけた。当時の日本国内矛盾とは簡単にいえば主として国内統一の過程で功労をたてた武士に恩賜としての知行を与えなければならなかつたが、日本国内の土地は武将たちの欲望に比べて限界があるということであつた。

勿論いうまでもなく、当時、所領を求めて争つていた封建武士層にとつて「百姓とは地につきたるもの」であり、知行とは或る一定の領域内一円の土地に住む百姓の全剰余生産物を収奪する権利を意味する。生産力の飛躍的発展により足利時代末期の戦乱を契機に古い荘園制的生産関係(荘園領主・地頭領主と名主層との関係)は解体し、その基盤の上にゆるいかたちでのつかつていた守護大名は、没落してゆき、旧領主層や名主層の中から出てきた「一所懸命」の武士たちがなりあがつてきた。彼らは前述のような知行を得るために秀吉の全国統一事業に参加し協力したのだ。秀吉は全国統一を完成すると全国的規模での画期的な太閤検地を実施し、刀狩りによってあいまいになっていた支配層（武士）と被支配層（農民）の境界を画然とさせた。統一に協力した大小名はそれぞれに領国を与えられ、検地によって確定された百姓からしぼれるだけの年貢をとる権利を承認された。

所がこのように全国を土着の大小名が分割してしまったので秀吉直参の武士たちにはその功労に対する知行が十分に行きわたらないことになった。徳川家康が確立したような広大な天領は秀吉の時代にはまだなく、秀吉自身の経済的基盤は薄弱であった。といって外様大名の所領をつぶして直参譜代に分与するというほどの力はまだなかった。こゝにからもろこしを天領として旗本御家人に分け与えるという秀吉の構想の出て来る根拠があった。このような支配階級内部の矛盾が、侵略戦争をひきおこさせた最大の原因であるとみられる。そのほか西国方面の大名たちはこの頃それぞれに朝鮮中国方面との貿易を行ない、利益を得ていたが、彼等は侵略によって更に大きな利益を得ようとして、進んで秀吉の侵略戦争に加担した。

勿論、秀吉としては、うるさい者を外へ出して力を使わせ、その間に自己の国内における支配体制を確立しようという抜目ないねらいも持っていた。このように、内の矛盾を外の朝鮮等に向け、外へ出て掠奪することで内の支配体制を強化するという発想法は、日本の支配層にとって伝統的なパターンとなっているように思われる。この秀吉の朝鮮出兵、明治初年の征韓論、更にいえば今日の対韓再進出と続く一連の動きにみられるように、いつも権力がその支配体制を成熟させるに先立って対外進出を試みた事情は、このようにして説明されうるのではなかろうか。

このような事情で、秀吉の朝鮮出兵は全国民的な百姓の与論の盛り上りを背景とするものではなかった。百姓（足軽・雑兵）の意識は「日本の御普請の事終りて、高麗御陣の御触あり、老少男女これを聞き、気も魂も消えつゝ、只命長きを恨み侍りぬ」（豊内記）という風で、かり出されて、戦争に協力したのだったといえる。

このように我々の先祖たちがひきおこした戦争は全く弁護の余地のない侵略戦争であった。日本軍はいたるところで掠奪と破壊をおこない惨虐をきわめた。「人馬ノ死スル者相枕シ、臭穢城ニ満ツ、城ノ内外白骨堆積シ、公私ノ廬舎一ニ空シク、惟ダ灰燼瓦礫アルノミ」であったとすると「（日本軍の）過ぐる所、皆廬舎を焚焼し人民を殺戮し、凡そわが国人を得れば、悉くその鼻を割き、以て威を示す」といった「懲毖録」の著者柳成龍は決してうそはいっていないだろう。たとえば、李朝ではその歴史の詳細な記録である「李朝実録」を散逸滅亡させないため、それを五部印刷し国内の五ケ所の深山幽谷にある寺院等に保存しておいたが、日本軍はそのようなところへまで侵入して、そのうちの四部までをも焼き払ってしまうということもあった。戦争に参加した大名がもち帰った書籍陶磁器釣鐘が今日まで日本に保存されているものも非常に多く、はなはだしきは、すぐれた技術をもった陶工および織工を根こそぎ強制連行した大名もあったほどである。

このような掠奪侵略軍に対して、そなえのなかった朝鮮官軍は、たちまち敗退して京城をはじめ全道の主たる都市は日本軍のためにおとしいれられた。しかし、これに対して朝鮮人民は各地で自発的に義兵を組織し、ゲリラ戦を展開して日本軍に対して勇敢な抵抗を続けた。まず四月には慶尚道に義軍がおこり、五月には全羅道、七月忠清道、八月江原道黄海道、九月には咸鏡道というように全土におこった義軍は、ついに十一月にいたって統合を成しとげて、日本軍をして戦線の整理収縮を余儀なくさせるまでになった。官軍ははじめ、義軍が官軍より強くなるのをおそれて、それを圧迫したが、ついにこの頃にはその力にたよらざるを得なくなった。たとえば七月七日の熊峙と梨峙の戦いでは朝鮮軍は多く首領を失ったが、その勇敢な抵抗には日本軍も心をうたれ、遺骸を葬って「弔朝鮮国忠肝義胆」と題する墓標をたて、錦山に退かざるを得ないほどであった。

§ 朴仁老の活躍

朴仁老の住んでいた永川地方はまっさきに日本軍に進攻された地域だったが、また、まっさきに義兵がおこり、ゲリラ抗争のもっとも盛だったところであった。当時三十二才だった朴仁老はただちに筆と鋤を捨て、チョンセアの別示威として地方の愛国的人民を組織動員し、義兵斗争に参加して、敵の後衛をたち切る斗いに戦功をたてた。彼は各戦線に七ケ年の間斗い、おわりの頃にはその能力をみとめられて、江左節度使成允文将軍の幕僚として働いた。そして、日本侵略軍は、ついに屈伏させられ、放逐された。そのとき、彼は、有名な平和の歌である「太平詞」をかき、また戦争に荒廃し、苦役をしいられた貧しい農民の生活をえがいた「嶺南歌」もかいた。

この戦のあと、平和を守る力を強固にしなければという決意から、彼は武官の選抜試験を受け、祖国防衛の最前線を守るため、進んで水軍を志願し、羅浦という軍港の萬戸（軍港を治める長官）となった。武官として仕えていた当時の朴仁老の生活は、つねに兵士たちと人民に深い愛情をよせて、彼等をねぎらい、人民の信頼と尊敬を一身に集めた。彼が萬戸の職から身を引くようになったとき、人民は彼のために善政碑を建てて表彰し、その官位を高めるよう政府に嘆願した。しかし彼の生来の潔べき性が、封建統治者には気にいらなかったため、彼は官につかえている間中、末職に甘んじていなければならなかった。

やがて、一六〇五年、徳川家康が朝鮮に和親を申しいれた時、これを受けいれるかどうかをめぐって国論が一致せず、南海岸の空気が再び険しくなった時、朴仁老は再び「統舟師」の任務を授けられ、釜山沖合の戦艦の上に立つ身となった。こゝでかれの、もう一つの愛国的作品として有名な「船上嘆」が作られた。この船上嘆にも武器を手にした詩人朴仁老の愛国的情熱と激しい敵がい心が示されている。

しかし、侵略の脅威が去り講和が結ばれるに及び、朝鮮の封建支配者たちは、苦い経験を忽ち忘れ、国の防衛力の強化や衰微した生産力の発展に関心を示さず、もっぱら人民をいっそうはげしく搾取するだけであった。このような現実では、自己の愛国的な抱負を実現することは到底できないと思った彼は、官僚生活にみきりをつけ、故郷に帰った。

§ 農民と共に

故郷に帰った朴仁老は以後生涯勤労農民の一人として生活しながら、農民の貧しい生活を題材とした沢山の作品をかいた。「陋巷詞」「莎堤歌」等の歌詞と「貧乏のうた」「畑作りのうた」などの時調、漢詩等はその代表的なものである。彼はこれらの作品の中で「貧しい生活こそ、都でのぜい沢な暮しよりどんなによいか分らない」とうたっている。

そして一六三六年に又もや朝鮮が北から女真族の侵略を受けた時、彼はすでに七十六才の高齢で、自から出陣することができなかったので、そのはがゆさを表現するための熱烈な愛国の至情を「述懐」という作品に托し「国のため一命をさゝげようとしたこゝろざしをとげることができず、うれいにとざされて夜もろくに眠れない」とうたった。

そして八十二才の高齢で一六四二年に故郷の生家で彼は逝去した。

§ 朴仁老の作品の性格

彼がその思想の表現を托した歌詞、時調等の朝鮮国字を使用した文学形式は一五世紀以来、しだいに発展してきていたが、それも初期には貴族階級の独占物にすぎず題材も山水風月等々に限られたつまらないものであつた。それを社会的問題にまで素材を拡げ国字文学を一般人民のものとした朴仁老を代表とするこの時代の文学者の功績は、朝鮮文学史上も高く評価されねばならない。只当然のことながら彼は封建時代に生きていたのであり抵抗運動の中で明確にその性格をあらわしてきた支配階級と被支配階級の対立を必ずしも直接的には表現しなかつた。しかし彼の詩にあらわれている強烈な民族精神は今日においても高く評価されるものである。実際朝鮮戦争の時、農民は加藤清正のイメージを頭において米軍と戦つたといわれる。

彼の作品である、八篇の歌詞と六十余首の時調、数百篇の漢詩等は、その死後彼の号をとつた蘆渓集という名でまとめて刊行され今日迄伝つているのである。しかし、朴仁老の名は、我々にとつて全く耳新しいものであることは否定できない。これは、例えば李舜臣のような最高指導者のみに注目してきた伝統的なかたよつた歴史観が朴仁老の思想と作品を評価することができなかつたためであり、又、日本帝国主義者がその朝鮮統治時代、意識的に朝鮮人民のすぐれた歴史的伝統を抹殺しようとしたためである。中でも、朴仁老の作品が特に危険視されたのは、彼の思想の底にあるものが、嶺南歌に顕著にあらわれているように、「農業および国防政策が人民の利益に全く一致するように組織されており、男女を問わずすべての人民が安定した生産労働に従事しているばかりでなく、教育や科学の発展も保障されている万民皆労、人民同楽」の理想社会のイメージであつたからであろう。日本帝国主義の朝鮮支配時代には、「蘆渓歌詞」は「壬辰録」等とともに「不穏書籍」としてよむことも禁ぜられていたのである。

参考文献

日本語のもの

。高晶玉　愛国詩人朴仁老とその創作活動（きようの朝鮮一九六一年四月号、新日本文学八月号にも同じものが転載された）

。朴仁老の生涯と芸術（平和日本一九六一年九月・十月合併号。世界平和評議会会報一九六一年六月号にのつた朝鮮平和委員会の手になる紹介文の要約である）

。朴仁老の愛国的生涯（朝鮮時報一九六一年八月十一日号）

。旗田巍朝鮮史（岩波全書）

。鈴木良一　豊臣秀吉（岩波新書）

。松好貞夫　太閤と百姓（〃）

。松本新八郎他　日本歴史入門（合同新書）

。世界文化史大系　朝鮮篇（角川書店）

。池内宏「文禄慶長の役　正篇別篇」

。中村栄孝「文禄慶長の役」（岩波講座東洋思潮）

朝鮮語のもの

。朴仁老作品選（平壌、一九六一年四月 ― 新義州博物館に所蔵されていた原本の一部を紹介し、現代朝鮮語訳したもの。尹、セピョン氏の解説がついている）

。韓雪野「熱烈な愛国者にして卓越した詩人であつた朴仁老」（一九六一年八月十一日平壌で行なわれた朴仁老誕生四〇〇周年記念報告会での報告＝文学新聞八月十一日付掲載）

。韓国ユネスコ総攬　文学篇文学史の部

日本における朝鮮語教育の現状とその展望

現在日本における朝鮮語教育は、その機関によって大略次のように分類される。

㈠ 大学、研究所等
㈡ 警察等官庁
㈢ 日朝協会等の民間団体やサークル
㈣ 在日朝鮮人の母国語教育

以下、順を追って言及する。

1

わが国の大学における朝鮮語学習は、他の諸外国語と比べる時、その教授陣・学生・研究諸設備等での面においても、比較できないほど貧弱である。次に述べるがごとく、現在朝鮮語学科の存在するのは、天理大学のみであり、朝鮮語の講義の行なわれている大学も数校に過ぎない。しかしここ一、二年、朝鮮語学習の気運は盛り上り、少しずつではあるが、朝鮮語の講義を採択する大学が増加しつつある。

来年度からは東京・大阪両外国語大学において朝鮮学科が新設の予定であり、今後とも大学における朝鮮語学習熱は上昇して行くことだろう。戦後十六年、遅きに過ぎたとはいえ、ようやくにして朝鮮学習の新らしい黎明を迎えたと言える。

天理大学に朝鮮学科が設けられたのは、大正十四年、同大学の前身である天理外国語学校の創設と同時である。天理教真柱の中山正善氏によると、当時文部省は「朝鮮語は外国語ではない。かつて東京外国語大にも朝鮮語科が存在したが、日韓合併の後、同じ趣旨によって廃止した」との理由で同学科の設置を許可せず、「布教の為、暫定的に」との条件でようやく承認したという。それ以来四十年近く、天理教が、最も力を注いできたのがこの朝鮮学科である。「朝鮮学科をいつも第一に考えて来た」という真柱の意向が、今日の天理大・同研究所の朝鮮学科を築きあげたといつても過言ではないだろう。

その概況は次の通りである。

教授：二名　高橋亨　石原六三
助教授：一名　斎藤辰雄
講師：一名　青山秀夫
外人教授：二名　金思燁　安吉保
本科学生　毎年二十名　計約八十名

一年生の履修科目

朝鮮語講読　週六時間　青山・斎藤担当
　現代基礎朝鮮語
朝鮮語発音　週二時間　金・安担当
　朝鮮語基礎発音
朝鮮語会話　週二時間　安担当
　朝鮮語基礎会話
朝鮮史　集中講義　末松保和担当
　朝鮮史解説

二年以上では、朝鮮語文法・作文・文学・漢文等が加わる。例えば次の加きものである。

三年　朝鮮語学演習　金思　担当　現代作家短篇集

三〜四年　金思燁担当　趙潤済著「韓国詩歌史綱」詰文学会著「国文学概論」

三〜四年　朝鮮語史　河野六郎担当

三〜四年　朝鮮社会経済　善生永助　経済組織（資源人口、産業貿易、金融資本、国民生活）　社会構造（社会組織、教育文化、宗教信仰、民族思想）

四年　朝鮮語学演習　金思燁　金思燁校注「松江歌辞」

四年　朝鮮文学史　金思燁　金思燁著「改稿国文学史」

学生の質は入学時の成績からみると英語・スペイン語科等に比べると落ちるようであり、良く勉強するのが二、三割、全然駄目なのが二割位。残りが中間派との事である。

学生の朝鮮観については、政治意識が低く、南・北の支持の別も明確ではない。中立派でもなく、いわば無関心派とも呼ぶべきものなのだろうが、教授・教科書等が南中心なので、やはり南を主とみるようだ。在日朝鮮人については、同情的ではあるが、時には軽蔑の色を示すこともあり、在日朝鮮人と日本人間の問題を何等かの形で解決しようとする動きはみられない。日朝協会にはいつている者は、ほとんど無い。

将来、朝鮮の研究を押し進めようと意図するものは、極めて少なく、実用朝鮮語を身に付け、良き就職の条件を得ようとするのが大勢である。したがつて卒業後の進路も、外務省アジア局東北アジア課（現在同課には卒業生が五名）、法務省公安調査室（同じく十名〜十五名）、出入国管理庁（同じく十名位）等が主流であり、他に天理教関係の仕事に従事する者も多く、中学・高校の教員になるものもある。

朝鮮人学生は五、六名、女子学生は唯一名であり　しかも朝鮮人である。約八十名の学生中、日本人女子学生が一名も存在しないという事実は、日本女性の朝鮮観を示して興味深い。

専攻科は一年。毎日六時間の授業。内容は本科とほぼ同じもの。現在二十五名在籍し、うち二十名は警察庁から派遣された者で、残り五名は公安調査庁である。警察官は後述するように、一年間集中教育を受けた中から成績の優秀なものが派遣されており、公安調査庁側では独自の教育を行なつてはおらず、全くの初歩から始める為、両者間の落差が支障になるという。

他に、おやざと研究所があるが、研究中心であり、学習会はない。現在金思　博士（元慶北大学教授・現天理大学招聘教授・京大講師）の指導の下に輪読会が行なわれている。テキストは「杜詩諺解」（一四八一年）、参加者は金智勇、玄昌夏、青山秀夫、中村完等の各氏。（金智勇氏は南朝鮮清州大学と天理大学との交換留学生であり、天理大からは、おやざと研究所の大谷講師がソウル留学中、二年の予定である。十月に天理大で開かれた朝鮮学会でも、元文部大臣をはじめとする南朝鮮学者約十名が参加したが、南朝鮮とのこのような学術の交流は、注目されねばならない）

京都大学では、言語学・国語学研究室で、学習・研究が進められている。言語学教室では、泉井久之助教授の「言語学・研究」（大学院）で、日本語等隣接語との系統論的関係において、朝鮮語への論及・究明が多い。言語学科の授業として、金思燁師の朝鮮語初級・上級がある。どちらも週二時間。初級は南朝鮮の小学校教科書で聴講者は一名。上級では朝鮮古典の読解と和文朝訳が行なわれている。古典読解は現在「月印釈譜」（一四五九年）（巻一）をほぼ終り、ひき続き「杜詩諺解」（一四八一年）にはいる予定。和文朝訳は、松本清張の「眞贋の森」をテキストに翻訳を目的に押し進められている。聴講者は少ない。

国語学研究室では浜田敦助教授が「捷解新語」を指導、国語史上における朝鮮資料の研究に余念がない。聴講者は安田章氏等数名。

尚、同研究室では現在迄に「捷解新語」（一六七六年）「倭語類解」等を出版、来年「訓蒙字解」（一五二七年）を出す予定である。

大阪・東京両外国語大学では、来年度より朝鮮語学科新設の予定（大阪十五名、東京十名）であるが、これは先に述べた如く、古く東京外大にあつた朝鮮語学科が、日韓合併（一九一〇年）と共に、「朝鮮語は外国語ではない」として廃止されて以来のことである。大阪外大ではこの十月より朝鮮語講義が兼修外国語として開講された。講師は塚本勲。週一回二時間。「国語読本」（総連文化部編）を副読本として用いている。聴講者は二十七名。中国語科十三名、蒙古語科九名、ヨーロッパ系の学生は、ロシヤ語科二名、イスパニア一名。ロシヤ語の二名は朝鮮人である。ヨーロッパ系の学生が少ないこと、女子学生が居ないこと等が特徴的。学生の朝鮮（語学のみでなく）に対する関心は強い。

東京外語大では、講義は行なつていないとのことである。

東京教育大学では、河野六郎教授の言語学の時間に朝鮮語を講義している。今年度は前期に「Spoken Korean」(Holt)後期に「基礎朝鮮語」（宋枝学著）をテキストとしている。学生数は二十名位で、教育大の言語学・東洋史・日本史の学生が主であり週二時間。

早稲田大学では昨年より開講している。講師は朴正汶朝鮮大学教授。週一回。テキストは北朝鮮からの〝現実に関する読みもの例えば「回想記」等。学生は約二十名。政経学部の安藤彦太郎教授を中心に経済・歴史等の大学院以上が受講とのこと。

順天堂大学では、村山七郎教授を中心に、朝鮮人学生数名が集まり、学習会が持たれている。

東京大学では、二、三年前に言語学教室として開講したことがあるが、（河野六郎講師）現在はやっていない。

研究所では東洋文庫（国会図書館支部）で二、三ヵ月前から始めた。申完星講師。週二回、四時間。十数名が参加。テキストは南朝鮮の小学校教科書。

2

わが国において朝鮮語教育を、最も集中的に徹底して行なつているのは、警察庁である。全国各警察本部から推薦された四十名の警察官が、関東管区警察学校（東京都北多摩郡小平町小川新田）で合宿して鍛えられる。その内容をみると、単に朝鮮語界のみでなく、わが国の外国語教育界でも、一寸類をみない程に、強力なものである。

基礎過程（前期六ヵ月）……一一〇〇時間
　文法・訳読　一〇二〇時間
　朝鮮史　二〇時間
　朝鮮事情　四〇時間
　在日朝鮮人に関する諸問題　二〇時間
上級過程（後期六ヵ月）……三七〇時間

教員は多久安貞氏と日本に帰化した朝鮮人とである。教科書はプリントで独自のもの。

六ヵ月一一〇〇時間とは一週間に四四時間である。天理大で一〇数時間、他の大学がほとんど二時間であるのを考えると、一週四四時間がどれ程のものか理解できるだろう。これ程強力な外国語教育は、生活と結びつかない限り不可能なのである。（アメリカの陸軍が同様の短期・集中外国語教育を行なつたことがあったことは、日本の言語学者によつてしばしば伝えられたことである）

同過程を経た者のうち半数の二十名は、天理大で更に一年学び磨きをかけ、外事課等に配置される。

法務省関係では内部では教育せず、いきなり天理大の専科に送る。

外務省でも同様とのことである。

防衛庁・防衛大学校等で朝鮮語教育が実施されているかどうかは、明らかではない。

3

日朝協会では、東京・大阪・京都で行なわれていたが、大阪・京都では現在中止、東京のみである。東京の日朝学院では朴正遠講師を招き、生徒は約三十名。学生・会社員・労働者等各層の人よりなるという。京都では木元賢輔氏を中心にして、昨年発足した。講師は夫斗玉氏、塚本等。テキストは「朝鮮語会話練習帖」（金斗権・塚本共編）等であった。

その他、種々のグループによる学習は、相当数にのぼるようではあるが、その詳細は不明。京都でも考古学・日本史等の研究者が独自の学習会を持っているようである。

4

在日朝鮮人の朝鮮語教育は、総連系の朝鮮大学、小学校、民団系の韓国学校、中立系の建国高校等で行なっている。韓国学校・建国高校等が、朝鮮語に主力をおかず、日本の学校とあまり相違のない教育をしているのに反して、朝鮮学校の方では、徹頭徹尾〝朝鮮〟教育で貫いている。朝鮮語で授業を進め、日本語をしめだすので、見方によれば、数学や社会、外国語（露語又は英語）の時間も朝鮮語の勉強を兼ねているといえる。その実状については、興味深い事実も多いが、他の機会にゆずり、ここでは割愛する。ただ、大学・小学以外、つまり中・高校では、〝国語生活化〟――朝鮮語で話し考えること――が、あまり成功しているとはいえないようである。その原因の一端は、現在の〝国語〟教育の方法にあると思われる。その解決策については、私見もあるが、ここで簡単に述べるよりは、いずれ適当な機会に一言語学徒として、じっくりと論じてみたいと思う。

5

以上概観して来たように、わが国における朝鮮語教育は、他の外国語教育に比べて、極めて奇異な特色を持つ。まずその重要性に対して、あまりにも低調であること。そして最も力をそそいでいるのが警察庁であるということ。現在唯一の朝鮮語学科を有する天理大学にしても、その学生の志向は多く、法務・外務・警察等への有利な就職にあるという現実を、朝鮮の研究家も、朝鮮問題運動家も、今一度嚙みしめて味わってみなければならないのではないか。

朝鮮語学習の実態そのものが、現在日本の奇妙に歪められた〝朝鮮観〟を、如実に現わしているともいえよう。

参考文献

○ 金思燁：「日本学界の韓国学研究動静」（「現代文学」(hyondai munhag)」一九六一・十月号ソウル）

○ チョン・ヨンホ：「外国における朝鮮語研究」（「ことばと文字」(mar gwa gur)」一九六一・八月号 朝鮮民主主義人民共和国科学院）

（一九六一・一二・七　塚本　勲）

一九六一年十二月十五日発行
当面の朝鮮に関する資料
（第二集）
編集 藤島宇内
発行 (日本)朝鮮研究所
東京都文京区湯島四の一八
TEL (92)〇三六二

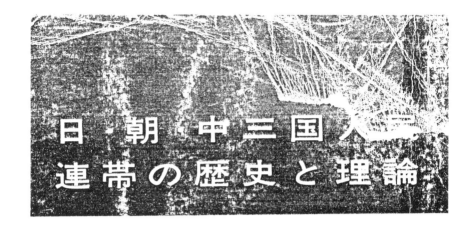

日・朝・中三国人民連帯の歴史と理論

安藤彦太郎・寺尾五郎・宮田節子・吉岡吉典

朝鮮研究所

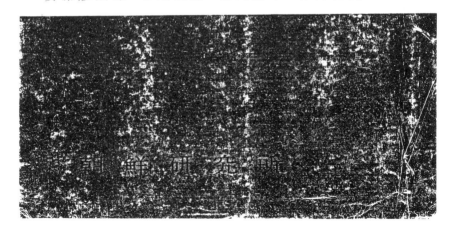

★日中国交回復３千万署名のために

★日韓会談粉砕のために

★日朝友好運動の前進のために

日・朝・中三国人民
連帯の歴史と理論

安藤彦太郎
寺尾五郎

宮田節子
吉岡吉典

日本朝鮮研究所

いま、日韓会談粉砕の運動と日中国交回復の運動とが、一つのものとして押しすすめられようとしています。この時にあたって、わが日本朝鮮研究所は、「日・朝・中三国人民連帯の歴史と理論」と題する一書をみなさんに贈ります。この本は、題名の示す通り、二つのことを明らかにしようとしています。一つは、従来あまり開拓されていなかった日朝友好運動の歴史的背景を少しでも明らかにしようとしています。もう一つは、これもあまり強調されることがなかった現在の日朝友好運動の果している意義と役割の一側面を明らかにしようとしています。

したがって、この書は日朝友好運動についての総括的な「歴史と理論」ではありません。ともすれば、見落されがちだった側面に照明を与えようとしているだけのものです。過去の日・朝関係からぬけ出るために必要な一つの問題提起にすぎません。

だが、この問題提起は、所内外の多くの人びとの意見と数十回にわたる討論の結果であり、この書の原型は、数々の実践の場で、半年間の試練をくぐりぬけてきたものでもあります。

その意味では現在の朝鮮研究はもとより日朝友好運動ならびに関連する諸運動に、なにがしかの寄与をなし得るものと確信をもって世に送ることができます。

みなさんが、実践や研究を通じて、活用されると共に、遠慮のない批判を寄せられることを心から期待します。

なお、本書は日本朝鮮研究所の幼方直吉、小沢有作、梶村秀樹、木元賢輔、楠原利治、渡部学各所員の協力によって完成いたしましたが、内容について、直接の責任を負うものは、表記四名の編集者であります。

日本朝鮮研究所

この本の使い方について

■ 上段

大きな五号活字で組まれている（主として上段）部分は、声を出して、周囲の人々に読んであげて下さい。

■ 下段

小さな八ポ活字で組まれている（主として下段）部分は、上段の註解です。上段に※印のある部分についての説明です。必ずしも上下段が照応してはいませんが、数字によって参照してください。

はじめに

一

みなさん方が、朝鮮のことや朝鮮人の話をされるとき、また日朝友好運動をすすめていかれるとき、しばしばぶつかる問題として、一般の関心の低さや偏見やらを痛感されていると思います。

日本の国民のなかに、朝鮮に対する無関心と偏見と蔑視は根づよくひろがっています。単にひろがっているだけでなく、それは日に日に新たに再生産されています。それを再生産するようなきっかけが、われわれの日常生活のなかにふんだんにあります。

なにもむずかしい政治理論をならべるまでもなく、たとえば、五月五日の端午の節句、あの男の子のお祭りの武者人形、熊を投げとばしている金太郎さんと、ヒゲをはやし剣をかざしている鍾馗（ショウキ）さまと、もう一つ、加藤清正の虎退治というのがある。子供が母親に「コレハ何ナノ」とたずねれば、お母さんは「昔、豊臣秀吉が朝鮮征伐をしたとき、加藤清正という人が朝鮮の虎を槍で退治したのヨ、坊やも大きくなったら、清正のように強くて立派な人になりましょうネ」と答える。こんなところにも、日本の朝鮮侵略を正当化するような材料がひそんでいるというわけです。

民主的な立場の人たちは、豊臣秀吉の「朝鮮征伐」が、壮挙でも国威発揚でもなく、理不尽な侵略であったことぐらいは知っている。しかし、その人たちでも、当時、朝鮮の民衆がいかに頑強に闘ったかということ、日本軍が、実はさんざんの敗北をなめたのだということについてはほとんど知っていない。また岡本越後守のように、三千人の兵隊をひきつれてまるごと降参し、そのまま朝鮮に残ってしまった大将の話などは全く知られていない。つまり、明治以降の日本の教育の内容に、批判する姿勢はあっても、それをのりこえるだけの新しい知識はないという状態です。

朝鮮についての無知識、認識不足は、単に国民一般だけではなく、民主陣営の中にも、いや、日朝友好運動そのものの中にさえある。二、三の例を申しあげてみましょう。ある時、日朝友好運動の活動家の集りで、朝鮮から来た郵便物の切手を互にわけあっている時、その切手に描かれている李舜臣《りしゅんしん》という人物について、「どういう人か知っているか?」と私がたずねましたら、十五、六人のうち一人も知らなかった。李舜臣というのは、さっき話したいわゆる秀吉の「朝鮮征伐」の時、朝鮮の海軍の大将で、日本の海軍をメチャメチャにやっつけ、朝鮮では軍神とされている人です。すべて戦争というものは相手があり、戦争の話には両将二つの名前が出てくるものである。乃木大将といえば「敵の将軍ステッセル」である。川中島の戦といえば武田信玄と上杉謙信である。加藤清正とならんで、李舜臣の名前ぐらいは、知っていてもよいではないか。しかもこの李舜臣というのは、ちょっとやそっとの人物ではないのです。面白い話がある。それは、日露戦争の時に東郷平八郎が日本海海戦で大勝利をして凱旋《がいせん》した。彼は元帥になった。そのお祝いの席上である人がおべっかをつかって「この度の大勝利は歴史に残る偉大なものだ。ちょうど、ナポレオンをトラファルガーの海戦で敗ったネルソン提督に匹敵すべきあなたは軍神である」といった。東郷はそれに答えて、「おほめにあずかって恐れいるが、私に言わせればネルソンというのはそれほどの人物ではない。真に軍神の名に値する提督があるとすれば、それは李舜臣ぐらいのものであろう。李舜臣に比べれば自分は下士官にも値しないものである」と言っています。今、日本で日朝友好をやっている指導的活動家が、李舜臣の名前さえ知らないというのでは、日本帝国主義を育てあげた東郷元帥の朝鮮認識よりも劣るという無見識なことになる。

もう一つの例。これも、日朝友好運動関係者の集りで、「現在、朴《ぼく》正熙《せいき》政権の苛酷な圧迫のもとで、しかもなお、南北統一や交流を南朝鮮で叫びつづけている人の名前を二三名でいいから言ってみて下さい」と問うたところ、一人も答えられませんでした。私としては、咸《かん》錫憲《しゃくけん》・徐《じょ》珉濠《みんごう》・宋《そう》錫化《しゃくか》等々を念頭に描いていたわけですが。あるいは、「重要なことは大衆の動向であって、一、二の人間の名前ではない」と言われるむきもあるかも知れません。しかし、今、大変な困難な中で南北交流を叫びつづけている南朝鮮の指導者の名前を一人や二人ぐらい知っていないということは情けない。そんな状態で「われわれは朝鮮の平和統一を支持する」などといっても、白々しさが残るというものです。

このように、国民一般の無関心だけでなく、日朝友好運動の中にすら、朝鮮に対する不勉強が見られます。一般的に言って、他の平和友好の諸団体に比べるなら、日朝友好運動の分野での学習熱が低いということは残念ながら事実のようです。一般の関心が低いのだから日朝はとりわけ勉強が必要なのに、学習機運が十分でない。これはいけません。日朝友好をやろうというからには、朝鮮について多少のことは知ってなけりゃはじまりません。友好とは、まず相手を理解することです。これは理屈以前の常識です。

わたしは何もむずかしい専門的なことを覚えろといっているのではありません。友好をする相手国の有名人の名前ぐらいは知っておけといっているだけです。アメリカの駐日大使のライシャワーが、日本語を自由にあやつり、円仁という日本のお坊さんの研究をやり「世界史における円仁」という部厚い本まで書いているという御時世に、友好をしようとする相手国の超一流の人物の名前さえ知らないというのでは、不勉強を通り越し、非常識でもあり、自分の仕事への不誠実というものでしょう。

二

ところで、なぜ、日本の国民の中に朝鮮に対する無関心と偏見と蔑視が根づよくひろまっているのかといえば、それが、戦前三六年間の日本帝国主義の朝鮮植民地支配の結果であり残りかすであるということについて、これはもうどなたも異論のないところでしょう。

しかし、ここに一つ、考えなければならない大きな問題があります。

それは、戦前の朝鮮植民地支配の時代に生きていた日本のおとなたちだけでなく、戦後、日本がすっかり植民地を失ってしまった時期に生まれ育った日本の「こどもたち」

の中にも、朝鮮に対する無関心と偏見と蔑視が根づよくひろまっているということです。朝鮮の支配・中国への侵略、そして「大東亜戦争」という軍国主義はなやかなりし時代に生きた戦前派の中に偏見・蔑視があるのはある意味で無理からぬといえるかも知れないが、戦後、いわゆる平和日本・民主日本とかいわれている時代に生まれ育った戦後世代の中にも朝鮮への偏見・蔑視があるのはなぜか？　現代、日本の高校生の、朝鮮高校生に対する暴行事件――いやむしろ連続殺傷事件ともいうべきもの――が頻発していますが、ここで見られる高校生心理の中には、明かに、日本人同士の喧嘩とは違った意識があります。つまり「朝鮮人のくせに生意気だ」とか、「朝公（アサコウ）の野郎らをやっつけちまえ」とか、相手が朝鮮人であるが故の憎悪・敵意という偏見・蔑視があります。この十代・二十代の戦後世代の朝鮮蔑視はどこから発生したものか？

ある人は「それは『おとな』の影響だ」といいます。もちろん、それもありましょう。しかし、戦後世代が、その他の面ではきわめて「おとな」の教育に反抗しているのに民族偏見の面でだけはなぜ「おとな」の影響をすぐ受けるのかということになります。「いまどきの若いもの」は、それこそ戦前派のいう礼儀も作法もしつけもはねとばし、あらゆる面で戦前の権威、戦前の風潮、戦前の秩序に反抗している。それなのに、民族偏見という点についてだけ戦前風潮をためらいなく受け入れ受けついでいるのはなぜか？　それは、明らかに、それを受け入れるような下地が戦後世代の方にあるということです。その下地とはなにか？　それについては後ほど申しあげますが、ここでは、次のことだけはっきりしておきたい。それは、帝国主義植民地支配の「体験」なしに、戦後世代にも民族偏見が発生しているということです。

またある人は「在日朝鮮人の生活にふれて、貧しい、犯罪が多い、まともな仕事をしていない等々の面を見て、経験上、朝鮮への偏見・蔑視が戦後世代にも発生するのだ」といいます。勿論それもありましょう。しかし、日本の若い世代の人々の大部分は、在日朝鮮人とぢかに接触した機会はないのです。日本に六〇万の朝鮮人がいる。だが、これは多いといえば多いが、一億の中の六〇万ということではすくないものです。現に、ある高校でやったアンケート調査によれば、「どの民族が一番嫌いか」というのに、八〇％が「朝鮮人が嫌い」と答えているのだが、その同じ調査で「朝鮮人を直接知っているか、会ったことがあるか、つきあったことがあるか」という問に対し、これまた八〇％が「会ったことも、つきあったこともない」と答えているのである。ここで、次のことがはっきりいえます。それは、在日朝鮮人の実態を見聞するという「経験」なしに、戦後世代に民族偏見が発生しているということです。

前の例といい、今の例といい、植民地支配の「体験」なしに、あるいは、朝鮮人との接触の「経験」なしに、偏見・蔑視が発生することがわかります。つまり、戦前世代といい、戦後世代といい、単純な日常的な経験や、単純な体験の実感などという単純なものからではなく、相当根深い歴史的根拠があり、日本の社会体制そのものの中に、戦前戦後を問わず、朝鮮に対する偏見・蔑視を絶えず産み出す要因がある、ということです。

ですから、われわれは、朝鮮の問題をあつかい、日本と朝鮮の関係をあつかい、朝鮮に対する日本人の気持をあつかおうとするなら、どうしても、一つには、過去の歴史、近代日朝関係史、日本の朝鮮侵略史にふれざるを得ないし、同時に、もう一つには、日本の現在の社会体制そのもののあり方についてもふれざるを得ないというわけです。

三

さてそこで、日本の過去の朝鮮に対する植民地支配の歴史をすこしたち入って考えてみる必要がでてきます。一九一〇年、明治四三年、いわゆる「日韓併合」以来の植民地政策は、戦後は日本の国内に影響はなくなったなどといえるものではなく、今なお深く日本の社会体制の中に根ざしているわけです。

一九一〇年――これは大変区切りのよい数字ですから覚えておいて下さい――この年から敗戦の一九四五年までの三六年間、日本は朝鮮を植民地として支配した。その間の植民地支配政策は、大づかみに四つの時期に分けられます。一九一〇年代と、二〇年代と、三〇年代とそして四〇年代の四つです。

一〇年代は憲兵による「武断政策」、そして朝鮮人からの「土地とりあげ」の時代。

二〇年代は特高による「文化政策」、そして朝鮮農民からの「米とりあげ」の時代。

三〇年代は「満洲事変」にともなう「工業化政策」、そして低賃金労働者として朝鮮人をこき使う「人とりあげ」の時代。

四〇年代は、太平洋戦争にともなう「兵站《へいたん》化政策」、そして、徴兵・徴用・強制連行・

監獄労働という「命とりあげ」の時代。
こんなふうに大ざっぱに言えるでしょう。
要するにその三六年間は圧制と搾取の歴史でした。その中で、朝鮮人がどんなに苦しんだか、したがって、日本に対し朝鮮人がどんなふうに思っているかを知ること、これが一つの問題点です。

次に、日本の朝鮮侵略の時期に、実は、日本の民衆もまた同時に帝国主義者によってさんざんに痛めつけられていたのだということを明らかにすることが問題点の第二です。

大正年代に例をとれば、関東大震災の時、六千名余という多くの朝鮮人がいわれもなく虐殺されたわけですが、その同じ黒い手が同じ時期に、当時の日本の革新陣営の指導者たち、大杉栄《おおすぎさかえ》や河合義虎や平沢計七などを虐殺した。(河合・平沢は亀戸事件)ここでいえることは、外《そと》に朝鮮人民衆の虐殺、内《うち》に日本人革新分子の虐殺です。この虐殺と弾圧を契機に、「治安維持令」が出、これが悪名高き「治安維持法」になっていくのです。明らかに、外に朝鮮人の虐殺、内に治安維持法です。

このでっちあげと大弾圧を契機に、そもそも「特高警察」なるものが創設されたのです。ここでいえることは、外《そと》に植民地支配、内《うち》に特高支配です。

戦前の昭和期でいえば、戦争の激化にともない、多くの朝鮮人をうむを言わせず強制連行してきて炭坑やダムで奴隷労働をやらせていたときは、日本人の方もまた徴用令のもとに商売をやめさせられゲートルを巻いて軍需工場に通わされていたときでもありました。ここでいえることは、外に強制連行、内に徴用令です。当時の商工大臣岸信介はその下手人の一人です。

戦後に例をとれば、朝鮮戦争で何百万という朝鮮人が殺されていたとき、日本の方もまた何万というレッドパージが行われ、松川事件・白鳥事件と次々にでっちあげが行なわれ、次々と死刑が宣告されていた時でもありました。ここでいえることは、外に侵略、内にレッドパージであり、外に戦争、内に死刑です。

ちょっと拾いあげてもこのように、互に相呼応する事件が歴史的に見られます。朝鮮人がいためつけられている時は、同時に、日本の民衆もまたひどい目に合わされている時だといえます。受難の歴史は朝鮮と日本との双方に同じであり、人民はいつでもいっしょに帝国主義からいじめられてきたのだということを明かにする必要があります。

しかし、第三に、重要な問題点は、にもかかわらず日本の民衆は支配者の意識に感染していってしまうということです。帝国主義本国の民衆と植民地の民衆とは、全く同じ民衆ではない。支配本国の民衆は、やはり植民地の犠牲の上に生きているのであり、知らず知らずのうちに本国気どりになり、大国意識にはまっていく。いつの間にか支配本国の民衆と植民地の民衆との間に反目反感がかもし出されていく。そのことによって、支配本国の民衆は自分自身の立場の正当な政治的自覚をくもらされ、自分自身の解放の正確な政治路線から踏みはずれ、支配者の意識に汚染されていくという実情を、歴史的にえぐり出しておく必要がある。

だが、第四に、その中でも、すぐれた人々は決して支配者の意識に汚染せず、常に双方の民衆の友情と団結と解放のために闘ったのだという事実も同時に明らかにしておく必要があるでしょう。日本は、朝鮮を足がかりに、中国に侵略した。さらに後には、太平洋戦争で東南アジアから太洋洲にまで侵略したが、なんといっても、朝鮮と中国に最大の被害を与えた。それに対し、中国人民、朝鮮人民はまことに英雄的に抵抗し、反撃し、闘いつづけた。その闘う中国人民や朝鮮人民といっしょになって日本帝国主義と闘った日本人がいたのだということを明らかにしておく必要がある。

つまり、日・朝・中三国人民の帝国主義に対する共同の闘いの歴史を明らかにすること、これが第四の問題点です。

最後に五番目の問題点として、これらを通じ、植民地主義というもの、帝国主義というものの本質・実態をよく知るということである。そのことによって、現在の日本の実情もまた大いに明かになるだろうと思われます。

四

去年の夏、わが朝鮮研究所訪朝代表団が朝鮮を訪問したときの経験を紹介しましょう。

平壌のホテルの三階のある部屋で、私たちは、朝鮮のある高官――日本流に言えば外務次官級の人と思ってまちがいない――と向い合って話しをしていました。その時に大勢の朝鮮の少年少女たちが窓の外の大通りを合唱しながら通りすぎていきました。歌声が窓から部屋の中に流れこんでくる。われわれはふと話しをやめてなんとなく聞きいる。歌声が次第に遠ざかって行く。そして消える。すると、われわれと話し合っていた高官は、今までの話題とは別個に、低い声で次のような話しをはじめました。

「私は、今のような少年少女の歌を聞いているだけで胸がいっぱいになるような気がします。あの子たちは、ああして小さい時から朝鮮の歌を朝鮮語で歌っている。しかし、私があの年頃だった時には、朝鮮語の歌など一つも知りませんでした。その当時、日本の支配下で、朝鮮の歌はおろか、朝鮮語さえ教えてもらえませんでした。学校で朝鮮語をうっかり使えば五銭の罰金でした。そして学校では、くる日もくる日も、『神武《じんむ》綏靖《すいせい》・安寧・イトク・コーショー・コーアン・コーレイ・コーゲン・カイカ・スージン』と日本の歴代天皇の名を暗誦させられていました。そんな時代だったのですから朝鮮の歌など歌ったことすらありません。しかし、子供の時というものは歌の好きなものです。私も好きでした。しょっちゅう歌っていました。もちろんみんな日本語の歌です。その中でも私が一番好きだった歌は、『兎、追いし、あの山、小鮒つりしあの川……』という、あれは唱歌というのですか、童謡というのですか、あれが一番好きでした。だけれども、その日本の歌を日本語で歌っている時でも、幼な心にまぶたに思い浮べるのは、朝鮮の山であり、朝鮮の川であったのです。自分の国の山や川をまぶたに描きながらも、日本語の歌を歌うよりほかに仕方のない植民地の少年の悲しい思いが日本のみなさんがたにおわかりでしょうか？」

と、こう言われました。さらに、その高官は言葉をついで、

「そう、そう、こんなことも今思い出しましたよ。私が青年にのび育ってゆく年の頃

のことです。私が非常に好きだった格言のようなものがあります。それは後醍醐《こだいご》天皇と児島《こじま》高徳《たかのり》という物語の中にあった言葉です。後醍醐天皇が足利《あしかが》なんとかにいじめられて逃げ廻っていた時に児島が天皇を励まそうとし夜半ひそかに桜の幹を削って書きつけますね。『天勾践《こうせん》ヲ空《むな》シウスル莫《なか》レ、時ニ范蠡《はんれい》ナキニシモ非ズ』ですね。私はこの言葉が好きでした。さびしい時、つらい時、私はいつもこの言葉を口ずさみました。しかし、この言葉を口ずさんでいる時でも、自分が心の中で考えていたことは、やはり朝鮮の独立のことでした。今、朝鮮は日本によってほろぼされているが、そして朝鮮の独立のために闘う范蠡のような忠臣はどこにも見当らないけれど、しかしきっとどこかにいるにちがいない。自分のような者でさえ、こんなに考えているのだから、時がくればきっとあらわれるのであろう、天勾践ヲ空シウスル莫レ、時ニ范蠡ナキニシモ非ズ。そうつぶやきつぶやき、私は少年から青年になっていったのです。自分の国の独立のことを考える場合に、その独立をうばった国の物語りでわれとわが身を励まさなければならぬ植民地の青年のつらい気持が、日本のみなさん、わかっていただけるでしょうか？」

と、こうも話されました。

　この話は、日本のすべての人に知ってもらいたい話です。すくなくとも、日朝友好運動をやっているすべての人に知ってもらいたい話です。

　この話を日本人が聞いて、「そうか、朝鮮人にずいぶん気の毒なことをしちゃったんだナ」では済まされないと思う。なぜなら、ひるがえって日本の現状をみてごらんなさい。

かつて日本が朝鮮にやったように、露骨に無理矢理に、乱暴にではないけれども、もっと巧妙に、いつの間にか、日本もまた日本語をうばわれ、汚され、民族文化を骨ぬきにされてはいないだろうか？　新聞のテレビ番組の所をみてごらんなさい。半分はカタカナじゃないですか？　日本の子どもの歌っている歌、半分はアチラさんのものじゃないですか？　われわれの使っている言葉、商品の名前、半分はわけのわからぬアチャラカ英語じゃないですか？

「ワイフか？　ワイフはさっきまでステレオでムードミュージックを聞いてたが、今、ビューテイサロンでセットして、それから、デイスカウントコーナーへレジャーウエアを買いに行った」

なんじゃや、こりゃ。この状態を半植民地と言わないで何を半植民地というか？

このように、朝鮮について深く理解することが、日本について深く理解をすることにもなると思われます。

第一講　日本の朝鮮侵略史

一

日本の近代朝鮮侵略史についてお話ししましょう。

日本でいえば幕末のころ、日本も朝鮮も中国も、封建のふかい眠りにいました。欧米の列強帝国主義が東洋にのりこんできたとき、日本・朝鮮・中国は、おなじように植民地化の危機にあり、おなじ運命にあったのです。だがそのなかで、日本だけは、まもなく大いそぎで欧米のあとを追いかけ、アジアから離れ、逆に欧米のまねをし

1李完用

日韓会談の立役者朴正熙が「私は第二の李完用になる事もあえて辞さない」と発言したことから李完用の名は私達の耳に親しいものになった。李完用は一八六八年京畿道に生まれた。一八八七年駐米公使となり、帰国後は親米派として政界に登場した。しかし日清戦争後、朝鮮においてロシアの勢力が優勢になると親露派に転向し一八九六年ロシア公使ウェーベルと結んで、朝鮮国王高宗をロシア公使館に移し、親日派の金宏集内閣を倒し、親日派と鋭く対立した。しかし日露戦争が日本側に有利に展開すると、三度転じて親日派となり、以後その中心人物として活躍する。一九〇五年に朝鮮外交権をうばった第二次「日韓協約」の時にも率先して条約に賛成した。この亡国的条約に調印した五人の大臣を「乙巳五賊」というが、その一人として、朝鮮人民の怒りを買いその家宅は放火された。一九〇七年、国王としての地位の喪失を憂えた高宗が、ヘーグで開催中の万国平和会議に三人の密使を送り朝鮮の独立をアッピールしようとした（ヘーグ密使事件）。この事件を口実に高宗は帝位を日本に奪われた。この時も李完用は日本のために積極的に協力した。この事件に憤激した人民は李完用の家をやきはらった。身の危険を感じた李は日本に保護を求めて来た。統

てアジア侵略をやりだし、帝国主義国になっていきました。

　明治初年の「征韓論」は、そういう侵略政策の手はじめみたいなものでした。明治の藩閥政府は、自分にたいする民間の不平不満をそらすために、さかんに海外進出をあおり、まずそのホコ先を朝鮮にむけたのです。一八七五年、日本の軍艦雲揚号《うんようごう》が、朝鮮の江華島《こうかとう》付近で砲撃されたというのを口実に、朝鮮「征伐」を大々的に宣伝し、翌年には軍艦などでおどかして、朝鮮を開国させ、不平等条約をおしつけました。いわゆる江華島条約です。これは、アメリカが日本にたいしてやったのとおなじことを日本が朝鮮におしつけたものでした。

　このあと日本は積極的に進出して、朝鮮の内政に干渉し、宮廷の派閥争いを露骨に利用したりしました。しまいには、日本公使の三浦梧楼が直接に指揮をして、日本の

監（第二次日韓協約によって日本は朝鮮に朝鮮統監府をおき、伊藤博文はみずから初代統監になった）伊藤はこの好機をとらえて、同年七月には内政の権限まで剝奪した「日韓新協約」を強制した。その後も李は内閣総理大臣として、日本の併合政策に協力、一九〇九年には李在明に襲撃されたが、一命はとりとめた。そしてついに一九一〇年「日韓併合条約」を自らの手で調印、朝鮮を日本に売り渡した。併合後はその「功」によって、日本から伯爵をおくられ、のちに侯爵となった。また朝鮮総督府の中枢院副議長顧問となって、日本の植民地政策に協力。

2 幸徳事件
　一九〇八年、幸徳秋水をはじめ当時の社会主義者が、明治天皇暗殺を計画した、とデッチあげて、二六名を起訴、いわゆる大逆事件と称した。そして非公開で裁判をすすめ、一九一〇年、一二名を死刑に処した。当時の第二次桂内閣は、この事件を社会運動弾圧に、存分に利用した。この事件の無実は、いまあきらかになりつつある。（明治四四年一月一八日判決。一月二四日死刑執行。死刑一二名。無期一二名。一一年一名。八年一名。）

3「日韓併合」条約
　一九一〇年五月陸軍大臣寺内正毅は「日韓併合」の使命をおびて、第三代統監に就任した。彼は六月には警察

兵士とゴロツキ数百名で王宮にふみこみ日本が気にくわなかった閔妃《びんき》をはじめ大臣などを虐殺し、その死体に石油をかけて焼きはらうようなことまでしました。一八九五年のことです。これはさすがに当時の世界の世論から非難され、日本政府は、閔妃事件の下手人のうち、三浦公使以下四〇人ほどを広島の監獄に入れましたが、そのうちウヤムヤにしてしまいました。

この事件の前年、東学党という一種の宗教組織を中心とした農民の蜂起が、全朝鮮をゆるがしました。そのスローガンのなかには日本の侵略に反対する目標もかかげてありましたが、日本はこれを日本軍出兵の口実に使おうとして、東学党のなかに浪人をおくりこんだりしました。これにつづいて、清国と日本とは朝鮮での主導権をあらそい、いわゆる日清戦争がおこります。

日清戦争で日本は中国の一部である台湾

権委任にかんする覚書を強制し、ここに朝鮮の司法・警察の権利は完全に日本の手に移った。と同時に日本憲兵二千余名と朝鮮人憲兵補助四千余名を増員した。また数十隻の軍艦を朝鮮近海に往来させ、ものものしい威嚇陣をしいた。かくして、八月寺内は総理大臣李完用に併合条約の原文を示し調印を要求した。八月二二日、各大臣・元老からなる特別御前会議が開かれ併合条約案は、電光石火の如く可決された。その条約の内容。

「日本国皇帝陛下及韓国皇帝陛下は、両国の特殊にして親密なる関係を願ひ、相互の幸福を増進し、東洋の平和を永久に確保せむことを欲し、此の目的を達せむが為には、韓国を日本帝国に併合するに如かざることを確信し、略左の諸条を協定せり。

第一条、韓国皇帝陛下は、韓国全部に関する一切の統治権を完全且永久に日本国皇帝陛下に譲与す。

第三条、日本国皇帝陛下は、韓国皇帝陛下、皇太子殿下、並に其の皇妃及後裔をして、各其の地位に応じ、相当なる尊称威厳及名誉を享有せしめ、且之を保持するに十分なる歳費を供給すべきことを約す。

第五条、日本国皇帝陛下は勲功ある韓人に対して、特に表彰を為すを適当なりと認めたる者に対し、栄爵を授け、且恩金を与ふべし。（以下略す）」朝鮮人民の反対を分どり、ここに植民地支配をおこないます。この台湾統治は、日本が完全な帝国主義国になるための練習台みたいなものでした。日清戦争後、日本は中国にたいする侮蔑を国民に宣伝し、中国の東北地方、つまり「満州」へ進出しようと策謀します。ここで、朝鮮から帝政ロシアをおいはらい、さらに満州を独占しようとして、日露戦争ということになりました。

一九〇五年のこの日露戦争は、日本帝国主義の勝利におわりました。この年、さっそく日本は朝鮮に「乙巳保護条約」というのをおしつけ、朝鮮を日本の保護国にしてしまいました。このとき伊藤博文は全権代表としてでかけ、日本軍司令官の長谷川好道や公使の林権助らとともに、兵士をひきつれて宮廷にのりこみ、李完用《りかんよう》*1をはじめ「乙巳五賊」といわれる朝鮮がわの高官を抱きこんで、条約を強制したのです。その

与論を恐れた日本は、このような重大なる事項を朝鮮人に一切秘密にすると同時に、新聞を全部停刊させ愛国団体を解散させ、数千名の民族主義者、愛国者を検挙・投獄したのち八月二十九日に公布した。

4 朝鮮総督府

イギリスのインド総督府に模してたてられたという大理石四階建の朝鮮総督府庁舎は、景福宮(旧朝鮮王宮)とソウルの市街をみおろす位置にあり、日本帝国主義の朝鮮支配の象徴であった。「併合」直後の一九一〇年九月三〇日に公布された「朝鮮総督府官制」によって、朝鮮総督は(1)陸海軍大将をもってこれにあて、(2)天皇に直隷し、(3)委任の範囲内で陸海軍を統率し、(4)諸般の政務を統轄し、(5)朝鮮総督府令を発してこれに一年以下の懲役、二〇〇円以下の罰金を付することができ、(6)緊急を要する場合にはただちに独断で「制令」を発することができるとされた。つまり朝鮮総督は日本の憲法や議会にさえ拘束されず天皇だけに直属し、(この点は台湾など他の植民地のばあいとちがう)立法・行政・司法・軍事などの一切の権力を掌握した専制支配者であった。(1)の陸海軍大将任命の条項は一九一九年に形式上廃止されたが、実際には、初代寺内正毅(一九一〇～一六)以下、長谷川好道(一九一六～一九)斎藤実(一九一九～二七、二九

結果、朝鮮に統監府をおき、伊藤博文が統監になりました。

こうして、強引《ごういん》に、日本は外ぼりをうめ、内ぼりをうめ、ついに一九一〇年、朝鮮を併合※3 してしまったのです。内《うち》に幸徳秋水事件※2 をデッチあげた日本帝国主義は、外《そと》に朝鮮を国ごと奪ってしまったわけです。

日本は朝鮮総督府※4 を設け、天皇に直属し、本国の内閣からも制約されない絶大な権限をもった陸海軍大将から選ばれる総督が全朝鮮を支配することにしました。初代総督は陸軍大臣寺内正毅でした。この寺内総督のもとに行なわれた政治が、「武断政策」と呼ばれる憲兵政治です。

朝鮮全土に網の目のように細かくはりめぐらされた憲兵機構、この文字通りアリのはいでる隙《すき》もないような弾圧組織によってちょっとでも日本に刃《は》向うような朝鮮人

〜三一）山梨半造（一九二七〜二九）宇垣一成（一九三一〜三六）南次郎（一九三六〜四二）小磯国昭（一九四二〜四四）阿部信行（一九四四〜四五）と、歴代総督は最後まで現役の陸海軍大将によってうけつがれており、しかもそのうち寺内、斎藤、宇垣、小磯と四人までが退任後組閣の命をうけている。（宇垣内閣は流産）。これによって日本帝国主義がいかに朝鮮支配を重視したかが分る。

総督府の重要なポストは完全に日本人で占められ、ごく一部の下級の職に朝鮮人が採用されただけだった。「官尊民卑」の風は当時日本でも強かったが、朝鮮では日本人官吏はいっそうひどくいばりちらし、ことごとに日本人と朝鮮人を差別して扱った。「政務総監は総理大臣のようなもの、そして総督は天皇のようなもの」といわれ総督の「地方視察」は大名行列以上の大げささであった。総督の通ったあと道路が良くなるくらいは普通で、時には地方官吏が民衆をかりだして、風に折れた麦の穂をいちいちひもでゆわえてたてさせるようなことまでした。それをながめて総督は「治政の成果」があがっているのに安心するという寸法であった。

5 笞（むち）の刑

その年（一九一二年＝明治四五年）の三月三〇日、「総督

は、うむをいわさずひっとらえるというやりかたです。

当時笞(ムチ)※5 の刑というものさえあった。それは、日本に反抗するような不逞《てい》朝鮮人は、青竹で叩き殺してよいということであり、水に浸した革の笞で、死ぬまでひっぱたけということである。

また当時は、憲兵※6 や警察官のみならず、司法行政官はもとより、小学校の日本人教員にいたるまで、腰にサーベルをぶら下げました。文官帯剣制といっています。小学校のまだ八つか九つのいたいけな子どもに対し、先生が教壇の上からサーベルをガチャつかせて、威嚇《いかく》し、ふるえ上らせてしまうというやりかたです。

「民事令」「刑事令」「治安令」などの抑圧法令が次々と出され、一切の政治結社・社会団体・学会※7 の結成を厳禁し、朝鮮人の屋外集会を禁止しました。

府訓令第四一号」というもので、朝鮮全土の警察にあてて寺内が「笞刑執行心得」というものを出している。

「第一条、笞刑は受刑者の両手を左右に披伸し、刑盤上に莚を敷きて伏臥せしめ、両腕関節および両脚に窄帯を施し、袴を脱し臀部を露出せしめて執行するものとす。

第一二条　執行中受刑者号泣する虞あるときは、湿潤したる布片を之に噛ましむることを得。」

これを日本の警察が全朝鮮にわたって実行したことを、各条ごとに、読者が自分で両腕をのばして、両脚をしばって、ズボンを臀の下まで脱いで、うつ向けになって、口にぬれぞうきんをくわえて、想像力をはたらかして考えてみる。ついでに笞は朝鮮人だけが受けたことも考えてみる。(中野重治「朝鮮のムチ」アカハタ一九五八年四月二日号『忘れぬうちに』筑摩書房版六二頁所収)

6 憲　兵

日本の旧陸軍には歩・騎・砲・工・輜重などの各兵科があり、憲兵はその筆頭の兵科。真黒いエリ章をつけていた(歩兵は赤、砲兵は黄)。軍事警察官たるこの憲兵の黒いエリ章は、たんに兵士ばかりでなく、一般人民をも恐れさせ、「泣く子もだま」らせた。なお、一九〇六年、日本はこの制度をまだ併合以前の朝鮮にもちこみ、統監府のもとに、いわゆる憲兵政治をしいた。

従来あった政党・団体もことごとく解散させ、「日韓併合」のために一生懸命になって働いた親日団体である一進会※8すらも、御用済みにつきお払い箱と解散させてしまいました。つまり、朝鮮人の自主的な政治・社会・文化活動を全部禁圧したわけです。

また従来あった朝鮮人の新聞十種はことごとく停刊※9です。そして、日本の御用新聞ともいうべき「京城日報」(日本語)、「ソウル・プレス」(英語)「毎日申報」(朝鮮語)が創刊され、他の朝鮮文字の新聞発行を禁止しました。

また、第一次「教育令」※10により、「教育ニ関スル勅語」をもって「朝鮮教育ノ本義」とするとしました。

また、朝鮮の支配階級を買収し、まるめこみ、すっかり手なずけもしました。国王と王族には年一五〇万円の金をやり、日本

7 愛国啓蒙運動

一九世紀末から二〇世紀初にかけて、日本の侵略が露骨になって行く中で、それに抵抗し自主独立・愛国をスローガンとする啓蒙団体が続々と出現した。一九〇五年に憲政研究会が設置されて民権伸張が叫ばれ、その翌年張支淵等の大韓自強会がつくられたが弾圧をうけて翌年大韓協会へと再出発し、大韓民報を発刊して愛国思想を鼓舞した。一九〇六年には安昌浩等の西友学会、李東輝等の漢北興学会が組織され、一九〇八年には両者が統一して西北学会として教育振興、愛国運動を展開した。また教育の拡張と産業の発展が独立の基であるとして、愛国教育を行う私立学校の設立を急速にすすめ、ここで多くの愛国者が養成された。また各種の新聞・雑誌が発刊された。その代表的なものとしては、梁起鐸がイギリス人ベッセル等と共同してだした大韓毎日申報、アメリカ人ハルバートの主幹したコリアンレヴューがある。雑誌には自強会月報、西友、少年韓半島等があり、啓蒙運動の一翼をになった。また各種の出版物、たとえば、大韓歴史、大韓地誌、李舜臣伝等が刊行され、民族意識と愛国心の高揚に大きな役割をはたした。特に注目すべきことは周時経等の国文学者が朝鮮語の文法体系の確立に力を注いだ事である。また李人植、李海朝等によって近代小説

の皇族の一員とし、「日韓併合」に尽力をした朝鮮人、つまり李完用その他の、朝鮮の側からみればもっともひどい売国奴たち、かれらを六名侯爵にし、三名を伯爵にし、四五名を男爵にしました。またその子分である三六四五名の親日官吏に六七九万円の恩賜金をくれてやりました。

　この時期の経済政策の重点は、「土地調査事業」※11なるものにもとづく、朝鮮人からの土地とりあげです。

　元来、その当時の朝鮮では、近代的な土地所有関係がまだありませんでした。土地の支配者はいるけれども、その土地がどの個人の所有かは、はっきりしない状態であり、その単位さえまちまちといったありさまでした。そこへのりこんでいった日本人は、きちんとした近代的な土地制度を確立する必要があると称して、大々的な土地調査をやり、字の読めない朝鮮人をごま化し

が書かれ、愛国啓蒙運動に貢献した。

8 一進会

日本のあとおしにより、李容九・宋秉畯等を中心として李朝末期にできた親日団体。特に日韓併合の時、日本に先んじて合邦声明書を発表して、日本が朝鮮を併合するためのパイロット的役割をはたした。一九〇九年十月、初代統監であった伊藤博文が、ハルピン駅頭で朝鮮人安重根の手によって暗殺された。そのしらせが朝鮮に伝わると、朝鮮人民は伊藤の死を拍手をもって迎え、くすぶっていた民族抵抗運動は再び火をふく。このような情勢の中で、このしらせを受け取った一進会会長李容九は「直ちに自邸で幹部の密議を開き…(略)…この機に及んでは日韓合邦を企図するようにはかった」。伊藤の死を、日本側ですら暗示するのみで公然とはいい得なかった「日韓併合」に結びつけて、このように機敏に行動を開始したのである。日本の意とするところをつかみ、しかも一歩先んじていた。一進会はその年の十二月四日に「声明書」を発表し、同時に韓国皇帝、総理大臣、統監への建白書を出した。

　この一進会の声明書は朝鮮人民の怒りのまととなった。朝鮮総督府の資料でさえ「一進会の提唱する日韓合邦問題に反対する声は非常にさかんで同会はほとんど孤

たり、期限までに申告しなかったからとて没収したり、さまざまな名目で朝鮮人の土地をとりあげ、日本人や日本の会社のものにしてしまいました。

東洋拓殖株式会社[*13]のごときは、一九一〇年から二〇年にかけて、社有地を一〇倍にふやしています。

このようにして、土地を失った朝鮮人の流浪・流亡の生活がはじまるのです。北は満州からシベリヤへ、南は、日本からハワイ・アメリカにいたるまで、かれらは流れ出していくわけです。

おくれた封建的な朝鮮の社会に、このような弾圧と搾取の政策は、当然、朝鮮人の反逆を呼びおこします。一〇年間の苛酷な憲兵政治・武断政策に対し、一九一九年三月一日、いわゆる「万才《ばんざい》事件」と呼ばれる朝鮮人の一大独立闘争がはじまります。多くの朝鮮人が町の大通りや広場に流れ出

立の状態に置れた」と述べている。日本を後だてとする一進会は再度建白書を出したが、そのような行為は朝鮮人の反日感情をますます激化させるのみだった。そしてついに日本側は「その筋の内意によって、一進会長李容九を招致して一般の集会・演説及び宣言書類の頒布」を禁じざるを得ないほど朝鮮人からにくまれた。これほど日本の御用をつとめたにもかかわらず、一九一〇年「日韓併合」が実現すると、その役割を終えて解散させられた。

9言論弾圧

その当時の日本の言論弾圧が、いかに気狂いじみたものであったかについては、明治四十三年八月七日付、「朝鮮新聞」の次の一節が何よりも雄弁に物語っていると思う。「朝鮮日報や日韓通信や雑誌朝鮮や又釜山二新聞の発行停止につづいて朝鮮日日も昨日発行停止を命ぜられた。朝鮮日日の今度の発行停止は雑誌朝鮮の発行停止広告をのせたためで、其の広告に治安防害な記事があったからだそうな。」

10第一次教育令

明治四四年八月勅令第二二九号を以て公布の「朝鮮教育令」のこと。その綱領は、①朝鮮における朝鮮人の教育は本令による、②教育は教育に関する勅語の趣旨に基き忠良なる国民を育成することを本義とす、③教育は時

し、口々に「朝鮮独立万才」を絶叫しながらねり歩く、今でいう、スローガンのシュプレヒコールとデモだ。それに対し日本の憲兵が発砲する。流血の乱闘。さらにたかまる反日熱・独立熱。こうして、三月四月の二カ月間だけで六〇万人の朝鮮人が動員されるという民族的抗争がくりひろげられました。これが「三・一運動」と呼ばれるものです。

二

「三・一運動＝万才事件」という朝鮮民族の猛反撃に会って、日本帝国主義は政策を転換します。

時のお勅語、「朝鮮総督府官制改革の詔書」におもおもしくいわく。

「朕夙《ちんつと》ニ朝鮮ノ康寧ヲ以テ念ト為シ其ノ民衆ヲ愛撫スルコト一視同仁朕カ臣民トシ

勢および民度に適合せしむることを期すべし、④教育はこれを大別して普通教育、実業教育、および専門教育とす、⑤普通教育は普通の知識技能を授け特に国民たるの性格を涵養し国語を普及することを目的とす、など計七カ条として示されていた。普通教育を行なう学校は普通学校（八歳入学、四カ年制）、高等普通学校（四年制）女子高等普通学校（三年制）であった。上記二の教育に関する勅語の趣旨に基いて忠良な国民を育成するというのが「同化教育」つまり朝鮮人でなくする教育を示し、「それが日本人と同じに教育する」という「一視同仁」の精神であった。③の時勢民度への適合ということは、イ、朝鮮の遅滞は決定的で。ロ、とうていみずから回復することはできず。ハ、日本の手により漸進的段階的にすすめるほかはないという考え方を表わしたものであった。ここから、日本語を中心とする低度な下級職業的教育つまり朝鮮民族としての言語と歴史をそう失した従順な下級低賃金労働力をもつ人間という奇妙な人間製造が始められた。

朝鮮教育令の大きな改正はその後大正一一年二月（第二次）、昭和一三年三月（第三次）、昭和一六年三月（第四次）の三度行なわれ、第二次教育令は三・一運動に示された不満にこたえると称して普通学校その他の修業テ秋毫ノ差異アルコトナク各其《おのおの》ノ所ヲ得其ノ生ニ聊《やすん》ジ斉《ひと》シク休明ノ沢ヲ享《う》ケシメムコトヲ期セリ。今ヤ世局ノ進運ニ従ヒ総督府官制改革ノ必要ヲ認メ此《ここ》ニ之ヲ施行ス…」と。この馬鹿たらしい勅語をうけて新総督斉藤実の「施政方針訓示」にいわく。

「…憲兵ニ依ル警察制度ニ代フルニ普通警察官ニ依ル警察制度ヲ以テシ尚服制ニ改正ヲ為シ一般官吏教員等ノ制服帯剣ヲ廃止シ朝鮮人ノ任用待遇等ニ考慮ヲ加ヘムトス要之《これをようするに》文化ノ発達ト民力ノ充実トニ応ジ政治上、社会上ノ待遇ニ於テモ内地人ト同一ノ取扱ヲ為スヘキ窮極ノ目的ヲ達セムコトヲ庶幾スルモノニ外ナラス」

というわけです。今まですこしいためすぎたから、今度はすこし息ぬきをさせて手なずけるというわけです。どのような政策転換かといえば、「武断政策」をやめて、「文化政策」に移るというのです。ではど

年限などを日本の相当学校と同じにし、第三次教育令では初等学校を「小学校」と改称して名称を日本と同じにし、第四次教育令で日本の「国民学校」制度を実施した。このいずれの改正も日本人と同じにしてやるという「一視同仁」の道義的優位性をおしつけながら進められたが、それは要するに「朝鮮人でなくする」、「朝鮮半島上の半日本人をつくる」ことを一貫的に目指していた。

11土地調査事業

日韓併合後、日本のための朝鮮統治のもっとも重要な基礎となったのは、併合直前の一九一〇年三月から一九一八年一〇月までじつに九年の歳月と当時の金で二千万円の巨費を投じておこなわれた「土地調査事業」であった。朝鮮の農民はこれを「土地取り上げ調査」と呼んだという。この調査の直接の目的は日本の植民地支配の経費を朝鮮の地税から捻出しようとしたものである。当時朝鮮には近代的な意味での土地所有権は確立していなかった。広大な土地が、王室・宮房・書院・両班などに属していたが、その管理はよく行なわれず、舎音とか導掌とかいう差配人にまかせきりであり、しかもその差配は何段にも重って中間で搾取し、収租の主体も明確ではなかった。一方土地の耕作者は奴婢あるいは無権利な農

のような「文化性」かといえば、それは憲兵のかわりに特高[※12]があらわれるという程度の「文化性」です。こうして二〇年代の特高警察政治に入ります。

前の時期と異る点は、文官帯剣制の廃止、つまり近代的な制度をもちこんだのは、日本の功績だなどという人もあります。ライシャワーなどは、この理論の急先鋒で、日本の近代化過程こそアジア諸国の模範などといっています。馬鹿も休み休み言えというのはこういうことであって、いつでもいかなる国においても、近代化を、誰が、誰のためにやったかということをこそ見なければならないのです。朝鮮におけるこの時期のいわゆる「近代化」などは、日本帝国主義が、日本帝国主義のためにやったのであって、朝鮮ならびに朝鮮人にとっては、窮乏と収奪と流浪をもたらしただけのことです。それは、朝鮮の農村を破壊

民が多かった。また同族や村落の共有地も多く、そのばあいその土地がだれのものかあいまいであった。このような社会に日本は一挙に近代的土地所有を確立しようとしたのである。――しかも徹頭徹尾日本につごうのよいやり方で――日本は「朝鮮総督ノ定ムル期限内ニソノ住所氏名又ハ所有地ノ名称及所在・地目・地番号・目標・等級・地積・結数ヲ臨時土地調査局長ニ申告スベシ」という、いわゆる「申告主義」にもとづいてこの調査を行なった。そして期限内に申告しないものの土地はすべて「日本の国有地」にしてしまった。また一族一村の共有地はその中の有力者が、かってに自分のものとして申告してしまった。農民が代々耕作していた王家や宮房の土地も国有になった。こうして一部の地主は大土地所有者となり、大多数の農民は小作農に転落した。土地調査の期間に、地主は一・八％から三・四％に増加し、これに対応して小作農も三五・一％から三七・三％に増加している。そして自作農、自・小作農は減少している。しかもこの土地集中化の傾向はすべての地主に公平に集中していっているのではない。同じ地主階級の中でも、多数の中小地主に対して、少数の巨大地主の手に毎年確実に土地が集中していっているのでもある。その巨大地主の中でも特に日本人地主が次表に示すように優位を占めて

し、風俗習慣を破壊し、かれらのふるさとを滅茶苦茶にしたのです。

そこで、朝鮮の詩人、朴竜喆《ぼくりゅうてつ》はうたっています。

ふるさとを恋ひて何せむ
血縁絶え、吾家の失せて
夕鴉ひとり啼くらむ
村井戸も遷されたらむ
はかなしや　ふるさとのゆめ
いまははた踏みしだかれて
契りつつ人に堰かれし
初恋のせつなさに似る

これが一九一〇年代の日本の朝鮮に対する植民地政策でした。

日本に「併合」されて以後の朝鮮では、なんとしても食っていけなくなった人々の「捨て子」※16が急激に増えていきます。

寺内初代総督は、「朝鮮人はわが法規に服従するか、死か、その何れかを選ばねば

いるのである。

大土地所有者数

		(二百町以上)	(百五十町以上)	(百町以上)
大正一〇年（一九二一）	日本人	一六九人	一〇八人	二一三人
	朝鮮人	六六	九四	二六六
昭和二年（一九二七）	日本人	一九二	一二二	二三九
	朝鮮人	四四	八〇	二一〇

朝鮮農民の失った土地はすべて「日本の国有地」になり、その「国有地」は日本人地主の手に安く払い下げられていったのである。更に朝鮮人が土地を取られたのは、土地調査事業からだけではない。「道路工事をやるときにも、土地は全部強制取り上げで、おまけに、その工事には朝鮮人を無給で使い、できあがった道路の維持や手入れは、みんな無給で朝鮮人にやらせたのである。……もしおこたると厳罰になったとは、当時の新聞ですら書いている。」（山辺健太郎氏の研究による）

12特　高

特別高等警察の略称。思想取締りを目的として、幸徳秋水事件を契機に一九一一年、警視庁に特高課、ロシア革命後、一九二三年、主要府県に、三・一五事件後、一九二八年に各府県に特高課がおかれ、治安維持法などに

ならぬ」といいました。その「武断政策」を、釈尾東邦という人は「朝鮮合併史」という本の中で、「あたかも朝鮮をして専制治下の中世紀時代に逆戻りせしめた感があった」と評しているほどです。

学校の先生が教壇に上るときサーベルをつらなくなったこと。朝鮮文字の新聞の発行を許したこと。こうして朝鮮日報・東亜日報などがではじめたこと。それから、ごく限られた範囲ではあるが、中央・地方の役人に、朝鮮人もなれるタテマエになったことなどです。

しかし朝鮮文字の新聞が許可になったといっても猛烈厳重な検閲制度のもとでのことであって、一つの新聞で年に七十回も発売禁止処分にされた位ですから、言論の自由を認めたものではありません。朝鮮人の官吏任用といってもただの芝居であって、後の「満州国」の例をみれば、もっとよく

よって、はげしい思想弾圧をおこない、小林多喜二をはじめ、民主的な多くの人びとを拷問、虐殺した。戦後、いったん廃止されたが、残党が温存され、公安調査庁や公安警察などの機構にひきつがれている。なお、一九三二年以降、警察庁特高部に内鮮課がおかれ、もっぱら朝鮮人を逮捕し、拷問をくわえた。

13 東洋拓殖株式会社

東洋拓殖株式会社（東拓）は、明治四十一年（一九〇八年）一千万円の資本金をもって出発した。その出発の当初において、朝鮮の駅土屯土（朝鮮の宮廷の土地―実際はほとんど朝鮮人農民の占有地）一万町歩を韓国政府の現物出資という形で自己の資産の一部としている。一九一九年に資本金を五千万円に増資した。この会社の性格はいわゆる「国策会社」であり、総督府との特殊な関係にあった。その業務対象は、はじめ朝鮮内に限られていたが、一九一八年以後、中国（東北、北部、関東州）蒙古方面にまで拡大された。

その業務内容は「拓殖事業」のために、農鉱工林業などの企業者に対して融資する金融機関の役割と、自から農業経営、日本人の朝鮮への農業移民事業、牧畜業などをいとなむことにわたっており一個の巨大地主・高利貸の役割を果した。とくに後者の営業は、朝鮮人農民に対

わかるように、長官は中国人でも、実権は日本人の次官が握っていたようなもので、朝鮮の場合は、下級官吏にかぎられた、まったくの欺瞞にすぎません。これらは、いづれもアメ玉をしゃぶらせて、ごま化しただけのことで日本の帝国主義支配の本質*14は変わりません。一九二五年には、治安維持法を制定し、その朝鮮における適用は苛酷痛烈なものがありました。矢内原忠雄が「朝鮮に行って見よ。路傍の石、悉く自由を叫ぶ。石はいくら叫んでも警官に睨まれないから。」との名句をはいた特高警察政治です。

この時期の経済政策の重点は、「産米増殖計画」*15なるものにもとづく、朝鮮農民からの「米とりあげ」です。朝鮮農民の作った米をどんどん日本に運びこみます。三八頁の表をみて下さい。

事態は一目瞭然でしょう。朝鮮人のつくする圧迫となった。それは、日本人移民のために朝鮮人の土地をとりあげたり（後にこれは行えなくなる）、農

表(一)

東拓の所有地

年　次	面積(町)
1910(明治43)	11,035
1915	73,364
1920	90,658
1930	114,000

「歴史科学」
(昭和9年5月号74頁)

表(二)

東拓の小作料収取量

品目＼年代	1929年	1936年	1938年
玄米(石)	830	13,888	20,184
籾　(石)	275,368	355,283	457,089
大豆(石)	6,604	6,658	6,409
雑穀(石)	7,592	10,205	9,707
棉　(斤)	31,402	50,219	70,295
金納(円)	139,050	67,215	116,260

細川嘉六「植民史」332頁による。

る米の量はふえるが、朝鮮人の消費は年々へる一方であり、そして、日本人の消費量は年々ふえる一方です。朝鮮人にとってはまさに「増産の中の貧困」です。

たしかに、日本は朝鮮人に米作技術の向上について教えました。農事改良*17につても指導しました。朝鮮の農村は日本の支配に入ってから、青々とみのるようにもなりました。しかし、それは朝鮮のためでもなく、朝鮮人の消費のためでもなく、日本への搾取のためだったのです。

日本人は、今でこそ三度三度白い米の飯を食っているが、これはなにも神武天皇の昔からそうだったわけではない。国民全体の食生活がほぼ米食水準になったのは、つまり、国民の九割ぐらいが三度三度白米を食うようになったのは大正年代からなのです。つまり米騒動*18 27以後なのです。それは文字通り朝鮮への植民地収奪の上にはじ

民への不動産担保貸付などによる土地収買などを行い、又自ら地主として、朝鮮人小作農を収奪することなどによってであった。右の二表はこのことを物語る。

14 警察官増員

斎藤実は憲兵警察をやめて、普通警察にする時、警官を増員する計画をたてた。その計画の根拠となったのは面（日本の村にあたる）に一駐在所を作り、そこに「日人巡査三名ヲ勤務」せしめる事であった。なぜ一駐在所に三名の日本人警官が必要かについて、斎藤は次のようにのべている。「憲兵制度ノ実験ニ徴スルモ一駐在所憲兵一人ナルトキハ四面皆敵ノ間ニアリ、不安危惧ノ念ニ駆ラ

総督府財政中に占める警察費

	警務費	歳出総額	
1911年	4,038,391円	48,741,782円	
1915	4,173,544	58,904,403	
1919	4,840,910	77,560,690	三・一事件
1920	16,702,078	114,316,860	
1921	22,754,316	162,474,208	

めて成り立ち、到達した生活水準なのです。この点はきわめてはっきりと考えもし、覚てもおきましょう。「ナァーニ、米の飯とオテントウさまはついて廻ラァ」などと大きな口を叩けるようになったのは、朝鮮の犠牲の上になのです。

　こうして朝鮮の米を日本にどしどし運びこんで、朝鮮人には粟やヒエを食わせる。それでも足りないほどなので、満州から朝鮮へ粟やヒエを輸入する。そのような現状をつくり出しておいた上で、さて今度は、日本人は米が好きな国民、朝鮮人は粟が好きな人種、中国人はヒエで十分生きられる体質、などと地理や歴史の本に書きこんでいく。かれらは粗衣・粗食に耐えよく働く人種です、などという教育がはじめられる。こういうことから、朝鮮人や中国人に対する蔑視が発生してきているわけで、当時から日本では、白米のまん中に赤い梅干

レ機敏ノ行動ヲ為シ難カリシモ、三名ニ増員スルニ及ビ勇気頓ニ増加」するからであると。

15朝鮮産米増殖

　「朝鮮産米増殖計画」は、一九二〇～三四年の間に実施された。これは日本帝国主義が、一九一〇年以来朝鮮の解放時まで一貫して追求した米穀増産、略奪政策の一画期をなすとともに、一九二〇年代における日帝の対朝鮮植民地経済政策の主要のものであった。

　すなわち、米騒動は、日本資本主義の構造的矛盾が食糧問題として爆発したものであったが、更に、一九二〇年代、第一次大戦期の「好景気」の反動をうけて、輸入超過（二〇～二七年）と連続不況に直面した日本資本主義が、国内的には、低米価、低賃金、貿易打開をはかるために、朝鮮からの低廉米穀の輸入を図ったものであった。主として工業ブルジョアジーの政策として推進された朝鮮産米増殖計画は、日本資本主義の矛盾を、植民地朝鮮に転嫁する一政策であった。

　「朝鮮産米増殖計画」ではまず、第一期計画として、一九二〇年以後一五カ年に、四二万七千五百町歩の土地改良を行うことにより、九二〇万石の米穀の増産を企てた。しかしこの「計画」は、日本・朝鮮を通ずる不況ー資金（土地改良事業の）不足、朝鮮からの米穀流出の増

一つを入れた弁当を、日の丸弁当と呼びました。いかに梅干一つとはいえ、とにかくそれは白米だったのです。だが同じ時、朝鮮人は、黒い粟をといでしずまったときに、真ん中を箸でそおっと動かし、そこに僅かの白い米を注ぎこみます。そして炊きあげると真ん中だけ白くふっくらと丸くなるので、その部分だけを病人や老人によそって食べさせていました。かれらはそれを泣くに泣けない気持で「日ノ丸」とたわむれに名づけていたのです。

三度三度白米を食っているすぐれた日本人は、朝鮮人や中国人を指導してゆかねばならぬなどという思想が発生しました。

この時期に関東大震災※25がありました。震災の混乱に乗じて、朝鮮人が暴動を起すぞというデマを戒厳司令部※26が自分で流し、恐怖心にかられた日本民衆をけしかけて、いたる所で無実の朝鮮人を虐殺させ

大、日本の地主、又朝鮮農民の反対運動などにより、ほとんど進捗しなかった。しかし基本的には、日本国内の米穀不足は解決されず、外米輸入が増大しつつあって、国際収支の悪化の一要因となって（一九二五年は、外米輸入額は全輸入額の五％）いたので、一九二六年より新たに「産米増殖更新計画」が樹立され、以後一四ヵ年に三五万町歩の土地改良と肥料増施によって八二〇万石の米穀増産を図った。

先ず土地改良について見ると、「計画」期中に土地改良をなしえた面積そのものも、「計画」通りには達成されず、一九二〇〜三四年までに着手されかつ完成をみたものは、二三万七千町歩で、「第一期計画」の四二万七千五百町歩に比較して二分の一強、「更新計画」の予定、三五万町歩に比較しても三分の二弱であり、しかも「更新計画」期中に着手、完成されたものは十六万町歩であるから、これも実際は「計画」の二分の一以下にすぎないのである。

さらに重要なことは、土地改良の過程で、朝鮮の中小農民たちが土地を失っていったことである。それは、土地改良の実施のために、朝鮮農民たちが高い水利組合費を払わされ、しかも、米の値段は下落しつつあったことなどによるのである。

ました。その数は六千人といわれます。同じ時期に日本の革新陣営が次々と虐殺にあったことは、先にもちょっと述べた通りです。そればかりではありません。顔つきが朝鮮人に似ているので、まちがって殺された日本人も何人かあります。今、日本の新劇界の大御所である俳優座の千田是也さんも御難の一人です。彼はそのことを記念して芸名をつくったのです。本名は伊藤圀夫ですが、当時千駄ケ谷に住んでいたので、千駄ケ谷のコリア(朝鮮人)というのをもじって千田是也としたのです。日本人と朝鮮人と顔つきが似ているというので、それを見分ける方法として、怪しい人間を見つけると、「貴様！　十五円五十銭といってみろ」とおどかします。「そしてチュウコエン　コチュツセン」というような発音をすれば、「それ朝鮮人だ！」というので殺してしまうようなひどいことが行なわれたの

更に、米の増産高についてみると、「計画」期間中（一九二〇〜三四年）の実質的増加は、二三〇万石にすぎず、それにもかかわらず、対日輸出は六三〇万石ふえ、特に一九三一〜三四年の間では、全生産高の約半分、特に三三、三四年には半分以上を輸出している。これは、朝鮮内での米の消費量が総量において、又一人当りにおいて年々減少したことを意味する。この傾向は、一九一〇年以来一貫しているが、特に「計画」中一四年間には一人当り二斗八升ずつ減少（年に二升）している。つまり朝鮮で米が増産されるほど、朝鮮人の米消費量は減少しているのである。しかも米だけでなく、他の食糧の消費量も減少している。特に春先には食糧が絶えて、草根、木皮をたべて、生命をつなぐ「春窮農家」が全農民（全人口の八割）の約半分をしめたのである。

16捨て子・高利貸

「朝鮮総督府統計年報」にあらわれているだけでも「捨て子」の数は上の如し

明治43年	5人
44	54
大正 1	78
2	118
3	89
4	101
5	172
6	101
7	144

「自分の飼っている猫の子でもなかなかすてられないのに、自分の子

です。そういう機運をつくり出したのは、戒厳司令部自身ですが、まんまとそれにのせられたのは日本の民衆です。帝国主義本国の人民が、いかに帝国主義支配層の意識に感染し、自分自身が弾圧されているにもかかわらず、民族的偏見に汚され、民族弾圧に手をかしてしまうかということのよい見本です。

朝鮮人が日本語を上手に発音できないのは当然のことです。日本人だって、朝鮮語は勿論のこと、英語もフランス語も上手に発音できません。しかしいまでも冗談として、朝鮮人式の日本語発音、たとえば「ポク、ピール飲みたいあるよ」などといってゲラゲラ笑っている日本人があります。この、一見、無邪気な冗談と思われるこのような行動の中に、実は、帝国主義にすっかり染まってしまっている日本人の低さと汚なさがあるのです。

を捨てるとはよくよくのことだろう」（山辺健太郎「日本帝国主義と植民地」）。「日本人は、一般に偏見と優越感から、朝鮮人にたいする迫害をやった。なかでも、朝鮮人相手の日本人高利貸は……約束の日時になると、時計を一時間もすすめておき、こんな奸計を知らない朝鮮人が金を返しにくると、時間がすぎているといって受け付けず、有無をいわさず抵当を流してしまう、といった強盗にひとしいことをやった。

しかしこれはまだやさしい方である。いちばんひどいのは、なんといっても憲兵のやったことであろう。当時の新聞に、ある勅任検事の談として、つぎのようなことがのっていた。朝鮮では憲兵が犯罪の捜査にゆくと、かならずその家の婦女を姦し、また財物を強奪する。」（山辺、前掲書）

17「農事改良」

それとても、ごく一部のことであって、朝鮮農業の全体は

「明治四三年に比すれば、栽培面積、収穫高ともに増加しているが、段当り収穫高をみれば昭和五年…以後は減退乃至停滞して居り…僅かに示された単位面積当り収穫量の増加も生産技術の改良、肥料投下量の増加によるものではなく、ただ素朴原始的な労働投下の極端なる強

三

一九三一年九月一八日、「満州事変」がはじまります。朝鮮に対する植民地政策も、今までと異り、あらたな三〇年代に入ります。

戦争の前線に近い朝鮮を、大陸侵攻のための強力な足がかりにするという政策、今のことばでいえば基地化でしょう。米ばかりつくらせておくよりも鉄やレールや火薬をつくらせようという工業化政策※19です。その傾向は二〇年代からもありましたが、本格的になったのは三〇年代であり、電力と化学工業、それに鉄道関係を中心にして、ものすごい勢いの気狂いじみた工業化がおしすすめられます。

この場合、朝鮮が「満州」に近いという地理上の理由もさることながら、朝鮮人を

化によったものである」（細川嘉六「植民史」）という状

朝鮮の米の生産高	朝鮮米対日輸出高	朝鮮人一人当米消費量	日本人一人当米消費量	朝鮮への粟の輸入量
	（百万石）	（石）	（石）	（千石）
1914	2.1	0.694	0.981	
15	1.4	0.724	1.111	
16	1.3	0.676	1.078	
17	2.0	0.731	1.127	
18	2.9	0.682	1.144	205
19	1.8	0.734	1.125	
20	3.1	0.623	1.118	
21	3.3	0.660	1.154	
22	3.6	0.650	1.102	
23	4.7	0.628	1.156	
24	4.6	0.603	1.122	1,270
25	5.4	0.519	1.128	
26	6.2	0.533	1.131	
27	7.4	0.525	1.095	
28	5.6	0.540	1.129	
29	5.4	0.446	1.100	
30	8.4	0.451	1.077	1,717
31	7.6	0.520	1.128	
32	8.0	0.412	1.014	
33	9.4	0.412	1.095	

低賃金でこき使うことができるという条件がよりいっそう重要でした。

王子製紙を建てた藤原銀次郎は、その「回顧七十年」という本の中で、次のように書いています。

「当時、朝鮮の工場は、労働者を日本からつれてゆき、社宅もあたえ、日給も二円位であった。朝鮮人の日給は、二、三十銭から、四、五十銭とまりであった。」

と。朝鮮の現地でばかりではありません。朝鮮から日本へ流れてきた朝鮮人もまた、おどろくべき低賃金でこき使われます。

このことは何を意味するか。

一つには、植民地の超低賃金労働者を使うことによって、独占資本がいかにもうけたか、つまり、植民地的超過利潤を得たかということです。（四三頁の表参照）

一つには、この賃金差別によって帝国主義本国の労働者に、植民地労働者への軽侮

態であった。

18米騒動と朝鮮米

「即ち、総移出に対し農産品が占める比率は六二%、このうち九割以上、即ち総移出高に対して五六%までは米及籾で……

大正九年より行はれた産米増殖計画は、対日移出の増強によって日本の米の自給自足をはかることを目的としたものであった。当時内地は甚だしく食糧の不足を告げ……大正七年には富山県に米騒動の勃発するあり……」

（総督府編「施政二十五年史」）（＊27を参照）

19工業化政策

日帝統治下における朝鮮の工業は第一次大戦期に微弱ながら興ってくるが、一九一〇〜一九二〇年代には日本資本主義自体の必要・能力がなかったために無視され、特に民族資本によるそれは抑圧された。「満洲事変」、「支那事変」そして太平洋戦争期になって、朝鮮の工業化が急激にすすめられ、日本資本の積極的進出がおこなわれた。それは、朝鮮における低賃労働力、豊富な水力電気資源及び鉱産物資源を基盤に、戦争の勃発、拡大にともなう軍需・化学工業製品の必要度に応じて推進された。

と蔑視を植えつけ、支配者意識にまきこんでいくということです。日本窒素は日本国内では利益率が一一〜一三パーセントだったのに、その子会社である朝鮮窒素は、三一〜三三パーセントの利益率です。

そして、もう一つは、まさにこのことによって、日本人労働者の階級意識をマヒさせ、いわれなき優越感に汚染させ、そして日本人労働者の賃上げをもストップさせたということです。「嫌なら働かんでもよい、お前よりは安い朝鮮人がいるのだ」というおどかしで賃上げをさせないということ、そのことによってさらに、自分たちの賃上げが出来ないのは、朝鮮人がいるからだという反目・対立にすりかえてきたということです。

まさにこの点からして、植民地労働者の解放なくして、本国労働者の解放なしといえるのです。賃上げ一つ闘いとれないとい

表（一）

朝鮮の工業発達

年　次	工場数	工業生産額
1910年	151	5,227千円
1917	1,358	84,731
1925	4,238	269,364
※ 1931 (1)	4,613	275,151
1934	5,162	486,522
※ 1937 (2)	6,298	955,308

「植民史」（細川嘉六）　267,289頁
※(1)「満州事変」※(2)「支那事変」

第三表に現われた主要な変化は、食糧品工業の比重の激減と化学工業の著しい増加である。一九三一年においても食料品工業は三二%を占め（前年は五八%）ているが三八年には二四%、化学工業は一七%（前年九%）に激増し、三八年度における重化学工業（化学機械器具、金

うことです。これはまったく一般的法則であって、単に日本と朝鮮だけの問題ではありません。フランスにおけるアルジェリア人の低賃金、アメリカにおける黒人の低賃金、これを解決することなしに、フランス労働者自体の、アメリカ労働者自体の解放なしということです。

それは現場労働者と本社事務従業員との関係、あるいは、本工と臨時工との関係、さらにまた、就業者と失業者との関係とも、論理的には同じことです。

にもかかわらず、現在、日韓会談によって、日本独占が再び南朝鮮の低賃金労働を使用することを画策しているわけです。これに対し、日本の労働者階級が、自分の問題として闘わねばならぬことは当然でしょう。

またこの時期に朝鮮の地下資源、金・鉄・石炭などもじゃかすか掘り出され、日

表（二）　各産業別生産高及びその比率

年次 / 産業別	1936年			1938年		
	生産額	%	指数	生産額	%	指数
農産物	千円 702,855	63,1	100	千円 1,574,789	49.5	224
林産物	59,413	5.3	100	167,749	5.3	282
水産物	77,562	6.9	100	189,824	5.9	245
鉱産物	21,741	2.0	100	110,429	3.4	508
工産物	252,924	22.7	100	1,140,119	35.9	451
計	114,494	100.0	100	3,182,908	100.0	277

細川嘉六「植民史」　290頁

本に運ばれました。

この三〇年代には、農業の面でも、従来の米つくり一本の強制ではなく、「南棉北羊政策」と呼ばれるものにかわります。北半分では羊を飼え、南半分では棉を植えろというのです。これはいずれも工業原料になるからです。

この棉花増産とても、単に奨励したなどというなまやさしいものではなく、権力による強制でした。朝鮮総督府の小作官をしていた久間健一の報告によると、「朝鮮での棉作は…憲兵や巡査までを動員して、強制的に栽培せしめたのであった。のみならず、棉を栽培しない農家にして、麦や大豆をつくっているものは、強制的に、大豆や麦を足で踏み倒してしまったことも一再ではなかった。……そのもっとも極端な場合には『刑罰を以て棉花栽培を強制した。』」

だがことがらは常に帝国主義に都合のよ

表（三）各種工産品の比率変動

工産品種目	1931年			1938年		
	生産額	%	指数	生産額	%	指数
	千円	%		千円	%	
紡績業	32,924	13	100	164,821	15	500
金属工業	6,545	3	100	91,966	8	1,405
機械器具工業	7,928	3	100	26,799	2	338
窯業	9,034	4	100	35,877	3	397
化学工業	42,599	17	100	352,819	31	828
木製品工業	4,779	2	100	15,054	1	315
印刷及製本業	8,787	3	100	16,984	2	192
食料品工業	80,999	32	100	277,208	24	342
瓦斯電気業	16,128	6	100	24,582	2	152
其の他	43,197	17	100	134,124	12	310
計	252,924	100	100	1,140,119	100	451

細川嘉六「植民史」　291〜3頁

いようにばかり運ぶとは限りません。

工業化政策がすすみ、工場がふえれば、それだけ労働者が多くなっていきます。当然、労働運動もはじまります。

このようななかで、有名な一九二八年の元山ゼネストや、一九二九年の光州学生事件を皮切りに、三〇年代の労働運動の昂揚がはじまります。（下段の表参照）

四

一九三七年七月七日、「支那事変」がはじまります。日本帝国主義の中国に対する全面的な侵略の開始です。やがて、一九四一年の「大東亜戦争」へと拡大されていくわけですが、この三七年以降四五年までを、わかり易くする意味で「四〇年代」と呼んでおきます。

「支那事変」「大東亜戦争」という事態に

属の三者を合計すれば三一年（前年は一六％）の二三％から四一％に増大し、朝鮮工業の軍事化を示している。

朝鮮の工場労働者数

1911	14,500
1913	21,000
1917	41,500
1921	49,300
1925	80,300
1928	99,000

労働者就業時間　1923年

1日の労働時間	%
8時間以下	0.8
8～10時間	21.0
10～12時間	31.9
12時間以上	46.3

労働争議件数

	件数	人員
1920	81	4,599
21	36	3,403
22	46	1,799
23	72	6,041
24	45	6,751
25	55	5,700
26	81	5,984
27	94	10,523
28	119	7,658
29	102	8,293
30	160	18,972
31	205	17,114
32	152	14,824
33	176	13,835
34	199	13,098
35	170	12,187

民族別　賃金（日給）　1923年

		最高	最低	普通
朝鮮人	成年工	1円81銭	0.10銭	0.44銭
	幼年工	0.77	0.06	0.29
日本人	成年工	2.50	0.45	0.87
	幼年工	1.20	0.30	0.74

対応して、日本の朝鮮に対する植民地支配政策も変っていきます。もう、土地とりあげとか、米とりあげとか、低賃金でこき使うとかいった程度では間に合わないのであって、兵隊にもひっぱる、徴用にもひっぱる、米もつくれ、工業化もすすめろ、なんでもかんでも天皇陛下の命令することはみんなやれという、身ぐるみ、命ぐるみ朝鮮人を利用しようという政策に入ります。気ちがいじみた兵站基地化政策*20 21です。

日本自体も(当時の言葉でいえば「内地」です)、青年はどんどん前線にかりたてられていくので、労働力不足です。そこで従来、朝鮮から流れこんで来る朝鮮人*23を使っていたというなまぬるいことではなく、積極的に朝鮮人を狩り集めに行く。嫌だといえば、うむをいわさず、しょっぴいてくるという強制連行*24です。

だが、そのためには、朝鮮人の心の中か

20兵　站

前線でたたかう軍隊のため、後方で軍需品や馬などの補給にあたり、また、前線と後方との連絡の確保にあたる機関。その連絡ルートを兵站線という。次項参照。

21大陸兵站基地化政策

かつて京城帝国大学教授鈴木武雄氏は「大陸兵站基地としての朝鮮」を解説して、次のように述べている。「朝鮮は大陸における『第二の内地』或は『内地の分身』だという事が理解されねばならぬ。…(略)…朝鮮と云ふもののおかれてる地位と進むべき使命とを端的に表現した統治上の合言葉であると解してもよい。つまり純戦略上の意味もあるが、それと共に、その意味が更に拡大されて、長期抗戦及び新東亜建設の過程に於て朝鮮が果さなければならぬ政治上、思想上、産業経済上の役割が強調されているんだ」

22皇国臣民の誓詞

大人用の全文は左記のとおりである。

「一、我等ハ皇国臣民ナリ忠誠以テ君国ニ報ゼン

二、我等皇国臣民ハ互ニ信愛協力シテ団結ヲ固クセン

三、我等皇国臣民ハ忍苦鍛練力ヲ養ヒ以テ皇道ヲ宣揚セン」

昭和一四年一一月、「朝鮮神宮」境内に三カ条の誓詞

ら朝鮮人意識を、民族魂をすっかりぬき取ってしまわないと何かにつけて不便である。完全に日本人と同化して天皇陛下のためには、一身一命を投げうつような人間に仕立てあげておかなければならぬ。

そこで「皇国臣民の誓詞」[*22 28]というものが作られる。ちょうど、日本でも、教育勅語や軍人勅諭や戦陣訓を、くる日もくる日も暗誦させられたように、朝鮮ではこの「皇国臣民の誓詞」をいたる所で、毎日暗誦させたのです。

これには二種類ある。

子ども用のヤツ。

「一、私どもは大日本帝国の臣民であります。

一、私どもは心を合せて天皇陛下に忠義をつくします。

一、私どもは忍苦鍛錬して立派な強い国民となります。」

をほりこんだ「皇国臣民誓詞之柱」が建てられた。その前に立つものは、団体の場合には、柱の正面に彫刻された宮城にむかって最敬礼してから、誓詞を斉唱し、唱歌「海行かば」を合唱しなければならず、個人の場合には、「宮城」にむかって最敬礼したのち、声を出すと否とに拘らず、誓詞を胸中でくりかえさねばならなかった。これが天皇にたいする忠誠奉公の念を新たにするための一つの儀式であった。

この柱に参じた一朝鮮人小学生は作文をかいてその感想をのべている――。

「心を清めて形を正しくして立った時には、愉快な気持と何となく私を奮起させるものがありました。本当に皇国臣民となった気がして大へんほこりと思いました。…中略…

私達が勉強するのもこの誓詞の通りに実行していくためです。そしてありがたい御恩を感じてお国のために働こうと思ひました。」

誓詞の方向で朝鮮人のおとなも子どももすべて「洗脳」するのに日本支配者は努力し、またある程度の成功をおさめたといえる。

朝鮮人を「日本帝国臣民」化させて、それからどうしようとしたのか。二つの文章をひいておこう。

というしろものです。大人用のヤツは

「我等ハ皇国臣民ナリ。忠誠モッテ君国ニ奉ゼン…」

と文語調ではじまります。

これを学校や職場では、毎朝毎朝、朝礼の時に暗誦させる。人間というものは、小さい時から毎日毎日同じ言葉をくり返していると何となく本当にそんな気持になっていくものです。ヒットラーはうまいことをいった。「一度言っただけでやめると嘘だということがすぐばれる。千回言いつづければ誰でも本当だと思いこんで来る。」と。「皇国臣民の誓詞」は、単に学校や職場の朝礼の時だけでなく、日常生活のすべてに食いこんでいきます。たとえば、お婆さんが、息子の病気だという知らせを聞いて、大急ぎで会いに行こうと汽車に乗るために駅へ切符を買いにかけつける。駅員は日本人。お婆さんが下手な日本語で行く先さを

昭和一四年、朝鮮総督府学務局長の発言「（徴兵制か志願兵制か）かうした方法に関することは軍隊でお考へになることであって、我々がつべこべ口をだす必要はない。あとは立派な皇国臣民である青年を養成して、出来るだけ多く御採用願へればよい。」

昭和一九年、法学専門学校長の発言――「私の学校では、学校教練あるいは武道あるいは日本学に力を入れておりますが、卒業して軍隊に行かないのでは、教育が勿体ないような気がします。」

皇国臣民の誓詞の軍国主義的意図はあからさまであろう。

23在日朝鮮人渡航史

今日、日本には約六〇万人の朝鮮人が在住している。これらの朝鮮人がなぜ日本へ来たのか、来なければならなかったのかという問題を考えることは、「在日朝鮮人」という視角から、日本の植民地支配の本質を究明することでもある。つまり在日朝鮮人問題とは、単に日本にいる朝鮮人の問題ということではなく、日本の植民地支配の結果うまれた問題であり、現在の在日朝鮮人問題を正しく理解し対処するためには、在日朝鮮人の歴史を考えなければならない。

つぶやくがなかなか聞きとれない。「何イ、どこだト、もっとはっきりいえ、ばばあ、日本語ができんのか、キサマ、そこで皇国臣民の誓いをいって見ろ！」こうしてその言葉がすらすら暗誦できなければ、切符も売ってもらえない、息子の死に目にも会えない。配給ももらえない。何もかもできないというふうに、朝鮮人の日常生活の中で、暴威をふるったわけです。ですから、日本から解放されてすでに一九年も経った今でも朝鮮の中に、この「皇国臣民の誓詞」に対する呪いが残っています。今でも朝鮮人は「ひどい目にあった」という時に「ココグルモゴツタ」（皇国をくらった）といいます。馬にむちをあてる時にも「コーコクをくらわすぞ」といいます。社会主義社会になってもまだかれらの心の根底にやきついているのです。

一九三八年、教育令が改正され、朝鮮語

在日朝鮮人の渡日年表

年	代	在日朝鮮人人口	増加数
1904	明治37	229人	——人
1915	大正 4	3,989	3,760
1920	9	30,175	26,186
1923	12	80,617	50,442
1924	13	120,238	39,621
1930	昭和 5	298,091	177,853
1931	6	318,212	20,121
1935	10	625,678	307,466
1938	13	799,865	174,187
1939	14	961,591	161,726
1940	15	1,190,444	228,853
1941	16	1,469,230	278,786
1942	17	1,625,054	155,824
1943	18	1,882,456	257,402
1944	19	1,936,843	54,387
1945	20	2,365,263	428,420

（内務省警保局調べ）

一九〇四年つまり朝鮮が日本の植民地になる前には、在日朝鮮人は、わずか二二九人しかいなかった。しかも一八九九年にだされた「外国人労働者入国制限法」という法律のために、日本では原則的に朝鮮人・中国人労働者の移住を許可しない方針だったので、日本にいる朝鮮人は、ほとんどが留学生か親日政治家であった。

しかし一九一〇年「日韓併合」とともに、朝鮮人は「帝国臣民」になり、この法律の適用をうけなくなったの使用が禁止され、徹底的な「皇民化」がはじまります。宮城遙拝、武道体操、興亜奉公日の強制、家ごとに「天照皇大神宮」のお札を貼りつけることなどが強要されました。

朝鮮人の姓名を全部日本式に改めさせる「創氏改名」、つまり、金さん、張さんなどとわかりにくくて仕方がないから、みんな金田とか張本とか日本式に変えろということ。

そしてしまいには、朝鮮人が好んで着る白い朝鮮服は、空襲の目じるしになり易いからというので、国民服を強制し、それでも、白い服を着て歩いていると、日本人巡査が追っかけ廻して墨汁を塗ったくるという気ちがいじみた状態にまでなります。

最後に一言つけ加えなければならぬのは日本帝国主義者がやった朝鮮の婦人に対する政策です。それは、いくら事実を事実と

ので、安くて有能な朝鮮人労働者に資本家の目がむけられはじめた。そして第一次大戦後、日本資本主義の急激な発展とともに、朝鮮人労働者の本格的募集がはじまる。前表で一九一五年の三、九八九人から二〇年の三〇、一七五人と十倍近い激増は、この事実を物語っている。そしてこの時以来、朝鮮米と朝鮮人労働者は、朝鮮から日本に輸出される「商品」の中で特異な地位を占めるようになったのである。

しかしこの在日朝鮮人の急増は、単に資本家の要求だけによるものではない。何よりも日本の植民地支配のために、朝鮮人は食う事が出来なくなり、愛する祖国をはなれなければならなかったのである。すでに説明した土地調査事業をはじめとする日本の農業政策のために、祖先伝来の土地をうばわれた農民たちが大量に農村から排出されたばかりでなく、農村にとどまったおおくの農民たちも零細な小作農に転落した。かれらは地主によって五〇%〜七〇%の小作料を強制されたばかりでなく、朝鮮総督府歳入のほぼ半分をまかなっていた地税および附加税も名目上は土地所有者である地主に課せられていたが、実質的には小作農に負担させていた。（日帝下農村の実態を知るには朝鮮総督府の「小作慣行」上下を参照してほしい）さらに地主と不可分のつながりをもってい

して語ることが歴史であるといっても、口にするたけでも恥かしいような所業です。日本帝国主義者は、売春制度の一番底辺の部分に朝鮮婦人を大量に投げこみました。特に、軍隊を相手とする慰安婦制度こそは、最も野蛮と汚辱にみちたものでした。それは一人の慰安婦が、列を作って次々に押しかけてくる五十人の天皇制日本軍兵士を一日で相手にすることをノルマとした制度でした。それは、朝鮮本土のみでなく、「満州」でも「支那大陸」でもまた「南方」でも、わが「皇軍」のすべての前線に「慰安婦部隊」として配置されていたのです。それの八割までが、強制的に連れ出され、狩り出された朝鮮婦人でした。この慰安婦も、戦争の終りの時期には「人不足」になり、朝鮮の地主や「良家」の子女までを、「皇軍の極秘の事務を手伝う貴い重要な仕事」だといって、だまして連れ出すように

た高利貸業者が農民の貧困につけこんで情容しゃない収奪、土地・家屋の差押え、没収をおこなった。

在日朝鮮人渡航理由

大阪（一九三二年）

農業不振のため五六％、生活難のため一七％、金儲のため一五％　その他一二％

東京（一九三五年）

生活難のため五三％　金儲のため一九％

勉学のため七％　その他二一％

京都（一九三五年）

生活難のため三四・一％　求職出稼のため三一・二％　金儲のため一四・一％

その他二〇・六〇％

（一九五七年三月二〇日発行「在日朝鮮人渡航史より」）

このようにその表現は様々だが、けっきょくは大多数のものが生活におわれて自分の故郷をはなれなければならなかったのである。

一九四〇年に一挙に百万をこえるようになったのは、戦争のために日本の青・壮年がかりだされその労働力不足をおぎなうために、朝鮮から、うむをいわさず、ドレイ狩りのように日本につれて来られたからである。（次項参照）

なりました。そうとは露知らず「のぼり」や「日の丸」を振って村中総出で歓送した場合もあります。その朝鮮の娘たちが、ほうりこまれたのは、一度ほうりこまれたが最後、帰ることも親元へ救いの手紙を出すこともできない南方前線の慰安婦部隊です。日本の男で、兵隊にいった経験のある男で、このことを否定できる人間が一人でもあったらお目にかかりましょう。

しかも、この慰安婦部隊についてはさらに、一言しなければならぬことがあります。それは「皇軍」が敗戦・退却の際に、これら慰安婦を現地に置き去りにしたのはまだよい方で、ひとまとめにして殺してしまったのが大部分だということです。このようにして、日本帝国主義の最もけがれはてた側面は、地上に「資料」も証拠も残すことなく、抹殺されたのです。

みなさん、池田首相は、「日本の朝鮮に

---

24 強制連行について

朝鮮人の日本渡航をみると、大正末年から解放までひきつづく生活苦から渡日する流れと、とりわけ日中戦争以降日本の国家権力により労務者として強制的に日本に連行された人々と、おおまかに二つの「動機」がみられる。

日中戦争が本格化し、日本国内の労働力不足がめだった昭和一四年七月には、「国民徴用令」が出され、「労務動員計画」がたてられて、朝鮮人労務者の重要産業移入が決定された。そして朝鮮人労務者を必要とする各事業所が朝鮮に渡って直接労務者を募集していたが、昭和一七年にいたると国民動員計画をたて、国家権力が一元的に労務者の募集にのりだした（「官斡旋」制）。昭和一九年一〇月には徴用令が朝鮮に適用され、一層労務者の募集に拍車がかけられた。しかしこれが「募集」でなく「強制連行」であることは、次の記述でも明らかである。

「納得の上で応募させていたのではその予定数に仲々達しない。そこで郡とか面（村）とかの労務係が、深夜か早暁、突如男手のある家の寝込みを襲い、或は田畑で働いている最中にトラックをまわして何げなくそれにのせ、かくてそれらで集団を編成して北海道や九州の炭鉱対する過去の非行なるものについては、寡聞にして聞いておりません」と、白々しくも云いぬけていますが、よくもぬけぬけと言いおったなと思われませんか。

四七頁の表をみて下さい。漸増しつづける在日朝鮮人が、一挙に百万人台になるのは兵站基地化政策の一九四〇年代からです。そして、一九四五年だけは渡日増加率が激減しています。それは朝鮮現地における徴兵令のためです。

こうして連れてこられた朝鮮人はどうなったか。みんな北海道や九州の炭坑にほうり込まれる、タコ部屋の監獄労働です。鉱山・ダム・鉄道・道路工事、しかも一番危険な命がけの仕事に追いつかわれたわけです。

朝鮮人虐殺事件は何も震災の時だけではありません。これらのタコ部屋における奴隷労働で、過労と栄養失調におちいったも

へ送りこみ、その責を果すという乱暴なことをした。」（鎌田沢一郎「朝鮮新話」）。

このように着のみ着のままで家にもよせてもらえず日本に連行された朝鮮人労務者は、炭鉱とか土木工事とか、もっぱら肉体的に重労働の部門にまわされた。その連行状況は次の通りである。

年度	石炭山	金属山	土　建	工場其他	計
1939	34,659	5,787	12,674		53,120
40	38,176	9,081	9,249	2,892	59,398
41	39,819	9,416	10,965	6,898	67,098
42	78,083	7,632	18,929	15,207	119,851
43	68,370	13,763	31,615	14,606	128,354
44	82,859	21,422	24,376	157,795	286,432
45	797	229	836	8,760	10,622
計	342,620	67,350	108,644	206,073	724,787

朝鮮大学地理歴史学科
「太平洋戦争中における朝鮮人労働者の強制連行について」

の、反抗したものは、次々と集団虐殺されています。このようにして終戦を待つことなく死にはてたもの、約六、七万人と推定されます。

主だったものだけ列挙すると、

信濃川水力発電所工事事件
岩手県花輪線工事事件
常盤炭鉱事件
福岡県赤坂炭鉱事件
同　大峰炭鉱事件
山口県沖ノ山炭鉱事件
長野県松代大本営事件
鹿児島県万世飛行場整地工事事件
花岡鉱山事件

まだあります。次頁の表をみて下さい。

軍人・軍属が陸海あわせて三六万四千人、朝鮮内での徴用令動員が四八五万人です。

これら全体をあわせると、優に六百万人

七〇万からの朝鮮人労働者は人間としてではなく奴隷として酷使された。その模様を北海道に連行された一朝鮮人はこうしるしている。

「わたしたちはだまされたのだ。これは予定行動だったにちがいない。わたしははげしい怒りにとらわれた。世にもおそろしいタコ部屋にほうりこまれたのだ。周囲をよく見ると窓という窓には鉄格子がはめられており、セパードが何匹かクンクンと鼻をならしてまわっていた。建物といっても倉庫より悪いものであり、天井からは雪のしずくがしょっちゅう落ちてきた。ぶよぶよになった畳がひかれていた。便所、風呂場が同じ建物にあったのと、二〇〇名いるその人いきれで、ゴミ箱をかき廻したときのような悪臭がたちこめていた。」

「それからというものは毎朝四時に起床、洗面して点呼をうけ飯をかきこみ、便所にいくまもない位追いたてられ、坑内電車にのって現場までいそぐ。日がたつに従って飯がだんだん悪くなり……大根飯とか、にんじん飯になって、栄養失調でみるまに仲間が倒れていった。

先山とあと山と二人の作業量は、坑道の一番危険な所にまわされているにも拘らず、高さ六尺、幅五尺、長さ一二尺をほり進んでいかなければならなかった。これができないと何時間でも居残りさせられた。労働時間は平の朝鮮人を戦争にかりたて、その命も「召しあげた」わけです。
五一頁の表をみて下さい。

　これは強制連行※24ではなく正規の徴用数です。しかも当時の日本の内閣企画院の労務動員計画によればこれよりもっと多い九〇七、六九七人を徴用する予定だったのですが、実績としてはこの表のようになったというのです。だがこの正規徴用者でも半分が炭坑に投入されています。当時の炭坑での朝鮮人労務者への扱い方がいかなるものであったかは、今さらいうまでもないこと。

　もちろん朝鮮人ばかりではありません。中国人の捕虜を日本に連行して強制労働させ、花岡炭鉱などで大量に死にいたらしめたことは、ひろく知られています。そればかりでなく、中国大陸で兎狩りみたいに人間をとらえて、日本につれてきました。終

均一二時間で、よるおそくタコ部屋にもどると、雑談をかわすことができぬほどつかれきってしまった)」(「脱出」一五九〜一六一頁)。

　このような非人間的な環境と食事、きびしい労働によって、六万人もの朝鮮人労務者が死亡させられ、無数の逃亡者をだしたのである。強制連行の記録は、それが二〇世紀の奴隷狩りにほかならないことをしめしている。

太平洋戦争中の朝鮮人動員

		(内戦死者)
陸軍・軍人軍属応召者	257,404人	6,894人
海軍・　〃　〃	107,000	13,100
計	364,404	19,994
徴用	4,850,000	

25関東大震災下朝鮮人虐殺事件

震災下朝鮮人虐殺事件は「朝鮮人暴動」のデマによっておこされたといっても過言ではない。ところが震災ののち最初の政府情報である船橋海軍送信所発電文を追及していくとデマは政府によって流されたとみられるようである。

すなわち電文は内務省警保局長後藤文夫の署名入りの

戦後、その一人である劉連仁氏が北海道の山奥で発見されたことは、みなさんもご存じとおもいます。この「中国人狩り」の責任者は岸信介でしたが、戦後、劉連仁氏が発見されたとき、岸首相は、劉氏を不法入国者あつかいにしようという恥しらずなことをやりました。

こんなひどいことをしても、帝国主義者はそれがひどいことだとは感じていないのです。逆に「朝鮮人も一人前の兵隊になれるようにしてやったんだ、徴兵令をしいてやったんだ」と考えているのですから、全く馬鹿につける薬はないというものです。帝国主義というものは決して悔い改めるものではない。その本性はたがわざるものであり、それはただ粉砕し打倒する以外に手はないものなのです。

要するに日本は、三六年間のながきにわたって、朝鮮の国をぬすみ、田地田畑をぬ

ものので、書いた時間は二日の午前中と推定される。電文を船橋まで送達したのは陸軍軍曹角田健次郎以下六名の兵士達であることも判明している。だから問題は政府が暴動説が巷に溢れているのを実際聞いてこの電文を書いたのか、それともある種の予断にもとずいていたのかにしぼられてくる。

ところが、二日の午前中はまだ朝鮮人暴動のデマは余り流されていなかったのである。デマが集中的、爆発的に伝播することは、電文が船橋に到着したと思われる以後になにものかによって管理誘導されつつ発生しているのである。では暴動説もなにもないのに政府が暴動の電報を打った目的はなにか。政府が震火災による秩序崩壊、飢えて不安におののく国民の不満が政府自体にむけられるのを恐れたからに他ならない。朝鮮人暴動という根も葉もないデマが日本人の朝鮮人に対する民族的偏見を巧みに利用してみごとに成功したことはあの大虐殺事件をみればわかる筈である。

また特に忘れてならないことはこの事件が戒厳令下の虐殺であることである。治安維持の目的で出動した軍隊や警察が理由もなしに朝鮮人の虐殺を敢行したことぐらいこの事件の性格を如実に示すものはない。朝鮮人暴動のデマにおびえた一般市民はこの戒厳配置を救いの神と

すみ、朝鮮の文化をぬすみ、言語をぬすみ、その苗字をぬすみ、はてには、その命までぬすんだのです。

これが消すことのできない日本と朝鮮の関係です。それは弾圧と搾取の歴史であり暴虐と圧制の歴史です。

日本は朝鮮を支配はしたかも知れぬが、「戦争」はしなかったのだという法律家などがいます。とんでもない話です。植民地支配とは、戦争の固定化のことです。日常不断の戦時占領下ということです。ある意味では、戦争よりももっと悪いし、もっとひどいのです。

日本の朝鮮支配は、さまざまな植民地支配の中でも例をみない苛酷なものでした。それは、かってのフランスのアルジエリアのように植民地選出議員を認めることも、またかってのイギリスとインドのように植民地会議を認めることも、またかってのカ

思ったし、軍警が虐殺をしているから市民がこれに助力するのはあたりまえだと思ったのである。

その後の日本の潮流が軍縮反対の方向に押しながされ、日本の社会主義運動が極端に右翼化する傾向を示し、治安維持法が施行され、いまわしき体制に没入していくのであるが、朝鮮人虐殺という衝撃的事件を考えずにこのことを正しく理解することはできない。参考文献朝鮮大学「関東大震災における朝鮮人虐殺の真相と実態」。みすず書房現代史資料六巻、「関東大震災と朝鮮人」。

26戒厳司令部

戦時または事変にさいし、軍隊の力で国民の自由を制限し、司法・行政機関を適宜代行して、秩序の回復をはかるときに、戒厳令をしいた。これは旧憲法第一四条にきめられた天皇大権の一つで、戒厳令下では、最高責任者は戒厳司令官であり、街の各所には兵士が武装して立ち番をし、民衆を恐怖におとしいれた。一九〇五年の日比谷焼打ち事件、一九二三年の関東大震災、一九三六年の二・二六事件のときに、戒厳令がしかれ、戒厳司令部がおかれた。いまでは、「非常事態宣言」などという言葉でよばれているが、戒厳令とは、そんな生まやさしいものではなかった。大杉栄はこの戒厳令下で、憲兵の手によって殺されたのである。

ナダやオーストラリアのような自治を認めることもしない、まったくの併合・制圧であり、矢内原忠雄の言をかりれば、「恐らく世界唯一の専制的統治制度」であったのです。

日本の植民地統治は、政治は乱暴でよくなかったが、それでも、経済的には朝鮮を大いに開発したのだという人があります。

とんでもない話です。日本の支配は、朝鮮の経済をたちおくれたものにし、いびつでちんばなものにしただけなのです。日本は「会社令」で、朝鮮に民族資本が発生することをおさえ、日本の商品市場にし、原料市場にし、おくれた農業経済社会のままにとどめました。後に、日本の戦争経済の必要性から、工業化をすすめた時でも、半製品製造のようなちんばなものにし、ただ日本経済の付属物としてだけ意味のあるかたよった工業にしてしまいました。とく

27米騒動

一九一八年八月三日、富山県中新川郡水橋村の漁民の主婦たちの米の船積阻止、米価値下げ要求に端を発した米騒動は、九月二日までの間に、一道、三府、三十六県、三一〇ヵ所において展開され、労働者、漁民、農民、市民など約一〇〇〇万人が参加して、資本家・米商・地主と正面切ってたたかい、更に警察官や、軍隊と戦った。

米騒動は、直接的には大正七年一月以来の急激な米価騰貴によっておこされたが、基本的には、大正初期頃から、日本国内における米穀生産の停滞が、一方では、人口増大、特に労働者をはじめとする都市人口の比重の増大がみられ、従って米穀需要が増大したことによる。このことは日本資本主義が、広汎な小作農・貧農をかかえる農村を、資本蓄積、低廉賃金労働力の源泉とすることによって発達し、特に、第一次大戦期における工業・貿易面での発展の一方、農業生産が荒廃しつつあったことによるのである。

さらに、第一次大戦期の「好景気」のかげにインフレが昂進し、労働者、俸給生産者たちの生活は圧迫されつつあった。したがって米騒動は単なる米穀需給の問題ではなく、日本資本主義の構造的矛盾そのものの激化によっ

に、どんなに工業を興しても、朝鮮人には技術は教えませんでした。朝鮮人はもっこかつぎだけやっていればよいのだということだったのです。

このことは、農業についてもいえるのです。それは、農業生産性の停滞、農村共同体の破壊、自作農の没落、小作関係の拡大をもたらしただけであるばかりでなく、逆に火田民や火田面積をふやしてさえいます。

細川嘉六氏はその名著「植民史」の中で、

「三井・三菱・住友・野口・東拓関係を総計すると資本金総額約十億円の巨額に達し、……昭和十四年現在朝鮮に本店を有する会社の資本金合計十九億円余の半を占むることとなり、……かくして現在の朝鮮は依然たる封建的基底の上に外来の独占的大資本を聳立せしめ、内地と同じ関係を朝鮮にも再現しつつある」

と喝破しています。所詮、カニは自分のこ

てひき起されたものである。

この米騒動は、国内的には、労働者・農民の、資本家・地主に対する戦いであり、直接的には寺内軍閥内閣をたおし、原政党内閣を成立させると同時に、その後の日本の社会主義労働・農民運動発展の一起点となり、国際的には、ロシヤ革命によって作り出された、世界的革命気運の昂揚の一反映であり、特に三・一運動、五・四運動と呼応するものであった。

日本国内における米穀不足は当然朝鮮にも波及した。一九一八年六月、政府は、朝鮮への外米の輸出をおこなわせ、朝鮮米の輸入を図るべく、三井物産、鈴木商店、湯浅商店に指示した。当時の朝鮮では、「欧州戦乱以来、諸物価の騰貴漸次その度をたかめ、特に米麦等穀価の暴騰は其の底止するところを知らざるところであって朝鮮内の穀価騰貴の有様は総督が大正七年八月三十一日、諭告を発し、各道長官をして、其の保管せる凶歉、救済の資金を適宜活用すべきを指令し又一面消費者の自制心を喚起して、精米の節約、粟麦等の混食を奨励し、生産者の売惜しみを誡め、又時機に投じて米商若しくは移輸出業者等の不当なる買占めを為すなどのことを厳禁した。」と「施政二十五年史」(総督府発行)はひかえめに述べているが、このことは、現に、朝鮮米の日本へうらに似せた穴しか掘れぬということでしょう。

日本の巨大財閥で朝鮮の搾取の上に肥え太らなかったのが一つでもあろうか。日本の鉄道・道路・ダム・炭鉱・鉱山で、朝鮮人のあぶら汗のにじんでいない所が一つでもあろうか。日本の巨大土建会社で、朝鮮人の生血をすすっていないものが一つでもあろうか。

みなさん。日本の近代の全発展は、朝鮮人の「哀号《あいごー》、哀号《あいごー》」という血涙の上になりたっているといっても過言ではないのです。

日本はまた、朝鮮の民族的文化財を根こそぎといってもよいほど掠奪しました。仏像・古文書・古美術・陶磁器みなしかりです。日本の「皇室御物」の半分は朝鮮からの掠奪品です。せいぜいだまして安く買いたたいて手にいれたものです。その上、か

の輸出増大により、朝鮮内の米穀不足が激化したことを示す。

朝鮮に於ける米穀生産高と消費高（朝鮮米穀要覧）

年次	生産高	消費高	1人当り消費高
	千石	千石	石
大正 1	18,568	11,055	0.7724
2	10,865	10,509	0.6988
3	12,110	11,119	0.7120
4	14,131	11,835	0.7376
5	12,846	11,040	0.6731
以上平均	13,704	11,111	0.7188
6	13,933	12,064	0.7200
7	13,688	11,561	0.6801
8	15,294	12,386	0.7249
9	12,708	10,906	0.6342
10	14,882	11,630	0.6707
以上平均	14,101	11,709	0.6860

植民地の人民には「粟麦等の混食を奨励して」いるのである。これは「日韓併合」以来、日帝が朝鮮において一貫してとった政策であった。

れらの文化活動をひんまげ、文化生活の息の根をとめてしまいました。かれらが、能力をのばそう、文化的に世に出ようと思うなら、日本帝国主義に協力し、同胞を売り、うらぎるよりほかに道がないようなしかけの中に包みこんでしまったのです。朝鮮文字を禁止し、朝鮮語を禁止し、朝鮮の子供への教育では、朝鮮の歴史を教えず、天照大神を教えたのです。そのような状態の中で、朝鮮の民族的伝統舞踊の美しさと迫力を誇らかに守りつづけるために血涙のにじむ努力を続けた崔承喜という人物は、やはり大変にりっぱだったといえましょう。

　学問の世界でだってそうです。たしかに考古学や言語学や歴史学や地誌学やの分野で、日本の学者は朝鮮研究を発展させたかも知れません。しかし、それらはすべて、日本人学者による、考古学的遺物・発掘品

日本人一人当り米穀消費の変遷

年代	1878〜1882	1898〜1902	1908〜1912	1913〜1917	1918〜1922	1923〜1927	1928〜1932
一人当り米穀消費高	0.782 石	0.976 石	1.064 石	1.071 石	1.128石	1.126 石	1.090 石

「朝鮮米穀要覧」の「本国の需給」の部による

　これらの表によって、日本人の米消費量は明治以来一貫して増大するが、これは、朝鮮における消費量の減少によって支えられていることが知られる。又日本人の消費量も、米騒動以後は減少しているが、これは日本内における不況の連続が、労働者の米消費を減じさせ、農民の米放売を促したことによるのである。（「朝鮮産米増殖計画」の項参照。）

　参考文献「大正政治史」信夫清三郎「米騒動の研究」庄司吉之助

28 **初等国史、第六年**（朝鮮総督府昭和一六・三・三一）

大正天皇は、明治天皇のおぼしめしをおうけつぎになって、一視同仁の御いつくしみをますますおひろめにな

の掠奪的持ち出し、文献資料の独占の上になされたのであって、朝鮮人の朝鮮学界とは無縁の世界でなされたことです。みんな手前の学問的欲望をみたすために、うの目たかの目であさりまわっていただけのことです。学問には国境も政治もないなどといっている者もいますが、それならその学者連中に聞きましょう。京城帝国大学でいったい何人の朝鮮人学生を養成したのか、と。

　以上のようなことが、日本が過去に朝鮮にたいしてやったことのすべてなのです。この日本の朝鮮侵略に追いまくられて、朝鮮人は、あたかも風に追われでもするように、白い服をはたはたと物悲しくなびかせながら、わずかばかりの身のまわりの品を、男は背に負い、女は頭にのせて、泣きじゃくる子供たちの手をひきつつ、アリラン峠を越えて流れ出していったのです。

　このような日本帝国主義の所業は、なん

り、京城に朝鮮神宮をお建てになって、天照大神をおまつりして、まつりごとのもとゐをお示しになり、明治天皇をおまつりしてまつりごとのはじめを明らかにせられて、朝鮮のまもり神になさいました。このやうにして、皇室の御めぐみは、あまねく朝鮮に及んで、人々は安らかな生活を営み、内鮮一体のまごころがしだいに深くなり平和のもとゐがかためられました。

　朝鮮の政治は、代々の総督が、ひたすら一視同仁のおぼしめしをひろめることに力をつくしたので、わづか三十年ほどの間に、たいそう進みました。したがって、世の中はおだやかになって、産業は開発され、中でも、農業や鉱業の進みが著しく、近年は工業の発達もめざましく、海陸の交通機関はそなはり、商業がにぎはひ、貿易は年ごとに発展してゆきました。教育がひろまり、文化が進むにつれて、風俗やならはしなども、しだいに内地とかはりないやうになり、制度もつぎつぎに改められて、内鮮一体のすがたがそなはってゆきます。地方の政治には、自治がひろまり、教育も内地と同じきまりになりました。とりわけ、陸軍では、特別志願兵の制度ができて、朝鮮の人々も国防のつとめをになひ、すでに戦争に出て勇ましい戦死をとげ、靖国神社にまつられて、靖国の神となったものもあり、氏を称へることがゆるされらかの形でおわびをしなければならぬものであり、なんらかの形で賠償しなければならぬものです。

しかし、それは、帝国主義の責任であって、日本の人民は別だという考えもあります。では、その人民の側について調べてみましょう。

て、内地と同じ家の名前をつけるやうになりました。

第二講

日・朝・中三国人民連帯の闘いの歴史

一

話が少々古いところにさかのぼりますが、幕末のころまで、日本の国民感情のなかには朝鮮や中国にたいする偏見や蔑視はありませんでした。むしろ日本の文化の源として、尊敬やあこがれの念さえひろまっていました。こういう感情は、朝鮮や中国人への蔑視がひろまってのちも、明治の中ごろまで、一部にはつよく残ってずっとつづきました。とくに黒船に象徴される欧米列強の圧力が、東亜にひたひたとおしよせ

「日韓併合」までの近代日朝関係年表

一八六四年：大院君執政
一八六六年：仏、米艦朝鮮に侵入
一八六八年：明治維新
一八七三年：「征韓論」おこる
一八七五年：日本軍艦、「雲揚号」江華島砲撃
一八七六年：日朝修好条規（江華条約）締結
一八八二年：壬午軍乱─壬午政変
一八八四年：甲申事変
一八八九年：防穀令事件
一八九四年：東学党の乱（甲午農民戦争）
日清戦争（〜九五）　甲午改革
一八九五年：乙未の変（閔妃殺害）
一八九六年：国王ロシヤ公館に遷る。
一八九七年：国号を、大韓帝国と改める
一八九八年：独立協会、活動す
一九〇二年：日英同盟締結
一九〇三年：ロシヤ竜岩浦を占領
一九〇四年：日露戦争（〜〇五）
日韓議定書、第一次日韓協約

た明治維新から明治のはじめにかけては、日本・朝鮮・中国がいっしょになって協力しないことには、紅毛異人にやられてしまう、という強い連帯感すら生まれていました。明治の藩閥政府に批判をもち、自由民権をとなえる人たちのあいだに、こういう思想がいだかれ、「興亜会」などという結社もできました。

　また、自由民権論者のひとり樽井藤吉*1は、「大東合邦論」という本を漢文で書き、日本と朝鮮とが平等の立場で合併し、さらに中国と提携して、ヨーロッパの侵略に対抗しよう、という意見をのべました。

　こうした動きには、たしかにアジア連帯の思想の芽はあります。しかし、自由民権論が、アジアへの進出をとなえる国権拡張論に容易にすりかわったように、不安定な要素をたくさんもっていました。「大東合邦論」にしても、「日韓併合」のさいには、

一九〇五年：第二次日韓協約、（外交権剝奪）貨幣整理（〜一一）
一九〇六年：統監府開庁
　大韓自強会等の愛国啓蒙運動、義兵闘争各地に起る（〜一〇）
一九〇七年：ヘーグ密使事件、高宗退位、日韓新協約
一九〇八年：東洋拓殖株式会社創立
一九〇九年：日本、司法権を剝奪
　伊藤博文暗殺
一九一〇年：警察権を日本に剝奪、朝鮮総督府設置、土地調査事業開始

1　**樽井藤吉**
一八八二年、東洋社会党を創立、すぐ明治政府から禁止を命じられ、その後、おなじく民権論者たる大井憲太郎らと大阪事件をおこし、起訴された。東洋社会党は徹底した平等主義を主張して、政府官憲からは危険視された。その著「大東合邦論」は、かれらの思想を説明したものではあるが、侵略とも連帯ともどちらにも解釈し発展させ得る混沌としたものをふくんでいた。

2　**「脱亜論」**
福沢諭吉一八九五年の著。いわく「我国は隣国の開明

それを合理づける材料につかわれたほどです。ことに明治十年代に入ると、言葉ではアジア連帯を説いても、じっさいには日本のアジア進出を是認するような内容のものが生まれてきます。こういうのはずっと後の時代までつづき、こんどの大戦でも、中国やその他のアジア各地を侵略しながら、「日支親善」だの「亜細亜の曙」だのといって、日本が「東亜の盟主」になることを合理づけるようないいまわしが横行しました。

一方、こうしたアジア同士の連帯ではなく、むしろはっきりとアジアから離脱すべきだ、ととなえる福沢諭吉の「脱亜論」*2のようなのも生まれました。おくれたアジアの連中といっしょにされるのは迷惑千万で、大いに西欧帝国主義のまねをしようというわけで、福沢は日清戦争を賛美し、清国をやっつけろ、と主張しました。ここにも、民権論から国権論へのすりかわりがみ

を待て共に亜細亜を興すの猶予ある可からず、寧ろ其伍を脱して西洋の文明国と進退を共にし、其支那朝鮮に接するの風に従て処分す可きのみ」。

3 金玉均

李朝末期、すなわち一八八〇年代、守旧派または事大党と、開化派または独立党との対立があり、金玉均は後者に属し、改革を企図した。一八八四年のクーデター計画（甲申政変）は、失敗におわったとはいえ、ブルジョア民族運動の開幕となった。この政変後、日本に亡命、のち上海において、日本人に仕くまれて殺された。一八九四年、四三歳。

4 孫文

号は中山。はやくより民族・民権・民生の「三民主義」をとなえ、清朝打倒をめざした。一九〇五年、中国革命同盟会を組織、ブルジョア民族運動の中核となった。一九一一年、辛亥革命で清朝を倒したが、結局、軍閥の天下になってしまい、やがて孫文は軍閥とのたたかいに向かい、一九二四年、自分のひきいる国民党と、中国共産党との合作にふみきった。一九二五年、革命なかばで病歿。五九歳。

5 亜州和親会

一九〇七年、幸徳秋水を中心に、中国の章炳麟・張継

られます。アジア主義も侵略を是認する帝国主義の理論に変質していったのですから、結局は、脱亜論もアジア主義も、たての両面のような性格のものになったわけです。

しかしながら、前むきの連帯意識も消えさったわけではありません。朝鮮の金玉均[*3]への日本の志士たちの援助、中国の孫文[*4]にたいする援助などには、国権論的なものもふくまれてはいましたけれど、当時の日本人民の一種のアジア連帯の志向が反映していたことは否定できません。

もっと積極的には、明治の末年に当時の社会主義者幸徳秋水などが、平民階級の国際連帯という立場から、アジア諸民族の団結を説きました。一九〇七年、アジア各国の革命家の結集体として、幸徳が組織した「亜州和親会」[*5]は、いろいろ当時の時代の制約から不充分な点があったにせよ、日

ら日本亡命中の革命家を糾合して組織された。これは中国、インドの革命家を主体とし、アンナン、フイリッピン、ビルマ、マラヤ、朝鮮などの革命的インターナショナルをめざして「凡そ亜州人にして、侵略主義を主張する者を除き、民族主義、共和主義、社会主義、無政府主義を論ずることなく、皆入会するを得」というものであったが、まもなく解散した。なお、幸徳は帝国主義に反対し、朝鮮の独立を支持しながら、「之を世界の歴史に稽って、自国の将来を憂慮する時、朝鮮をして永遠の屈辱より超脱せしむる只一途あることを自覚するならん。国家観念の否認即ち是れ也」と、無政府主義的な主張に飛躍してしまった。

6　日韓併合を批判する目

日本の革命的民主主義者、社会主義者の思想のうちには、他民族侵略、支配にたいする批判の目が生きて働いていた。

幸徳秋水、堺利彦等は日露戦争に反対し、社会主義と非戦論の主張を高唱するため週刊平民新聞を発刊したが、その一年余にわたる言論活動において（明治三六年一一月―明治三八年一月）、朝鮮にたいする日本の帝国主義的侵略を一貫して批判しつづけている。そのおもな論説および記事を年代順に摘記してみると――

韓併合を批判する目として特筆すべきでしょう。*6 げんに幸徳事件のただ一人の生き残り、そして今もなお無罪立証のためにたたかっている高知の坂本清馬翁が、こんにちでも、「私は、日本の完全独立は、まず日中国交回復からという信念をもって…極東に、日・中・朝三国連邦をつくるのが私の畢生の目標であります」と主張しておられるのも、決して偶然ではありますまい。

こうして、自由民権運動をきりくずし、アジア連帯の思想を変質させ、初期社会主義運動を徹底的に弾圧しながら、日本は滔々《とうとう》として軍国主義・膨脹主義・帝国主義の道をすすみました。日清・日露の勝利に酔って、一路大陸侵略につき進むわけで、そのはじめの手がかりとして、まず「台湾」そして「日韓併合」をおこなったのでした。

「併合」の夜、初代朝鮮総督となった寺内大将は、

○社説　「愚劣なる主戦論」（明三七、一、一七、第一〇号）ここでは例えば、主戦論者の論理の運びを衝いていう。「露既に満州をとる、必ず朝鮮を取らん、一たび朝鮮を取る、必ず対島を取り九州を取り、日本全土を取らんと、……若し此論法を以て拠る可しとなさば、日本を防ぐ先ず朝鮮を防がざるべからず、朝鮮を防ぐ満州を防がざるべからず……後略……」

○社説　「敬愛なる朝鮮」（明三七、六、一九、第三二号）。「朝鮮を愛する」日本人民の立場から「自家の政略を愛する」日本政治家の朝鮮侵略政策を手きびしく批判した論文である。ここで「亡国の屈辱を嘗めたるものに非ずんば、侵略の罪悪を鞭つことは能はざる也」といいきっている。

○記事　「韓国の土地を掠奪するの企図」（明三七、七、一〇、第三五号）。前大蔵省官房長、長森藤吉郎の策略をあばいている。

○社説　「朝鮮併呑論を評す」（明三七、七、一七、第三六号）。徳富蘇峰および海老名弾名の併呑論の本質を指摘した論文で、「見よ、領土保全と称するも、合同と称するも、其結果は今ヨリ大なる日本帝国を作るに過ぎざることを、」と書きしるした。

週刊平民新聞が解散させられてから、二年後、明治四

小早川、加藤、小西が世にあらば
　今宵の月を　いかに見るらむ
とうたって得意満面でした。これが帝国主義者の心境でした。
　しかし、日本国民のすべてが、これを国威発揚だ、領土拡張だと、よろこんでいたわけではありません。あきらかに批判的な眼で、抵抗の姿勢で見守っていた日本人もあります。たとえば石川啄木です。彼は、
　地図の上　朝鮮国に
　くろぐろと　墨をぬりつつ
　秋風をきく
と、歌っています。「働けど　働けどなおわが暮らし　楽にならざり　じっと手を見る」という感覚で生きていた啄木にとっては、朝鮮侵略を国運隆盛としてでなく、身にせまりくる秋風の寒さと感じ、朝鮮民族に全幅の同情を示しています。まったく石川啄木は、日朝協会の初代名誉会長とで

〇年一月、日刊平民新聞が再刊されたのであるが、その四〜七号に、「満韓政策と平民階級」という論説がのっている。筆者は田添鉄二である。日露戦争後の満州、朝鮮における侵略政策が、国内の革命の気を国外に放散するために、「国民の愛国心を利用したる国民統治の去勢術に外ならぬ」ものであると明らかにしたのち、これは「権力階級政策である」「而も平民階級に向っては、其は徹頭徹尾無益であり、無意義である」と論じた。
　これらの流れにたって、日本の社会主義者は、朝鮮独立を主張する「対韓決議」を日本政府につきつけたのである。
　「吾人は朝鮮人民の自由、独立、自治の権利を尊重し、これにたいする帝国主義的政策は、万国平民階級共通の利益に反対するものと認む。故に日本政府は朝鮮の独立を保障すべき言責に忠実ならんことを望む。
　一九〇七（明治四〇）年七月二一日
　東京社会主義有志会
　朝鮮への帝国主義的侵略に反対し、朝鮮の自主独立を支持する国際主義の思想が、社会主義運動の展開とともに、そのなかで成長していた。だからこそ、「日韓併合」と同時に大逆事件をでっちあげて、社会主義運動の息の根をとめ、そのなかに息づいている国際主義の思想を一掃

もいえましょう。柳宗悦*7　もその一人です。この、寺内の道と、啄木の道という二つの道は、その後、それぞれどのようになっていくでしょうか。ごく大ざっぱに、それを追っていってみます。当時、日本人の側から、日本帝国主義に反対する闘いが多少なりとも存在したが、朝鮮の「併合」を食いとめるにはいたらず、*8 その政策に大きな打撃を加える程度のこともできなかったのだという点は考えておいてよいのではないでしょうか。

「併合条約」が調印されたのは八月二二日でしたが、それから一週間のあいだに充分な治安対策を講じたうえで二九日に発表しました。これが発表されると、朝鮮全土は、大地をたたいて慟哭《どうこく》するものの声にみちたということです。そしてそれから約十年間、武断政策の憲兵政治にいためつけられていきます。しかし、朝鮮人は屈服して

せねばならなかったのである。

田添鉄二『満韓植民政策と平民階級』

「日刊平民新聞」、明治四十年一月二十二日号から二十五日号まで四回にわたって連載された論文。田添はこの論文でつぎのようにのべている。

「国民の生活状況は、一刻一刻に窮迫の度を増しゆくのみである。帝国臣民生存の権利は、一歩一歩に断崖絶壁に近づくのみである」。「現に圧迫しつつある国民生活の不安を何れの方法にてか、解決してやらなければならぬ。」「かくて帝国の殖民政策なるものが、朝鮮に提唱せられ、何時しか日本帝国政府外交の一大項目となって現はれた」。「帝国殖民政策は果たして平民階級に対する救世の福音なるかは、是れ吾人が眉に唾して考一考すべきの問題ではないか」「証ずる所殖民政策とは、其実権力階級政策である。資本家政策である。帝国旗は、権力階級に向っては始めであり終りである。領土の拡張は資本家階級に向っては実に深遠美妙な意義を有して居る。而も平民階級に向っては其は徹頭徹尾無益であり無意義である。」「満韓殖民政策は権力階級政策であり、国民統治の去勢術である」。「古来より権力階級が被治者の覚醒に備ふる慣用手段である。」

いたわけではありません。洪範図や車道善などにひきいられる義兵が、日本軍とたたかいます。だが、圧倒的な日本軍の力でおさえられます。朝鮮本土の極度の言論封鎖のため、海外在住朝鮮人の啓蒙活動が目立ちます。この人々の発行するものが国内にもちこまれ、まわし読みされます。

また、朝鮮本土の中でも、各種の私立学校や書堂*9などで民族的な教育が行なわれ、ひそやかなる抵抗がなされます。

そして、これらの動きが、ロシアの十月革命や、ウィルソン大統領の民族自決理論などに刺激されて、朝鮮民衆が一九一九年三月一日にいたって一斉に反日蜂起をなすにいたります。

その当時、朝鮮はおくれた農村社会であり、工業が発達していなかったから労働者も少なく、したがって、三・一闘争は、日本の圧迫に耐えかねた朝鮮人が、居ても立っ

尚、以上のような日本人民のたたかいについては、これから、われわれの手で、ほりおこして行かなければならない。そのための手がかりとしては、次のような著書がある。

石母田正「歴史と民族の発見」上・下巻
青地晨編「被圧迫民族の知識人」
出　隆編「灰にするが可」—ある哲学青年の手記—

7　**柳宗悦**（一八八九〜一九六一）
白樺派の一人であり、民芸運動の開拓者（日本民芸館長）、宗教、哲学者、彼は忘れられた朝鮮民芸品の美を見出し、同時にそれらを作った朝鮮民族に深い愛と責任を感じた。その故に三・一運動のおこったとき、その正しさと民族の独立の必然性をみとめ、それをただ一人で公然と日本国民に訴えた。その後一九二四年に、京城に朝鮮民族美術館を作り、民芸品を集めて展示し、また日本民芸館（一九三六）にも多くの朝鮮民芸品を集め、朝鮮の美をひろく日本人に紹介した。かれの最大の功績は朝鮮民芸品の美の追求を通じて、その作者たる朝鮮人たちが、すぐれた伝統文化をもつ一つの民族であることを立証した点にある。

てもいられない気持を湧きたたせ、明白な政治指導なしに行なわれたのが一つの性格といえます。

この運動の口火を切った人々も、政治活動や民衆工作に経験をつんだ人々ではなく、地主の息子とか宗教家とか、いまどきの言葉でいえば、文化人・知名人とでもいうべき名門の人々でした。したがって、李太王の葬式の直前にみんなで表にとびだし、朝鮮独立万才を絶叫しあおうという単純な戦術計画でした。そして自分たちは、一室に集まって宣言文をしたため、しかも「これから独立運動をはじめますが、何分ともお手やわらかに……」と日本の官憲に電話で通知するありさまでした。つまり、独立を闘いとるという姿勢ではなく、独立を与えてくれるよう懇願する姿勢でした。日本帝国主義がお手やわらかになどするはずがありません。ただちにおっとり刀で一

8 義兵闘争

	衝突暴徒総数				衝突回数			
	守備隊	憲兵	警察官	合計	守備隊	憲兵	警官	合計
明治40年	41,871	1,145	1,100	44,116	307	10	6	323
41年	53,418	14,149	2,237	69,804	1,016	375	60	1,451
42年	7,829	15,918	1,180	27,653	239	575	32	953
43年	252	1,563	76	1,901	19	121	7	147
44年	45	168	3	216	4	28	1	33
合計	103,415	32,943	4,596	143,680	1,585	1,109	106	2,907

(朝鮮駐剳軍司令部「暴徒討伐史」より作成

網打尽ですが、しかし、伝え聞いた民衆の方は、指導者のおもわくや姿勢をのりこえ、次から次へと街頭にとび出し、広場にあふれ「朝鮮独立万歳」を絶叫しつつ一大デモになっていきました。

朝鮮人の民族をあげてのこの闘いは、数カ月で二〇〇万人からを動員し、全国に波及しました。日本の支配機関一四九が攻撃されましたが、憲兵・警察官の死傷者一六六人—意外にすくない—また死傷日本民間人は二九人—まったくすくないことに注目してください—です。これに反し、朝鮮人の死者は万をこし、検挙者一九五二五人（そのうち女性四七一人）という仮借なき大弾圧がくだされました。*10

一つの大きな闘いとそれにおそいかかる弾圧、このあとには必ず、失望と自覚という異なった二つの傾向がうまれます。これはどこでもそうであり、いわば運動の法則

---

9 私立学校と書堂

朝鮮教育令による公立学校は朝鮮人の言語と歴史の教育に著しい制約を加えた。たとえば第二次教育令による普通学校の日本語の毎週教授時数は第一学年で一〇時間、第六学年で九時間であるのに朝鮮語のそれは第一学年で五時間、第六学年で二時間と定められており、国史は、「国体ノ大要ヲ知ラシメ」ることを要旨とし、日本を中心とした朝鮮の服属関係の歴史だけを教えた。そのため朝鮮人は制約の比較的ゆるい私立学校や書堂を、苦しい経済状態の中から自力でたて、子弟の教育を行なった。

私立学校には宗教系（主としてキリスト教系）のものと民族系のものとの二種があったが、当局はこれを弾圧し明治四二年(一九〇九)には計二、一八二校もあったものが昭和七年(一九三二)には計四二四校に減らされてしまった。民族系の私立学校は朝鮮人の拠出による基本財産の収入によってその経費の半分が支えられていたが、当局はその財産をとり上げて公収しこれを公立普通学校の財源に充てた。昭和五年の公立普通学校一、六三九校の約1/3はかかる「換骨奪胎」政策によって成立したものであった。

他方明治四五年一六、五四〇校であった書堂は増加の一途をたどり、大正六年には二五、四八六校となり全朝鮮平均一・一洞里当り一校と文字通り全国津々浦々に書

です。日本の国内の一つのストライキをとってみてもそうなるし、安保闘争の例でもそうです。安保のあとにも失望と自覚の二つがあつた。一つは、あれだけ闘ったのに結局、新安保条約は批准されてしまった。すべては空しい闘いであった、ああ挫折感だ、などという風潮があった。冗談ではない。生まれてはじめて国会のまわりを四、五回まわったぐらいでなにが挫折感か。しかし挫折感という言葉まではやり、その青くさい挫折感とやらをほめたたえる大学教授や評論家や文化人があらわれたほど、一時的にかっと興奮して、すぐ一時的にクシヨンとなる傾向というものが現実にはある。だが、もう一つ、闘いの経験を通じて、もっと敵を明確にし、もっとなかまをふやし、もっと統一をうちかため、もっともっと闘いつづけていかねばならぬという自覚もまた発生してきたし、それは今でも続い

堂ができた。驚いた当局は大正八年二月書堂規則を発布して、強い制約を加えてこれを弾圧した。書堂の歴史は古くは高句麗にまでさかのぼるが、高麗末期から李朝初期に在郷儒学者の個人書斎の初等教育的開放として盛んに行なわれ、李朝中期に村落の学校として確立した。教授内容は漢学であったが諺文の教授を伴い、朝鮮の歴史をも教えた。収容児童は少なく、方法は暗誦一点ばりで、その形態は前近代的であったが、併合後は外形は前近代的ながらその機能において朝鮮人自身の近代的教育の前駆的形成という性格を有していた。

　書堂規則制定以後書堂もまた減少しはじめ、大正一三年にはついに二万を割るに至ったが、この頃からこんどは私設学術講習会という別の形で、当局の弾圧の網の目をぬいながら、朝鮮人自身の初等教育を展開して行った。昭和五年には全朝鮮に二千近くの私設学術講習会が存した。

　要するに、当局の弾圧の網を巧みにくぐりながら民族独立のための教育を抵抗的に絶えず展開していたのであって、昭和五年におけるこの種の民間自力の初等教育施設は当時朝鮮に存した全初等教育施設の実に九〇・八%を占めていた。いかに朝鮮人の抵抗的教育エネルギーが大かつ全面的包括的であったかを知ることができる。

ている。
三・一闘争のあとにも、この失望と自覚の二つが生まれる。一つは、日本帝国主義の弾圧におそれをなし、闘いの敗北に失望し、しかも折から日本が政策転換をし、いわゆる「文化政策」に転じたのにまんまとひっかかり、日本と協力しながら、朝鮮人の文化的発展でも徐々に考えようなどという傾向です。※11

同時にもう一つは、独立は嘆願して与えられるものではないという自覚をもち、独立は自から闘いとるものであるとの自覚を深め、本格的な独立闘争の組織にたちあがつていく機運※12です。

この自覚した人々の動きが、鴨緑江《おうりょっこう》・豆《と》満江《まんこう》を越えた中国領「満洲」東部―当時その地方を「間島《かんとう》」※13といった―に数多く住んでいた朝鮮人のあいだにひろまっていきます。これがいわゆる「間島パルチザン」

10　三・一運動

三・一運動とは、一九一九年三月一日を期して朝鮮全土にまきおこった日本帝国主義の植民地支配に対する、朝鮮民族の独立運動である。この運動の参加者を総督府では四月末までに五十八万七千六百 四十 一人だと発表し、ある人は二百万人が参加したともいう。しかしこのように参加人員を推定する事は無意味である。なぜなら総督府が検挙した被告でさえ、その有罪無罪をきめるのに「既ニ独立セルモノトシテ万歳ヲ称ヘタルモノハ之ヲ無罪トシテ釈放シ、独立ヲ企テントシテ万歳ヲ叫ビシ者ハ之ヲ有罪トシテ処刑」したというあいまいさである。この事実は三・一運動がいかに全民族をあげた闘いであったかを、雄弁に物語っているだろう。この時代を生きぬいたすべての朝鮮人は、何らかの形でこのたたかいに参加したと考える方が、はるかに事実に近いのではあるまいか。地域的にみても朝鮮全国二百十八郡のうち、二百十一郡に直接的な蜂起があった。

一九一九年二月八日には、東京において朝鮮人留学生が、独立大会を開いて三・一運動の口火をきった。留学生たちは日本警察の弾圧にも屈せず、数回にわたる集会を開き、「独立宣言文」を発表し、朝鮮の独立を国際世論と日本人民に訴えると共に、祖国の運動に参加すべく、の運動です。

朝鮮人の抗日パルチザン独立闘争といっても、いま、ここでいっているのは、みなさんがしばしば本で読まれている金日成将軍のパルチザン闘争のことではありません。それよりずっと前の一九一九年ごろのことであって、その当時、金日成将軍はまだ幼年です。

そこで、この初期「間島パルチザン」についてすこし話してみたいと思います。

二

一九一七年から二三年までのあいだ、洋の東西を問わず、あっちでもこっちでも一斉に大騒動が起っています。つまり、ロシア革命にはじまる世界的な革命の昂揚《こうよう》期だということです。

物ごとにはすべて一つの機運というか、

ぞくぞく朝鮮に帰っていった。

かくして一九一九年三月一日、三・一運動は開始された。アメリカ大統領ウィルソンの民族自決宣言に幻惑された初期「指導者」たちは独立は無抵抗の請願によって達成されるものと信じていた。いよいよ三月一日の朝がくると朝鮮人民の独立への要求は「指導者」たちの予想をはるかにこえていた。その勢いにおじけづいた「指導者」たちは独立宣言書発表の場所を最初の予定地パコダ公園から朝鮮料理店に変更し、そこで自分たちだけで宣言文を読み上げると同時に自ら日本官憲に電話して、一網打尽に逮捕されてしまった。

運動は展開と同時にその「指導者」をのりこえて、人民によってたたかわれたのである。予定どおりパコダ公園に集まった学生、労働者、市民、農民たちは、独立宣言文を朗読し、いっせいに万歳を高唱し、隊伍を組んで鐘路通りを行進した。市民はたちまちこれに加わり、その数はみるみる数万に達し、各国領事館の前では「独立万歳」を叫び、ある者は街頭におどり出て独立の演説をぶつなど、熱狂の度を高めた。そのなかをアジビラが乱れとび、全商店はいっせいに閉店した。危機をはらみ、緊迫した熱狂刻一刻とつのり、もはや警察の手には負えなくなり、一日にはすでに軍隊が出動した。このような運大きなうねりというか、大きな流れというか、そういうものがある。一つの国のなかの一つの事件、それをそれだけ見ていればそれはそれだけのことだが、もっと広い視野で見なおすと、実は大きなうねりの一部であったり、あるいは相互に刺激しあっている関係であったりしているものです。

朝鮮の三・一闘争だってそうです。その二年前のロシア革命が朝鮮人を刺激し奮起させたことは疑いない。今のようにマスコミが発達してはいなかったから、風のたよりに聞いた程度のものもあろうし、またその内容・性質が明確にきちんと伝わったわけでもなかろうが、しかし、北のロシアで驚天動地の大動乱があったんだというこ と、いかなる圧制もひっくりかえせるんだということ、これが大きな刺激になっていたことは疑いをいれない。

朝鮮の三・一闘争だけではありません。

動は京城のみでなく、一日には平壌その他六ケ所で起っている。

三・一運動に死の様相を与えたのは、日本側の弾圧であった。そのたたかいと弾圧の一端を総督府の史料によってみると「四月三日暴民約一千名長安、西汀両面事務所ヲ破壊シ、書類ヲ焼キ、暴民増加シテ約二千名トナリ、花樹警察官駐在所ヲ襲ヒ、川畑巡査発砲抗拒シタルモ弾尽キ、終ニ惨殺セラレタリ、同巡査ノ死体ニハ五十一個所ノ傷痕ヲ残シ、耳鼻ヲ殺キ、陰具ヲ切断スル等惨酷ヲ極メ、更ニ駐在所ニ放火シ、兵器ヲ奪取シ引上ゲタリ」という一例のみでも、この運動のすさまじさと、朝鮮人民の日本官憲にたいする怒りを十分に伝えてくれるだろう。三・一運動ではどうしても消す事のできない血の文字を朝鮮史の中にかきこんでしまった。「提岩里の虐殺」「狩川、花樹里の焼打」「京城の十字架事件」などはその代表的な例である。

しかし朝鮮人民は日本の弾圧に屈しなかった。それどころか弾圧は火に注ぐ油となって運動はますます熾烈になっていった。この運動に手をやいた日本政府は四月四日の閣議で、軍隊の増派を決定した。その軍隊も「青森敦賀などが如く処々より派遣すべく又各地より上陸せしむべし」とまで心を配って日本人の目をあざむいて、朝同じ年に、中国では五・四運動*14がおこっている。これは中国の新民主主義革命の最初ののろしであるといわれている運動です。それは、「外に国権を争い、内に国賊をこらせ」「中国は中国人の中国だ」などのスローガンで親日官僚と学生が闘い、北京・天津・上海・南京・武漢・広東と全中国にひろがり、ついで労働者がストライキで応援する、さらに商人は一斉に店を閉じて応援するという大運動でした。

つまり、ロシア革命からはじまり、日本の米騒動*15・朝鮮の三・一運動、中国の五・四運動と、ヨーロッパからアジアにかけての運動の一大高潮があった。それが一七年から二三年にかけてである。この嵐の時代を性格づけて「アジアのめざめと、ヨーロッパの先進プロレタリアートの権力獲得の闘争の開始とは、二〇世紀のはじめに開かれた全世界史の新しい時期をなしている一

鮮に送りこんでいる。この軍隊が素手の朝鮮人をいかに弾圧したかは、「二十名ヲ殺傷シ村落ノ大部分ヲ焼棄セリ」「鎮撫ニ際シテ特別ノ手段ヲ採ルノ已ムナキニ至レリ」という簡単な陸軍省の報告が十分に説明してくれるだろう。三・一運動における朝鮮人民の被害は、死亡者七、九〇九人、負傷者一五、九六一人、焼却家屋七六〇戸に及んだ。

三・一運動は敗北に終った。しかし朝鮮人民は、三・一運動をたたかった事によって、国内の変革と結びつかない独立運動がいかにみじめな敗北を喫するか、また指導する組織をもたない革命運動がいかに無意味であるかを、体で学びとった。そしてこれらの教訓はその後のたたかいの中で生かされていくのである。

11 「文化政治」

「文化政治」は、朝鮮民族内部の分裂を助長させ、民族改良主義の発生をうながした。斎藤実は「親日鮮人ノ優遇」策を積極的にうち出して、次のように述べている。」「現在ノ如ク、独立思想盛ニ、流言蜚語ノ横行スル際ニ於テ、親日ヲ主張スルハ危険ノ身ニ及ブモノアルヲ以テ」、「余程ノ勇気ヲ有スルが如シ、サレバ此ノ際親日者ヲ優遇スレバ啻ニ本人ヲシテ悦服セシムルノミナラ

という有名な言葉もあります。このうねりの中から、一九二一年、中国共産党が創立され、一九二二年、日本共産党が結成されています。朝鮮ではややおくれて二五年の四月です。[*16]

こうした世界的な昂揚は、極東の一角の「間島」地方にも影響します。しかもそこは、ソ連と中国と朝鮮の国境が相互にからみあっている地点、つまりロシア革命の影響と、朝鮮の三・一闘争の中から新たな自覚をえた人びとの影響と、中国新民主主義革命の最初の発火の影響とが、からみあっている地点です。そこに、一九一九年四月、沿海州パルチザン（朝鮮人とロシア人の連合パルチザン[*17]）の闘争、同年八月、甲山・恵山《けいざん》（朝鮮本土内）のパルチザン闘争、同年一〇月延辺《えんぺん》パルチザン（中国人と朝鮮人の連合パルチザン[*18]）の穏城進出戦、翌二〇年、沿海州パルチザンと日本軍の大戦

ズ、其ノ他ノ鮮人ノ態度ヲ決定セシムル上ニ於テ頗ル利便アルト信ズ」このような斎藤のだきこみ政策は、民族主義者、改良主義的インテリを骨抜きにした。三・一運動宣言文の起草者崔南善は「日本の建国精神、歴史的行進曲は世界における最も高貴な文化系統である」と日本の侵略戦争を讃美した。また民族主義者の巨頭といわれた崔麟は時中会を組織して大東主義、内鮮融和をとなえ「真心と赤誠をもって朝鮮人は帝国臣民たることを自覚自処し、内地人は朝鮮人を真正なる同胞国民と認めねばならぬ。」と主張するようになっていた。

12　独立の機運

「曩ニウイルソンノ民族自決主義ニ憧憬シ米国ノ力ニ倚リテ独立を期待シタル不逞鮮人ハ其後所謂米国ノ後援ナルモノハ単ニ筆舌ノ声援タルニ止マリ何等具体的事象ニ益スル所ナキヲ覚知スルニ及ヒ……漸次過激派ニ接近スルノ傾向ヲ馴致シ……過激派行動スル所必スヤ若干ノ不逞鮮人コレ随従スルノ情況ヲ現出シ……」（朝鮮軍参謀部「不逞鮮人ト過激派トノ関係ニ関スル報告書」一九二一年六月）

13　間島

闘、同年二月鳳梧洞の戦闘、同年一〇月、琿《こん》春日本領事館への襲撃戦*19、同年同月、和竜県の戦闘、というふうに、「間島」一帯に日本帝国主義反対の武装闘争が展開されます。日本軍は、シベリア出兵*20からひきあげる軍隊と在朝鮮日本軍などをくりだし、いっぺんに数万名の朝鮮人を虐殺する（二〇年一〇月、延辺地区で）ようなことをしてて鎮圧にやっきになりますが、火の手はますますもえひろがる一方という事態でした。

この当時の闘いの朝鮮人政治指導者は、李東輝・李会永・金月松などという人びとです。

このばあい、すぐ気がつくのは、「間島」一帯の闘いが、はじめからきわめて強い国際性をもっていることです。それは、中国の領土内で行なわれた闘いを中心とするものではあれ、すでに朝鮮をこえて「満洲」に進出し領事館まで設置していた日本

朝鮮の咸鏡北道の北、すなわち豆満江（中国でいう図們江）の北側の中国領一帯を、日本では間島と称した。中国では延辺という。この延辺に百年ほど前から朝鮮人農民が移住しはじめ、ことに「日韓併合」以後は、土地を失なった農民が、流浪して数多く入った。金日成首相も一四歳のとき、父親とともに延辺に移住した。こうして、延辺を中心に、中国の東北地帯すなわち旧満州には、二〇〇万におよぶ朝鮮人が居住したといわれる。今日でも一二五万の朝鮮族がおり、中国の少数民族として、延辺朝鮮族自治州を構成している。この延辺では早くから抗日運動がさかんで、一九三二年、プロレタリア詩人槇村浩は、はやくも「間島パルチザンの歌」という長詩を発表している。日本はここに何度も軍隊を入れ、無惨な弾圧をおこなったが、「治安」を確保することはできなかった。朝鮮民主主義人民共和国の革命伝統がはぐくまれた地方でもある。

14 五・四運動

一九一九年五月四日、パリ平和会議の結末を批判し、中国の学生たちが起ちあがった運動。日本にたいする最初の組織的な抵抗運動でもある。帝国主義と封建軍閥を真正面の敵としたこの運動は、中国の新民主主義革命運

帝国主義にたいする朝鮮人と中国人の連合した闘いであり、しかも時に豆満江をこえて朝鮮へ進出する朝鮮独立の闘いでもあり、またシベリアに出兵している日本軍との朝・ソ連合の闘いでもあったわけです。この伝統は、その後もながくこの地に残ります。領土からいえば、中国の一部ではあるが、しかし住民の大半が朝鮮人であるこの一帯が、後に金日成たちがここで活躍するように、朝鮮解放闘争の根拠地となる必然性をもっていたわけです。

日本文学の中で、朝鮮を外からながめてあつかうのではなく、共同の思想、共通の感情にたって作られた最初の作品が、実はこの間島パルチザンをあつかったものだということがいえます。作者は槇村浩《まきむらひろし》という詩人、題名「間島パルチザンの歌」なる長詩が作られたのは一九三〇年。

この長詩は、「高麗雉子《こまきじ》が谷に啼く咸鏡

動の出発点とされる。この運動がふかまって、一九二一年、中国共産党が生まれた。

「北京の中国人学生と教師たちは、朝鮮示威運動（三・一闘争のこと……引用著）でかなり大きい影響をうけた。まだ朝鮮の運動がやまないうちに、早くもわれらは北京で五・四運動を組織した。……北京の朝鮮人は熱狂してこれに参加した。朝鮮人の学生と亡命者は……演劇会や講演会を開いたり、小さな示威行進をやったり、中国人に共同行動をとらせるように努めたりした。また、朝鮮独立宣言文を印刷して、とくにその中の次の言葉に傍線を引いて、中国人に配って読ませた。

われわれの闘争は中国四億の民の眠りを破りつつある。中国は朝鮮と力をあわせることができるし、インドもまた起ちあがるであろう。これは一の世界運動であって、今後も前進をつづけるであろう」（ニム・ウェルズ「アリランの唄」）

15 **米騒動**

第一次大戦によって、日本の資本主義は急速に発達したが、寄生地主制度のもとで米の生産は需要に追いつかずしかも一般的な物価騰貴、政府の地主、商人保護政策などで、民衆の生活はいちじるしく低下した。一九一八の村」や、「えぞ柳の煙る書堂」などを、「雪溶けの小径を踏んで、チゲを負い、枯葉を集め」あるく朝鮮の少女とその弟の目を通して愛情をこめた描写をしています。また、「大韓独立万才」の立場で、「白衣を血に染めて野に倒れた村びと」の立場で、日本軍のことを「兵匪」と呼び、「日章旗を翻す強盗ども」とも呼んでいます。そして、「風よ、憤懣《ふんまん》の響きを籠めて白頭から雪崩《なだ》れてこい、濤《なみ》よ、激憤の沫《しぶ》きを揚げて豆満江に送れ」と歌っています。

　ここには、啄木の伝統がりっぱに生きています。のみならず、啄木の単なる同情からはるかに前進し、闘いの連帯をはっきりと歌いあげています。その槇村の作品に、「異郷なる中国の詩人たちに」という題の詩があります。ここに日本人の側で、りっぱに日・朝・中の共同の反帝反日の闘いの立場を確立した人間があったことをみいだ

年七月二十三日、富山県魚津の漁師の妻で沖仲仕をやっている婦人たちが、米の県外移出の荷役を拒否したことに端を発し、県下一帯に米商人、金持、役場などにたいして、米の安売りを要求する運動がもりあがった。この運動はまもなく全国に波及して、九月十七日まで、各地の都市、農村、炭抗で焼き打ちなどがおこなわれた。これにたいして、警官隊と軍隊が出動して、市民に多数の死傷者をだし鎮圧されたが、寺内内閣にかわって、日本最初の政党内閣である原敬内閣を出現させ、さらに大衆運動のさかんになる端緒となった。

16　**朝鮮共産党**

一九二五年四月一七日創立、数次にわたる徹底的弾圧と内部闘争のため壊滅的な打撃をうけ、一九二八年一二月コミンテルンが承認を取消して以後は公式には解消した。その後も何度か党再建がはかられたが、弾圧が強く実現されえなかった。一九二六年、純宗の葬儀を機会としてソウル市民数万を動員して行われた反日デモ（六・一〇万才運動）は朝鮮共産党が指導した最も大規模な大衆行動であった。

　前史を考えるなら朝鮮の共産主義運動は最も古い。イルクーツク韓人社会党（一九一八年）、イルクーツク高麗

せます。
このような詩が作られたということは、当時の日本の国内での労農解放運動の中に、そのような気分がみちあふれていたことを物語っているのです。
その気持は、「雨の降る品川駅」という中野重治の詩の中にもうたわれているとおりです。

さようなら　金
さようなら　李
さようなら　女の李

行ってあのかたい　厚い　なめらかな
氷をたたきわれ
ながく堰《せ》かれていた水をしてほとばしらしめよ
日本プロレタリアートの後だて前だて
さようなら
報復の歓喜に泣きわらう日まで

共産党（一九二一年）、上海高麗共産党（一九二一年）などがある。金山はニム・ウェルズに語っている「朝鮮の共産主義運動は極東でもっとも古い歴史をもっている。一九一八年に李東輝はイルクーツク党という最初の朝鮮人共産党を組織した。中国共産党の創立に先だつこと四年である」（「アリランの唄」）

このようにロシア革命と三・一運動の後、もっとも早くマルクス主義をうけいれたのは、闘争のための理論的武器を探し求めていた、国外亡命中の民族主義者の一部であった。一九一八年シベリア極東地方で韓人社会党が、一九二一年には上海とイルクーックの二カ所で別個に同名の高麗共産党が組織された。二〇年代に入ると、朝鮮国内でも検閲の網の目をくぐって先進的なインテリがマルクス主義思想をうけいれるようになり、小規模なサークル、思想啓蒙団体が多数生れた。これらの団体はマルクス主義をアナキズム、キリスト教的博愛主義などの雑多な思想と混同して受けいれた面があり、また非常に抽象的な一般理論を機能的に適用して現実を分析しようとする面もあったが、理論の普及啓蒙に一定の役割をはたした。

このような状況を背景とし、客観的要求にせまられて朝鮮共産党は創立され民族解放を主要目標として活動を日本国内における日本人と朝鮮人の共同の闘いで資料的にたしかめられるいちばん古いものの一つに、新潟電力発電所工事事件があります。

一九二二年の夏、新潟県下の信越電力発電工事現場で、日本の請負業の親方が、二、三の朝鮮人土工を残忍なやり方で虐待して殺し、それを川の中に投げこんだ。これに対し朝鮮人学生団体が激しい抗議運動をおこし、日本人も協力して、東京で日・朝共同の抗議集会が*21もたれました。

この一九二二年のメーデー(第三回)に東京では、朝鮮人団体「同友会」に会員約三〇名が参加し、代表宋《そう》奉《ほう》禹《う》、白武の二人は「ブルジョアには国境があってもわれわれには国境がない。日朝無産階級は団結せよ」と訴えています。同じ年の七月一六日には、日本労働総同盟の支部として「京城労働組合」ができ、同年末の一二月一日に

開始した。しかし、日本帝国主義の徹底的な弾圧と労働者階級の未成熟のために、党は十分な大衆的基盤をもちえず、旧来の諸セクト間のヘゲモニー争いのためにその力が減殺された。民族解放闘争の戦略問題がセクト間の利害とからめて論争され、一部には新幹会(民族統一戦線組織)の中に党を解消すべきだという見解やそれと完全に手をきるべきだという見解が行なわれた。

解党以後も、分散したマルクス主義者による労働者、農民の中での活動はいっそう本格的に進められ、二〇年代の終りから三〇年代の初めにかけて労働運動・農民運動は最も昂揚した。

17 朝ソ連合パルチザン

「わたしは、独立軍部隊が沿海州でソ連のパルチザンと連合して日本軍とたたかった際、その連絡兵をつとめて以後、かれ(任炳国)とはじめてめぐりあったのである。わたしは、その後父とわたしが体験したことや、わたしがマルクス主義サークル《東満青春》で活動中に逮捕されたことなどを打ちあけた」(崔賢「白頭の山なみを越えて」朝鮮青年社版P44)

18 朝・中連合パルチザン

「遊撃隊が創設されたはじめのころは、中国人の隊員はまれにしかいなかった。したがって遊撃隊ではかれら

は大阪朝鮮人労働者同盟会ができ、これらはもちろん、日本人の協力によってすすめられたものです。こうしたなかで、翌一九二三年の第四回メーデーでは、東京では「植民地解放」を決議し、大阪では「日朝労働者団結せよ」とのスローガンをかかげるにいたります。

もちろん、これらのことは、当時においては、ほんの少数の先進分子の動きではありました。だが、その動きは、帝国主義者にとっては、がまんのならぬにがにがしいことだったでしょう。

第四回メーデーに参加した関東鉄工組合の中島千八は、「演説会場および行進中の官憲の狂暴もまた言語に絶するものがあった。ことに僕らと一致の行動を取っているにもかかわらず、朝鮮人と見れば一人残らず検束しようとした当局の態度は、将来において…不慮の不詳事を考えさせた。……」

を大切にした。というのは、共同の敵に対するたたかいにおいて、朝・中人民の団結を固めるためであり、かれらをとおしてこそ中国人民の支援をうけるにも有利であったし、中国人を入隊させることも容易であったからである」(崔賢「白頭の山なみを越えて」朝鮮青年社版P77)

19 琿春事件
一九一九年の朝鮮の三・一運動に呼応して、「間島」の朝鮮人たちが各地で蜂起した事件。翌年には、警察隊を常備し朝鮮人に弾圧をくわえていた日本の間島総領事館を包囲し、その一部を焼いた。また間島のなかでも琿春地方はもっとも盛んで、琿春の日本領事館も焼打ちされた。そこで、日本は朝鮮にある第十九師団の一部を出動させ、三万余人の朝鮮人男女を虐殺し、六千余の家を焼きはらった。このあと日本の特務機関（日本の陸軍は中国各地に、謀略を司さどる特務機関というのを常設していた）は中国側の軍閥と相談し、共同で弾圧にのりだすことをとりきめた。それにたいし奉天を中心とする学生団体が、激しい抗議デモをおこなった。このデモは、朝中人民連帯のあらわれとして評価される。これらの一連の事件を、日本の治安当局は琿春事件と称している。朝鮮では庚申年討伐という。

20 シベリア出兵

と感想をのべていますが、はたせるかなその不詳事は、その年の九月、関東大震災の時におこったわけです。前にもちょっといったように、この震災の中で、六千人からの朝鮮人が虐殺されるとともに、日本の革新分子も虐殺されました。

無政府主義者大杉栄などを殺したのは甘《あま》粕《かす》憲兵大尉であり、亀戸虐殺の指揮をしたのは、時の警視庁官房主事、今の読売新聞社主、正力松太郎その人である。

帝国主義者は、芽ばえかけていた日朝連帯を、ずたずたにひきさき、逆に「不逞鮮人」という偏見・蔑視・反目を広範にばらまくわけです。そして、この震災時における朝鮮人虐殺にたいして、一部の勇敢な反撃はありましたが、総体的に見て、日本人側の闘いがにぶかったのは、当時、日本の革新的指導部がほとんど全部検束されていたためもありますが、しかし、なんといっ

第一次大戦のさなかの一九一八年八月から、一九二二年六月まで、ソビエト革命に干渉するのを直接の目的で、八万ちかい陸軍を出兵した。すでに一七年には日本は軍艦をウラジオストークにおくり、革命を威圧していたが、一八年、アメリカの提議により、連合軍の半数を日本がうけもって、シベリアに侵入したのである。寺内正毅内閣のもとで、国内の社会運動を圧殺し、社会不安をそとにそらすこと、シベリア分割にわりこむこと、中国をおどして「満蒙」を独占することなどをねらったものである。朝鮮に駐屯する日本の十九師団など、いわゆる朝鮮軍のほかに「内地」からも動員し、はじめは一万三千名であったのを八万ちかくまで投入して、東部シベリアを荒した。しかし、革命パルチザンの活動、国際世論の批判などがあって、二〇年、まずアメリカが撤兵、ついで他の連合軍もひきあげたが、日本だけは、朝鮮や「満州」に革命が波及するのをふせぐ、という名目で、最後までとどまり、シベリアを占拠しようとした。しかし、ロシア人民の果敢な反撃、日本人民の反対運動などがあった。けっきょく日本帝国主義としては何ら得るところなく、撤兵せざるをえなかった。これは全く無名の師（無意味な出兵）といわれ、数千の戦死者と九億の国費をつかって終わったのである。なお、撤兵にさいし、

ても最大の理由は、「先進的労働者にも帝国主義の毒がまわりつつあった」ということでしょう。

ここでわたしたちがはっきりとかみしめておかねばならぬことは、帝国主義の猛威があれくるっていた中でも、日朝人民はかたく手をつないでいっしょに闘っていたという側面と、もう一つはに、もかかわらず「帝国主義の毒」のために、日本人側からのその志向が弱かったという側面との、二つの側面があったということであります。

また、忘れてならぬことは、一九二二年の三月に、日本で全国水平社が発足していることです。部落民が上からの同情を一蹴し、みずからの団結の力で人権と生活向上を闘いとろうとしてたちあがったわけですが、その水平社が翌二三年の第二回大会で、農民組合と消費組合を部落に組織すること、朝鮮衡平《こうへい》運動を支持し、朝鮮人と提

その一部は「間島に入り、朝鮮に残留していた部隊と協力して、過激派弾圧」と称し、大虐殺をおこなった。これは、「琿春事件」のつづきであった。

21　**最初の日朝共同行動**

「東京における抗議集会で、朝鮮の指導者は日本語で、朝鮮の闘争と……日本の闘争とを連合した統一戦線を要求し……。朝鮮人の指導者と日本の労働運動……との結合は、このときからはじまったものである」（片山潜「日本における朝鮮人労働者」）

なお翌年には朝鮮人の側からも、「日朝両プロレタリアットは同一の敵に当面し、また利害が全然一致する朝鮮のプロレタリアットが、日本の同志に兄弟として期待するところは如何ばかり切なるものぞ。日朝の積極的な協同は、かれらの解放の必須的条件であるばかりでなく、東亜の乃至は全世界のプロレタリア解放の前提である」（朱鐘建「進め」大正十二年五月号）とのよびかけであった。

携することなどを決議していることです。最もしいたげられているもの、最も鋭く権力と対抗するものは期せずして同じ道を歩むのです。

三

さて、一九二四年以降にうつりましょう。うねりが高い波のうしろは急激に低いものです。すべての闘争には起伏がある。一九二四年頃から全世界的に昂揚期から退潮期に入ります。経済学者たちが、相対的一時的安定期と呼ぶ時代にはいります。「山高ければ谷深し」というのでしょうか。昂揚の波は一斉にひいてしまいます。ヨーロッパでは、ドイツでも、ハンガリーでも革命の波はひき、逆にファシズムが頭をもたげてきます。アジアでも、中国がややしばらくもちこたえますが、蔣介石の国共合作を

22 **評議会と中国の五・三〇事件**
評議会史は次のように記している。

「中国派遣代表には当時の常任中央委員三田村四郎及び山本懸蔵が選ばれた。二人は官憲の厳重な警戒の眼を巧に突破して六月中旬別々に渡航した。そして戒厳令下、動乱の真只中に於て上海総工会を訪問し、彼地指導者と固き握手を交すや、寸刻の猶預もなく其まま闘争場裡に立ったのである。外国の闘争場裡に我国労働組合代表が参加したのは是を以って始めとする。或ひは闘争せる労働者の集会に、或ひとはストライキ現場に、各国代表と並んで大衆の闘争を激励し、日華労働者の団結と、日本労働者の支持運動の報告とを演説する氏等の行動は、闘争せる中国労働者大衆の決意を百倍にした。尚氏等の活動は単に上海だけでなかった。警官隊陸戦隊の厳戒の中を巧に出没して闘争する各地を転戦したのである。

この代表派遣運動によって、評議会は極めて大いなる貢献を画し且つ収獲を得た。日華労働者階級の革命的提携のためにはもとより、大平洋沿岸諸国の革命的労働組合提携のために極めて基礎的な事業遂行に参与した。即ち中国に於ける今次の闘争を機として来集した数ケ国の労働代表との間に、これを機として大平洋沿岸労働組合団結のための議がまとまったからである。」

ぶちこわすクーデターで退潮期にはいります。朝鮮では鎮圧につぐ鎮圧、日本でも治安維持法の公布にみられる弾圧につぐ弾圧です。

昂揚の波が、ぐうっとひいてしまった時に、中国では毛沢東が、闘い傷ついた将兵をかき集めて、井崗山《せいこうざん》にたどりつく、靴もなく、服もなく、武器もなく、五千の将兵が一〇月の寒風の吹きすさぶ井崗山で単衣（ひとえ）を二枚かさね着してふるえている。この時毛沢東が山から書き送った手紙に次のような言葉さえある。

「われわれは各地を転戦して、革命の波が退潮したことを痛切に感ずるのである。……われわれは深く寂莫《せきばく》を感ずる。このような寂莫の生活が一刻も早く終ることをわれわれは待ちのぞんでいる」と。そして、薬を送れ、服を送れと、それはまさに悲痛な調子でつづられています。

「日本労働代表の派遣を機として、中国労働組合における日本労働組合との階級的団結実現の機運は高まった。七月十日上海総工会大会はこの問題に論及し、遂ひに全会一致で日華労働組合提携に関する決議を採用した。決議の中に掲げられたスローガンは次の如くだ

一、反抗帝国主義戦略上の一致

二、日華労働者代表者会議

三、ストライキの相互援助

しかして評議会との間には文書及通信の交換が遂行され、両者提携の運動はここにその第一歩を踏み出したのであった。」

23　元山ゼネスト

一九二八年の元山ゼネストは、それが単に長期にわたるねばりづよい闘争であったばかりでなく、国内及国際的な連帯性を示した点で朝鮮の労働運動史上画期的な意義をもっている。

元山労働者の争いは一九二八年九月、元山から三里ほどはなれた文坪石油会社で、日本人監督が朝鮮人労働者に暴行をくわえた事からはじまった。一六〇名余の労働者達は、その日本人監督の解雇、最低賃金制の確立等を要求してストに入った。会社側は警察と組んでこの要求を無視したばかりか、労働者に弾圧をくわえてきたの

このような退き潮《ひしお》の時期に、歯を食いしばってもちこたえていくことは大変な悪戦苦闘です。できるだけ失望をすくなくし、できるだけ自覚をたかめていかなければならない。そのことだけがささえである。

そのささえとして、中国の場合は井崗山《せいこうざん》があった。しかし、日本と朝鮮ではそうはいかなかった。日本では治安維持法により、三・一五、四・一六とうちつづく弾圧においこめられていった。朝鮮のばあいは、退潮期に朝鮮共産党が創立されたという悲運もあり、大衆闘争と直接結びついていないそれは、弾圧と内部の分派争いで七華八裂の状態となってしまったわけです。

さて、また年表をみてください。一九二九——三一年の所に横に枠が書いてありましょう。アメリカに発した恐慌が世界恐慌にひろがります。日本資本主義は、この苦境から脱するため、外への侵略をくわだ

で、元山労働者連合会は、傘下の労働組合に指令して、一九二九年一月一四日から、文坪石油会社の労働者を支援する、ゼネストに入った。一月二十一日までには二十四の組合が参加し、その人員は二、〇〇〇名をこした。そのために元山を中心とする経済活動は完全にマヒし、当時野ロコンツェルンによって進められていた長津江水力発電の資材の陸揚げが中断された。この事態にあわてた日本側は警察を中心に在郷軍人、消防団員青年団員をかき集め、弾圧やスト破りをくわだてた。しかし闘いは同年の四月まで実に七十八日間の長きにわたってつづけられた。この労働者の闘いに対して附近の農民は食糧や薪炭を無料で提供した。国内の労働、農民団体からは激励文や闘争資金がおくられた。そればかりでなく小樽・神戸の日本人労働者達は同情ストをもって元山の労働者をはげました。さらにソ連・中国・フランスの労働者からも激励の電報がおくられた。

元山労働者の闘いは、朝鮮労働者階級の急速の成長を示しているばかりでなく、民族解放闘争の主力として、朝鮮人民に限りない勇気をあたえた。

24　**光州学生事件**

三・一運動は当局の苛酷な弾圧によって朝鮮内では一応おさまったが、大正十二年（一九二三年）以後は共産

て、「満洲事変」となります。

この、日本帝国主義の、戦争へ、戦争へという動きに抗して、日本の中で、反戦・反帝の日本人民の闘いがはじまります。そしてそれは、終始一貫、朝鮮人、中国人との連帯を明確に意識し、かれらとの友情に彩られてくりひろげられました。

一九二七年五月三一日、全国的に「対支非干渉同盟」が結成されました。

非干渉同盟は、その年の七月と八月の二回にわたって「出兵反対闘争週間」を設定して闘います。その後、代表団による全国遊説を行います。八月二六日に東京を出発して、奈良・岡山・八幡と、とちゅうの官憲弾圧をぬって進んだのですが、最後の予定地、福岡にいたるまでに、ついに全員が検束されてしまうというありさまでした。

一九二八年、例の「三・一五」の大弾圧がありますが、それに屈せず、その年の八

主義運動が擡頭し、それが民族主義運動と合流して政治的闘争によって民族の解放を実現しようとした。朝鮮人学生達はその一環をになって同盟休校の形をとって闘争に参加した。大正九年(一九二〇)以後一〇年間の同盟休校事件は五二二件に達し、昭和四年の光州学生事件において最高頂に至った。

すなわち、昭和四年十一月三日全羅南道光州において日本人生徒と朝鮮人生徒との一衝突に端を発し数百名群をなしての闘争にまで発展しようとした。当局の弾圧によって一応事なきを得たが、同地の朝鮮人学生は二度にわたる示威運動を敢行して当局の心胆を寒からしめ、その影響するところは極めて広汎かつ強力で、その後翌年二月にまでわたって全朝鮮的な学生生徒の抵抗運動をひき起し、参加学生の総数は六万人を超えるにいたった。

25　祖国光復会の十大綱領

①朝鮮民族の総動員によって広範な反日統一戦線を実現することにより、強盗日本帝国主義の支配を転覆させ、真の朝鮮人民政府を樹立すること。
②朝・中両民族の親密な連合によって、日本およびその手先「満洲国」を転覆し、中国人民がみずから選挙した革命政府を創設して、中国の領土に居住する朝鮮人の真の自治を実行すること。

月頃に「戦争反対同盟（反戦同盟）」に発展します。反戦同盟の最大のしごとは、国際反帝同盟第二回世界大会への代表派遣と参加運動でした。それへの日本からのメッセージの末尾にいわく

「……帝国主義に対し植民地独立のために闘いつつある全世界の革命的労働者農民、植民地被圧迫民衆の英雄的な行動に対し敬意を表しつつ、遙かに心よりの握手をおくる」と。

この反戦同盟はさらに、「反帝同盟」に発展すべくその準備をします。その準備指令の中にいわく

「……今日あらゆる闘争は国際的団結を必要とする。これなくしては、労働者農民の勝利は空語であり、植民地解放運動のたかまりこそ、国内プロレタリアートの勝利の前提だ。……朝鮮・台湾・満洲の人々と協力して、左翼から右翼までの帝国主義反

③日本の軍隊、憲兵およびその手先の武装を解除して、朝鮮の独立のために真に戦うことのできる革命軍隊を組織すること。
④日本国家および日本人所有のすべての企業所、鉄道、銀行、船舶、農場、水利機関および売国的親日分子のすべての財産と土地を没収して、独立運動のための経済にあてがい、その一部分で貧困な人民を救済すること。
⑤日本およびその手先どもの人民にたいする債権、各種税金、専売制度をなくし、大衆の生活を改善し、民族的工農活動をはばまれることなく発展させること。
⑥言論、出版、思想、集会、結社の自由をかちとり、日本帝国主義の恐怖政策の実現と封建思想の奨励に反対し、すべての政治犯を釈放すること。
⑦両班、常民その他の不平等を排除し、男女、民族、宗教等の差別のない一律的な平等と、婦人の社会的待遇をたかめ、女性の人格を尊重すること。
⑧奴隷的労働と奴隷的教育の撤廃、強制的な軍事服務および青少年にたいする軍事教育に反対し、われわれのことばと文字をもつて教育し、教育費免除の義務教育を実施すること。
⑨八時間労働制の実施、労働条件の改善、賃金引上げ、労働法案の確定、国家機関によって各種の労働者の保険

対・植民地解放運動に賛成の人々を集めて、反帝日本支部の創立に着手しよう……」と。

このような準備活動の中で、二九年九月四日、東京の上野と銀座を中心に五百名余のデモをやっています。当時、五百名のデモというものが、どんなに大変なことであったかはどなたにも想像つきましょう。

こうして二九年一一月七日に、「反帝同盟」に発展しました。一九三一年一月二〇日の「反帝新聞」には次のように書かれています。

「……とくに、土木労働者のあいだでは、朝鮮の兄弟たちを、資本家・親方どもが、安い賃金でやとうために、日鮮労働者の対立がおこりやすいから、同一労働賃金、差別待遇撤廃のアジ・プロをもって、全協土建の指導する闘いに参加・協力する必要がある。

法を実施し、失業している勤労大衆を救済すること。

⑩朝鮮民族にたいして平等に待遇する民族および国家と親密に連合しわが民族解放運動にたいして善意と中立をしめす国家および民族と同志的な親善を維持すること。

26　**朝鮮民族戦線行動綱領（一九三六年七月起草）**

一、朝鮮独立の大原則に賛成するすべての朝鮮人民を社会・階級・党派・政治的信条・宗教的信仰の如何に拘らず団結させ、全民族の解放のための闘争を完遂するために一切の組織と個人―男女老幼―を団結させる。

二、一切の民族工業と商業を保護し、農業を発展させ、同時に、日本人の資本と商工業および日本人の帝国主義企業とのあらゆる形態の協力に反対する。

三、民族商工業の業主と労働者との間および農業における地主と小作人との間に、労働者のための最低生活賃金と最長時間および小作人のための最高小作料を、公正な仲裁によって決定する。この間階級闘争を中止し、この期間を通じて階級協調を奨励する。

四、一切の労働者・農民・自由職業者・俸給生活者および一切の日本帝国主義の被傭者を―企業の公然非公然や国家行政および立法部面における地位を論ずることなく―無制約的に組織する。

……日鮮労働者の民族的偏見打破のために、日常不断に活動すること。同盟員は卒先して朝鮮の兄弟たちの親切な相談相手となり、日本帝国主義との闘争における信頼すべき戦友とならねばならない。

……いかなる部分的要求のための闘争においても、日本の労働者・農民が、自己の政府を樹立し、朝鮮の労働者・農民が『完全なる独立』を実現するための闘争においても日鮮労働者の団結によることなしには、勝利しえないことを強調し…とくに、朝鮮の政治的事件に関連してカンパニアを提唱し、朝鮮の情勢に関する報道を不断に行い、朝鮮問題に関する研究会を組織すること」と。

どうです。みなさん。この反帝同盟の方針の正しさと立派さについて、現在の平和民主団体、労働組合は大いに学ぶところあってよいといえましょう。

五、国民経済生活を改善し経済的諸権利のために闘争する民族意識をめざますために、幅の広い改革運動を奨励する。同時に日本人を入植させて朝鮮人を満洲に移住させる政策に絶対反対する。

六、全国民を民主主義のための闘争にめざますために、市民権と人権の保護を要求する幅の広い運動を奨励する。同時に布告第七号（朝鮮人の民族運動弾圧のために日本人が発布した「社会制度保護のための法律」で、「文化警察」を規定している。）と人民の自由を剝奪する残忍な政策に反対する。

七、伝統を持つ民族文化を発展させ新しい文化を吸収するために、民族文化と教育を発展させる運動を創造し拡大する。同時に、人民を欺瞞し人民を「文化警察」の監視下におく政策に反対する。

八、人民が選択する民族的宗教を保護し、これらの宗教（キリスト教・仏教・天道教・儒教など）に自由な発展を許すとともに、各宗各派が争うことをやめて信仰の共通の自由のために闘うのを奨励する。同時に、日本人が帝国主義の道具として押付けた宗教（神道、天理教など）に反対してこれらの各宗各派が団結することを許し、迷信とおくれた傾向に反対する。

戦前の日本の労働者の最も誇るべき国際連帯の闘いの一つは、一九二五年の上海《しゃんはい》紡績労働者のゼネストに対する評議会の支援活動でしょう。上海の日本人資本家経営の一紡績工場の労働争議に端を発し、全上海の紡績労働者の総罷業に発展した闘いに、租界の外国人官憲が発砲、十数人の中国労働者を殺傷した、いわゆる五・三〇事件*22です。これに対し、評議会は、「中国労働者の英雄的闘争のため基金募集をし」、「出版物及び演説会等の手段によって、中国労働者援助、日本政府への抗議の世論を喚起し」、それらの活動を通じつつ、山本懸蔵と三田村四郎を現地に派遣し、中国人労働者を応援させています。同時に、この活動の反応として、上海総工会大会は「日華労働組合提携」の決議をするなど、双方の労働者同士が、苛烈《かれつ》な帝国主義の弾圧のもとで、完全な交流と連帯をみせるにまでいた

九、解放思想と民族文化の鼓吹のために、全教育制度、教員ならびに青年学生を団結させ、あらゆる種類の教育および文化の組織を全面的に建設する。同時に、学生ならびに教員のストライキその他一切の手段を使用して国民の精神を奴隷化するために教育制度に注ぎ込まれる日本帝国主義の思想に反対する。

一〇、結婚と離婚の自由を認め、婦人の財産相続権および所有権に反対する法律に反対し、婦人の平等のための運動を積極的に保護し助成する。一切の職業、教育、公職に対する平等の権利と社会運動に参加する自由を婦人に与えるとともに、婦人を抑圧する日本人の法律「社会道徳律」に反対する。

一一、日本の対ソ進出と中国侵略に反対、中国人の抗日民族戦線およびソ同盟の反侵略戦線と同盟をむすぶ。

一二、日本の反ファッショ人民戦線を断固として支持し、これと緊密に提携する。

一三、直接的に日本帝国主義の抑圧をうけている東洋の一切の諸民族の中心となり、東洋における広大な反侵略平和戦線を組織するために、中国、ソ同盟、日本および朝鮮の人民の間の一大共同戦線を結成す

っていたのです。*21

また一九二五年、「小樽高商事件」というのもあります。小樽高商の軍事教官鈴木少佐が、関東大震災が北海道でおこったらと仮定し、「天狗岳を中心として俄然大地震あり、札幌および小樽はほとんど崩壊した。…無政府主義者は不逞鮮人を煽動し…画策しつつあり。小樽高商生徒は…在郷軍人団と協力し敵を絶滅せんとす」、なる想定のもとに、一〇月一五日、野外軍事演習を行うことにしました。これに対し、先ず小樽港朝鮮人積荷人夫三千人が憤激してたちあがり、ついで評議会系の労働組合が呼応し、小樽高商内の社会科学研究会が、「学生有志」の名で、「全国の学生諸君に檄す…」と訴え、大きな闘争に発展していったのです。その檄文の冒頭にいわく。「諸君！吾々は今、明白に軍事教育の何物であるかを知り得た。それは虐げられる同胞に対する。

一四、日本、ドイツ、イタリーその他のファシスト侵略者に反対する世界平和戦線と緊密に提携する。

一五、諸外国に居留する一切の朝鮮人は、左の諸項に賛成しなければならない。

1. 海外にいる一切の政党政派および個人は政治信条、宗教信条、職業にかかわらず抗日の大原則のもとに団結し、その居住する各国各地の特別な諸任務を全民族統一戦線の一部として遂行する責任をとる。

2. 日本にいる朝鮮人労働者・学生・商人は、祖国の民族戦線に緊密に団結すると同時に、一致団結して日本人の反ファッショ人民戦線に積極的に参加すること。

3. 中国にいるすべての朝鮮人革命家、すべての政党政派、武装兵力および個人は一致団結して中国人の抗日統一戦線を積極的に支援し、左の特殊な諸任務を遂行すること――

A 中国人の抗日統一戦線の内部で、朝鮮独立軍の諸兵力に革命的教育を組織して与えること。

B 満州では、朝鮮革命軍、朝鮮共産党赤色遊撃隊および中国人義勇隊の間の一切の朝鮮人部隊る威嚇の靴の外の何物でもなかった。云々」と。この小樽高商闘争こそが、有名な軍教反対闘争に発展するのです。

農民もまた闘っています。

一九二七年二月の日農第六回大会は、帝国主義戦争反対を決定、非干渉同盟の出兵反対週間に参加し、中国への代表派遣まで決めています。のみならず、朝鮮の全羅南道荷衣《かい》島の農民蜂起の際には、日農本部は、仁科雄一と色川幸太郎を派遣し、農民組合の組織に協力させています。また同年十二月の台湾農民組合創立大会には、山上武雄と古屋貞雄を派遣し、古屋は一九四五年まで台湾農民とともに闘っています。

さて、一九三二年にはいると、国際反帝同盟書記局は「中国・日本および朝鮮の各支部が必要な共同会議をひらいて……」はどうかと勧告してきました。これをうけて、日本の反帝同盟は、「汎《はん》太平洋民族代

は、協力している中国人の武装抗日隊の連盟の内部でみづからの民族的性格を保持しつつ、共通の綱領によって一つの単位として団結しなければならないと同時に、朝鮮人兵力の拡大強化につとめること。
C　日本帝国主義の道具として中国各地にくる朝鮮人被傭者たちは（生活費をかせぐために阿片商人や売春や密貿易などにたずさわることを強いられているものを含めて）やはり日本人の抑圧の下におかれている。それゆえ、われわれは、時節到来のときにかれらが帝国主義的な傭主である日本人に反逆するように、特殊な方法を用いてかれらを指導しなければならない。
4. ソ同盟にいるすべての朝鮮人は、全統一戦線の一部となるように団結しなければならぬと同時に、左のごときかれらの特殊な諸任務を遂行せねばならない。——
A　すべての朝鮮人が軍事訓練と政治訓練を受け、同時に将来の行動のために朝鮮人義勇軍運動を組織せねばならぬ。
B　中国において遊撃している朝鮮人革命軍に派けんする高級軍事指導者を積極的に育成せねば

表者会議」を東京で開こうと提唱しました。同年の一二月一二日に予定されていたこの会議は、結局のところ実現できませんでしたが、会議の延期を知らずに中国代表二名が非常な困難をおかして来日、中日反戦委員会をつくろうとし、国外追放にあっています。

反帝同盟はまた、はじめジュネーブを予定し、後にアムステルダムに変った世界反戦大会への代表派遣と参加運動を展開しました。アンリ・バルビュス、ロマン・ローラン、マクシム・ゴルキー、アインシュタイン、宋慶齢《そうけいれい》などによって開かれたこの大会で、日本代表の片山潜が、中国、朝鮮の代表とだき合って満場の拍手を浴びた話はあまりにも有名です。

一九三二年の国際反戦デーに、日本反帝同盟がかかげた十三のスローガンは、

「一、強盗戦争を粉砕しろ」

ならぬ。

C 投獄されている者、負傷した者、犠牲となった者、その他救援を必要としている同志たちを援助するために、朝鮮革命運動にたいして物質的援助を与えねばならぬ。

5. アメリカ、ヨーロッパその他各国にいるすべての朝鮮人は団結して朝鮮民族統一戦線を支援しなければならない。そして、送金や宣伝を行い、国際的な援助と同情を動員して祖国の援助につとめなければならない。

27 満州国

一九三一年、日本の関東軍の軍人がみずから爆弾を満鉄線の柳条溝に仕かけて爆破し、これは中国軍隊がやったものだと称して、中国東北の実力者張学良を追い、遼寧・吉林・黒竜江のいわゆる東三省を占領してしまった。そして翌年、「満州国」をデッチあげ長春を首都とし、新京と名づけた。そして熱河作戦をおこない、万里長城をこえて北京・天津をおびやかし、ついに熱河も「満州国」に入れてしまった。元首として、天津にわび住まいしていた清朝の廃帝傅儀をかつぎだし、皇帝に仕たてあげた。しかし、実権はすべて日本人がにぎっていた。「満州国」と日本政府のあいだに「日満議定書」と

にはじまり、

「十三、日・鮮・台・満・中の被圧迫大衆は団結して、共同の敵、日本帝国主義を倒せ」

で終っています。

このような連帯の闘いの中で、延期されていた「汎太平洋民族代表者会議」を、より大きな規模で、当時、革命と戦争のルツボであった上海で、「上海極東反戦大会」として開かれることになります。一九三三年はこの活動が中心です。反帝同盟の執行委員であった小林多喜二が虐殺されたのもまさにこの「上海反戦大会支持の大衆的運動のために東奔西走していた」ときなのです。

この大会は九月三〇日に行われました。

一九三三年に入って、日本反帝同盟は、九月一五日から朝鮮の京城高等法院でひらかれた「間島暴動」事件二六〇名の公判に

いうのをとりかわし、「満州国」の国防は日本が当り、特殊権益はすべて日本が保持することになったのである。この議定書は、日米安全保障条約および行政協定によく似ている。この「満州国」が、日本の敗戦と同時に崩れさったのはいうまでもない。

28 **三大規律八項注意**
当時の紅軍は、一九二八年のはじめ頃、簡単な三大規律をもっていた。それは
一、命令には敏速に服従すること。
二、貧農からはいかなるものも没収しないこと。
三、地主から没収したすべての財貨は直ちに直接（革命）政府に引渡し、その処分に委せること。
の三つである。一九二八年の末頃、これに八つの規則がつけ加えられる
一、人家を離れる時は、（借りて寝台にした）すべての戸板をもとにもどすこと。
二、自分の寝た藁莚は巻いて返すこと。
三、人民に対して礼儀を厚くし、丁寧にし、できるだけかれらを助けること。
四、借りたものはすべて返すこと。
五、壊したものはすべて弁償すること。
六、農民とのすべての取引では誠実にすること。

対する抗議運動や、一〇月には江東で虐殺された朝鮮人同盟員趙《ちょう》永祐《えいゆう》をとむらう労働葬をやっています。

当時の日本の反帝同盟には多くの在日朝鮮人が参加しており、特に指導幹部には、朝鮮人が大活躍しており、地方のある支部のごときは、全員が朝鮮人だけだというものさえありました。

一九三四年三月、日本反帝同盟の指導部はほとんど全部検挙投獄され、その前後に「刀折れ矢尽き」て組織だった闘争はかげをひそめてしまいます。

帝国主義本国の反戦反帝反植民地の闘争をたたきつぶした上で、日本帝国主義の戦争拡大、「支那事変」がはじまるのです。

同時に、帝国主義本国の反戦反帝反植民の闘争が、「刀折れ矢尽き」た時に、あたかもバトンを引きつぐが如く、植民地朝鮮における朝鮮人の新しい闘争の昂揚が開始

七、買ったものにはすべて代金を払うこと。
八、衛生を重んじ、便所は人家から離れたところにつくること。

この他に、三つの義務があった。
一、死を賭して敵と闘うこと。
二、大衆を武装させること。
三、大衆闘争を援助するため拠金することである。

これらの真の人民の解放のための軍隊としての要素は井崗山から全中国に広まり、東北にも影響する。後に上段で言うように、朝鮮独立軍が朝鮮人民革命軍になっていくのも、この思想と作風によってである。

それのみならず、はるか後、一九五〇年十月、朝鮮戦争の際に、米軍の仁川上陸によって朝鮮人民軍が難局に直面した際、その陣容建て直しに当り最初に叫ばれたスローガンはこの「三大規律と八項注意を守ろう」であった。

のみならず、ベトナム戦争の場合にも、また現在の南ベトナム民族解放戦線の闘いの中でも、これが生きている。

また、一九六〇年時代のキューバのゲリラ戦の中でも、これが採用されている（チエ・ゲバラ著「ラ・ゲーラ・デ・ゲリーリヤス」）

されたのです。

朝鮮における工業化政策は、朝鮮に労働者をうみ、労働運動をうみ出します。元山スト*23をはじめ、各地でストライキが頻発し新しい条件のもとで、光州学生闘争*24のような反日闘争もおこりはじめます。朝鮮に再び闘いの地鳴りがしはじめます。元山ストの時には、日本国内の神戸と小樽で、日本人労働者による同情ストが行われています。しかし、朝鮮本土の中では、なんとしても日本のがんじがらめの支配があり、思うように身動きができません。どうしても鴨緑江と豆満江を越えて、中国に入り、かっての間島パルチザンの伝統の地、そこの根拠地に行かざるを得ません。

そして、その中国では、これまた再び闘いの波が大変な苦難を忍びつつ用意されはじめています。抗日の波が次第に高まりはじめます。

29満州移民
日露戦争の結果、日本は「満州」に進出し、南満州鉄道株式会社をつくり、その初代総裁に後藤新平がなった。後藤は「我若し満州に於て五十万の移民と数百万の富産とを有せんか、戦機若し我に利ならば進みて敵国を侵略するの準備となすべく、亦若し我に不利ならば厳然不動和を持して以て機会を待つに足るべし。是れ満韓経営の大局の主張なり」とのべ、十年間に五十万の日本人移民をだす計画をした。だが、一つには移民の経済的条件がととのわず、二つには土地商租権の壁にぶつかって、この計画はくずれた。土地商租権とは日本人が中国の土地を借りて勝手に使用する権利で、当時の軍閥政府も、この点では日本の要求を拒否したのである。
「満州国」ができると、中国東北は日本の独占的植民地になったので、土地商租権の問題もなくなった。そこで、日本国内の農業問題の解決と、対ソ戦にそなえる「満州治安対策」の見地から、大量に移民をだす計画があらためて提起され、関東軍を中心に、軍人の東宮鉄男、農民訓練所の加藤完治、東大教授の那須浩その他があつまって方針をたてた。一九三二年から三五年にかけて、四回にわたり武装移民が入植した。入植といっても、無主地に入ったのではない。中国人農民を強制的にこのようにして、従来と一段ちがった三〇年代の闘いが再びはじまります。

四

ここで一言申しあげておき、あらかじめおことわりしておきたいことがあります。

それは、これから我々がいう歴史の話は、朝鮮の人々が話すこととは、いささかちがうということです、同じことをあつかい、同じ時代をあつかっていても、すこしばかりちがうということであります。両方比較して、どちらが正しいかということはそもそもまちがいです。ちがうことが正しいのです。

ここで一つのたとえ話を申しあげます。

それは、泥棒の追憶と、被害者の追憶とは同じ事件に関してまったくちがうということです。被害者の追憶は泥棒が入って来

追いたてて、既耕地に入ったのである。もちろん移民に参加した日本人農民は、未開の原野を開拓するのだと信じこまされていた。黒竜江省の依蘭方面に入った第二次武装移民、すなわち三三年の千振村の集団が謝文東を先頭とする中国人農民に攻撃されたが、当時、日本では土匪の襲撃と発表されていた。しかし、千振村移民団長の宋光彦も、「土竜山の事変（依蘭事件のこと）に対しては、彼等からいえば、その起りと云ふものは、土地と武器とを取あげられると云ふことで反乱を起した」と当時すでに告白している。

「支那事変」前後には、移民計画はさらに積極化し、二〇年間に百万戸五百万人移住計画をたて、「分村」を実行した。農村不況対策、自作農創設という日本国内農政のシワを「満州」にむけ、日本の村の一部分を移住させようというのだ。ほかに、中国人への治安対策をかね、「青少年義勇軍」というのをつくり、純真な日本の青年を駈りたてて「開拓」をやらせた。結局、敗戦までに一〇万戸三一万人が入った。

このほか、集団部落というのをつくり、中国人農民や朝鮮人農民を土地から追い、一定のところにあつめて、パルチザンを分断させた。この方法は、いまアメリカがベトナムで、戦略村と称して、実行している。当時の日

たところからはじまり、出ていったところで終ります。しかし泥棒の方の追憶は、盗心を起したところからはじまり、他の家々を物色し、結局、被害者の家にきめて押し入り、盗み、逃れ、そして、捕まるまでのすべてが入ります。一つの事件について、どちらの追憶が正しいか、そんなことは問題のたて方がちがう。加害者と被害者のそれぞれちがう追憶の双方を併せたものが、その事件の全貌なのです。

　歴史もまた同じです。なかんずく、自分が直接の当事者であったことがらについての歴史の場合、さまざまな立場があります。

　およそ、過去の歴史を事実通り再現するということは不可能です。尨大な過去の事実の中から、特定のことがらを選択するということが歴史です。ナポレオンが、朝起きて、顔を洗って、飯を食って糞をして、

本の権力機関さえ、この集団部落は「農民をただ破滅に追ひ込む以外の何物でもない」（満州国軍政顧問部「国内治安対策の研究」）と漏らしていたほどである。集団部落と日本人移民村の組みあわせは、こうして現地農民を圧迫し、さらにパルチザン部落を抑圧した。したがって、敗戦にさいし、日本人移民は惨胆たる境遇におちいったが、これも、まじめな気持で行った人たちが、じつは「国策」の被害者であったことをものがたっている。

30馬賊

　中国語には馬賊などという言葉はない。中国の東北地方を中心に、馬にのって襲う盗賊団を、中国語では紅鬍子（ホンフーズ、赤ひげ）という。一般には土匪ともいった。ところで、日本の軍や治安当局が、馬賊あるいは匪賊と思っていたもののなかに、じつは民衆の自衛組織があった。中国社会は、むかし交通がひらけず、各村落が自治をしていたので、こういう組織の成りたつ条件があった。自衛組織といっても、地主が中心に徒党をくんでいたのもたくさんあって、こういうもののなかには、日露戦争や満州事変のさい、日本軍の謀略に利用されたのもあり、また、日本人のゴロツキが加入し指揮したのもあった。日本ではとくにこれらを馬賊と称し、ロマンチックなイメージをつくりあげて、日本の青少年の侵略

次の日も、朝起きて、そして、次の日は……などとやっていたらきりがない。そうではなくて、ある日、彼は兵隊をひきい……と、特定の事実を選択するのが歴史である。

選択するからには必ず基準があります。朝飯や糞のことではなく、砲兵隊のことを選び出すという判断があります。つまり、方法、史観が前提にあります。その方法が理論的に明確に意識されているか、あるいは、漠然とした直感であるかは別として、とにかく史観のない歴史は、あり得ないでしょう。

さて、今の場合、日本の朝鮮侵略が正しかったか、正しくなかったかで、大づかみに二つの史観が存在するわけです。つまり、帝国主義の史観と、人民の史観です、いや、そんなこととかかわりなしに、自分はまったく公平にただ事実として純学問的に述べるのだという人もあります。これは

気分をあおった。さらに、このような武装集団の大きいものは軍閥のできる基礎にもなった。のちに、「間島」その他で、真の民衆の自衛組織であるパルチザンが活動するようになると、日本軍や中国国民党は、これらを「共産匪」または「共匪」とよんだ。だが、パルチザンや、根拠地を樹立した中共軍こそ、中国社会の特質を逆に利用して、民衆を解放にみちびいたものであった。

31満鉄

南満州鉄道株式会社の略。日露戦争の結果、ロシヤが中国にたいして持っていた権益の一部をうけついで作った会社で、長春から大連にいたる鉄道のほか、付帯事業を経営し、中国侵略の拠点としての役わりを果した。「明治大帝の御遺産」と社員に吹きこみ、その総裁は国が任命する一大植民会社であった。一九四五年、日本の敗戦とともに崩壊し、旧満鉄線はいま中国人民の手にもどっている。

32満鉄内でのたたかい

「日本人の共産主義者たちは、満鉄内で大いに活発にやっていたが、一九三〇年に八〇名が逮捕されてしまい、これによって満州における日本人の全組織が破壊されてしまった。これらの日本人たちは非常に勇敢で、かれらの革命的任務に献身的で、その活動は中国人労働者

ナンセンスです。そんなものは存在しっこありません。

はやい話が、年表の簡単な一行を書くにしても、「何年何月何日」までは客観的に書けても、事件の表現については、同じことに関してでも、「日帝、独立闘争の愛国者数百名を虐殺」と書くか、あるいは「皇軍、数百の暴徒を平定」と書くか、はっきり二つの立場がにじみ出てきます。

では帝国主義の史観ではなく、人民の史観で書かれたものはみんな同じでしょうか、いや絶対にちがう。なぜなら、そこには同じ人民でも、朝鮮人民の立場と、日本人民の立場とのちがいがあります。

みなさん、日本人の中には、金日成のひきいるパルチザンの話をよんで、まるで世界にはそのことだけしかなかったようで、途惑ってしまうとのべている人たちもいます。また金日成のひきいるパルチザンの闘

たちを大いに激励していた」、(「アリランの唄」)と、朝鮮人革命家金山の目に映じたほどの日本人の闘いもあったのである。

33「満州国」の民族差別

「満州国」は「五族協和」と称し、「王道楽土」だなどと日本は宣伝した。しかし、日本では、中国人を満人、中国語を満語とよんで、中国人をケイベツした。しかも一等は日本人、二等は朝鮮人、三等は満人と、賃金から配給品にいたるまで差別をつけ、朝中人民の離間を策した。また、朝鮮人にたいしては、民生団（のちに協助会）という反共スパイ工作団をつくり、革命組織の破壊をはかるなど、ことごとに疑心暗鬼を生むようにつとめた。

34万宝山事件

一九三一年七月、中国東北の長春郊外の万宝山にある朝鮮人農民開拓地で、朝鮮人農民と中国農民が衝突した事件。「満州」に移住した朝鮮人は日本の植民地搾取の結果、流浪して中国に移ったのであるが、日本はあたかもかれらを保護するように見せかけ、延辺の農民三〇〇余人を長春に移して開拓させた。土地の権利をおびやかされた中国人農民は、朝鮮人を日本帝国主義の手先とみて、五〇〇人あまりがこれを襲撃、これにたいし日本の

いが史上まれにみる英雄的な闘いであり、それが今日の朝鮮民主主義人民共和国の源流となっているという厳然たる事実については夢々疑わざるところであるが、また、その中にちりばめられている数々のエピソードについて心からの共鳴と感動を感じ教訓を得るのだが、しかし、その本なり、話なりの全体が、なんとなく肌に合わぬというか、どことなく一面的なのではなかろうかという人もいます。

それは日本人の感覚としてある程度もっともだともいえます。

では、朝鮮の本や話は、どこかまちがっているのでしょうか。

断言します。すこしも間違っていない。ここには明らかに一つのくいちがいがあります。

そのくいちがいは、日本人と朝鮮人の立場のちがいなのです。泥棒の子と被害者の

軍隊は中国農民を銃撃した。このように、両民族の反感をあおりたて、日本はさらに朝鮮の内部で、万宝山事件を利用して、朝鮮人による反中国暴動をおこさせ、戦争気分をあおった。この万宝山事件が満州事変（一九三一年）の原因とされるのは、右のようなやりかたで作りだされたものであるからである。

なお、「赤旗」四七号（一九三一年七月二十九日）はこの事件について次のようにのべています。「中国、朝鮮、日本の労働者は団結して、日本帝国主義と支那反動に銃口を向けたー万宝山および朝鮮事件について檄す」。

35 「満州」の党組織
満州の朝鮮人居住地は、昔から朝鮮共産党満州総局の指導があつた。それが一九二八年十二月解散し、あらたに一九二九年九月から朝鮮共産党再建準備会満州部ができ、これが三〇年九月の解散まで続いた。一方、一九二八年九月頃から、同じ地域に中国共産党満州省委の影響力が伸びてきた。同年一二月には中共延辺党部ができ、これが後に三〇年八月、中共東満特別委に改組される。おまけに小さな影響力しかなかったがソ連共産党北満委員会などというのも一時的にはあった。また一九三二年に満州国共産党を別個につくろうなどという動きま

子との感覚のちがいなのです。

　朝鮮人の立場では、日本帝国主義がいかに残虐貪欲《どんよく》であったか。朝鮮の支配階級がいかにだらしなかったか、そして、朝鮮の人民がいかに苦難に耐え、いかに英雄的に闘ったか。その中で闘いの基地・主流がどこであったか、その源流からの流れに沿って、現在の朝鮮人のすべての心を一つに結集し、今後も闘って行こうという決意と確信に湧きたたせること、これが基準であり、ここに一切の努力が集中されるわけです。二次的、三次的なこと、「片隅の小さなこと」など、そんなものは全部省略し、ふっとばしていってよいのです。

　これが朝鮮人の立場での唯一の正しい歴史なのです。

　日本人の立場にたつなら、日本が、朝鮮を侵略し、中国を侵略し、全アジアに侵略の手をのばして行った中で、朝鮮人はどう

であった程である。

　これらは一九三〇年九月以後、一国一党の原則で全部中国共産党の組織下に入る。

　その時、日本でも、一九三一年、朝鮮共産党日本総局が解散し、一国一党の原則で在日朝鮮人は日本共産党に加盟し、同様に、在日朝鮮人労働総同盟その他の諸団体も解消し、全協その他の日本の団体に加入している。

　戦後一九年間の日本における在日朝鮮人の組織形態の幾変遷をみても、この種の問題がいかに複雑であるかはわかるであろう。

36 間島暴動

　一九三〇年五月三十日、中国の五・三〇記念日（一九二五年、上海から起った反帝運動）を期して、「全延辺の中・韓革命民衆は決起せよ」とさけび、日本帝国主義と国民党軍閥政府に反対して、はげしい武装蜂起がおこった。これは中国共産党の指導により、当時、その中心人物であった李立三の方針にしたがったものとされる。ただ延辺の農民としては、そのころ世界恐慌の波をうけた農業恐慌で、耐えがたい悪条件のもとで苦しんでいたのである。この年の五月のを第一次間島暴動、十月のを二次間島暴動と、日本ではよんだ。

37 指導者としての金日成

闘い、中国人はどう闘ったのか、ほかの人からみればそれこそ「片隅の小さなこと」のようにみえる闘いをもふくめて見直してみること。そして、同時に、日本人はどう闘っていたのか、侵略を食いとめようとする努力があったのか、なかったのか、あったとすればそれをますます伸ばさねばならぬ、ということが歴史をみる角度、基準になるのです。「大東亜戦争肯定論」などというものが、巾をきかせはじめている現在、この基準は特に必要なものです。

このようにそれぞれの立場というものがあります。遠い将来には、全人類的な単一の立場などというものが成立するかもしれません。しかし、現実は、そんな空疎な甘っちょろいものではないでしょう。それぞれの「主体性」というものが確立され、そのことによってはじめて連帯が生まれ、共通の場が発見され、それぞれの立場から真

この場合、金日成の偉大さはすでに闘いにたちあがっている大衆に、相互の連携を保たせ、組織し、意識化させ、かつ武装闘争の形態を系統化していった力にある。

彼が考え出したことを人々に教えさとしていったという表現では十分に事の本質にふれられないのではないか。

「マルクス主義は、多種多様な闘争形態をみとめるものであるが、そのさい、それらの形態を頭で考えだすのではなく、運動の過程でおのずから発生する、革命的諸階級の闘争形態を、普遍化し、組織化し、それに意識性をあたえるにすぎない」（レーニン全集、第十一巻）

この末尾の「すぎない」という言葉は、大衆のもつ無限の能動性に比して「すぎない」のであり、かつ、その「すぎない」ことを現実にやってのける人間はまた滅多にあらわれるものでもない。そのような人間を、指導者と呼び英雄と呼ぶのである。

また、金日成の偉大さは、軍内における地位にかかわりない組織力である。

当時、金日成は、遊撃軍のある一中隊の政治委員であった。にもかかわらず、かれの組織力と政治力は、他の朝鮮人部隊や中国人部隊にも大きな影響力を与えていったのである。

理に近づいてゆくわけです。

日本人の立場からすれば、どうしても、日・朝・中という視野が最少限必要です。なぜなら、日本の朝鮮侵略と中国侵略はわけることができぬ一つの政策の一環であり、一段階であったからです。さらに、日本帝国主義に反対した金日成等の闘いも、それをはぐくんだものは、中国領内における朝鮮人の間島パルチザンの闘いの伝統であり、中国の抗日東北連軍の闘いなどとの関連があるのであって、支配の側からも、闘いの側からも、日・朝・中の相互関係の中でとらえていく必要があるわけです。

五

三〇年代に入ると、アジア大陸の中に新しい胎動がはじまります。その前の二〇年代の全世界的な退潮《たいちょう》にもかかわらず、アジ

元来、抗日連軍なる大部隊は、夫々が一応の自主性をもった諸部隊の混成、連合であって、正規軍的な序列、編成をもったものではない。普通は「中隊」規模の集団が「部隊」としての独立単位であって、それ以上の大集団をなして鈍重な行動をすることなどはありえないものである。さればこそ、これら諸部隊を動かす力は、上官としての指揮命令ではなく、全く人間の政治力なのである。そこにこそ、金日成の偉大さがあり、楊靖宇の巨大さがあるのである。

金日成が「師長」になるのは一九三六年二月の迷魂陣会議の後である。この「師」というのは、正規軍では日本の「師団」と訳すべき編成に該当するが、遊撃軍にあっては、中隊を連合した規模のものであって、しいて訳せば「大隊」であり、「師団」と訳している本があるが、明らかに誤訳である。「師」の兵員は多い時で数百の規模である。当時の抗日武装闘争は、「師団」級の編成で行動できるようなそんな甘っちょろいものではない。この数百の小人数で闘いつづけつつ、当時若冠二〇歳代で広範な影響力を及ぼした点に金日成の偉大さがあるのである。

38長征

井崗山に拠った紅軍は、江西省南部から広東省北部に根拠地をひろめ、一九三一年、江西省瑞金に中華ソビエ

アで、陣容のたて直しが芽生えてきます。ヨーロッパではファシズムがどんどん進出し三三年にはヒットラーが政権をとります。アジアでも、日本の三一年、満洲侵略、つづいて三二年の偽満州国創設*27とそして中国本土における国民党政権の独裁と一見退潮がつづいているようにはみえますが、しかし、あきらかに今までと異った底流がうごきはじめています。それは、中国における農民の武装蜂起と解放区の拡大です。一九三〇年には広大な九つの解放区ができていた。その上にたって三一年には、瑞金《ずいきん》に中華ソヴエト臨時中央政府が建てられた。三三年には解放区は、日本側の調査で人口三六〇〇万人、アメリカ側の調査で六〇〇〇万から八〇〇〇万人とみこまれるまでになっている。そして、この闘いの中から、今までどこにも例を見なかった新しい型の軍隊、兵器にたよらず大衆に依拠

ト臨時政府が成立した。国民党はこの根拠地にたいし、一九三〇年から三三年にかけ、包囲戦を五回にわたっておこなった。この結果、一九三四年八月、瑞金の紅軍は毛沢東を先頭に、北上の行軍を開始、二万五千里を国民党軍と戦いつつ、歩いて、言語を絶する苦難のなかで、三五年十月、陝西省延安に到着し、ここに根拠地をうちたてた。これを長征、まえは大西遷といい、中国革命の気慨の源泉ともされている。これ以後、抗日戦争のあいだ、延安を中心に根拠地の建設がおこなわれた。国民党は、日本への抗戦よりも根拠地包囲に熱心となり、一九四一年ごろから延安を中心とする解放区（根拠地）はそのため経済的にもひどい困難におちいったが、自力更生の生産建設と、学習運動などの思想建設で、それに打ち克ちのちの新中国建設のための経験をここで蓄積した。

39祖国光復会

「在満韓人祖国光復会」の結成の日時については、二つの会議（腰営溝会議と東崗会議）のいづれを重視するかで二説ある。朝鮮民主主義人民共和国の公文書においても、五八年頃までは腰営溝説が支配的であったが、五九年以降は東崗説が支配的となっている。中華人民共和国では、前説が支配的なようである。

それは、丁度その中間で開かれた第七回コミンテルン

し、弾薬にたよらず、思想に依拠し、権力にたよらず、三大規律・八項注意*23に依拠するという軍隊が発生してきた。

この新しい情勢と、新しい作風が、中国の東北地方、すなわち「満州」にも浸透してきます。そうして「東北抗日連軍」なるものができあがっていきます。

「満州」というところは、中国全体の動向からみれば、べつに革命運動の中心地ではなかった。だが、中国のいたるところに、闘いがあり、解放区があったように、それは東北にもあった。そして、日本軍の直接の占領支配下にあった「満州」の抗日連軍ですら、三二年で一七万、三三年から三四年にかけては二〇万の兵力を擁していたのです。

この抗日連軍というのは、二つの意味で「連軍」――つまり連合した軍隊であった。

一つは、日本の侵略に反対するあらゆる

大会の決定との関連をどう評価するかという問題とも絡まっていよう。しかし、三五年説をとろうと三六年説をとろうと、日時の問題は大して重要でない。それは朝鮮人民革命軍の不屈の闘いと結びついた大衆の力、当然それぞれ影響をもったであろう中共遵義会議の決定とコミンテルン第七回大会の決定、それらすべての融合であり三五年から三六年にかけての現実の闘いがその全過程を通じて創造した統一戦線組織であると見られる。

また、「在満韓人祖国光復会」と全く同じ内容をもつ統一戦線組織は同じ時期に各所にあった。

一例をあげれば上海の「朝鮮民族解放同盟」から「朝鮮民族連合戦線」への動きである。この「戦線」が一九三六年七月に正式に決めた十五項目の行動綱領の精神は、「光復会」の綱領と同一のものである。(*26参照)

朝鮮本土内にも「光復会」と連絡をもった朝鮮民族解放同盟が各所につくられる。

40 中国側の資料

中国東北における金日成指導下の朝鮮人民の抗日闘争への参加

(『中国革命史講議』中国人民大学中共党史系中共党史教研室編、胡華主編、一九五九年中国人民大学出版社刊、三二四頁~三二六頁)

階級、階層を連合しているという意味での連軍です。たとえば、馬占山《ばせんざん》のような軍閥、謝文東《しゃぶんとう》のようなボス地主、それに農民、労働者、また中共に指導された新しい人民武装部隊、そして、楊靖宇《ようせいう》のような中共中央から派遣された者などの連合です。

もう一つの点は、その地域に住むあらゆる民族を連合しているという意味での連軍です。たとえば、漢族・朝鮮族を主として、満州族等々であり、少数とはいえ、いわゆる白系露人まで連合しているのです。

ここで、その東北抗日連軍の最高指導者であった楊靖宇という人を紹介しましょう。

楊靖宇というのは、河南省の人。本名馬《ば》尚徳《しょうとく》といい、若くして農民運動に参加していました。一九二九年春、当時中共満州省委員会の書記であった劉少奇のもとで撫順に採炭夫として入り労働者を組織、二年ほ

すでに九・一八(満州事変)以前、朝鮮人民は朝鮮民族解放闘争の鼓舞者、組織者朝鮮共産党の指導のもとに、本国といわず中国の東北辺境といわず、不断に、日本占領者との断固たる闘争をつづけていた。九・一八以後、中朝二大民族は、共同の敵—日本帝国主義者に抵抗するという目標のもとで、さらに一歩をすすめ、戦闘的友誼をむすんだ。そして、東北の中国国境の朝鮮人民は、東北にかかげられた日本侵略者に抵抗する大衆的抗日運動に続々と参加することになった。

九・一八以後、朝鮮人民の指導者、民族英雄金日成は、東北に最初の武装抗日遊撃隊を組織するとともに、この遊撃隊と東北の国境内の他の遊撃隊との提携を指導し、いたるところで敵を襲撃した。一九三二年、遊撃隊は長白山脈と松花江流域に根拠地を樹立し、東北東部に散在した小規模で流動的な遊撃隊と愛国革命分子を根拠地に集中せしめ、遊撃隊を不断に大きくした。一九三三年春、各根拠地に中朝両国人民の政権とその他の抗日大衆組織を樹立した。金日成の指導するこの朝鮮人民の遊撃隊は、すでに他の若干の抗日遊撃隊とも団結した強大な連合部隊に発展したのである。一九三四年、この連合部隊は東北抗日連軍第二軍の主要な一部分となり、そのなかで朝鮮の兄弟が第二軍の人員のうち半数以上を占

ど監獄に捕えられました。「満州事変」後出獄、瀋陽からハルピンで活躍、日本軍が、ハルピンに侵入してから、吉林省磐石県で、若くして南満遊撃隊政治委員となり、この部隊が発展し、抗日連軍第一軍となりました。そして、吉林省から長白地区にかけて抗日戦を展開します。

よほど政治力もあり、人物もできていた人なのでしょう。その声望は、満洲の中国人や朝鮮人の中でもたかかったばかりではなく、日本人の中でさえ大変な人気でした。かってその頃東満にながく住んでいたという日本人に聞いてごらんなさい。当時でも「楊匪は大したものだ」と日本人が言い、「俺はひそかに楊と会ったことがある」などと、嘘か本当かわかりませんが、そのことを日本の官憲にかくれて自慢話にしていた日本人さえあった程です。

一九四〇年二月二三日、蒙江県内を転戦

め、金日成が連軍第二軍の指導者のひとりとなった。

中朝両国人民の緊密な団結と提携によって、党と金日成の正確な戦略戦術指導によって、この部隊はいたるところ敵を打ち、強大になっていった。それは日本帝国主義者を不安恐慌の状態におとしいれるに十分であった。敵はかくして大量の精鋭部隊をあつめ、全面的な「討伐」にのりだした。同時に、そのうえ遊撃部隊と人民とのつながりを断つべく、野蕃な「集団部落」政策、経済封鎖を実行し、さらに、「民生団」(のちに「協和会」と改称―訳注、ここでは協助会のほうが正しい)などの反革命組織をつくった。そして、スパイを潜入させ内部から遊撃部隊を崩壊させ、その団結と統一を破壊しようとはかった。だが、これら一切の手くだは、朝鮮人民の抗日遊撃隊の団結と統一を、すこしも破壊せず、日ましに強まる戦闘力を弱めもしなかったのである。一九三四年、抗日連軍第二軍は二方面にわかれて遠征をおこなった。その一方面は金日成が統卒し、安図、臨江、長白、鴨緑江に進軍して、抗日連軍第一軍と合流し、そのうちの各朝鮮人民遊撃隊を連合して朝鮮人民革命軍を樹立した。一九三五年五月五日、金日成を会長とする朝鮮人民抗日民族統一戦線の組織―「祖国光復会」ができた。この正しい統一戦線政策の実行によって、数ヵ月のうちに中、弾薬・食糧がつき日本軍の包囲を突破しようとたたかってついにただ一人となります。単身、日本軍の急追《きゅうつい》と応戦、そのうちに片腕を失い、なおも応戦したが弾丸つき、「共産党万才」「抗日連軍万才」を叫び最後の一発で自決しました。その死骸を、奉天で日本軍医が解剖しました。解剖の結果、彼の胃袋の中からは草の根と、着ていた冬服の綿しか入っていませんでした。彼は約五日間、自分の服の綿を食いつつ飢《うえ》と闘っていたのです。日本軍はその首をアルコール漬にしてさらしものにしました。

後に中国が解放された時にその首が発見され、今はハルピンの烈士記念館にあります。

今、中国東北地方のいたるところに、毛沢東の筆になる「楊靖宇同志永垂不朽」の碑が見られ、蒙江県は靖宇県となっていま

、二〇余万の大衆が団結した。この組織も、ふかく朝鮮本土に入り、朝鮮国境内で頑強な地下闘争をおこなったのである。

　中国東北の国境内の朝鮮人民の抗日遊撃戦は、日本侵略者に重大な打撃をあたえた。日本侵略者どもが発表した数字によれば、一九三一年九月から一九三六年七月までに、日本侵略者と二万三九二八回におよぶ戦闘をおこない、日本人軍警の死傷四三二一人、捕虜一万八一一四人、鹵獲兵器三一七九とされている。朝鮮人民革命軍も何度か鴨緑江をこえ、朝鮮の土地のうえで敵を襲撃した。一九三七年六月四日、朝鮮普天堡のたたかいは、朝鮮人民民族解放運動の力が不断に増大していることをしめし、朝鮮人民に光明と希望をもたらした。

　一九三七年の七七事変（訳注、支那事変）ののち、朝鮮人民革命軍は金日成の指導のもとに、東北抗日連軍第一路軍の一部となり、日本の関東軍、偽満軍および朝鮮軍（訳注、日本の朝鮮在留師団のこと）と困難で激しい戦闘をたえずくりひろげた。

　その主なものをとりあげると、つぎのとおりである。

　一九三七年の十三道溝の戦闘。また、一九三八年、安図地方における日本軍一コ聯隊をのせた軍用列車襲撃の戦闘。安図英景溝における日本軍および偽満軍との大戦

す。

ついでですから、もう一人、毛色の変った中国人を紹介しておきましょう。名は謝文東、出身はボス地主。日本の「満州移民」※29に土地を奪われて反日、反帝意識をもつようになり、そこへ楊靖宇などの指導もあって、抗日東北連軍第六軍団長にまでなる。日本の「満州移民」部落としては有名なイヤサカ村、ヤヨイ村、チブリ村の三つがあるがそのうちのチブリ村が謝文東のむかしの持ち物でした。彼は農民を指導し後に飯塚大佐を戦死させた程のいくさ上手。更に後に日本軍人で移民政策の立役者東宮鉄男の腹芸にひっかかり、妥協のつもりでいて、日本軍の捕虜にされてしまい、遂に転向して対日協力者におちる。解放後は、政治的方向を見失い、再び「馬賊」※30の如き生活にもどり、解放軍によって討伐されるという悲劇的な生涯をたどった人物であり

闘。同年夏、安図大沙河にかける日本軍二コ聯隊との激戦。一九三九年三月、図們江対岸馬鹿溝警察署襲撃の戦闘。同年五月、咸鏡南道対岸半截道での攻撃戦、安図二道溝における日本軍偽満軍との三日にわたる激戦など。（訳注、この部分は朝鮮民主主義人民共和国でのやや古い資料「金日成将軍略伝」一九五二年四月一〇日付労働新聞所載で、同年五月、中華人民共和国の雑誌「世界知識」に訳載されたものの該当部分をそのまま使っている。したがってその後の調査研究からみるとやや不十分な点がある）。

さて、一九四〇年二月二十三日。抗日連軍第一路軍指導者であり、その創設者である共産党員楊靖宇が、壮烈な戦死をとげた。そしてこの第一路軍は金日成などの指導のもとに、依然として頑強に戦闘をつづけ、一九四五年の勝利まで、持ちこたえたのである。のちに、朝鮮人民はこの百戦練磨の部隊は祖国にかえり、解放された朝鮮を民主主義、自由、独立の国家にするためのたたかいをおしすすめた。

東北十四年の困難な抗日闘争において、中朝両国人民の血肉が結んだ兄弟のような戦闘的友誼は、両国人民が、共同の敵に抵抗するにあって、また自分たちの祖国の自由解放をもとめるにあって、勝利の保証となったの

ます。

他に、王《おう》徳《とく》泰《たい》、趙《ちょう》尚志《しょうし》、李《り》延《えん》録《ろく》そして、今も中共中央委員である周《しゅう》保《ほ》中《ちゅう》などが中国人の指導者でした。

これらの中国人とならんで、いや部隊としてはもっとも活発な闘いをしていた朝鮮人があります。それが、南満洲での李《り》紅《こう》花《か》、北満洲での崔《さい》庸《よう》健《けん》、金策、許亨植《きょきょうしょく》、朱徳海、東満洲での安吉、康健、金日、崔賢たちです。

日本が朝鮮を「併合」したときとは異り、日本の満洲「併合」は、はじめから朝鮮人と中国人の連合した抗日闘争とぶつかりながら、これを弾圧しながら進出しなければなりませんでした。その闘いの中で、朝・中連合の反帝・反日はますます激化し、それが、朝鮮本土内の反日独立闘争にまでいちじるしい刺激、影響力、指導性までもつようになっていくわけです。

である。

41八路軍

一九三七年、日中戦争勃発ののち、ふたたび国共合作が一応できて、延安を中心にした紅軍主力は、国民革命第八路軍という名称で改編され、形式的には国民政府の指揮下に入り、その部隊番号をなのることになった。八路軍の総指揮は朱徳。やがて日中戦争のなかで、八路とは中共軍の別名となり、広汎な遊撃戦を展開した。一九四七年、国民党軍とのたたかいの時期に、八路軍は、華中の新四軍（新編第四軍、これも中共軍で、困難な条件のなかで根拠地をつくった）などとともに人民解放軍となった。

42関東軍

日露戦争の結果、遼東半島の先端、すなわち旅順、大連をふくむ一帯を日本は租借地として手にいれ、関東州と称した。はじめ陸軍の大・中将の関東都督がこれを統治したが、一九一九年、関東都督府を関東庁とあらためて文官の関東庁長官をおき別に関東軍司令官をおいた。ところで、日露戦争によって、ロシヤが中国にたいして持っていた帝国主義的権益である東清鉄道のうち南部支線を日本が獲得したので、これをもとに南満州鉄道株式会社を設立した。いわゆる満鉄である。満鉄はその線路また、その人々は、はっきりと日本帝国主義と闘う日本人民との提携をも意識していました。

たとえば、一九三一年（昭和六年）一二月三〇日、局子《きょくし》街《がい》、依蘭《いらん》溝《こう》方面にばらまかれた中共東満特別委のビラの、文末スローガンは

一、日本帝国主義の満洲占領に反対せよ
一、日本および国際帝国主義を打倒せよ
一、中国国民党を倒せ
一、万国無産階級母国露蘇を擁護せよ
一、万国民族解放運動を支持せよ
一、中日韓労農兵団結せよ
一　万国無産階級解放万才！

とあります。この終りから二番目の「中日韓労農兵団結」なる言葉は、今の言葉でいえば文字通り「日・朝・中」に当ります。

また、一九三二年（昭和七年）五月三〇日、奉天付近にまかれた「中国共産青年団

の両側に付属地と称する広大な治外法権地域を有し、撫順炭鉱をはじめ巨大な付帯経営をふくむ国策会社として、帝国主義侵略の最前線の役わりをはたした。この満鉄を守るために満州独立守備隊というのが一九〇七年以降おかれ、このほかに日本「内地」から一個師団が交代で駐屯することになって、関東軍司令官の指揮下に入った。これが関東軍のはじまりである。

ところで関東軍は謀略の巣みたいなもので、参謀をはじめ将校たちが中国侵略の暗躍をさかんにやって、東北軍閥の張作霖を爆殺したり、「内地」の軍部とも組んで柳条溝爆破事件をデッチあげて満州事変をおこしたり、ついに「満州国」をこしらえあげて、事実上その実権をにぎってしまった。その過程で、ときには日本の中央政府をのりこえて、どしどし既成事実をつくったので、いうことをきかぬ出先機関のたとえに「関東軍だ」などといわれた。

「満州国」ができると、司令部を旅順から長春（新京）に移し、数個師団を擁して、これまた「泣く子もだまる」ほど恐れられた。そして一九四一年六月、独ソ戦がはじまったのに乗じ、ソ連へのおどかしをかけるために、七月から九月にかけて大規模な特別演習をおこなった。関特演といわれるものである。

奉天特別委員会」の「五・三〇事件七週年に際し青年諸君に告ぐ」というビラには、

「……見よ、日本帝国主義が日韓合併と同じく、満洲を強制的に屈服せしめ、中国領土に大規模的侵略を行ない、又も足らずなお……

……諸君、日本帝国主義は民族の敵である。そして、帝国主義を打倒することは、民族共同の目的であり、中国、尚《なお》、満洲より帝国主義を打倒するは、即ち、朝鮮独立希望運動である。そして、中国においては、完全に帝国主義を打倒し中国の大国を完成せるは、即ち、朝鮮独立の成功である。……」

とあり、文末スローガンも

「一、中日韓労働青年大衆一同団結」

にはじまり

「一、中国革命成功万才、朝鮮独立成功万才、世界革命成功万才」

だが、一九四五年八月、ソ連軍の攻撃のもとで、さしもの関東軍はアッケなく崩壊してしまった。

43日本人解放連盟

一九三八年末、中共軍(八路軍)に捕虜となった日本人兵士によって、華北に覚醒連盟が結成され、爾来、華北各地に同様の組織ができた。モスクワより延安に入った野坂参三は、岡野進の名前で、これらを指導し、四二年、これらの組織を統一して、在華日本人反戦同盟をつくった。そして、戦争反対、軍閥反対、民主日本の建設を三綱領に、前線で、日本軍に果敢にはたらきかけた。

在華日本人百戦同盟華北連合会綱領の四に「中日両国人民をはじめ、朝鮮、台湾および南洋諸国の人民は、ともに日本軍部に圧迫されている犠牲者である。したがってわれわれは、全東洋の人民と団結して、共同の敵、日本の軍部に反対する共同斗争を行い、真の東洋平和を建設するためにたたかう。」とある。

一九四三年一月、日本人民解放連盟と改称、四五年には一三の支部を有した。このほか、延安には日本人工農学校を開設し、兵士を教育した。

44戦前の反植民地斗争の概括

一九二〇年、三〇年代を通してみて、日本共産党を例にとるなら、一九二二年の最初の「綱領草案」に、「朝で結んでいる。
乏しいながら、日本人の側からも、同じ志向があります。たとえば一九三〇年には、満鉄内*31で八〇人からの日本人が、中国人や朝鮮人と一緒に活動したというので検束されています。*32

一九三二年(昭和七年)、海城において、「日本全国労働組合自由聯合」なる署名の、日本文のビラがまかれています。その内容の要旨は

「日本軍国主義資本主義の満洲占領はブルジョアジーのみの受くるいわゆる特殊利益の保護にすぎない。日本の同胞を以て中国の労農兄弟を虐殺する以外に吾等に関係を有せず。速に無産大衆は団結して戦争を拒否せよ」

と、あります。

朝鮮本土の朝鮮人労働者の中にもこの志向がはっきりとありました。一九三五年の

鮮・中国・台湾・樺太からの軍隊の完全撤退」をかかげ、また、「二七年テーゼ」にも、「支那から手をひけ、……植民地の絶対的解放」とある。そして、「三二年テーゼ」にも、「朝鮮・台湾・満州その他、支那から掠奪した領土の解放。そこからの日本軍隊の即時撤退、ソ同盟および中国国民の擁護」をかかげている。終始一貫植民地解放の旗を守りつづけている。

共産党だけではない。

当時の革新政党では、どんな改良主義的色彩の強かった党派でも、全部、植民地解放に言及している。政治研究会、農民労働党、労働農民党、日本労農党、無産大衆党、新労農党から日本大衆党にいたるまで、みな然りである。

この点、今の民主社会党が、日韓会談賛成を言い出しているのとは雲泥のちがいである。

また、労働組合や大衆団体も、多少とも革新性をもったものなら、労働団体、農民団体、消費組合、市民団体、青年団体、文化団体、学生団体等ことごとく植民地主義反対の斗いをし、当時もっとも困難な情況下でたちおくれていたとはいえ婦人団体まで、たとえば、関東婦人同盟が「植民地婦人の一切の差別待遇の撤廃」をかかげていたように、それぞれの分野で、それぞれの旗をおろす

メーデーに、清津《せいしん》紡績工場の労働者がまいたビラには

「清紡一千の兄弟よ！……日本は、日本労働者と朝鮮労働者の血と汗をしぼりとり、その金で間島と満洲のわが同胞たちを射殺している。…戦争をやめ、朝鮮と満洲から軍隊を撤退させよう。戦争をやめ、賃金を四〇％あげろ。日本帝国主義を打倒しよう！」とあります。

また、さき程紹介した槙村浩の長詩「間島パルチザン」の中にも出てくるように、この地域の日本軍の中に「在満日本革命兵士委員会」なるものもありました。十分に影響力を伸すことはできませんでしたが、しかし小さいながら必死の日本人の闘いがあったのです。現に「十万発の弾薬をパルチザンに渡し了えて死んで行った日本軍輜重《しちょう》兵、伊田助男」という記録も中国の文献にでています。このようなことは、今後、発

ことなく斗っていた。

だが同時に一言しなければならぬことは、侵略戦争と弾圧の強化に伴い、社会民衆党のように、「空想的国際主義を排し」「満蒙におけるわが条約上の権益」を守ると称して、戦争協力に堕落していった動きもある。また、それと呼応して、佐野、鍋山などの転向が「支那国民党軍閥に対する戦争は、客観的にはむしろ進歩的意義をもっている」との強調から始まり、天皇制を美化し、侵略に内側から内通していった動きもある。

過去の日本人民の素晴らしい斗いの歴史を誇りをもって見なおすとともに、その中にあった欠陥をかみしめ、同時に、堕落・転向・分裂の汚点をも、歴史の教訓としてみつめねばならない。

戦前たると戦後たるとを問わず、植民地問題の過少評価、民族解放闘争の過少評価は、必ず、侵略の弁護、帝国主義の美化に陥るのである。

45日本人反戦兵士

「一九四一年……竜河の上流にそつて平山県の小北頭という寒村についた私たちは、ここでも村人の大半が身内の者を（日本軍に）殺され白い靴をはき、白いはちまきをしているのをみた。かなしみを怒りにかえ、さらにそれを活力にかえて農民たちは越冬準備をいそいでい

掘していけばもっと出てくるでしょう。しかし、そんなに沢山の資料は期待できないかも知れません。なぜなら、それは、決して地上に資料を残すことをしない程まできびしい捨て身の闘いだったのですから。

ここでわれわれがはっきりつかんでおかねばならぬことは、日本帝国主義の侵略の最前線でも、文字通り戦火の中でも、日・朝の人民の、あるいは日・中の、そして日・朝・中三国の人民の、連帯した闘いがあったということです。

そして、それは、朝鮮人や中国人の積極性によって強く支えられていたということです。つまり、日本人民の日本帝国主義に対する階級闘争を、朝鮮や中国の人民の民族闘争が触発し、刺激し、鼓舞していたということです。

さて満洲の場合、多くの民族が混って住んでいるという複雑な状態は、抗日民族連

た。ここには日本人民反戦同盟晋察冀支部と朝鮮義勇軍晋察冀支部があった。……河向うの村には聶栄臻将軍の指揮する軍司令部と政治部、その他の重要機関が駐屯していた。

北には五台連峰がさむざむとそびえており、標高一千メートルの高原はすでに冬景色だった。

わたしたちはここでふたたび学習をはじめた。

わたしたちが朝鮮の同志たちから重慶のことや新四軍のなかの日本人のことを聞く機会をえたのもこのときだつた。義勇軍の同志たちのなかには朝鮮「満洲」から華北にきた人もあり、義勇軍として国民軍と共に華南戦線で活躍していた人たちもいた。

……かれらの同志愛と祖国愛は強かつた。はげしく批判しながら援けあっていたし、戦争でも勇散だった。冀中からきた武さんもトーチカ攻撃で戦死した。酔えばトラジを歌い足を踏みならし、涙を浮かべて踊った。わたしたちはこの朝鮮の同志たちや中国の同志たちとがそれぞれの国語でインタナショナルを歌い、ともに過ごした一九四二年の正月を忘れない。それは素朴ではあるがおごそかであり、ともに肩を並べてたたかうもの同志の信頼にみちみちたものだつた」（反戦兵士物語）

一九四四年一月、延安の王家坪大講堂において、在華

合を形成した反面、なかなかこみいった内部事情も醸成《じょうせい》したであろうことが想像されます。なぜなら日本は、諸民族の対立を最大限に利用もしました。*33 たとえば、一九三一年の万宝山事件*32 などのように、朝鮮族と漢族とを相互に対立させ、反目させました。だから何から何までがすんなりと行なわれたとは限りません。

　事実、満洲における運動の政治指導も、組織的には重畳《ちょうじょう》、複合、混乱した時期もあります。*35

　だがそのような複雑さと困難さが、却って運動をきたえあげていくのです。

　あたかも諸民族の牢獄ともいうべき「間島」を中心にして中・朝連合の闘いがすすみ、朝鮮本土では、あらたな労働運動の激化があり、そして中国本土ではやがて大長征が行なわれ延安に根拠地を据える。アジア全土に再び反日・反帝の大きなうね

日本人「反戦同盟」は「解放連盟」に発展した。

「この日の大会では、会のへき頭、日本軍にたいする工作で尊い犠牲となつた反戦同盟員、安藤清、浅野清、黒田嗣彦、大野静夫、吉田武、福岡留等、中国の同志、董秋農、呉部長、安之、周科長その他二十五名、朝鮮の同志、金明華その他八名の同志に一分間の黙悼をおこない、ついで朱徳司令官の話からはじめられた。」

（前掲書）

かつて、朝鮮の詩人、呉相淳は、「アジア最終夜の風景」と題する長詩をつくった、

アジアは夜が支配する、
そして夜を統治する、
夜はアジアの心の象徴、
そしてアジアは夜の実現、
アジアの夜は永遠であり、
アジアは夜の受胎者である、
夜はアジアの産母であり、
且つはまた産婆である、
………

と。

その時代は、日本人の側からみても、夜の時代であった。

りがもりあがってくる。

　このような全体的な昂揚の機運の中で、少年金成柱が人と成っていく。一九三一年、一九才のとき、共産党に入党、そして、青年金成柱は数名の仲間と一緒に間島の安図県で遊撃隊をつくり、抗日東北連軍の一部隊に身を投じます。この青年こそが、後に金日成と名乗り、全朝鮮の指導者となっていくのです。

　当時、一九三〇年の「間島暴動*36」や一九三一年の「秋収暴動」や、一九三二年の「春慌《しゅんこう》暴動」または「饑民《きみん》暴動」などと呼ばれる朝鮮・中国農民たちの反日武力闘争が、東満一帯にひろがっていました。これらの闘いの渦中で、金日成はその抜群の能力を発揮しつつ、すでに前から散在していた各所の遊撃隊に政治的影響力をぐいぐいのばしていきます。同時に、一回的な暴動や、猪突的な闘争や、それこそ「馬賊的な

「頭の透明な時間は、ほとんどありませんが、それでもまばゆいくらいな一条の白いたていとがあるようです。
　生あらばいつの日か、長い長い夜であったと、星の見にくい夜であったと言い交わしうる日もあらうか…」
と、日本の戦没学生の遺書にもある。（「十五年戦争」—のうち、松原成信、陸軍兵長北京にて戦病死、二三才、友人宛書簡から）
　たしかに、そのような暗い夜の時代、まばゆいくらいな「一条の白いたていと」のように貫いていたものは、日本帝国主義に対する日・朝・中三国人民の共同の闘いであった。

三国労働団体の共同声明

朝鮮・中国・日本　六三・七・一三

　一九六三年七月一日、北京で朝鮮交通労働者職業同盟、朝鮮金属化学工業労働者職業同盟と中国機械工会全国委員会、中国海員工会全国委員会、中国道路運輸工会全国委員会および日本中央金属共同闘争会議代表団、全日本港湾関係部門労働組合協議会代表団、全日本自動車

奪略」のようなことではなく、大衆団体を組織し、政治教育を広め、人民政権をつくり、解放政策を実施することに努力し、革命根拠地を形成させていったわけです。そして根拠地を中心に次第に強化されつつあった各所の遊撃隊相互間の提携を深めさせ、数々の戦争の中で鍛えあげられていったそれら部隊を糾合してやがて一九三四年に、朝鮮人民革命軍を東北連軍の独自の部隊として編成し、その指導者の一人になっていきます。*37

「金日成元帥を中心とした堅実な共産主義者たちによって指導された朝鮮人民の反日武装闘争」としばしば呼ばれるこの闘いも、坦々たる道を一路拡大強化発展していったのではありません。

その影響力の拡大にあわてた日本軍が「大討伐」を行います。民衆と切り離すための様々な工作も行います。それに焦立っ

交通および運輸労働組合代表団の共同声明が調印された。同声明の全文はつぎのとおり。

朝鮮交通労働者職業同盟および朝鮮金属化学工業労働者職業同盟代表団（以下朝鮮職盟代表団と略称）と、日本中央金属共同闘争会議、全日本港湾関係部門労働組合協議会、全日本自動車交通および運輸労働組合の三代表団（以下日本労組代表団と略称）は、中国機械工会全国委員会、中国海員工会全国委員会および中国道路運輸工会全国委員会（以下中国工会と略称）の招きにより、一九六三年六月中旬から七月上旬まで中国を親善訪問した。訪問期間に朝鮮職盟代表団と中国工会代表団それに日本労組代表団（以下会談三者側と略称）は、なごやかな親善的な会談をおこない、現在の国際情勢とアジアの事態、とくにアジア、アフリカ諸国の労働者と労組間の団結を強化することにかんする重大な問題にたいして意見の一致をみた。

▼世界人民の運動は帝国主義勢力に強大な打撃▲

会談三者側は、現下各国の労働者と人民が、有利な情勢におかれていることを一致して認める。世界人口の三分の一を占める社会主義陣営は、日増しに成長・強化しており、民族解放の炎は、アジア、アフリカ、ラテン・アメリカの全地域で燃え上がっており、資本主義諸国

て、朝鮮人の闘いの中にも極左的な偏向も発生します。しかし主力は頑強に闘いつづけます。折しも中国本土にあっては一九三四年一〇月、有名な紅軍の大長征*38が開始されます。この大長征の途次、毛沢東路線が確立したとされる遵義《じゅんぎ》会議が一九三五年一月にもたれています。

この時、「満洲」でも、日本軍の「大討伐」に対し、東満の狭い遊撃根拠地を死守するだけでなく、それを「いったん整理解散し」、より広大な武装闘争を展開するためのより強力な根拠地を新にもとめるという方針で、白頭山（中国名長白山）への遠征が行われます。これは、大長征がそうであったように、退却でもあれば攻撃でもあったのです。この遠征のはじまりになる一九三五年五月の江清《こうせい》県腰営溝会議と、遠征の終りになる一九三六年の撫松《ぶしょう》県東崗の会議、この二つの会議にはさまる一年間の闘

での労働運動は新しく発展し、帝国主義侵略政策に反対し、世界平和を守るための全世界人民の運動は幅ひろく発展している。これらすべての勢力の団結した闘争は帝国主義と各国の反動派に強力な打撃をくわえながら世界平和を守っている。

▼米帝はアジアの現情勢を先鋭化させる根源▲

それにもかかわらず帝国主義者は、決して敗北を甘受しようとはせず、アメリカをかしらとする帝国主義者は世界各国にたいする干渉と侵略を拡大するのに狂奔している。現在アメリカ帝国主義者は、日本軍国主義をあらゆる面から復活させ、日本をアジア侵略の突撃隊に仕立てようとしており、朝鮮の南半部で軍事ファッショ支配を強化しながら朝鮮の自主的平和統一を妨害している。同時にアメリカ帝国主義者は、南ベトナムで非人間的な「特殊戦争」をいっそう拡大しており、ラオスの反動どもをそそのかして愛国勢力にたいする武力攻撃へかりだしながら、ラオス民族統一政府をくつがえし、ラオスでふたたび内戦をひきおこそうと策動しており、中国の領土・台湾を占領して「二つの中国」をでっち上げようとしており、反中国カンパニアに狂奔している。アメリカ帝国主義者のこのような乱暴な侵略干渉行為はアジアの現情勢を先鋭化させ、悪化させる根源である。

いの全過程の中で、有名な「祖国光復会」[*39]という抗日統一戦線が組織されていきました。

この祖国光復会が呼びかけた「十大綱領」[*25]は、人々の心をしっかりととらえ、数ケ月にして二〇万からの大衆を組織し、「満洲」はもとより、朝鮮国内にも影響力と組織力を伸ばしていったのです。

このような政治的前提の上に、あらたに作り出された長白山麓の広大な密林の中の根拠地で武装力をたて直した革命軍は、朝鮮本土に進撃を開始します。その代表的なものが、一九三七年六月四日の普《ふ》天《てん》堡《ほ》の戦争です。[*40]

折しも、中国本土では、八路軍[*41]が編成され、三七年一〇月には、平型関《へいけいかん》、雁門《がんもん》関《かん》の戦闘で日本の板垣征四郎師団に壊滅的打撃を加えます。

アジアの反帝、反日のうねりは高潮に達

▼米帝こそ朝鮮・中国・日本人民の共同の敵▲

会談三者側は、アメリカ政府が「韓日会談」をでっち上げ、日本に核潜水艦を寄港させ、核兵器を積載することのできるF一〇五D型戦闘爆撃機を引きいれる目的が日本軍国主義勢力を南朝鮮に引き入れて朝鮮の分裂を永久化し、日本軍国勢力を中心とする「東北アジア軍事同盟」をでっち上げ、日本を極東でのアメリカの核戦争基地に変えようとするところにあると強調する。これらすべてのことはアメリカ帝国主義が極東で侵略戦争と戦争政策をおしすすめようとする重要な措置である。従ってこれは、朝鮮と中国それに平和を愛するアジアのその他の国ぐにたいする横暴な挑発であり、日本の独立と自主権にたいする重大な侵害であることがあきらかである。

以上のすべての事実は、アメリカ帝国主義こそ朝鮮、中国および日本人民の共同の敵であり、全世界すべての平和愛好人民の共同の敵であるということを重ねて確証している。

▼一九六〇年の「共同声明」の正当性を再確認▲

会談三者側は、一九六〇年五月、朝鮮職業総同盟、中華全国総工会、日本労働組合総評議会間に調印された共同声明が全面的に正当であり、共同声明に提示された共同闘争目標、すなわちアメリカ帝国主義者を太平洋の西していくわけです。

この高潮の中で、金日成のひきいる抗日部隊は、三七年から三九年の間に三九〇〇余回の戦闘を行い、日本の「関東軍[*42]」をてこずらせます。が、これらの経過事実は今更お話するまでもなく、みなさんがたがよくご存知のところでしょう。だから詳しい話はやめます。

だが、ここに、はじめて、朝鮮民族の主体性の確立した闘いが展開され、[*26]朝鮮人民のうち、最も堅実な人々が結集され、その人々が運動の次元をより高い段階にすすめつつ、今日の朝鮮の基礎をきずいたのであるという点だけは強調しておきたいと思います。

六

だが一九三八年、日本の侵略は「支那事

部から追いだし、アジア、アフリカ地域で植民地主義を完全に清算することについての闘争目標が、こんにち依然として朝鮮、中国および日本の三国の労働者階級に負わされた、きわめて切迫した現実的な闘争課題になっていることを一致して認める。会談三者側は共同声明の精神を積極的に貫徹して、軍備競争と戦争準備を強化し侵略をおこなうアメリカ帝国主義の行為を、あらゆる可能な手段によって徹底的にばくろ反対しなければならず、民族独立のための各国人民の運動をだんこ支持し、アジアと世界の平和を守るためにたえず闘争しなければならないと、一致して強調する。

▼平和運動で重要なことは敵を明確にすること▲

会談三者側は、平和は帝国主義者に乞い求めるのではなく、全世界人民の闘争によってのみ、かちとることができるということを一致して認める。平和運動を展開するにおいて、必ず平和の敵はアメリカをかしらとする帝国主義者であるということをはっきりと指摘すべきであり、もしこの運動を推進するにおいて敵と味方を区別できず、正しいことと誤ったことを区別しない場合には、運動をただ迷路におとし入れる大きな誤謬（ごびゅう）を犯すようになるであろう。

▼インドネシア労組のＡＡ労組会議招集を支持▲

変」へと拡大し、さらに四一年の太平洋戦争に突入するにいたる、朝鮮と満洲の情況も変っていきます。日本帝国主義のおそるべき重圧が朝鮮と満洲に加っていきます。朝鮮本土においては、全く身うごきもできぬような兵站化の圧政が朝鮮民族をしめあげていきます。また「満洲」においても部隊行動が不可能になるほど、関東軍の鎮圧がつづきます。

かって、二〇万を数えた東北連軍も、四一年のはじめには、隊をなしているものの総数二千人というところまで追いつめられ、四一年末の冬には空前の困難な情況にたちいたります。

ついに四二年、在満抗日勢力は、朝鮮人も中国人も、二〇人単位の小グループに分散して活動することを決定せざるを得ないところまで追いこめられていきます。しかし、小グループの対日抵抗は、終戦の時ま

会談三者側は、平和擁護闘争と民族的独立のための闘争を互いに支持し、たがいに分離できないことと、民族独立のための闘争の発展が世界平和をまもるうえで大きな寄与となることを一致して指摘する。会談三者側はアジアおよびラテンアメリカ諸国での労働運動が民族的独立のための闘争とかならず結びつかなければならず、経済的闘争は政治闘争と結びつかねばならず、ひとえにこうすることによってのみ、労働者の闘争をいっそう発展・拡大させることができると強調する。会談三者側は、アジア、アフリカの労働者と、労組の団結は国際労働者階級と国際労組運動の団結の重要な構成部分となり、アジア、アフリカの労働者のあいだの団結と労組間の団結の強化は、アジア、アフリカ人民の団結を大きく強め帝国主義者にじん大な打撃をあたえるであろうと一致して強調する。

したがって会談三者側は、インドネシアの六つの全国的労働組合がバンドン精神にもとづいて提起したアジア、アフリカ労組会議を招集することについての共同提案を積極的に支持し第三回アジア、アフリカ諸国人民団結大会の当該決議を支持し、アジア、アフリカ間の団結を分裂・破たんさせようとする帝国主義者とその手先である国際自由労連およびユーゴスラビア労組の指導グル

で続きます。一部の部隊は、ソ連領内に入りました。

こうして四〇年代のアジアの反日、反帝の闘いの主力と重心は、中国本土に移ります。

そこには壮大な中国人民の闘いがまた八路軍・新四軍等の大戦闘が展開されています。この動きの中で、一九四二年、延安で朝鮮独立同盟が結成され、その指導下の朝鮮独立義勇軍もあり、中国紅軍とならんで抗日戦にも参加しています。この部隊の中には何人かの日本人もいました。この日本人のうち何人かは、今もこの日本国内で元気に運動や仕事をしています。

この中国人民との戦争で、日本軍は、今まで予想もしかなった経験に遭遇します。一つには、国民党軍とはうって変って勇敢に闘う強敵だということ、一つには、その戦術の硬軟とりまぜた巧妙なかけひきに

ープのすべての陰謀にだんこ反対する。会談三者側は、あらゆる可能性をつくしてアジア、アフリカ労組間の団結労組運動の団結のために共同で努力を傾けることに一致した決意を表明する。

▽朝・中・日労働者階級の闘争を相互に強く支持△

朝鮮職盟代表団と中国工会は、アメリカ帝国主義に反対し、独立と民主主義と平和をかちとるための日本の金属、港湾、自動車運輸労働者と日本人民の闘争を終始一貫支持し、核潜艦の寄港と核兵器を運搬することのできる飛行機の日本への持ち込みに反対し、沖縄の返還を要求し、軍事基地の廃棄を要求し、「韓日会談」を粉砕し、日米「安全保障条約」を廃棄し、賃金の引き上げと生活条件の改善を要求しておこなっている日本の金属、港湾、自動車運輸労働者と日本人民の闘争を熱烈に支持し、原水爆禁止のための運動の正しい路線を堅持し、この運動の統一・団結を促進するための日本労働者の闘争を支持する。

朝鮮職盟代表団と中国工会は、日本の労働者階級と人民大衆の英雄的闘争が、資本主義国の労働者階級と人民のりっぱな模範となっており、アジアと世界平和に重要な寄与をなしたことにたいし、一致して称賛する、これとかんれんして朝鮮職盟代表団と中国工会は、日本の労

弄されたということ、もう一つは、戦いが終るや否や日本軍の捕虜を友人のように扱うということです。つまり、帝国主義と人民を完全に区別することを知っている軍隊に直面して日本軍はすっかり面食らってしまいます。

だが、このことは実は大変なことであって、戦場で闘っている軍隊が、敵軍に対し、帝国主義と人民を区別する行動を、かくも大々的な規模で意識的に整然ととったことは、世界史上に例をみないことでしょう。

このような環境の中にあって、一九四二年、延安で、野坂参三などを中心とする日本人解放連盟が結成されます。*43

また重慶《じゅうけい》には、鹿地亘《かじわたる》などを中心とする反戦グループも活動をしています。

組織だった連携はなくても、最後まで、日本帝国主義に対し、中国人、朝鮮人、日

働者と人民に気高い敬意を表しながら、このような闘争で日本中央金属共同闘争会議、全日本港湾関係部門労働者協議会、全日本交通および運輸労働組合がはたした役割をたかく評価しこんごの闘争で日本の労働者と人民により大きな新しい成果があるよう一致して希望した。

中国工会と日本労組代表団は、千里馬の勢いで前進する朝鮮の労働者と人民が社会主義建設でおさめた大きな成果を熱烈にたたえ、自立的民族経済の土台を確立した朝鮮人民の自力更生の革命的精神を称賛し、南朝鮮からアメリカ帝国主義者を追いだし、祖国の自主的平和統一実現のための朝鮮の交通、金属、化学労働者と人民の闘争をだんこ支持し、かれらの闘争で終局的な勝利をおさめるであろうことを確信する。

▼在日朝鮮公民の祖国往来の実現を確信▲

会談三者側は「韓日会談」を粉砕するための朝・日両国の労働者階級と人民の闘争を一致して支持し、自己の祖国への自由な往来のための在日朝鮮公民の正当な権利が必ず実現されるであろうことを確信する。

朝鮮職盟代表団と日本労組代表団は、中国の機械、海員、道路運輸労働者と中国人民が社会主義建設の総路線、大躍進、人民公社の三本の赤い旗のもとに社会主義建設でおさめた大きな成果を熱烈にたたえ、自己の領土

本人は肩をならべ、同じ戦線に属して闘っていたのです。[*44]

ここでも、中国人民の民族解放闘争が、日本人の階級闘争を、保育し、支援し、激励している関係がみられます。帝国主義国の人民の闘争は、植民地、被圧迫民衆の闘争と結合しなければならぬ点を、しみじみと感じさせられましょう。

七

さて、以上お話ししてきましたように、連帯の伝統は脈々としてつづいてきました。たしかにあるときは、ひとすじの糸のように、細々としたこともありました。しかし、その赤い糸は、ついに切れることはなかったのです。[*45]

戦前の日本で、多少なりとも解放運動に関係した日本人で、朝鮮人の親友をもたな

・台湾を解放するための中国人民の正当な闘争をだんこ支持し、国連での中華人民共和国の合法的な回復を主張し、中印国境問題を平和的な話し合いをつうじて解決することにたいする中華人民共和国の正当な立場とその実現のために中華人民共和国が傾けた一連の大きな努力をたたえる。

▼親善協力関係強化のための諸事業で意見一致▲

会談三者側は朝鮮、中国、日本の三カ国労働者階級と人民間の親善協力関係がたえず発展していることを満足に思う。このような親善協力関係をよりいっそう強化するために会談三者側は、連けいと相互支持をいっそう強化し、共同の関心事となる問題とかんれんして適時に意見を交換し、緊密に協力し、同時に相互間の理解と団結を深めるためにひきつづき代表団を交換し、すでに資料と出版物を交換したことにもとづいて相互に情況を通報し経験を交換することについて意見の一致をみた。

会談三者側は朝鮮、中国、日本の三カ国の労働者階級と人民間のよりいっそうの強化が、アジア、アフリカ諸国の職盟および労組間の団結を強化し、そして帝国主義と新旧植民地主義に反対し、世界平和の擁護および社会的進歩のために闘争する気高い事業に必ずよりいっそう大きな寄与をなすであろうことを確信する。

い人はいないでしょう。学生の社研活動などは在日朝鮮人がリーダーだったことの方が多いでしょう。当時のきびしい治安維持法による、検束につぐ検束の中で、冷い留置場の床の上で、日本人と朝鮮人が身をすりよせ温め合って寝た思い出は、誰の胸の中にも残っているはずです。今では、想像もつかないようなきびしい天皇制絶対主義権力の弾圧の下で、日本人と朝鮮人は、文字通り、助け合い、かばい合い、それぞれの解放のために闘っていました。それはその当時を生き抜き闘い抜いた人間のみが知っている「戦闘的友誼」でした。朝鮮人の立場からではなく、現在の闘う日本人の立場からいうなら、それら在日朝鮮人の闘いを調べ、整理し、記録し、そして、それに現代からの意義づけをし、発揚することは絶対に必要なことだとわれわれは思います。

みなさん、いまここで述べたことは非常に資料もすくなくあらましの筋だてだけに過ぎません。これは必ずしもわれわれの勉強不足だけでなく、そしてまた、資料などで後世に残すことのすくない、文字通り裸の体を張った闘いについてのことがらでもあります。やたらと資料資料とさわぎまわる学者もいますが、およそ資料なるものが絶対にあり得ない歴史というものだってあるのであります。歴史の深部は、実はそのようにきびしいものであるとさえ言えるかも知れません。

しかし資料はすくなくとも、確実に言えることは、日本、朝鮮、中国の三国民の日本帝国主義に対する共同の闘いが、明治、大正、昭和を通じて、ある時は太く、ある時は細く、しかし連々綿々として続いていたということです。帝国主義たる日本の中でも、植民地朝鮮の中でも、そして中・朝国境地帯「間島」「満洲」でも、また、中国本土の中でも、つまり、いたる所で日本帝国主義に反対する日・朝・中三国共同の苦しい闘いが、美しい友情が絶えることなく一貫して存在していたのです。

形はさまざまです。年よりも、青年も、婦人もあります。革命家もあれば労働運動家もある。学者の闘いもあれば、芸術家の闘いもある。わが朝鮮研究所の理事長古屋貞雄のように、植民地である朝鮮や台湾の現地で農民運動に協力したり、朝鮮人や台湾人の治安維持法違反事件を専門に弁護して圧迫のなかをかけ廻った人もいる。また、名もなく貧しく美しい平凡な市井の一介の人士もある。これは素晴らしいことだと思われませんか、みなさん。あの気狂いじみた時代に、あの暗い時代に、あの谷間の中で、帝国主義支配本国の人民と、植民地の人民と、侵略されていた国の人民とが昂然と胸をはってたからかに確信にみちて、同じ一つの歌を歌っていたとは、素晴らしいことだと思われませんか。この火を消すな。この伝統をのばせ。

われわれがかつての日本帝国主義の朝鮮支配、中国侵略を、帝国主義政策の面からばかり見ていれば、悪かった、申し訳のないことをした、この一語につきてしまいます。顔のあげられぬ思いです。過去の日本は罪業のかたまりです。

だが、ひとたび人民の闘いの側面を見るなら、そこにこそ、日本の救い、日本の希望、日本の未来があることがわかります。

とにかく日・朝・中の共同の闘いの火は消えることなくあったのです。この火をますます燃えさからせよう。*44 そのことだけが、日本の朝鮮や中国に対する謝罪の道でもあり、人民としての責任のとり方でもあるわけです。

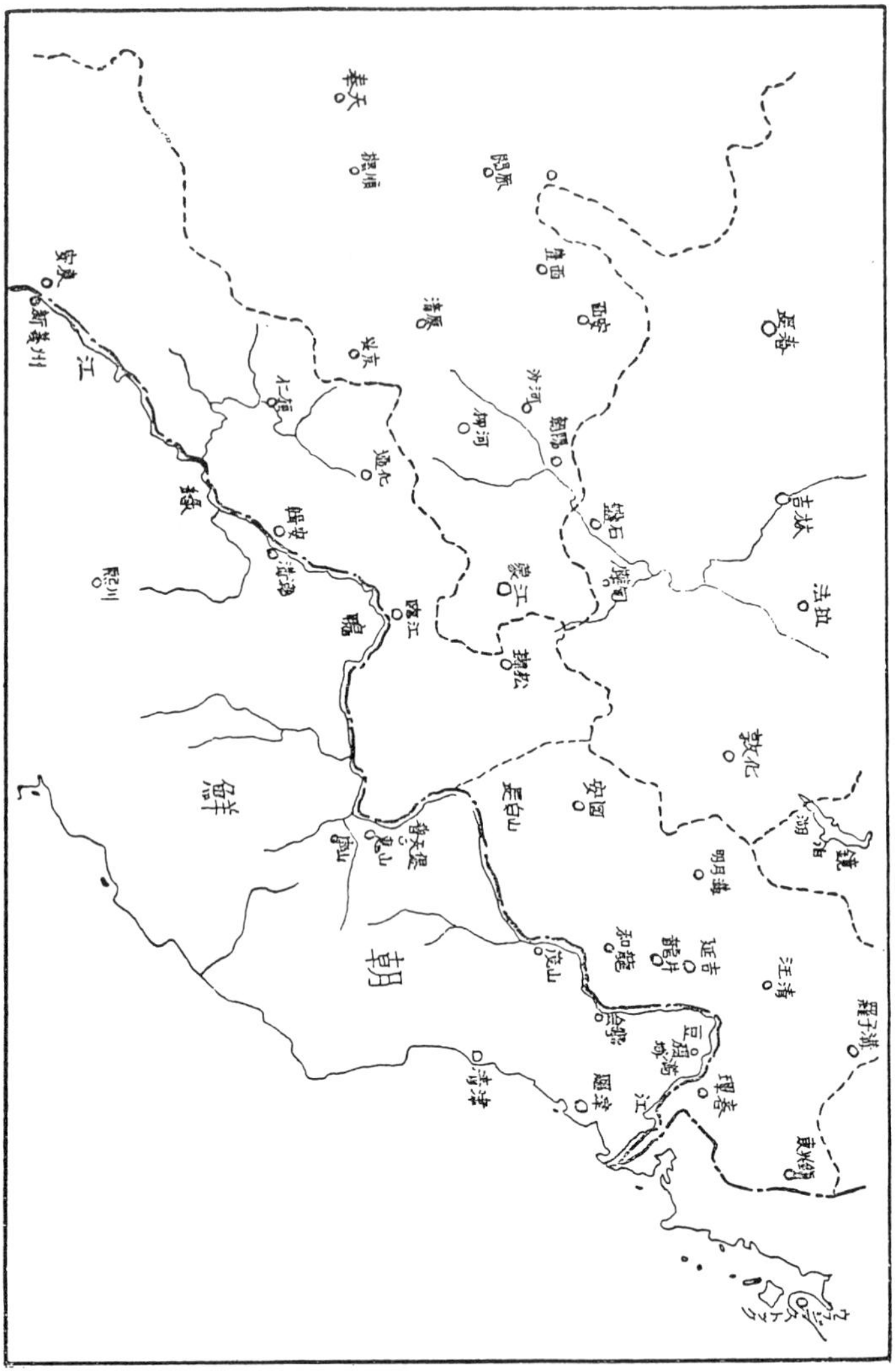
奉天
撫順
安東
新義州
吉林
敦化
延吉
龍井
汪清
長白山
茂山
会寧
清津
朝

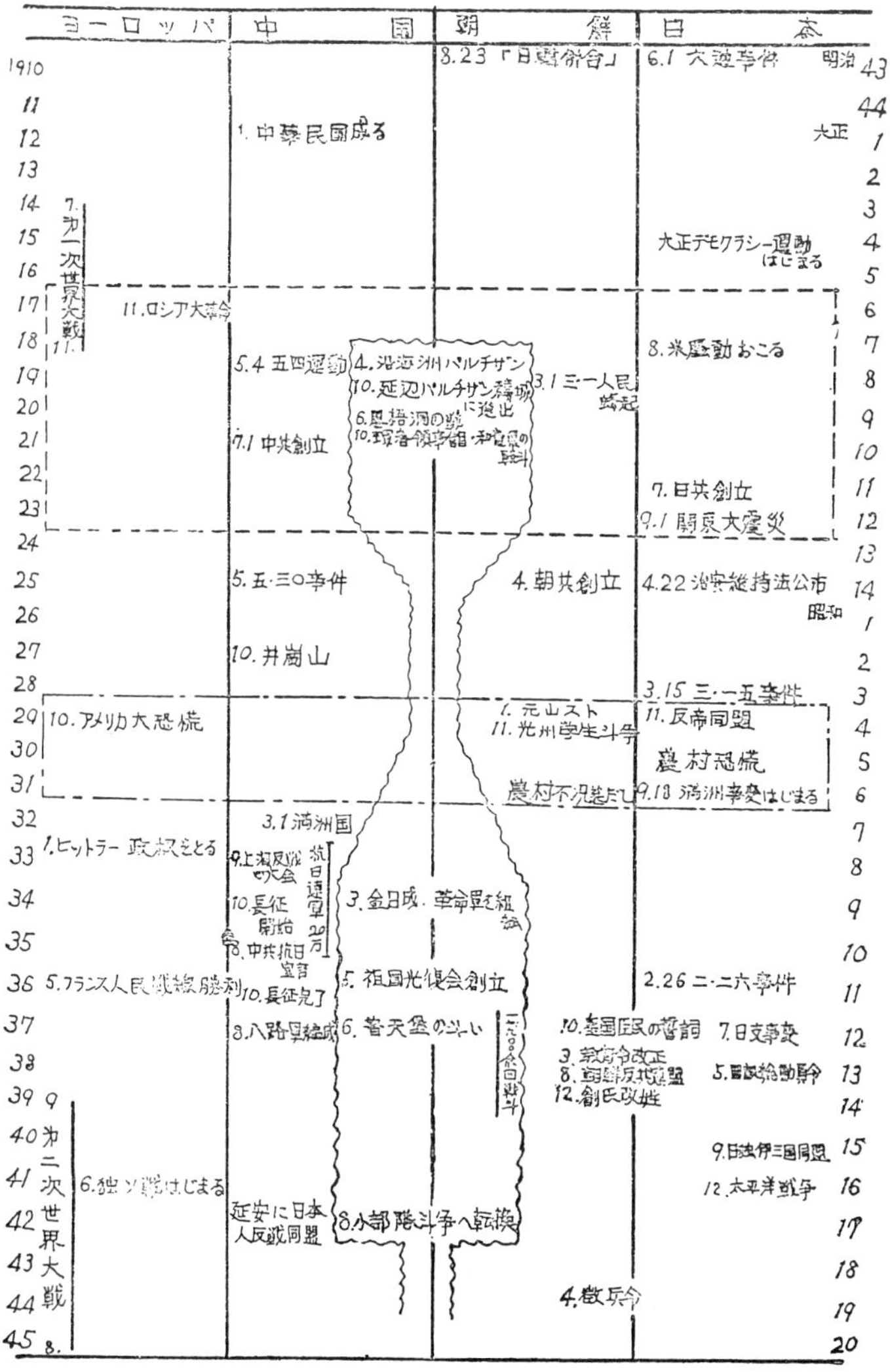
ヨーロッパ
中国
朝鮮
日本
1910
8.23「日韓併合」
6.1 大逆事件
明治 43
44
1. 中華民国成る
大正 1
7. 第一次世界大戦 11.
大正デモクラシー運動はじまる
11. ロシア大革命
8. 米騒動おこる
5.4 五四運動
4. 沿海州パルチザン
10. 延辺パルチザン
3.1 三・一人民蜂起
7.1 中共創立
7. 日共創立
9.1 関東大震災
5. 五・三〇事件
4. 朝共創立
4.22 治安維持法公布
昭和 1
10. 井崗山
3.15 三・一五事件
10. アメリカ大恐慌
1. 元山スト
11. 光州学生斗争
11. 反帝同盟
農村恐慌
農村不況悲だし
9.18 満洲事変はじまる
3.1 満洲国
1. ヒットラー政権をとる
10. 長征開始
8. 中共抗日宣言
3. 金日成・革命軍を組織
5. フランス人民戦線勝利
10. 長征完了
5. 祖国光復会創立
2.26 二・二六事件
8. 八路軍結成
6. 普天堡の斗い
10. 皇国臣民の誓詞
7. 日支事変
3. 教育令改正
12. 創氏改姓
5. 国家総動員令
9 第二次世界大戦 8.
9. 日独伊三国同盟
6. 独ソ戦はじまる
12. 太平洋戦争
延安に日本人反戦同盟
8. 小部隊斗争へ転換
4. 徴兵令
45
20

— 133 —

第三講 戦後日朝関係の諸問題

一

さて、戦後の、つまり現代の日朝関係史の問題に入りましょう。

この部分は、それこそ今さらくどくど申しあげるまでもないところでしょうから、特に重要な一つの側面を指摘するにとどめます。

みなさんに考えていただき、思いだしていただきたい問題があります。それは、もう一昔も前のことになりましたが、太平洋戦争の原因は何だったか、ということです。なかでも、なぜ日本は真珠湾《しんじゅわん》になぐり

1 日米開戦の原因

「太平洋戦争を日米戦争の側面からのみ見ることは、いうまでもなく正当ではない。まさしくこの戦争は、第二次世界大戦の有機的な一環であり、大戦全体の局面の中でのみとらえることができるのである。」

しかし、日米戦争を、一応第二次大戦全体からきりはなして

「これだけとして見れば、双方の側の帝国主義戦争であり、日露戦争後に始る、中国支配をめぐる日・米両帝国主義の三十五年にわたる対立の到達点であった。」

当時、アメリカは中国に対し「門戸開放」を主張し、日本は「権益擁護」を主張しどちらも、帝国主義進出をねらっていた。

「日中戦争は日本と米・英帝国主義との対立を（さらに）年々深刻ならしめた。ノモンハン戦の最中の三九年七月、アメリカは期限のきれた日米通商航海条約を廃棄して、日・米のいわば冷戦が始まった。四〇年九月、アメリカを主目標とした日独伊三国同盟が結ばれ、引続いて日本は北部仏印に進駐した。このことは、日・米間の対立を戦争一歩手前までに追いこんだ」

「…しかも既成の決定に縛られて成算なく南部仏印進駐を行な（うにいた）って、アメリカの対日資産凍結と

こみをかけたのか。それから四年、太平洋を血に染めた日米戦の原因*1は何だったか、という問題です。

いろいろな原因があげられるとおもいますけれど、なかでも中心だったものは、当時、中国市場を日本資本主義が制覇《せいは》するか、アメリカ資本主義が制覇するかという経済競争があり、それがついに戦争になったということ、これはいまでは定説になっています。

中国をどちらがとるか、というケンカです。中国のとりあいの喧嘩《けんか》で日本が敗けた。したがってアメリカは、大手をふって中国へ入っていける予定であったし、中国全土はアメリカ資本主義の傘下に入る予定であった。ところがどっこい、その中国で人民軍がどんどん進展していった。そして、中国人民が天下をとってしまった。中国はいまや中国人民のものであり、独立し

石油禁輸を招いた…

「…十二月八日の日米開戦は不可避になった」（岩波講座、「日本歴史」第一八巻、第二一巻）

2中華人民共和国の成立

一九四八年十二月、東北から国民党軍を追ってきた解放軍が北京に入城、四九年四月には、楊子江をわたって、南京を占領した。まもなく蔣介石の国民党一派は台湾ににげのびた。この年の九月、北京で人民政治協商会議がひらかれた。これは、一九四六年一月、重慶でひらかれた政治協商会議とちがい、国民党反動派の加わらない、統一戦線の会議体である。中国共産党を中心として、民主諸党派や個人があつまったこの会議で、「共同綱領」がきめられ、これにもとづいて、十月一日、中華人民共和国が成立した。

国民党軍との内戦の過程で、アメリカは中共をおしつぶすために、国民党に武器を援助し、革命の圧殺をはかったが、けっきょく、中国大陸から追いはらわれてしまったのである。共和国の成立で、中国を支配した封建主義、官僚資本主義、外国帝国主義がうちたおされた。

3アジアにおけるアメリカのつまずき

「日本は第二次大戦において、アメリカに対してと同様に、中国民族に敗北した。そして日本に勝ったアメリ

た中国であり、従来どおりに外国勢力がデタラメをするのをゆるさぬという新中国中華人民共和国※2ができあがってしまった。

ここで一番貧乏くじをひいたものは誰か？　アメリカです。アメリカだって競争者である日本を倒すために厖大な犠牲をはらったわけです。何十万という兵隊も死んだ。何十億という戦費もつぎこんだ。武器弾薬もつかった。あげくの果てに、やっと商売がたきを制したとおもったら、肝腎《かんじん》なお客さんがいなくなったようなものです。なんのためにあれだけ犠牲をはらったのか、わけのわからぬことになってしまった。

たとえていえば、アメリカは第二次大戦後のアジアに最初から赤字の会社※3をたてたようなものだ。競争会社を倒さんものと宣伝費をつかい、交際費をもちだし、莫大《ばくだい》な資本をかけて、やっと相手を倒したとお

カも日本に代って中国を支配できなかった。つまりアメリカは、対日戦の最大の目的、日本に代って中国を支配するという目的を達成できなかった。この意味で、日本のみならず、アメリカもまた中国民族に敗北した。同様にイギリスもオランダもフランスも、すべての帝国主義が敗北した。日本は『大東亜戦争』で欧米帝国主義からアジアを解放したなどというが、日本は短期間東南アジアから欧米帝国主義を追い出し、その代わりに日本自身が旧支配者よりもいっそうむきだしの帝国主義支配を行なったのであって、すこしも解放したのではない。そして日本が敗れたのち、旧支配者たちがふたたび帝国主義者として帰ってくることを、アジアの諸民族が許さなかったのである。日本の支配層は、日露戦争期にイギリスを、第二次大戦期にドイツを、盲信したのと同様に、現在はアメリカ帝国主義を盲信し、ふたたび帝国主義の極東の憲兵となっているが、それは、中国をはじめアジアの諸民族が、もはや帝国主義の支配を許さないまでに成長しており、かつ、日ごとに成長しつづけているという歴史の不可逆的な大勢を依然として理解しないものである」（岩波講座「日本歴史」）

4 **アメリカのアジア政策における日・朝・中**
四五～四七年頃の米国の**対アジア**政策の中心は蔣介石

もったら、お客さんがいなくなったのですから泣きベソものです。ところで、資本主義は絶対に赤字をみとめません。資本主義がいちばんきらいなものは「アカジ」と「アカハタ」だ。したがって、アメリカが資本主義であるかぎり、どこかでこの赤字をとりもどそうとします。つまり、もう一度、中国を支配しようとし、中国に攻めこもうとし、中国を封じこめようとします。

冗談まじりに言いましたが、ここで肝腎なことは、アメリカ資本主義がつづくかぎり、中国封じこめ政策もつづくといってもいいことです。ケネディが死のうと生きようと、民主党が勝とうと共和党が勝とうと、これとはかかわりなしに、いまのアメリカの資本主義にとって、中国封じこめは欠くべからざる衝動《しょうどう》だということです。

アメリカの戦後アジア政策[*4]のなかで、これは一貫しております。

であったし、この時期における対日政策の内容は、競争者としての日本の無害化であった。いわゆる「初期占領政策」の時期である。

労働組合の自由、婦人解放の諸法令、教育の自由主義化、治維法等の廃止から財閥解体、農地改革を経て新憲法にいたる一連の「民主化」の政策である。

この時期に米国は明白な朝鮮政策を持ち合わせてはいない。それは、さしあたっての既得権の確保、とりあえずの制覇、手当り次第の弾圧、火事場泥棒的な収奪である。もとより、南朝鮮の植民地的従属化さらには北朝鮮への進出を米国が意図していなかったなどという意味ではさらさらない。それは帝国主義にとっては本能的なものなのであり、法則的な本質である。ただここで注目すべきことは、その本能を実現させるための具体的方策が、定見なく行き当りばったりであったことである。それはこの時期の米国の対アジア政策が、中国に集中しきっていたことを意味する。

中国革命の異常な早さの進展が、これらのすべてを変更させる。

「中国にこそ東亜におけるアメリカの主たる関心が集中していた。その中国において、一九四五年以後、合衆国はアメリカ史上最大の敗北を喫した」(K・S・

そのなかでも、初期、一九四〇年代は、競争者としての日本の無害化、つまり民主化の政策、そして朝鮮の南半部に足がかりをつくっておく占領政策がとられます。

だが、中国革命の進展ぶりにあわてだしたアメリカは、かつての競争者日本を、昨日まで無害化しようと武装解除していた、その日本を、もう一度再武装させても、自分の手下として使わなければならぬようになります。日本にたいする初期占領政策としての民主化が、「極東の工場化」に代ります。南朝鮮にたいする足がかり確保政策が、基地化、保塁化に代ります。こうして朝鮮戦争がはじまります。この場合、三八度線を突破、北上して北朝鮮を一気に席捲《せっけん》し、中国領旧「満州」に突入を企図していたことは、いまや明々白々です。アメリカ帝国主義は、文字どおり、かつての日本帝国主義の侵略進路とおなじ道をたどろうと

Ltaoumette, The American Record in the Far East, 1945—51)

米国の援助に意気揚々たる蔣介石は、四六年七月、中共に対する一斉攻撃を命じ、翌四七年三月、中共の拠点である延安を占領した。しかし、この時、実は、瀋陽では二〇万の国府軍が中共軍の完全な包囲下に陥っていたのである。そして中共は九月に総反撃を開始する。以下、東北全土解放(四八・一一)・北京解放(一二・一六)・南京解放(四九・四・二四)の勢いで、五月三日には蔣介石は台湾に逃れおちた。

四八年にはじまった対日占領政策の転換は単なる日本問題の内部での変動としてではなく、米国の世界政策・アジア政策の一環としてつかまえられねばならない。それは一般的基調としては、四七年三月のトルーマンドクトリンを指標とする冷戦の開始、「封じこめ」戦略のアジアならびに日本に対する適用であるが、より直接的な具体的な契機は、中国の内戦における蔣介石国民党政権の崩壊の可能性を見とった危機感である。そして一般的基調の転換が対日政策にも反映したというだけでなく、もっと大きな転換であり、実は、米国の**アジア**政策の中心のそのものが中国から日本に移ったことを意味するのである。日本を無害化するのではなく**「極東の工場」**(ロ

しているわけです。

ここに、侵入目標としての北朝鮮にたいする敵視政策、また、前線の南朝鮮と基地の日本との軍事提携政策が固定化され、以後、こんにちにいたるまで一貫した朝鮮政策となります。この日・韓軍事提携として、朝鮮戦争のさなかに日韓会談がはじめられます。

以後、一二年にわたる日韓会談の問題については、ここでは今さら申しあげません。それが、まず第一にアメリカの中国封じこめ政策に軍事的足場を提供するためのものであり、第二にその政策のなかで、日本の独占資本がふたたび南朝鮮を植民地にしようとするものであり、第三に朝鮮の平和的自主統一を阻止するものであることは、すでにみなさん十分ご存じの点です。

ただ、ここで申しあげておきたいのは、一二年半の日韓会談の歴史を大づかみに三

イヤル陸軍長官）化することがはじめられる。中国市場の回復は、米国にとって政策の内容ではなく目標にかわる。

一九四八・一・六の米陸軍長官ロイヤルのサンフランシスコ・マモンウエルズ・クラブにおける演説

「日本を広範囲に非軍事化しようとする当初の方針と、自立国家を建設しようとする新方針とのあいだに矛盾がおこってきた。」したがって、あたらしい「対日占領政策の方向は、強力な日本政府を育成するにある。日本自身が自立できるだけでなく、こんご極東におこるかもしれない新しい全体主義の脅威にたいし、防壁の役目をはたすのに十分な強力な安定した民主主義をきづきあげるにある」にはじまり、四九年二月一二日の米陸軍省の「日本からの撤兵説の正式否定声明」を経て、七月四日のマッカーサー声明「日本は不敗の反共防壁となる」に至る。

この三つが、米国のアジア政策の転換ならびに日本永久占領の方針（後に単独講和として定着する）を明白に物語る。

「極東の工場」化された日本の永久占領の方針を明示したマ書簡の翌月に、米国は「中国白書」を発表（八・五）している。中国革命の勝利は「全アジアを〔自由世

段階にわけ、それぞれの特色をあげてみたい、ということです。年表（一六三頁）をみて下さい。

前段は五一年から五三年まで、予備、第一次、第二次、第三次会談の時期です。これは、日本でいえばサンフランシスコ条約の締結から発効の時期であり、朝鮮戦争に直接対応する時期です。したがって、この時期の日韓会談の性格は、前線の利害を中心にした会談であり、日・韓双方の矛盾については、アメリカが日本の言い分をおさえ「韓国」李承晩の言い分を尊重した時期です。

中段は文字通り「中断」の時期です。五四年から五七年まで、アジアにおける冷戦の焦点が朝鮮から移動したことによって、アメリカの仲介・督促的圧力がうすくなったまま、会談は中絶した時期です。この時期に鳩山内閣による日ソ国交調整が行われ

界」の軌道のそとに拉し去った。その結果、〔自由世界〕の生存に必要な〔呼吸空間〕はいよいよせまくなった」（ニューヨーク・タイムス）と米国にうけとられている。米国は、中国で失ったものを日本で埋め合わせているのである。ここで対日「初期占領政策」は終る。無害化ではなく工場化がはじまる。

経済的施策

日本の旧軍需生産を破壊する方針を捨て、賠償を緩和することからはじまる。

四八・三・九のストライキ委員会の賠償緩和声明、ついで三・一三の米国務省・陸軍省の経済力集中排除を緩和する声明。

ついで、**経済安定九原則**の発表（四八・一二・一八―この日は中国人民解放軍が北京に無血入城をした翌々日である）、**ドッヂ・ライン**の発表（四九・三・七―この時人民解放軍は南京に迫っていた）、**シャウプ**勧告（四九・八・二六―この時、中国では既に東北人民政府が正式に樹立されていた）の三つの重要な施策がとられた。

政治的・法制的諸指標

この転換に対応するものが芦田内閣の崩壊（四八・一〇・七）から第二回総選挙、（四九・一・二三―民主党社会党の当時の中道派が凋落し、民自党・共産党が進

たのも偶然ではありません。

後段は、五八年以降現在にいたるまで、第四次、第五次、第六次会談の時期です。これは、日本でいえば、新安保体制の時期に相応し、アメリカの中国封じこめ政策の強化の時期に相応します。同時に、南朝鮮における米軍占領政策の失敗の露呈の時期であり、また、日本の経済力強化の時期でもあります。つまり、この時期の性格は、前段と逆転して、体制の枢機としての日・米の利害を中心にした会談であり、日・韓双方の矛盾については、アメリカが韓国側のいい分をおさえ、日本のいい分を尊重する時期です。別のいい方をすれば、日本帝国主義の復活と、対朝鮮侵略の表面化の時期です。また一言つけ加えておくなら、特に現在の第六次会談以後は、日・米独占間の矛盾も、わずかながらも発生しはじめていることも忘れてはならないでしょう。


出）を経て第三次吉田内閣の成立（二・一六）である。そして、対日占領政策の転換を最も雄弁に物語るものが、四八・七・三一の政令201号（それを要求したマッカーサー書簡は七・二二）による国家公務員のスト権剝奪と、四九・四・一の「団体等規正令」である。

この体制的な永久占領化、経済上の工場化、そして政治上のファッショ化は総括して本格的な基地化となる。そしてこの軍事基地化の目標は、米国の「生存に必要な〔呼吸空間〕」だった中国市場の奪還である。日本を基地とし、中国奪還のための新たな戦争がアジアのどこかで必要であった。

それは中国の周辺でありさえすればどこでもよかった。のちに、ヴアン・フリート将軍はこの間の事情をきわめて素朴に述べている。「朝鮮は一つの祝福であった。この地か、あるいは世界のどこかで、朝鮮がなければならなかったのだ。」（「ニューヨーク・ジャーナル・アメリカン」一九五二・一・一九）と。

この時期に対応する米国の朝鮮政策は、「中国から追い出されたアメリカ帝国主義者たちは、大陸侵略の足がかりを朝鮮に求めた」（朴尚得、「朝鮮研究月報」第四号）という表現が最も適切な状態にあった。それは「足がかり」を「求め」ているのであって、まだ出来上って以上のような時期別の性格の相違はあれ戦後日朝関係が、完全にアメリカの中国封じこめ政策のなかで一貫して規定されてきたことをよく考えて下さい。米・日、米・朝、米・中関係は、要は一つの動きのそれぞれのあらわれです。

次に申しあげたいことは、アメリカの全世界政策の中での中国封じこめの位置、アメリカの世界戦略の中での中国封じこめの比重の問題です。

結論から先にいえば、現在のアメリカの世界戦略は、ヨーロッパでたたかわないで、アジアでたたかうという戦略です。別ない い方をすれば、ソ連とはケンカをしないで、中国を叩くのだという作戦です。もっと正確にいえば、アメリカの世界戦略の中で「中国封じこめ」は中心的第一義的課題となっているということです。中国におそいかかろうとしているということです。

はいない。先ず朝鮮の明確な**分断化とついで南朝鮮の軍事基地化**である。

対日政策の転換よりやや半年早く、朝鮮に対し従来の無定見な制圧策から脱け出し、明白な分断化政策を米国は示す。

一九五〇年一月一日、マッカーサーは年頭の辞で、「日本国憲法の規定は自衛権を否定したものとは解釈できない」旨をのべた。これは米国の対日政策が、無害化(非軍事化)から極東の工場化、基地化を経て、**再武装化の時期**に入ったことを物語る。

この情況下に、米国の政治的・経済的従属下(ないし影響下)にある諸国へ軍拡が要請される。日本のみならず、西独再軍備も五〇年度の一大問題となる。

米本国における新動向の指標としては五〇年一月三一日のトルーマンの水爆製造指令があげられるし、軍拡による恐慌切抜け政策の一連の提示(対欧武器援助開始三・二〇、対外軍事援助の特別教書六・一等々)がある。

この米国の恐慌の回避策としてのグローバルな反共軍事体制の強化策が、ある種の力の均衡の存在したヨーロッパに対してとは異り、極めて流動的な情況にあったアジアに対しては、具体的、行動的にあらわれてくる。

この時期における米国の朝鮮政策は、明白な臨戦体制これがとくにここ数年間、六〇年以降の傾向です。それはアメリカの海外軍事援助の配分をみてもすぐわかります。

次に申しあげたいことは、そのアメリカが全力をあげている中国封じこめの際、どのコースから攻めこむかという問題です。普通、中国に攻めこむのに、朝鮮から、台湾から、ベトナムから、インドからと、四つのコースがあります。現に、戦後十九年間にアメリカはこの四つをそれぞれ手がけてみた。五〇年の朝鮮戦争、五四年のベトナム戦争、五八年の金門馬祖戦争、そして六三年からの中印国境紛争激化、みなそれです。今またベトナムでことをかまえています。

このように通してみるならば、アジアは戦争の連続でした。そして主役はつねにアメリカでした。よく第二次大戦後の情勢を、とにもかくにも戦争がなくかろうじて

に入った保塁化、すなわち、一月二六日の米・韓相互防衛条約の締結ならびに、二月一六日の李承晩の東京訪問、マッカーサーとの秘密会談である。この日、李はマ元師さしまわしの専用機バターン号で全く突然東京に飛んできた。翌日、会談、内容は極秘、そして一八日消える如く帰った。

この秘密会談の内容は、李承晩の秘書兼政治顧問であった文学鳳がのちにあきらかにしたところによると
(1) 韓国軍をマッカーサーの指揮下におく。
(2) 内戦挑発はまず韓国が行なう。
(3) 韓国軍は日本軍と共同で闘う、韓国は日本軍の糧秣として米穀百万石を六月末までにマ司令部におくる。
(4) 未訓練の存在は戦闘においてむしろ有害であるという点を考慮し、韓国軍の増強はこれを中止して、大量の日本人兵士をやとい入れる。
(5) 韓国軍高級将校を日本で訓練し、日本に日本人監督下の韓国兵器廠をつくる。
(6) 半年間の戦闘を行なうに足る兵士、武器、弾薬は日本で保証される。
(7) 李承晩の地位は、戦中戦後を通じてマッカーサーが保証する。

ではあれ平和が維持されてきた点に特色があるなどという人がありますが、とんでもない話です。たしかに、ヨーロッパには戦争がなかった。しかし、アジアには、そして中東からアフリカにかけて、またラテンアメリカにおいて、戦争のなかった年が一年でもあったか。それらの戦争は全部が全部帝国主義植民地支配に対する民族解放戦争でした。これは事実です。それともアジアの戦争[*5]は戦争ではないとでもいうのでしょうか。ヨーロッパさえまきこまれなければ、世は大平無事であるとでもいえるのでしょうか。何万何十万というアジア・アフリカ・ラテンアメリカの諸民族が、帝国主義者の砲弾、爆弾、ナパーム弾、火焔放射器から細菌弾にいたる残虐な兵器によって殺されているのは、大したことではない、とでもいうのでしょうか。いま、南ベトナムで、アメリカ軍が二万もくりこんで、マ

その他、全部で一一ヶ条の協定であったとされている。

　ここで企画されている「日本軍の使用」が、日本憲法に違反することはいうまでもない。だからこそ、その一ヶ月半前にマ元師は「自衛権」の伏線を張ったのである。

　同じ二月、ジエサップ大使の司会で、米国の極東外交官会議がバンコックで開かれ、席上ジエ大使は、「韓国の情勢は重大で、もしここで共産主義が勝利すれば日本は脅かされる。日本は今やアジアにおける米国の最重要拠点である」と結論を述べている。

　同じ二月の一五日、コリンズ陸軍参謀総長は「日本と欧洲に駐屯する米陸軍は、敵の攻撃に際し、みごとにその任務を果すべく、ここ数ヶ月以内に準備を終るであろう」と議会で発言している。

　日本の軍事化と南朝鮮の保塁化が全く一体のものとして進められている。

　こうして朝鮮戦争は開始される。

　朝鮮戦争が突発した結果、あわてて日本の再軍備がはじまったのではない。逆に、日本再武装化政策の結果、朝鮮戦争をすることが可能となり、両者は相い並列して一体的に進められたのである。

　ここに見られることは、米国の対アジア政策の中で、

クナラマだかナマクラだとかいう名の国防長官が一カ月おきに督戦にのりこみ、北ベトナム進軍をも辞せずとか騒いでいるのは、戦争ではないというのでしょうか。アジア人の血が現に流されているのは戦争ではないのでしょうか。

ともあれ、これらの戦争が、ことごとく中国封じこめのための戦争であったこともまた事実です。

さてそこで、さきにのべたこの四つのコースのうち、なんといっても朝鮮からのコースがアメリカにとってもっとも本命だといえるでしょう。なぜなら他のコースとちがって、朝鮮のすぐ背後には日本がある。この日本の発達した工業力と基地、これをフルに活用することなしにアメリカはアジアで大きな侵略ができません。したがって、アメリカは中国封じこめが各処で破綻すればするほど、このコースに執着してき

否応なしに、日本と朝鮮と台湾が一体化されて行く過程である。日本と朝鮮との一体化された軍事、政治的基地化の同一線上に中国が指向されていることである。対中・対朝・対日の各政策がそれぞれ並列して存在していて、その総和が対ア政策という関係ではないことである。

そして、朝鮮戦争を契機に確定されたこの米対ア政策の本質はその後も一貫して変えていない。

朝鮮戦争の終了の直後に明文化された米国の対ア政策は

「中国に内部崩壊のおこることを期待しつつ、限定されない期間にわたって、つねに中国周辺に武力攻撃の脅威をあたえつづける政策」（一九五四・二、米下院におけるロバートソン議員の発言、傍点引用者）

である。日本を扇の要にして、朝鮮、台湾、そして新たにベトナムを付加したこれら中国周辺の一体的基地的役割の強化策である。（「朝鮮研究月報」七・八号）

5 アジアの戦争

戦後一九年間、アジア、アフリカ、ラテンアメリカに対する帝国主義の侵略戦争は絶えたことがない。

アジア、アフリカ、ラテンアメリカにおいて、帝国主義の脅威は絶えたことがなく、したがって、それに対す

ます。そこで基地日本と前線「韓国」との結合、すなわち日韓会談の妥結を焦ってきます。現在の状況がまさにそれです。

　このように、日韓会談を中国封じこめの一環として把えることが重要なのです。日韓会談粉砕と日中国交回復とを結合することが重要なのです。この二つは内部的な関連があるのです。われわれにとって、朝鮮問題と中国問題は（そして沖縄問題も）実は一つの問題なのです。

二

当然、アメリカのアジア侵略と、それのお先棒をかついでいる日本とに対する、アジア諸国人民の闘いの方も相互にそれぞれ有機的な関連をもっています。

　一例をあげましょう。

　朝鮮戦争の二年前、神戸における朝鮮人

る民族解放戦争の絶えたこともなく、現に、今でも南ベトナムで、コンゴで、キューバで、戦争状態は現存している。

　当然、「現代の戦争」とは、現実に生起している現代の戦争とは、民族解放戦争のことである。この現実に一言もふれることなく、将来おこるかも知れぬ核戦争のことについてのみ喋々喃々する「現代の戦争」論が、巷間にあふれかえっているのは、明かなるヨーロッパ中心思想であり、アジア、アフリカ、ラテンアメリカの軽視である。

6日本最初の米軍軍事委員会裁判

　事件後わずか一ケ月で開廷された占領下での最初の軍事委員会裁判は、グロフ委員長の下に、審議もわずか一ケ月余の四二日間で、六月三〇日、はやくも次の判決を言渡した。

　重労働一五年――金台三、金鏞昊、梁民渉、辛基植、金昌植
　重労働一二年――張致洙
　重労働一〇年――堀川一知
　（求刑は全員一律に重労働二十五年であった）
この他に米軍の普通軍事裁判に廻されたもの二九名（うち一〇名が日本人）日本裁判に廻されたもの一六九

学校をめぐる教育闘争というのがありました。朝鮮人学校の閉鎖に対する大衆的抗議集会が日朝双方二〇万人を動員して行われたのに対し、四月二五日、日本占領軍最初の非常事態宣言が発せられ、アイケルバーカー中将が自ら神戸にのりこみ、朝鮮人一七五名、日本人一三二名を逮捕する大弾圧が加えられました。この時つかまって米軍軍事裁判※6にまわされた全逓大阪地協の会長村上弘の法廷陳述のごときは次のような毅然たるものがあります。

「地協で集会参加を決定したか」

「そのとおり」

「全逓は不法行為をするつもりか」

「そんな意図はない」

「朝鮮人は日本の法律をおかしてもいいか」

「そうさせたのは誰か、原因を考えよ」

「朝鮮人独自の問題についても関係する

名である。

7 在日朝鮮人の教育問題

在日朝鮮人はひとくちに六〇万といわれるが、そのうちの一五万人が学令期児童であると推定されている。しかし、その一五万人の少年少女がすべて朝鮮人としての教育をうけているわけではない。三分の二にあたる一〇万人が日本人学校に「日本」名で通学して、日本人としての教育をうけ、他方ほぼ五万人の生徒が朝鮮公民としての教育をうけているのにすぎないのである。われわれが民族教育という場合には後者をさしているが、問題の深刻さにおいては前者がはるかにまさるものである。

日本人学校に在学する朝鮮人生徒は、日本人教師・生徒の排外主義的言動と朝鮮蔑視の教育内容によって、朝鮮人であることに絶望しながら同時に日本人に似せて生きることに希望を見出している。日本社会に内包する植民地主義的な思想と行動が朝鮮人生徒にむけて集中されている場面だ。ところが朝鮮人学校に移ると、植民地奴隷的心情にひたされたふるい朝鮮人が、社会主義国の人民としての誇りにみちた新しい朝鮮人に変貌していく。民族学校は人間再生の営みの場である。参考のために、転校直後かかれた一小学生の作文を転載しておこう。

「日本の学校へ行ってた時は、男の子などは『あいのか」

「日本勤労人民大衆が協力するのは当然である」

「占領軍への反逆ではないか」

「民族の自主権である」

どうです、みなさん。ここには日本民族の面魂《つらだましい》と、国際連帯の友誼とが一本になって光を放っているでしょう。この軍裁の結果、多くの朝鮮人と、日本人、神戸市会議員堀川などが重労働をくらいました。堀川さんなどはそれで体を滅茶苦茶にこわしてしまいましたが、いまでも日朝協会兵庫県常任理事で頑張っています。

　在日朝鮮人の民族教育の問題*7は現在日本の教育に多くの示唆を与えています。

　一九五〇年からの朝鮮戦争、この三年にわたる大戦争のなかで、朝鮮人民の英雄的闘争と、中国人民の英雄的支援とは、みごとにアメリカの侵略をとどめおしかえし

つ、朝鮮人やぞう』と大きな声でみんなにいいふらした。ドッチボールのときは、朝鮮人だからといって、一番あとでださせてもらったりした。けんかした時など、いくら私が正しくても、みんなは日本の子にみかたする。日本学校にいると、まわりの子たちがいけずだらけだ。私もそういう子のまわりにいると、自然にいけずになっていく。

　日本の子にいけずしたりされたりしたが、朝鮮学校にきたら、みんなやさしくいたわってくれる。みんなのやっていることをみると、これが友達どうしのほんとのたすけあいだなと思った。先生は私たちをいたわってくれる。私はいまとてもしあわせだ。

　私は『朝鮮人』といわれると頭がいたくなる。だけど、朝鮮学校にきてからは、そういうことが全然なくなった。」（東大阪第五初級学校六年生、「新しい世代」六四年一月号）。

　このように在日朝鮮人少年少女は二つの異なった教育形態のうちにあり、日本人学校から朝鮮人学校に転じて民族的教育をうけることにこそ、少年少女が朝鮮人として生きぬくことの第一歩がひかれるといえよう。

　在日朝鮮人の民族教育は、昭和二〇年八月一五日の日本の敗戦、朝鮮の解放とともにはじめられ、「力のある

た。この場合、中国志願軍の出動という劇的な事態があるわけですが、ここに、戦前から、日本帝国主義との闘争の中できずかれてきた反帝連帯、朝中団結の伝統が脈々と生きているわけです。この中国志願軍の先頭をきったのは、中国領土内に住み中国国籍をもっていた朝鮮人たちです。かっての間島パルチザンの地、かっての金日成たちが闘っていた長白山山麓の一帯、かつて抗日連軍の転戦した東満地方、その辺に当時二百万人近い朝鮮族が住んでいたわけですが、この人々が先頭をきる。そのあとに、漢族その他の人々が陸続としてはせ参ずる。こういった状態だったのです。かって、日本帝国主義とたたかった抗日連軍の伝統が、こんどは朝鮮人民と中国人民がそれぞれ権力を握ったという新しい条件の下で、大規模に再現されたのであり、そのたたかいは抗米連軍と試みに呼ぶこともでき

ものは力を、金あるものは金を、知恵あるものは知恵を」というスローガンをかかげて、自力で学校を建設し、現在では幼稚園から大学にいたる一貫した教育体系をもち、一五〇余校の正規の学校のほかに、民族学級、夜間学級等を擁して、あわせて五三〇余校の施設にたっしている。このように外国において自らの民族教育を体系的に実現している例は世界にその類をみない。

しかしながら、民族教育は順調な発展を日本政府によって保証されたのではない。その過去と現在は度重なる弾圧と民族教育の権利侵害の事例にみちみちている。事あらば民族教育を抹殺しようというのが政府の方針であり、昭和二三年の阪神事件、二四年の朝鮮人学校一斉閉鎖命令、二八年の東京都立朝鮮人学校事件等々、くりかえし朝鮮人学校閉鎖の弾圧を試みたが、そのつど、在日朝鮮人の不屈な闘争力を基本に、日本人民の協力をえつつ、これをはねかえしてきた。現在においても、民族教育は多様な差別と抑圧をうけている。たとえば、朝鮮人学校は学校として認可されていない（一五〇余校のうち三〇余校が各種学校として認可）。このため、民族教育の備えていない自然科学関係の教育をうけようと日本の大学に進学することもできなかったり、また小学生すら大人なみの通勤定期券で通学せざるをえなかったりの事

るような性質のものです。

同時に、まさにその時、日本の中でもはじめて平和運動なるものが開始されています。これを、日・朝・中の連帯とみることができるでしょう。朝鮮人や中国人が弾丸の前に胸を張り、血を流して格闘した壮烈なたたかいに比べると、ひよわな小さな叫びであったかも知れません。しかし、アメリカ帝国主義が基地として抑えつけた日本しかも占領下、その日本の中で、朝鮮戦争をやめろ、平和をかちとろうという日本人の運動がおこったということ、一〇人か二〇人の小さな集りであれ、一〇円か二〇円のパンフを作っただけのことでもあれ、しかしそれは、内外呼応した連帯の闘いであったといえましょう。

現に共和国のある朝鮮人は語っていました。

「帝国主義と人民を区別などと云われたっ

情を招いている。また、教師・生徒の外国人登録証不携を口実にされて学校捜査をうけることも度々ある。さらに最近の朝高生にたいする暴行事件のひん発も民族教育にたいする攻撃にほかならない。

日本政府は民族教育に抑圧と差別をくわえているだけでなく、在日朝鮮人青少年が日本人学校に就学して日本人化され、民族自覚の上で骨抜きされることを奨励している。むしろ在日朝鮮人の日本同化論が対朝鮮人教育政策の基本路線となっているとさえいえよう。すでに日韓交渉における在日朝鮮人の法的地位委員会において、在日朝鮮人子弟を日本人学校で教育することに合意をみているが、その理由について政府は、「これを認めないと、むしろ民族教育が強化され、同化等ということは思いもよらず、更に社会的に好ましくない事態に立ち至りかねない」（法務省入国管理局参事官池上努）と説明している。教育による「同化」こそが在日朝鮮人の民族的自覚をなくし、その政治勢力を無力化するから、結局は最上の治安対策になるというのが政府の本音である。日本政府は治安問題として民族教育に対処してきている。

8日中友好運動

一九四九年六月、日本の国会に、国際貿易促進議員連

て、頭ではわかっても、気持ではなかなか分けられない。

幾分でもはっきりしたのは朝鮮戦争の直後であった。自分たちが泥を食い血を流して必死の闘いをしていた時に、基地日本では朝鮮ブームとやらでもうけた人間と、平和運動をはじめてアメリカの軍事裁判にかけられた人間と、二通りの日本人があったのだということを聞いた時はじめて、ああ、帝国主義と人民はちがうのだなと、涙の出るような思いで納得しました」と。

日本で、日中友好運動*8や日朝友好運動がはじまったのもそのころです。教育植民地化反対闘争のなかで、日本ではじめて、全国学生自治会連合会が組織された一九四八年頃の組織活動の際、最大の刺激と教訓を与えたものが、当時の朝鮮や中国の学生、青年のたたかいの事実と記録だったことは、その当時を経験した人は、みんな知っ

盟の前身である日中貿易促進議員連盟、ついで民間有志による日中貿易促進会の前身、中日貿易促進会が生まれた。中華人民共和国の成立に先きだち、また、日中友好運動に先がけて、日中貿易を正しい軌道にのせようという動きがおこったことは、日本と中国の関係のふかさをしめすものとして、注目にあたいしよう。

このころすでに革新政党や民主団体によって、戦後の新しい観点にたつ友好運動の組織づくりが何回か話しあわれていた。そして、一九五〇年一月、日本中国友好協会の準備会が発足し、その年の十月一日、正式に結成大会がひらかれた。

ところで、この年の六月、すでに朝鮮戦争がはじまり、アメリカ軍は朝鮮に侵略し、そのほこさきを中国にもむけていた。したがって、日中友好協会は、発足の当初から、日本の大衆運動としっかり結合し、人民のたたかいに励まされて進むことになったのである。ここに、日中友好運動の大きな特色がある。

このような事態のなかで、アメリカの占領軍は、当然、日中友好運動を目のカタキにした。五〇年十一月、協会が中国から送られてくる『人民日報』その他を、規約にもとづいて大学、新聞社、政府関係の研究所などに配布するのを占領政策違反と称し、責任者をアメリカ軍

ているはずです。

このように、戦後の時期も、たたかいは日・朝・中の連帯の中で進んでいたのです。しかしそれは意識して、自覚して行われていたのではありません。ほんの一部の人々によって意識的におこなわれてはいましたが、大部分の人にとっては、無意識な直観的な行動としてでした。

日中友好は比較的はやくから大衆化しました。とくに研究の分野では、敗戦直後から活潑な動きがあり、一九四六年一月にははやくも中国研究所＊9が創設されたことは、注目にあたいします。だが日朝友好連帯が多少とも大衆的関心にのぼってきたのは安保闘争以後といえましょう。

安保闘争がまだ十分にもりあがらず、苦しい坂にさしかかっていた時、南朝鮮の闘争が李承晩を倒すという劇的展開をみせた。あの南朝鮮の闘争がどんなに日本の安

事裁判にかけて投獄したなどは、そのひとつである。しかし、友好運動はとだえることがなかった。

一九五一年九月、日本政府はいわゆる単独講和をやって、翌年四月台湾の国民政府とのあいだに「平和条約」をとりきめ、アメリカに追随した。だが、中国との人民の友好のきずなは深まり、五三年、日中友好協会、日赤など平和三団体と、中国の赤十字とのあいだで日本人帰国協定がむすばれ、同年三月、帰国第一船が中国から到着した。この帰国者のもたらした新中国のニュースは、中国についての悪意あるデマを打ちくだき、日中友好運動に大きく寄与した。五四年十月には中国赤十字の李徳全女史が来日した。

さらに五五年十月には東京で中国見本市が開催され、民間の積上げ方式による日中の交流は、政府の妨害にもかかわらず、かなり進展した。しかし、中国訪問する人たちに比して、中国から代表団を迎えることはむずかしく、この点の解決は、いまも困難をのこしている。

ところで一九五八年五月、いわゆる長崎国旗事件を契機として、当時の岸内閣の中国敵視政策のもとで、貿易は中断され、人事の交流もほとんどとまってしまった。そのなかでも日中友好運動はねばりづよく進められ、大衆のなかに根をおろしていった。

保闘争を励ましたことか。そして、それ以後日本の朝鮮に対する関心が大衆化の緒についたといえるでしょう。安保闘争は、日中友好に「戦闘的友誼」のすじ金を入れ、日朝友好運動に大衆化の契機を与えたのです。

それから以後四年間、その間における在日朝鮮人に対する帰国協力運動、日朝間の経済文化学術交流[※11][12]の運動、日・朝・労働者の相互交流、在日朝鮮人の権利擁護の運動、祖国往来支持の運動、日朝間相互の自由往来実現の運動、そして日韓会談粉砕の運動などは、みなさん方が御自身体験でよく知っておられる通りであり、いまあるがような姿で展開されているわけです。そして日韓会談粉砕と日中国交回復とが一つの運動として今ものすごい展開をみせようとしている門口に、われわれは立っているわけです。

とくに、戦争責任についての論議は、日本人の中国観をいっそう深め、それだけ友好運動を根づよいものとした。そこへ一九六〇年、安保闘争がまきおこった。

この安保闘争が日中友好運動にあたえた影響ははかりしれぬほど大きい。中国でも各地で大規模な支援デモがおこなわれ、日中両国人民の戦闘的友誼が両国の大衆のなかでさけばれるようになった。「アメリカ帝国主義は日中共同の敵」という浅沼発言は、この安保闘争で生かされたわけだ。

このような日中人民の戦闘的友誼をうたった友好協会の運動のすすむなかで、一方、一九五六年に結成された日中文化交流協会は、主として文化、芸術の面の交流で、さらにひろいワクでの事業をおこない、友好協会と両々あいまって、大きな成果をあげた。こうして、ふたたび民間ベースでの交流がさかんになり、今日にいたっている。中国からの代表団の招請についても着々とひろがり、たとえば日本の学界各層が一致して、六三年暮に学術代表団を迎えたのなどは、特筆すべきものであった。また、六四年には第二回の中国見本市を日本で開催することに成功した。

いま日中友好運動は、よりひろい基盤に、さらに大きく発展しようとしている。

まさにこの時点で、一九六四年三月南朝鮮に大学生を中心とする「韓日会談」反対の人民闘争がまきおこったのです。それは金鐘泌を日本から呼び帰し、日韓会談の農相会談を一時的に中断させる成果をあげたのです。

だが、この南朝鮮の学生を中心とする人民闘争の中心スローガンが「日本帝国主義の再侵略反対」におかれたことに注目すべきでしょう。

たしかに、南朝鮮の闘いの中で「アメリカは韓日会談に干渉するな」とか「生きる道は韓日会談だけではない」という「統一」を暗示したスローガンが出はじめている。明らかにそれは、今後の闘いが「反米帝」「南北統一」の方向に進むことを示唆している。しかし、現在圧倒的なことは「対日屈辱外交反対」「日本の再侵略反対」「ゴーホーム・ジャパニーズ」であり「反日帝」

9 中国研究所

一九四五年、日本帝国主義の敗退とともに、ただちに進歩的な中国研究者があつまり、準備会を結成、一九四六年一月二十日、設立の集会を挙行した。日本で唯一の中国関係の民主的研究機関。友好運動の発展にさきがけ、戦後いちはやく設立したところに、研究所の果した大きな意義がある。いま社団法人。「中国研究月報」「アジア経済旬報」などの定期刊行物のほか、多くの学術書、紹介書を刊行、研究会を活発にひらき、中国研究の分野でゆるぎなき存在となっている。その付設図書館は新中国の豊富な資料を有する。所長平野義太郎氏、理事に岩村三千夫、浅川謙次、米沢秀夫、幼方直吉、野原四郎、伊藤武雄、三島一その他の諸氏がなっている。わが日本朝鮮研究所およびアジア・アフリカ研究所とともに、民主的三研究所を構成する。

10 アジア・アフリカ研究所

一九六一年四月一日、アジア・アフリカ・ラテンアメリカ（AALA）諸民族の世界史に大きな転換を促すような動向のなかで、設立された。研究を通してAAの一員たるにふさわしい平和・独立・民主日本の建設に寄与するための諸活動を展開、とくに国際連帯の諸活動に参加している意義は大きい。「アジア・アフリカ研究」

が中心です。そしてこの「反日」の闘いを、日本のいくつかの団体は、即座に、きっぱりと、支持し、「南朝鮮人民の愛国闘争を支持する。正義は日朝両国人民にある」と宣言しているのです。また中国人民も南朝鮮人民の闘争を愛国正義の闘争として全面的に支持しています。そして、日韓会談反対の大衆行動すらおこしています。

このように、戦争勢力の政策の側からしても、平和勢力の運動の側からしても、日韓問題は中国封じこめの一環であり、日本人にとって、朝鮮問題と中国問題は同一のことといえます。当然その他のアジアの諸問題とも関連してきます。ですから、われわれは、日朝友好ということを、日中友好と関連させつつ、もっと広いアジア的視野の中で、さらには、アジア・アフリカ・ラテンアメリカ連帯のなかに位置づけ、そのような壮大な運動のなかの一環としての認

「アジア・アフリカ経済特報」の定期刊行物のほか、活発な研究活動を行っている。

所長岡倉古志郎氏、その他蠟山芳郎、坂本徳松、甲斐静馬等の諸氏が中心である。

11日・朝・中の文化学術交流

わが日本朝鮮研究所は一九六三年夏、朝鮮民主主義人民共和国および中華人民共和国に代表団を派遣し、三国学術文化交流促進にかんする話しあいをおこなって、八月三十一日、北京において共同声明の調印式をおこなった。声明全文はつぎのとおりである。

12学術文化交流促進に関する共同声明

（一）

アジアの諸国、とりわけ日本、朝鮮および中国は、悠久数千年にわたる文化交流の伝統を有し、共通の特色をもつ世界に誇るべき文化遺産を互いに保持している。

しかし、現状では、日本と朝鮮ならびに中国との間の正常な学術文化交流は、アジアにたいするアメリカ帝国主義の侵略政策によって、いちじるしく妨げられている。

世界各地で軍備拡大と侵略戦争準備に狂奔しているアメリカ帝国主義は、日本においては、沖縄と小笠原を占

識をもってすすめていく必要があります。アジア・アフリカ研究所の設立[*10]は、そのような問題意識を背後にもっていたといえましょう。

日朝協会の理事長畑中政春さんは次のように言っています。

「『中国封じこめ』政策は、単に中国を封じこめるだけのものではなく、そのこと自身、同時に日本国民を封じこめ、また、日朝友好を封ずるものであることの本質を洞察しなくてはならない。そして『中国封じこめ政策』に反対する運動のなかで、アジア諸国民の広汎な国際連帯はつよめられ、日朝友好運動は、それ自身の直接的課題である『日韓会談』を粉砕し、日朝両国民の友好と経済文化交流の促進、日朝往来の自由を獲得することができるだろう。われわれの日朝友好運動は、つねに広い視野と、ふかい洞察の上に、他の平和・民主・友好

領し、全国各地に軍事基地網をはりめぐらし、日本全土を原子戦争基地化しつつあり、朝鮮を分断し、十八年間にわたって南朝鮮を占領し、朝鮮の自主的平和統一を妨害しており、中国の不可分の領土である台湾を引き続き占領し、こうしてアジア地域で、緊張を激化させている。

ことに最近、アメリカ帝国主義は、日本軍国主義勢力をアジア侵略の「先兵」として押したてつつ、「日韓会談」の妥結を急がせ、侵略的な「東北アジア軍事同盟」の完成をねらい、ケネディのいわゆる「中国封じこめ」政策を実行するため、一層、策動を強めている。

アメリカ帝国主義の庇護のもとに復活した日本軍国主義は、アメリカ帝国主義のアジア侵略に協力しつつ、これに便乗して、みずからもまた侵略的な対外膨張の野望を実現しようとしている。このため、彼らは、日本の核武装をいそぐ一方、南朝鮮にたいして再侵略の道をひらくことに躍起となっている。

アメリカ帝国主義と、これに結びついた日本軍国主義は、このようにして、朝鮮民主主義人民共和国と中華人民共和国にたいして引続き露骨な敵視政策をとり、日本と両国との正常な関係の樹立ならびに自由な往来の実現を求める日本人民の正当な要求をふみにじっている。

運動との連けいを強化してゆくなかで力づよく前進してゆく……。」（「日本と朝鮮」一五〇号）と。

だが、ここで、アジア的視野をもち、アジア的な規模で考える場合、もう一つ、どうしてもふれておきたいことがあります。それは、現在の世界におけるアジアの地位ということです。

三

第二次大戦後、十九年間のアジアの歴史には一つの不思議があるといえます。

それは、アメリカが、あれだけ中国を封じこめようと、次から次へ戦争をしかけたのにもかかわらず。ただの一回も成功していないことです。朝鮮戦争しかり、ベトナム戦争しかり、金門馬祖しかり、中印国境紛争拡大しかり、です。逆に言えば、アジ

（二）

極東で侵略態勢を強化しつつあるアメリカ帝国主義は、学術文化の分野においても、現在、悪らつなくわだてをすすめ、日本政府をして日本と朝鮮ならびに中国との間の歴史的伝統を破壊させようとしている。政治的・経済的・文化的にアメリカ帝国主義に追従している日本政府は、このため、日本と朝鮮民主主義人民共和国との学術文化交流を禁止し、また日本と中華人民共和国との学術文化交流の発展を大きく妨げている。

アメリカ帝国主義はまた、日本の学術文化界に対して懐柔の手をさしのべ、新植民地主義の立場からのアジアの研究をおこなわせようとたくらんでいる。このため彼らは、学術研究団体にたいする研究資金の交付その他各種の巧妙な偽瞞的手段によって、日本の学術文化界に浸透し、これを自分の影響下におこうとしている。

「ライシャワー路線」と呼ばれる駐日米大使ライシャワーを通ずる一連の策動は、日本に対するアメリカ帝国主義のこのような文化侵略政策の現われである。

さらにアメリカ帝国主義は、一九六〇年以来、日本と南朝鮮のカイライおよび蒋介石一味の学者を相互に結びつけ、同一財源から資金を三者に交付し、その研究結果

アにおいて、平和と独立の勢力は、ただの一回も敗けてはいない。このアジアの戦争を十分みなおす必要があります。

ただの一回も敗けていないだけではありません。逆に、アメリカが封じこめようとすればする程、ラオスも、カンボジヤも、断乎として中立の道を行くと、戦争政策を押し返し、はね返し、撃退しています。南ベトナムでも、戦争勢力は、ずるずると押しまくられ土俵のへりに押しつけられています。

しかも、このラオスといい、カンボジヤといい、南ベトナムといい、南朝鮮といい、いずれもアメリカや日本のように工業力の発達した、いわゆる文明開化の国ではありません。実際に戦争政策を押し返しているのは、貧乏な国の貧乏な民衆たちです。はだしで、ぼろ服をまとって、文字通り泥んこになって駆け廻っている貧乏な国の貧

を、みずからの極東支配に役立てようとしている。これはまさに、「東北アジア軍事同盟」の文化版にほかならない。

他方アメリカ帝国主義は、あらゆる陰険な方法と悪どい手段によって、腐敗した反動的文化と、いわゆる「アメリカ式生活様式」をアジアに流布し、人民の健全な思想と闘争意識をまひさせ、アジアに対する彼らの文化支配体制を確立しようとしている。今日、南朝鮮で強行されている良心的な学者、文化人および真理の探求を熱望している青年、学生にたいする弾圧や、意識的につくりだされている学術文化、芸術の極度の退廃と堕落、社会道徳の腐敗は、その代表的な一例である。

これらの事実は、学術文化の分野においても、アメリカ帝国主義こそが、日、朝、中三国人民の共同の敵であることを示している。日本と朝鮮ならびに中国との間に人為的につくりだされている現在の不正常な関係と、学術文化交流にたいする障害は、もっぱらアメリカ帝国主義とこれに追従する日本政府の反動的政策に起因する。

（三）

こうした情勢のもとで、日、朝、中三国の学術文化交流を発展させ、共通の特色をもつ文化遺産を守り、その

乏な民衆たち、かれらが戦争勢力をおしまくっているのだ。これをみなさん、素晴らしいことと思われませんか。この素晴らしいアジアの歴史は一体何を物語っているか。それは、いかなる物量、いかなる兵器をもってしても、独立と平和を闘いとろうと決意した人間を屈服させることは決してできないということを物語っています。いかなる武器よりも、人間の方が強いということを物語っています。これは、理屈ではなくて、事実ですから反論の余地はありますまい。

　そればかりではありません。たしかに世界中のいたるところで、平和勢力と戦争勢力が闘っているが、そして、段々と平和勢力の方が大きく強くなっていることは事実であるが、しかし、アジアでのように、平和と独立の勢力が、ここ十九年間ただの一度も敗けたことがなく、逆に戦争勢力を一

土台の上に新らたな文化を創造するために、当面、もっとも必要なことは、アメリカ帝国主義にたいする断固たるたたかいを展開することである。なかんづく、日、朝、中三国の学者、研究者、知識人が共同の敵とたたかって、共通の目的を達成するために、連帯性を一層強化し、力を結集することが重要である。共同の敵アメリカ帝国主義に反対する日、朝、中人民間の戦闘的友誼に基礎をおいたこのような三国の学者、研究者、知識人の密接な連携と共同闘争は、アジア諸民族の独立と平和および友好のために大きく寄与するであろう。

　今日、日本の学者、研究者、知識人は、米日反動勢力の侵略的文化攻勢に反対し、学問の純潔を守るために頑強にたたかっている。これはきわめて正しい。

　かつて日本帝国主義は、長期にわたって朝鮮と中国を侵略し、朝鮮と中国の学術文化の発展を阻害したのみならず、日本自身の学術文化をも歪めてきた。日本の学術文化における帝国主義的、植民地主義的方法、観点、態度は、いまなお、完全に払拭されたとは言いがたい。日本の心ある学者、研究者、知識人は、この歴史的事実を深く反省し、再びこのようなことを繰り返してはならないと固く決意している。

　今日、朝鮮人民と中国人民は、アメリカ帝国主義の侵

方的に押しまくってだけいる地域というものは、アジア以外にないということです。ヨーロッパでも、平和勢力が強くなりつつはあるが、しかし、時としては一敗地にまみれることもある。ハンガリー事件のように。そこに闘いというもののきびしさがあるのだ。横綱だって前頭に敗ける時もある。アフリカでも独立の勢力が隆々と強くなっているが、しかし、時としては一敗地にまみれることもある。コンゴのように。だがしかし、アジアだけは、独立と平和の勢力が連戦連勝をつづけている。このような地域は他にない。アジアの情勢の基本的特色は何かといえば、その第一は、この力関係の変化をあげてよい。もはやアジアにおいては、十億の民衆が、峠を越して戦争勢力に追い討ちにかかるという状態なのです。みなさん、十億のアジアの民衆が、砂ほこりを蹴たてて追い討ち戦に移るという

略に断固反対し、そのいつわりの「平和」政策と帝国主義の本質を徹底的に暴露しつつ、科学と民族文化、芸術をめざましく開花発展させている。このような態度は、日本の心ある学者、研究者、知識人がいま展開しているいわゆる「ライシャワー路線」反対のたたかいと、密接な共通性を有するものである。

（四）

このような共通のたたかいを、より一層有効に組織するためには、今後、日本、朝鮮、中国三国の学者、研究者、知識人が相互理解をさらに深め、共通の目標にむかって、緊密な協力のもとに研究活動をおこなう必要がある。

学術文化交流は互恵平等の原則に基いて進められるべきものである。これは、それぞれの国の人民の要求を満すと同時に、相手方の利益と要求にも合致するものでなければならない。

学術文献の相互交換、学者、研究者、知識人の自由な相互往来、留学生の相互派遣、そして、共通の主題に関する共同研究などは、当面、三国の関係者が提携してたたかいとるべき課題である。

日本と朝、中両国との正常な関係が樹立されるまでの

壮大な場面を、頭の中に想像し、描き出しながら私の話を聞いてください。

今や、世界の（アジアのではなく世界のですよ）戦争か平和かを決定する主戦場はアジアになったということです。だからこそアメリカもこの地アジアに全力を集中してきているのです。さらにいえば、今や、世界史の中心そのものがアジアに移ったといえます。正確に言えば、帝国主義の最も弱い環は、アジア・アフリカ・ラテンアメリカにおけるその支配政策の破綻にあり、独立と進歩の最も強い勢力はアジアにあるということです。悠久四千年の世界史、その中で、それぞれの時期にそれぞれの中心があった。ある時は地中海が、ギリシャ、ローマが、世界史の中心であった、あるときは大西洋が、イギリスが、フランスが、アメリカが世界史の中心であった。だが今、世界史の中心は明かにアジアに移りつ

過渡期においても、三国の学術文化界の協力はきわめて必要である。共同の努力で、あらゆる方法と手段によって、正常な交流を実現するための条件をひとつひとつ、かちとってゆくべきである。とくに日本の学者、研究者、知識人は団結を固め、朝鮮および中国との学術文化交流の障害をつくりだしているアメリカ帝国主義の策動と日本政府の反動的政策とたたかわねばならない。また、三国人民間の友好と平和のための崇高なたたかいと密接に結合した、健全な学問研究の土台を築くために格段の努力を払わねばならない。

日本側のこのたたかいにとって、朝鮮人民の千里馬運動と自力更生の革命精神、ならびに中国の総路線、大躍進、人民公社の三本の赤旗を貫く精神は、大きな教訓であり、かつ限りない激励である。同時に、朝鮮、中国側は、アメリカ帝国主義の複雑巧妙な偽瞞、術策にまどわされることなく、断呼としてこれに反対し、「安保」闘争以来、アメリカ原子力潜水艦の日本「寄港」、「日韓会談」等に反対する大衆闘争の戦列に積極的に参加している日本の学者、研究者、知識人に敬意を表し、これを支持激励する。

日本、朝鮮、中国の学者、研究者、知識人が学術文化交流の正常な発展に努め、その障害を除去するために断

つある。そして、そのアジアで、必死になって封じこめをやろうと、土俵の際でそり身になってうっちやりをたくらんでいる戦争勢力に対し、アジア十億の民衆が砂ほこりを蹴立てて、追い討ち戦に移ろうとしているのです。

戦後十九年の日朝関係をも、中国封じこめとの関連の上で、ひいては、この壮大な全アジア情勢の中にしっかりと位置づけて、考えて下さることをお願いしてこの項を終ります。

固たたかうならば、それは、それぞれの学術文化の独自な発展に大きく寄与するのみならず、アメリカ帝国主義の侵略に反対する人民大衆の全般的な闘争と、世界平和のために、とくにアジアの平和と安全のために多大な貢献をなすであろう。

われわれは日本、朝鮮、中国三国の学術文化界の共同闘争がかならずや広範な人民の支持をうけ、かつ、かならずや輝かしい成果をあげるであろうことを確信する。

一九六三年八月三一日　北京にて

日本朝鮮研究所理事長
日本中国友好協会顧問　古屋貞雄

中国研究所理事
日本朝鮮研究所副所長　安藤彦太郎

朝鮮民主主義人民共和国科学院院士　李升基

朝鮮科学院社会科学委員会委員長　金錫亨

中国科学院哲学社会学部学部委員　陳翰笙

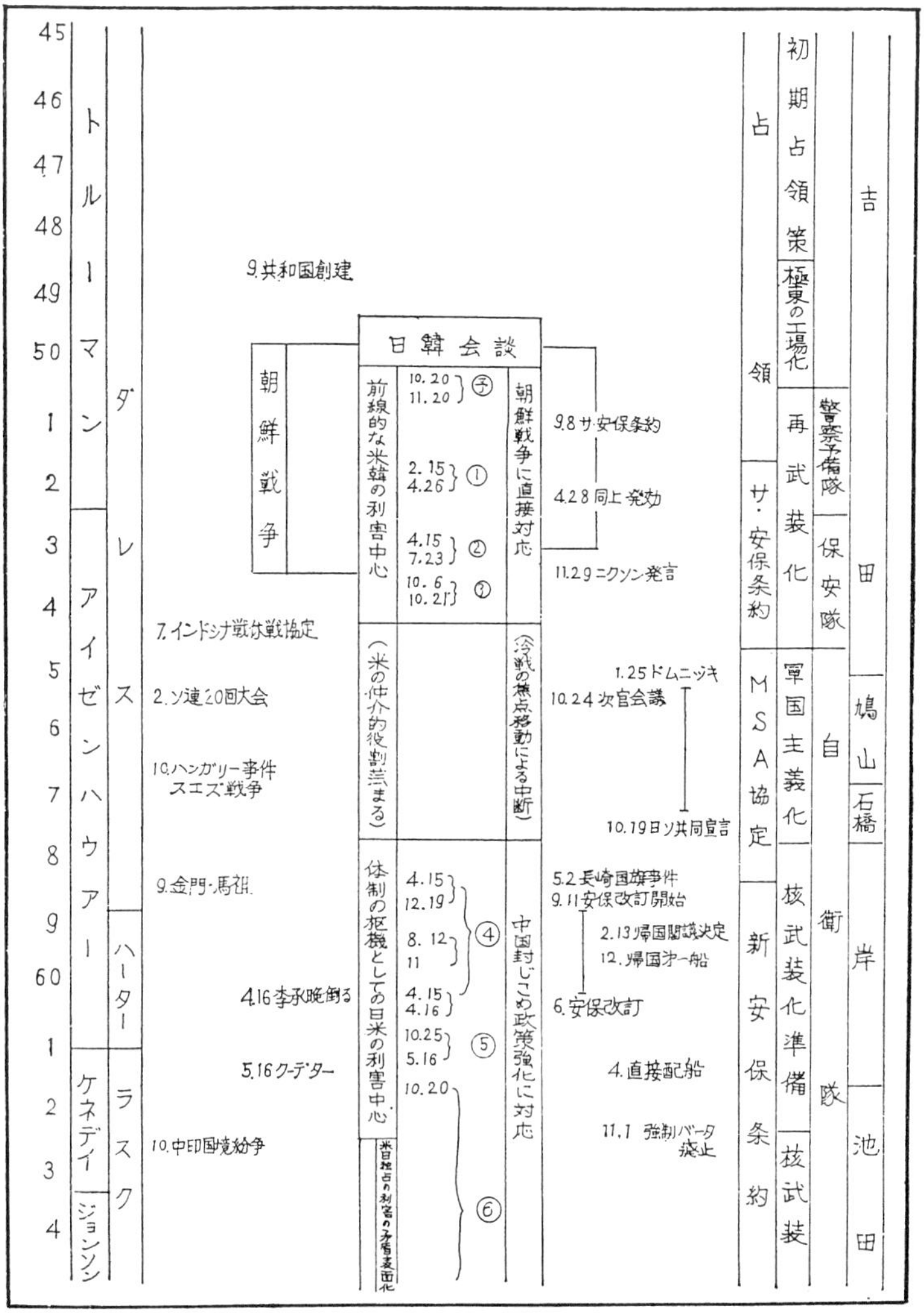
45
46
47
48
49
50
1
2
3
4
5
6
7
8
9
60
1
2
3
4
トルーマン
アイゼンハウアー
ケネディ
ジョンソン
ダレス
ハーター
ラスク
9.共和国創建
日韓会談
朝鮮戦争
前線的な米韓の利害中心
10.20 11.20 ⓟ
2.15 4.26 ①
4.15 7.23 ②
10.6 10.21 ③
朝鮮戦争に直接対応
9.8 サ.安保条約
4.28 同上発効
11.29 ニクソン発言
7.インドシナ戦休戦協定
2.ソ連20回大会
10.ハンガリー事件 スエズ戦争
(米の仲介的役割芸まる)
(冷戦の焦点移動による中断)
1.25 ドムニツキ
10.24 次官会議
10.19 日ソ共同宣言
9.金門・馬祖
体制の枢機としての日米の利害中心
4.15 12.19 8.12 11 4.15 4.16 ④
10.25 5.16 ⑤
10.20 ⑥
米日独占の利害の矛盾表面化
中国封じこめ政策強化に対応
5.2 長崎国旗事件
9.11 安保改訂開始
2.13 帰国閣議決定
12.帰国第一船
6.安保改訂
4.16 李承晩倒る
5.16 クーデター
4.直接配船
10.中印国境紛争
11.1 強制バーター廃止
占領
サ・安保条約
MSA協定
新安保条約
初期占領策
極東の工場化
再武装化
軍国主義化
核武装化準備
核武装
警察予備隊
保安隊
自衛隊
吉田
鳩山
石橋
岸
池田

第四講 日朝友好運動の意義と役割

一

いよいよ最後の問題に入ります。

それは、日朝友好運動の意義と役割という問題です。また本質と形態の問題です。

一口に日朝友好運動といっても、さまざまあります。日朝協会の運動ばかりでなく、政党や労組の独自の日朝友好運動があります。あるいは帰国協力会や自由往来実現会議のような共闘組織の活動、貿易や文化面でのさまざまの活動をふくめてこれらの総称を広い意味での日朝友好運動といいます。

だがなんといっても、日朝友好それ自体を単一の目的とし、あらゆる関係分野の運動を総括して専門的に活動するのは日朝協会ですから、日朝協会の活動を、狭い意味での日朝友好運動といってもよいでしょう。この広い意味と狭い意味との二つを一々区別せずに一括して日朝友好運動と申しますから、適宜にご判断下さい。

よく普通、日ソ・日中・日朝などの友好運動を総称して一般的に国際親善運動などと一括して言います。俗にいうならそれも結構です。だが、ちょっとたちいって学習し、つっこんでものを考える時にはこれでは困ります。厳密にいえば、友好運動一般、国際親善運動一般などというものは存在しません。もしそんな運動一般があるなら、みんな別々にやらないで、国際友好協会とかいうもの一本にして、それぞれそのソ連部・中国部・朝鮮部にしてしまい、おまけにアメリカ部でもつくったらよろしい。ひとしく「友好」といっても、何が友好なのかという中身はそれぞれちがいます。はやい話が「日米親善」と「日中友好」とでは白と黒のちがい、片方は旦那とお妾さんのじゃらつき、片方は民衆相互の同志的友情です。池田さんのいう「日韓親善」は戦争と支配の道、われわれのいう「日朝友好」は平和と独立の道、まったく正反対です。

ひとしく平和友好運動と俗にいわれているものでも、日ソ・日中・日朝では、因縁も性格もそれぞれちがいます。

日ソ友好とは、かつて相互に独立国であった両国が戦争したあとの、不戦・平和共存の運動です。

日中友好とは、かつて日本が十五年にわたって軍事侵略をやった国との、不侵略・友好運動です。

日朝友好とは、かつて日本が三六年にわたって植民地支配をした国との、不支配・友好運動です。

いうなれば、日ソ間は、同じ平面上での紛争をなくすこと、日中間は、四五度の斜めだった関係を同じ平面になおすこと、日朝間は、全く垂直だった関係をぐるりと九十度回転させて水平にしなおすことという性格のちがいがあります。元来、友好運動の性格は、相手国の国情もさることながら、基本的には、その相手国との日本の過去の関係によって決まるのです。

日朝友好運動は、帝国主義旧支配国と植民地旧被支配国との間に行なわれる友好運動です。しかもかつて帝国主義であり、今また帝国主義が復活しつつあり、かつ、朝鮮の南半部に植民地進出を企図しつつある日本の中で行なわれる朝鮮との友好運動です。帝国主義支配があってどうして友好がなりたつか、植民地収奪があってどうして親善があり得るか。当然、日朝友好運動は現時点で植民地反対の運動という性格をもち、それを大きな一つの要素とします。

この性質は、今、朝鮮の北半分で、昔の植民地のおもかげを一片だに残さない素晴らしい社会主義建設がすすんでいても変りません。なぜなら、日朝友好運動は、日本の中で行われる運動だからです。

元来、運動というものは必ず何かそれと反対の動きがあるから、はじまるし、はじめねばならぬものです。町を汚す奴がいるから町をきれいにする運動というのがあるのだ。なんにもないところへ、いきなり運動がでてきたら、それは「お化け」の運動だ。戦争をしようという動きがあるから、平和運動があるし、さかんにしなければならぬのです。だから昔は「反戦運動」といったのです。今、反戦といわないで平和運動というのは、昔のように侵略と戦争の勢力が圧倒的に強くその政策が荒れ狂っていた時期とはちがい、独立と平和の勢力が強くなり、「反戦」を基礎にはしているが、平和状態を維持し、次第に恒久平和に近づいている情勢がありますから、「平和」に力点を置いて、平和運動というのでしょう。ただ、どんなに明るい展望があろうとも、平和運動の柱は「反戦闘争」であり、過去の「反戦闘争」の歴史を見失ったら、おじゃんです。

では、友好運動は、何に対抗してやる運動でしょうか。それは「非友好」に反対する運動です。だがこんな抽象的一般論では何にもなりません。だから、友好運動一般はあり得ないというのです。一つ一つの国に対して、非友好の過去と現在の中身がそれぞれちがうのですから、友好運動も、それぞれ具体的な因縁、事情によって対立物が変わってくるのです。

強いていえば、諸々の日本の友好運動が期せずして朝鮮戦争…サンフランシスコ条約の前後にひとしくはじまったという共通点があります。つまり吉田内閣がアメリカ帝国主義のいうなりに、全面的ではない片面講和（単独講和）を結んだことによって発生した日本の「歪み」に対する人民の不満、「歪み」を直して明るく平和な日本にしたいという人民の要求、それが諸友好運動に共通した性質だということはいえます。

ところで、日本は過去朝鮮にどのような非友好をしたか。それは植民地支配です。

では、日本は、現在、朝鮮にどのような非友好をしているか。それは、アメリカの朝鮮に対する植民地侵略に追随・協力し、自らも南朝鮮をもう一度植民地にしようとし、そのために朝鮮民主主義人民共和国政府を敵視しつづけているのです。


一言にしていえば、すべてこれ植民地主義です。

したがって、日朝友好という場合、アメリカの植民地主義的侵略に反対し、日本の植民地主義的進出に反対し、日本の人民の中に残っている植民地主義の残りかすに反対し、と、一括して植民地主義反対ということが大きな内容となることは、当然すぎるほど当然といわねばなりません。

しかし、このことは、日朝友好運動が、はなっから植民地主義反対を唱え、それを目的とし、そのことを自覚した人たちだけで行なう尖鋭な運動だということには決してなりません。それでは、戦前の「反帝」闘争のような段階にまいもどってしまいます。

そうではなく、もっと幅の広い「友好」運動なのです。

なぜなら、戦前のように植民地主義者の

侵略と戦争の政策が一方的に吹きまくっている情況ではないからです。すでに力関係はかわり、相手の国に主権が厳存し、貿易や文化交流や、その他さまざまな分野での親善・友好にかかわりをもつ諸事業が、たとえ制約はあっても発展し成長しつつあります。このような状態をより積極的にさかんにし、おしひろげていくという点に重点がおかれます。

それが、日朝友好運動の目的です。

当然日朝友好運動は、主義主張、宗教、政党政派をこえた大衆運動になります。

だから、ただ朝鮮料理が好きだというだけの人、ただ朝鮮の民謡が好きだというだけの人、ただ、昔朝鮮に住んでいたので朝鮮がなつかしいというだけの人、ただ、朝鮮と貿易をやって大いに儲けようと思っているだけの人、ただ朝鮮人に友人があって朝鮮に興味を感じているだけの人、などのそれこそ、雑多で素朴な諸要求に応え、それをみたす運動になります。かくあるべしなどという使命より以前に、それらの諸々の要求にこたえ、それに奉仕する運動です。当然、かつての日本の朝鮮支配を悪かったとは思っていない人、あるいは、日本の朝鮮統治が悪かったか、よかったかなどの問題にふれたくない、あるいは、関心すら持たないという人々をふくむ運動です。いや、それよりも、かつて日本が朝鮮を植民地にしていたという歴史的事実をさえ全く知らない人々をすらふくむ運動です。そうした人々をこそ対象として進めらるべきはばの広い、多面多角な千変万化の緩やかな運動です。このはばの広さと、大衆のさまざまな要求に根ざすというところに、友好運動本来の姿があるのです。いろいろな理くつやなんかよりも、こうしたい、ああしたいという人間の要求ほど強いものはありません。その要求に直接立脚する点に大衆運動の強さがあるわけです。

だがしかし、どんなにああしたい、こうしたいと思っても、こと朝鮮に関するかぎり、すぐぶっつかってしまう壁がある。その壁をこわさぬかぎり、何一つ要求をみたすことができないという部厚い壁が現実に存在する。

だから、日朝友好運動の中で、心ある人々は、壁の存在を知っている人々は、活動家は、指導者は、この壁を打破することに苦心し、その壁を打破しようと人々に訴え、素朴な要求をもって参加してくる大衆の力をかりて打破すべく努力しなければならぬのです。そのことが大衆の要求に奉仕する道なのです。

その壁とは何か。いまさらいうまでもなく、アメリカの植民地主義であり、復活しつつある日本の植民地主義であり、かつ、かつての旧日本帝国主義の植民地主義の残滓の三つであり、これらすべてが根拠となっている日本の朝鮮敵視政策であり、それを許している人民大衆の中にある朝鮮への無関心と偏見と蔑視です。

だから日朝友好運動は、大衆の素朴な要求に立脚するという巾の広さの中で、かつての日本の朝鮮支配がよかったのだということを許さないようにしていき、日本と朝鮮の間が本当に互恵平等、友好親善になるようにしていき、植民地主義反対を段々に理解してもらうようにしていくという努力を、かたときも、どこでも、ゆるめてはならぬ運動だということになります。

どんなに巾が広くなっても、ちょうど「反戦」という筋金のない「平和運動」はないものと同じように、「反帝」「反植民地主義」という筋金を抜いた日朝友好運動は「運動」にならないのです。

そうして、このようなはばの広い土俵の中で行なわれるきちんとした努力という運動全体が、現在の日本では植民地主義反対の役割を客観的に果すことになるのです。

二

むずかしい理屈をこねるよりも、みなさん方が現にぶつかっている困難な体験、現に味わっている実感、それらをちょっと整理してみさえすればよい。

たとえばみなさんが、「日朝協会の会員にならないか」と誰かの所に勧誘に行く。なかなか順調に事は運ばない。そこには、朝鮮に対する無関心と蔑視がうずまいている。なんとなれば、ここ日本は、かっての帝国主義支配本国だからです。この壁をつき破らなければ会員一人獲得できない。日朝友好をやろうとすれば誰でもが否応なしにぶつからねばならぬ部厚い壁がそこにある。この壁こそが、日朝友好運動のもっている特殊な性格を物語っているのです。旧支配本国と旧植民地との友好運動を、旧支配本国の中で行なうことの困難さがそこにある。

では、この壁を破り、この困難さを乗り越え、このしんどさにうちかって、日朝友好運動をすすめて行くことに、なにか意義があるのだろうか？　余りに困難で面倒だから、これ以上運動の拡大などせずに、小じんまりとまとまって居ればそれでよいではないか。そう思いたくもなります。実際、こんな困難な仕事は他にあるでしょうか。どの運動だって、それぞれの苦労はあるだろうが、これ程に労多くして、これ程に報いられず、そして、これ程に人から白い目で見られる運動は珍らしい。

その通りです。本当に珍しいのです。

日本の中で珍しいだけでなく、世界中でも、国際的にも珍しいのです。これは本当です。

土台、世界中を見廻してみて、現在、帝国主義国の中で、旧植民地ないしは現植民地との友好運動などをやっている例はないのです。

ヨーロッパを見てごらんなさい。そこにはイギリス、フランス、西独、イタリア、ベルギー、オランダ、スペインと数多くの帝国主義国がある。だが、その中に自国の植民地との友好運動が展開されている国などはありません。

フランスは、つい一昨年までアルジェリアを植民地とし、その独立闘争をしめ殺そうと戦争までしていた。そのフランスの中に、フランス・アルジェリア友好運動があるか。ありやしません。フランスはかって、ベトナムその他インドシナ半島の諸国を植民地にしていた。そのフランスの中に、フランス・ベトナム友好運動があるか、あるいはフランス・ラオス友好運動があるか。ありやしません。イタリアはかってエチオピアに軍事侵略をやった。そのイタリアの中に、イタリア・エチオピア友好運動があるか、ありやしません。

イタリアはかってアルバニアを併呑支配し植民地にした。そのイタリアで、イタリア・アルバニア友好運動があるか、ありやしません。

なるほど、かって、フランス・ベトナム戦争の時に、「汚い戦争をやめろ」というフランス人の運動があった。しかしそれは、フランスが戦争にあきたからであって、ベトナムとの友好のためにという観点は全く弱かった。だから、その動きは、後に、フランスの平和運動の中に合流はしていったが、そこからフランス植民地主義反対の方向に、フランス・ベトナム友好の方向には到らなかったのです。だから、後に、フランス・アルジェリア戦争の際にも、フランス植民地主義反対の動きがなかなか出てこなくて、気狂いじみた右翼の動きが一時的にでもあれフランス政局をゆさぶりつづけるようになってしまったのです。

この場合も、すぐれたフランス人はいました。フランスとアルジェリアの戦いのさなかに、フランシス・ジャンソンは、同胞であるフランス兵士にアルジェリア人との連帯をよびかけました。そのために彼は、「祖国に対する裏切行為」として罰せられました。しかしジャンソンは「自分こそ真のフランスを愛するものである」と、叫びつづけました。その他にも色々と立派な行動がありました。

だがこれは一つの機運ないし運動に発展しませんでした。なぜなら、フランスの労働者階級の指導部が、この「真のフランス人」の闘いを「普遍化し、組織化し、意識性をあたえ」ていくことをしなかったからです。

たしかに、フランス帝国主義とフランス人民はちがうはずだが、フランスの中で、フランス人民が、フランス帝国主義のアルジェリア侵略に反対し、フランス人民とアルジェリア人民の永遠の友好親善、互恵平等のために闘うフランス人民の運動がないかぎり、フランス人民はフランス帝国主義の汚物のなかで眠りこけているのだといったら言い過ぎでしょうか？　決して言い過ぎではありません。

フランスの労働者階級の前衛までが、フランス帝国主義の毒素に完全にいかれてしまっている傾向があります。

フランスの民衆が、自分たちの高い生活水準と文明が、アルジェリアやベトナムなどの植民地の搾取の上にはじめて成り立ってきたことを自覚もせず、アルジェリア人民の闘いを支持せず、フランス帝国主義に反対せず、ただ自分たちだけの生活をもっとよくしたいということだけで頭がいっぱいになってしまっている現在の状態では、フランス民衆それ自体の解放もなく、生活の向上もあり得ないのです。

なぜならば、「他国民を支配している国民は、自分自身をも解放することができない」（エンゲルス）からです。

比喩的にやや誇張していうならば、フランスの中に、フランス・アルジェリア友好運動が大衆運動として展開されるようになるまでは、いかにフランス総同盟が強大であれ、フランス社会党や共産党が強大であれ、フランス民衆の解放は絶対にあり得ません。

そのことは、今回のドゴールの中国承認に端的に示されています。

ドゴールが中国を承認したということは、世界政局に素晴らしい影響を与えますが、しかし、ドゴールが中国を承認したのであって、フランス民衆の中仏友好の世論のもり上りがそれをなさせたのではないという点は考えるべきです。ドゴールは、何も中仏友好のため、ひいては世界平和のためにではなく、フランス帝国主義の利益のために中国を承認したのです。フランス帝国主義が大いに栄光ある発展をするために、アジアでアメリカ帝国主義と競争してのし上るために、戦後アメリカ帝国主義にとられてしまった旧植民地をとり返し、もう一度昔のようにフランス帝国主義の影響・支配下におくために、外交上のかけ引きとしてドゴールは中国を承認したのです。だから、これは、フランス帝国主義の復活と強大化をも意味します。そして当のフランスの中でフランスの労働者の指導部は、フランス帝国主義反対を叫ぶどころか、ドゴールの手によってではなく自分たちの手で中仏友好をきずきあげるために努力するどころか、逆に、中国反対を叫んでいる始末です。フランス帝国主義復活を助けることによって、かれらは自分の首をしめ、自らの解放をおくらせているのです。

イタリアしかり、その他のヨーロッパの資本主義国みなしかり。

かれらは、自分たちの高い生活水準と文化が植民地収奪の上に維持されていることを忘れ、それを忘れることは帝国主義者に買収され盲目になり堕落していくことになることをさえ忘れ、はした金の賃上げでその「甘い生活」を一日伸ばしに伸ばしているだけです。そのことの合理化と、そのための手練手管を構造改革論などと称して、得々としゃべっているのです。

このような仕草を、生活の向上のための闘いなどとはいえません。それはただ、目前の小銭をむさぼる我利我利亡者のあがきです。日本には昔から「あわてる乞食は、貰いが少ない」という格言がある。かれらは、目前の小銭にあわてて、自分自身の解放という大業をおくらせているのです。

植民地収奪の上になり立っている高い生活というものは、贓品の上になり立った甘い生活です。それは、他人の労苦で楽をしている文明です。そのことを見抜き、自覚し、かっての ないしは現在の植民地人民との連帯友好を努力しないような労働運動が、労働者を解放できるはずがないのです。盗品の山の上にあぐらをかいていて、解放ができるはずはないでしょう。

「もしも欧米の労働者の資本に反対する闘争が、資本に圧迫されている幾百千万の『植民地』の奴隷たちをしっかりと団結させることができなかったなら、先進国の革命運動は実際には詐欺のやりかたにすぎない」とレーニンは喝破しています。

三

ところで、アジアでは、日本ではどうでしょう。そこには、ヨーロッパには絶対にないものがある。それは何か？　それは帝国主義本国の中における、旧植民地・朝鮮との友好運動、旧侵略地・中国との友好運動です。これこそが旧帝国主義本国の中から植民地主義の残りかすを最後の一滴にいたるまで払いのけてしまう運動であり、帝国主義本国の民衆の解放を早める運動であり、諸民族の独立と平和友好連帯をつくり出す運動です。

われわれ日本人は、われわれ自身の手で、人民の力で、日中友好の機運を自ら作り出し、日中国交回復の世論を作り出し、その力で、日中国交回復を実現しようとしている。われわれは決して、巨頭会談や、首脳会談にあらぬ幻想などを持ちはしない。ドゴールに中仏国交のヘゲモニーをとられるような、間のぬけたことをしはしない。われわれ自身が、日中国交回復を叫び、集会を組織し、一人一人説得し、一人一人署名をとり、その署名を三千万人集め、その圧力でそれを実現しようとしている。このような素晴らしい運動が、世界中のどの資本主義国にあるか。決してありはしない。日本人だけがやってのけようとしている運動である。

われわれ日本人は、われわれ自身の手で、人民の力で、日朝自由往来の機運を自ら作り出し、日朝自由往来の世論を作り出し、その力で、日朝自由往来を実現しようとしている。われわれは、巨頭会談や、首脳会談に、下駄をあずけようなどとはしない。ドゴールに、アルジェリア平和交渉のヘゲモニーをとられるような、腑ぬけなまねはしない。われわれ自身が、日朝自由往来を叫び、集会を組織し、一人一人と賛同者を集め、一人一人の考えを変えさせ、一人一人を覚醒させ、一人一人を積極的行動にたちあがらせ、その力でそれを実現させようとしている。

こんな素晴らしい大衆運動が、世界中のどの資本主義国にあるか。決してありはしない。大衆に依拠して、事態を解決しようとしているのは日本人だけである。

日本の中で、日中友好運動はまだまだ大きいとはいえない。日朝友好運動にいたってはは極めて小さい。しかしだ、いかに小さいとはいえ、それは資本主義世界でただ一つの運動であります。みなさん、日中国交回復のための三千万署名運動をやっているみなさん。あなた方はこれを誇りとしてよい。昂然と胸を張って自慢してよい。そして、フランス人民やイタリア人民に、俺たちに見習えと叫んでよろしい。

日本がかって植民地とした朝鮮、そして、残念ながら国民の大部分が、ニンニク臭い朝鮮人は嫌いだという状態の中で、その朝鮮との友好運動を一生懸命やっているみなさん。みなさんこそが日本の宝であり、日本の将来の基礎をきずいているのであり、全世界に向って、平和とはこのようにして作るものなのだということを身をもって教えているのです。

その意味において、日朝友好・日中友好の運動を含む日本の国民運動は、資本主義国のどの国よりも高い水準、強い力量、豊かな内容、そして深い誠実味をもった運動であると誇ってよいでしょう。

四

だが、アジアには、もう一つ素晴らしいものがある。それは、かっての植民地、かっての侵略地の側からもかっての帝国主義の人民に対し、熱い友好の手がさしのべられているということです。中国から、中日友好の叫びがあげられ、朝鮮から、朝日友好の声があがっているということです。

これも、世界の他の地域では見られないことがらです。ヨーロッパでは、かってドイツが多くの国々を侵略した。侵略された側の国は、戦後十九年、いまだに資本主義の国もあれば、社会主義に変った国もある。しかし、資本主義国であれ、社会主義国であれ、その国々の側の人民から、ドイツとの友好を求める大衆運動がおこされた国などは一国もない。それらの国々の人民が、また、その指導部が、ドイツ帝国主義とドイツ人民をはっきりと区別し、ドイツ人民と提携しつつ、ドイツ帝国主義と徹底的に闘うという状態にはまだなっていません。このことをなさない限り、ドイツ問題やベルリン問題に、期限つきの通牒をつきつけてみたり、期限ぬきの要請を出してみたり、そんな手練手管の数万回を繰り返しても、ヨーロッパの平和はこないでしょう。

だが、アジアでは違う。最も典型的な例は中国です。中国では、日本との戦争の時から、日本帝国主義と日本人民とを区別していました。いや、日本人の側からいうなら、区別してくれました。区別してくれることによって、日本人民に人民としての覚醒を呼びさましてくれ、人民をして人民の立場にひきもどしてくれたのです。中国人民は、日本軍との戦争の中で勇敢に仮借なく闘いました。だが闘いが終り、捕虜となった日本人に対しては、その瞬間から、人民同士のあつかいをしてくれました。この一事がすべてを物語っています。

中国人の二世帯に一つは、日本軍によって誰かを殺されたり、片輪にされたり、強姦されたりという被害を受けているはずです。うらみ骨髄に徹しているはずです。忘れようとしても忘れられないはずです。その中国人民が、中日友好を叫び、中日友好協会という大衆組織まで作っています。われわれ日本人民は無条件に脱帽せざるを得ません。同時に、中国人が過去のうらみを忘れて、中日友好を叫ぶまでには、それこそ、煮え湯を飲み下すような心境を通過したと思います。それは、中国人にとっても、きっと一つの自己鍛錬であったろうと想像されます。中国人は、なんのために、そんな苦しみをくぐりぬけて中日友好を叫ぶのでしょう。それは、本当に帝国主義と闘おうと思っているからでしょう。本当に帝国主義と闘うためには、人民同志が手を結び、団結し、友好連帯しなければならぬからです。このことは、頭で、理窟でわかっても、それを心で、行動で実行するためには大変な努力を必要とすることです。中国人民はそれを美事にやってのけました。

一九五六年八月に来日した中国のジャーナリスト王芸生さんは、語っています。

「私は、日本の中国侵略の資料を発表したくない。……人間は感情の動物だから、中国側からこの歴史を忘れることはむずかしい。……最近に中国を訪問した旧日本軍人の中には、かって中国人を殺してその肝を食べた人がいることも知っている。私たちは涙の出るのをこらえて、熱烈に歓迎した。私たちはそれが非常によかったと思っている」と。

中国には、中日友好協会があるが、朝鮮には、まだ朝日友好協会はありません。なぜないのでしょう。みんなで考えて下さい。

中国に対してはまだしも、朝鮮に対しては、果して、日本人民は人民の立場を確立しているでしょうか。日本人民の多くの中には、まだまだ朝鮮に対する帝国主義支配の残滓、植民地主義の残りかす、偏見と蔑視があります。日本人民は、朝鮮人民から本当に信頼されるようになっているでしょうか。

しかし、それにもかかわらず、朝鮮人は必死の努力をしてくれています。帝国主義と人民を分けるべく、そして、人民との間に、朝日友好を作り出そうと努力しています。

さあ、みなさん。旧帝国主義本国の側からも、また、旧植民地、旧侵略地の側からも、このような友好の努力がされ、お互に、人民同士、手をさしのべ合い、心を開き合い、友好し合おうとしているアジアというものはなんと素晴らしい世界だと思われませんか。こんなことは、ヨーロッパにみられないことがらです。

五

労働者階級の解放という立場から日朝友好運動を見るなら、さらに重要な問題があります。ヨーロッパでは、かれらの文明と生活水準が、植民地収奪の上に築かれ維持されていることを完全に忘れてしまいました。そして、自分たちは、生活水準が高い、近代的だ、洗練されている、先進的だ、世界の中心だと思い上つています。現にはっきりと次のようにいったイタリア人さえいます。「アジアの後進国が、前進することも勿論必要だが、しかし、最も洗練され、最もよく組織され、最も長い運動の伝統を持つ、ヨーロッパの労働者階級の解放こそが、世界の運動の中心である」と。これはまさに驚くべき逸脱であり、良心のマヒであり、傲慢というものです。

同じく、民衆といい、人民といい、労働者階級というも、支配本国と、植民地とのそれの間には雲泥の相違があります。政治的にも経済的にも月とスッポンのちがいがあります。植民地から帝国主義がしこたましぼりあげたおこぼれに、支配本国の民衆は全員あずかっています。はやい話が日本の労働者が三度三度白米を食ってきたのは、朝鮮の労働者に稗や粟を食わせることによってです。

だが、多くの支配本国の人民はそのことがまだわからないのであって、さればこそ植民地への蔑視、偏見がうずまいているのであって、また、わからないように帝国主義者はあの手この手を打ってあるのであって、したがって、支配本国の人民は簡単にはわからないような状態におかれているのです。単純な経験、偶然の体験などではわからないようになっているのです。自然と、時が経てば、なんとなくわかるということではないのです。

昔からそうなのです。たとえば、一九〇七年第二インターの第七回シュトウットガルト大会で民族植民地問題が主要な議題となったとき、決議案の中に次のようなでたらめな節があった。

「大会は、植民地が一般に――またとりたてていえば労働者階級にとって――有用であるとか、必要であるといわれる場合に、大きな誇張があると宣言する。しかし大会は、植民政策を原則的に、またいついかなるときにも排撃するというのではない。なぜなら社会主義制度のもとでも、それは文明の利益に役立ちうるからである」

レーニンはこの一節を「犯罪的」と指摘し結局削除させたのですが、その票決の際「植民地を所有する大国の代議員の大部分と、小植民地国ではその全代議員が、この一節を残すことに賛成した」というありさまだったのです。

帝国主義が、労働者の先進部分までを汚染することとかくの如し。

この会議で、当時すでに台湾を領有し、朝鮮を保護国として植民地領有国であった日本の代表加藤時次郎はレーニンと同じ立場に立った。帝国主義国の労働者としては例外的に光っているこの史実は、日本が誇ってよいことでしょう。

加藤氏は、帰国早々「ヨーロッパの労働者政党はみんな改良主義じゃ」といっています。

だから「重要なことは、帝国主義時代にプロレタリアートが客観的諸要因によって…大国のブルジョアジーの食卓からのおこぼれ、とりわけ小民族の二重、三重のおこぼれで堕落させられており…(したがって)…小民族を解放せずには、大衆を反排外主義的な、すなわち、反併合主義的な、すなわち〃自決主義的な〃精神をもって教育することなしには、自分みずからを解放しえないということ、これである」(レーニン)といえます。

そこでだ、多少ともその関係についてわかった人が、他の人々に、訴えつづけ、訴えつづけ相手が聞こうと聞くまいと訴えつづけ、訴えつづけていくことによってはじめて多くの人々がわかっていくのです。

そこに、植民地主義反対を運動としておこなって行く意味があるのです。

「プロレタリアートの革命のためには、労

働者をもっとも完全な民族的平等と同胞愛の精神で、長期にわたって教育することが必要である。したがって、大国ロシア人によって抑圧されているあらゆる民族の完全な平等と自決権とを、真に断固として、一貫して、大胆に革命的に擁護するように、大衆を長期にわたって教育することが、ほかならぬ大ロシアのプロレタリアートの利害の見地からして必要である」とレーニンがいっている通りです。

植民地の解放ということが、帝国主義の労働者階級にとって、綱領的課題だということの意味がこれです。綱領的課題とは、何がなんでも絶対にやらねばならぬことということです。

つまり、民族解放運動と結びつかない「先進国」の階級運動はだめだということです。それは必ず、経済主義、組合主義あるいは大国主義あるいは修正主義等々の逸脱と堕落におちこむのです。帝国主義国の人民が、植民地人民と手をにぎり、その闘いを支持し、その気持を理解し、その立場に立った時、はじめて自分の進路と世界全体の進路とが見えて来るのです。それまでは、盲目にされているのです。

この種の問題で、人々を甘やかしてはいけないと思います。浮き上ることをおそれて素通りしてはいけないと思います。「そんなことをいったって、今の若い者にはうけ入れられないヨ」と、よく一部の人はいいます。私はだからこそ主張する必要があるのだと思います。単純には受け入れられないからこそ、執拗に運動として展開する必要があるのです。一寸やそっとでわかってもらえない問題だからこそ、訴えつづけるのです。そして、そのような努力を誰かがやれば、必ず、やがてはわかってもらえるのが帝国主義者ではない人民というものの本質でしょう。

歴史は、加害者と被害者の双方の追憶を併せて出来上ると前にいゝましたが、実は、その双方併せたものを、被害者の眼で見直してみてはじめて正しいものになるのです。すべて歴史をつくる者は被害者なのです。被害者の立場に立って、はじめて世界全体が見えてくるのです。加害者の眼というものは常にくもっているものです。金持には、金持の世界しか見えないのです。貧乏人には全部が見える。貧乏人には、金持をふくめて世界全体が見えるのです。一番辛い思いをしている者の立場に立って、はじめて全体と未来までが見えるのです。労働者の立場に立てということはこのことでしょう。そして国際的には、被圧迫民衆の立場に立たねばなりません。その立場に立たないで、ただいわゆる「先進国」の先進性をほこり「おいしいスープと、立派な学校と、美しいバレー」のための闘いだけがすべてだと思っている状態ではどうにもなりません。

これは日朝協会の目的ではもちろんないし、日朝友好運動全般とも、直接関係することではありません。しかし、「根性」の問題としては、間接に関係してくるでしょう。この根性なしに、この心意気なしに、本気になって日朝友好運動ができると思いますか。ただなんとなく朝鮮が好きだ、朝鮮と関係がある程度のことが、日朝友好運動を「運動」として展開していくエネルギーになると思いますか。そんなものなら、単なる朝鮮同好会で結構。

われわれが、日朝友好を運動化し、大衆化し、日朝友好の必要性を説き「君も会員になれ」と、一人一人を組織していくためには、これ位の自覚と誇り、これ位の気慨と信念がなくては駄目でしょう。

また、こういう根性をもち、自覚をもち、目的意識をもった人々が、もっともっと積極的にこの運動に参加していかなくては発展しないでしょう。

さらには、そのような自覚にたち、使命感に燃えた人々の熱心な活動が、あらたな気風を生み、あらたな分野を開拓し、あらたな要求をひき出し、運動をあらたな段階に前進させてもいきましょう。

だが、そのことと、活動の形態とを混同されては困ります。信念というものは心の中にしっかりと秘めておくべきもので、やたらにしゃべったり、ひけらかしたりするものではありません。そして、信念が強いほど、自信をもって、悠々と、巾広く、多面的に、柔軟に、活動形態を発展させられるものだと思います。歌ったり踊ったり、飲んだり食ったり、遊んだり勉強したり、していけるし、していかねばならぬわけです。そして、そのような活動形態の部分が、日朝友好運動それ自体なのです。

中国封じ込めの基地日本において、復活しつつある帝国主義が南朝鮮侵略を企てている日本において、その日本の中で、日本人民と在日朝鮮人とが、膝をつき合わせて飲み、食い、語り、笑い合い、歌いおどっているということ自体が、友好であり、そのことが、帝国主義への最大の反撃の一つとなるのです。

アメリカから値段の高い飼料を輸入するよりは、北朝鮮や中国から安い飼料を輸入した方が日本の酪農経営のためにも、国民経済にとってもよいという点に注目し、そのような貿易事業をやって利潤を得ようと熱心に活動すること自体に意味があるのです。

日本人の大部分が、朝鮮なんか田舎も同然と思っているのに対し、朝鮮民主主義人民共和国の隆々たる社会主義建設を、事実として紹介し、その素晴らしい舞踊を見せ、経絡その他の医学的発見を報道していくことに意味があるのです。

さらには、南朝鮮の人民たちの英雄的な愛国正義の闘争の実情を知らせ、その闘いから日本が学ばねばならぬ点が多々あることを主張していくことが大切なのです。

そのような諸活動を通じて、昔のような朝鮮支配を再現させてはならぬことを、「その道をくり返すな」ということを悟らしめるにいたることが大事なのです。

六

日本はかつて、朝鮮を侵略し、そこを足場に中国を侵略し、ついでアジア全体に侵略の足を伸しました。われわれの日本が加害者の立場にあった間、日本人は世界を見あやまり、とんでもないうぬぼれを持ち、大失敗をやらかしました。

今、現在、日本に代ってアメリカが、日本を基地とし、南朝鮮を最前線とし、中国を封じこめようとしています。帝国主義者の知慧は大した変りばえのしないものです。アメリカが加害者であるかぎり、世界を見あやまり、とんでもないうぬぼれにおちいり、そして今、救いようのない失敗をしようとしているわけです。

しかし、この現状は、日本も、朝鮮も、中国も、アメリカ帝国主義との関連の上では、同じ状況にあるといえます。アメリカの軍事侵略策の下に、日本が基地にされ、朝鮮が分断され、中国が目標にされています。沖縄が占領され、台湾が占領されているわけです。この今日的な情勢は、日・朝・中の連帯をより一層必要とする現実の要請です。日本の独立と、朝鮮の統一と、台湾の解放とは同じことがらです。

文字通り、「アメリカ帝国主義は日・朝・中三国人民の共同の敵」です。この現実の事態こそは、日朝友好運動が日本にとって必要で重要である最大の根拠です。

日韓会談と日本の核武装、F一〇五D、原子力潜水艦、憲法改悪などは、まさに内外相呼応しており、一つの源に発し、一つのことの表裏です。また、日韓会談と、日本の経済的諸困難、たとえば、物価値上げ、税金値上げ、合理化、農業破壊などなどは、まさに形影相伴い、一つの源に発し、一つのことの裏表です。これらの点については従来から相当強調されてきました。しかるに、F一〇五D反対の運動と同じように日韓会談反対が大きく強くならないのはなぜでしょう。物価値上げ反対ほどに日韓会談反対がもり上がらないのはなぜでしょう。いわんや、日韓会談反対からすぐ日朝友好に発展しないのはなぜでしょう。

色々の原因はありましょうが、大きなものとして三つぐらいあげられます。

一つは、日韓会談そのものが、なかなか複雑なものだからでしょう。しかし、これは決定的なことではありません。なぜなら「安保」だって複雑といえばなかなか複雑だったのに、反対運動は大変なもり上がりを見せたからです。

一つは、日韓会談であろうとなんであろうと、およそこと朝鮮に関係したことがらに対する、日本人の無関心と偏見と蔑視があるのだといえましょう。これは相当重要なことがらです。なぜなら、そのこと自体、日本人民がまだ「帝国主義の毒」を一掃した状態になっていないことを物語るからです。

だがもう一つは、F一〇五Dや物価値上げや憲法改悪などに、日本人民が本当に本気になって怒って立上がっていないという点に、それと相呼応している日韓会談反対への取りくみ不十分の原因があるように思われます。日本の平和・安全独立をかき乱す一切の悪が、また、日本国民の生活をかき乱す一切の悪が、「封じこめ」政策に源を発している点を、本当に見抜いていないからです。F一〇五Dはどこかの県のどこかの基地にだけ配置されているのだと考えているからです。そうではなく、F一〇五Dは基地にも、職場にも、農村にもいるのだということを見抜かねばなりません。われわれのすぐ身の廻りに日本人の顔をしたアメリカ人が居るのだという点を見抜かねばなりません。職場の中に、労働者の顔をした資本家が居ることを見抜かねばなりません。その状態になった時に、その状態にいたる努力の中で、われわれは、職場に、地域に、農村に、日韓会談があることを見抜くようになるでしょう。つまり、日本を封じこめているものの実態、国民生活をしめつけていけこれが明かとなっていけばいくだけ、日本の問題と朝鮮の問題との結びつきもまた明かになっていきます。

自分の国の主権が冒されていることに気づきもしないでいるのでは、朝鮮が分断されていることの深刻さを理解できるはずがありません。日本民族の独立のために闘おうという気がない人々が、朝鮮民族の独立のために闘っている朝鮮人を、安っぽい「民族主義」と冷やかしたり蔑視したり、ひいては「朝校生の奴らはみんな気負っていて生意気だからやっつけちまえ」などという感情に陥っていくのです。そのくせ、アメリカに沖縄をとられていることには平気で、「韓国」の「竹島」占領にはいきり立つことになるのです。

この意味で、戦後の日本にある朝鮮蔑視

は、単に戦前の植民地支配の残滓というだけでなく、現在の日本の従属的な状態、日本の社会体制それ自体が生み出しているものでもあるのです。

日本に覆いかぶさっている一切の悪をはらいのけるために、すべての人が反米愛国正義の闘いにたちあがらねばならぬとするとき、同じ敵と本気で闘っている朝鮮人、中国人、そして、ベトナム人、インドネシア人たちが本当に親しいたのもしい友人だということも実感となります。

この実感の支えなしには、朝鮮人への偏見をのぞけといくら叫んでも、実際にはなかなか消えないかも知れません。

しかしです、偏見をのぞけということを休む間もなく叫ばねばならぬのです。というのはこの偏見をのぞこうとする努力が、逆に、日本人自身の愛国正義の闘いをも鍛えるからです。

日本がアメリカ帝国主義の支配の下にあることと、それでいて、復活しつつある日本帝国主義が朝鮮を支配しようとしていることとの二つの事情をひっくるめてつかむことが重要です。

日本人が、日本の置かれている実態を見究め、民族の土根性をしっかりと据え、その中で日本の労働者が階級意識を磨きあげ、反米愛国正義の闘いにたちあがる度合に応じて、日朝友好もまた発展していきます。

まとめていえば、一つ、日本にのしかかっているアメリカ帝国主義との闘い、二つ、復活しつつある日本帝国主義との闘い、三つ、朝鮮蔑視の思想との闘い、この三つです。

ほかの言い方をすれば、一つ、米軍基地をとりのぞけ、二つ、自衛隊の基地をとりのぞけ、そして、三つ、朝鮮蔑視という

「心の中の軍事基地」をとりのぞけ、この三つです。

しかも、この三つを、一つのこととして、まとめて、結合して、一緒にやるということが大切なのです。民族的な闘い、階級的な闘い、そして思想上の闘い、この三つが一緒でないと駄目なのです。

相撲の阿吽《あうん》の呼吸というのも、吐く息、吸う息、とめる息、これが三拍子そろわないと気が合わないのです。剣道でも、「気」「剣」「体」の三位一体とよくいわれます。とくに「気」がまえがきちんとしておらんと邪道とされる。「心、正しからざれば、剣もまた正しからず」です。自らの内部にある帝国主義の毒、朝鮮にたいする偏見と蔑視と非友好、これに対する思想闘争の裏づけなくしては、アメリカ帝国主義と闘うべき「剣もまた正しからず」、復活しつつある日本帝国主義と闘うべき「体」力もまた養えるものではありません。

なんとなれば、日本が朝鮮にのしかかって、つまり、一つの民族が他の民族を見下し圧迫していて、どこに日本の民主主義があり得るか。この他を見下した根性というものは、裏を返せば、自分より強そうなものへの従属に甘んじている奴隷根性と同じものなのであって、そんなありさまでどうして日本の独立があり得るか。

ここのところこそが、日本における朝鮮問題研究の奥義であり、わが日本朝鮮研究所の秘伝というわけです。

この奥義をきわめることなくしては、「日本の将来もまた正しからず」、平和で豊かで明るく強い日本をつくり出すことはできません。朝鮮問題の解決なくして日本問題の解決なしです。朝鮮を研究し、朝鮮との友好に努力する人間が、一人ふえるということは、日本が一人分だけすがすがしくなることであり、日本の将来が一人分だけ明るくなることです。

たしかに、日朝友好運動の発生と発展の物的根拠は、共同の敵アメリカ帝国主義の支配にある。だが、共同の敵の認識だけでは、日朝友好のより以上の発展はない。単に「共同の敵と一緒に闘いましょう」ということだけで済まないことがある。そんな甘っちょろいことではなく、日本と朝鮮の過去と現在の独自の関係の問題をかたづけ日本民族を自己改造していくという大事がある。

日本はかつて朝鮮を植民地として支配しただけではありません。また今、南朝鮮に再侵略しようとしているだけでもありません。日本は、現に、朝鮮一国だけを、他のいかなる国よりも敵視し、在日朝鮮人だけを、他のいかなる外国人よりも差別扱いしているのです。朝鮮に対する占領支配は終った。しかし差別は依然として続き厳存しているのです。それは、単に、戦前の残滓などというものではないのです。在日朝鮮人の祖国自由往来の運動を日本人として支持することの背後にはこのような認識も必要です。それは明かに人道上の問題であり、当然すぎることでありますが、その基本的人権を無視し、在日朝鮮人だけを、他の外国人と差別し、圧迫している力というものがどこに、根ざしているかを見究わめておきましょう。

これらのことをすべてふくめて、日朝友好運動は、日本の独立と平和と進歩のために、欠くべからざる運動だといえます。

最後に一言、申しあげます。

みなさん、世界史は今、文字通り転換期にいたっています。世界史の廻り舞台は、静かに音を立てて、グイ、グイと廻っています。どこから、どこへ廻っているのか。

それは、ヨーロッパの場からアジアの場へと廻っています。新しく世界史の檜舞台の前面に出てきた「アジアの場」では、壮大な闘いが展開されています。そこでは、アジア十億の民衆が砂ほこりを蹴たてて、戦争勢力に追い討ちをかけようとしています。そこには、非常な困難の中で、素晴らしい社会主義を建設している北朝鮮、中国、北ベトナムがあります。そこには、戦争勢力を押しまくり押しまくりして闘っている、貧乏な国の貧之な民衆が、昂然と胸を張っています。ラオス、カンボジャ、南ベトナム、南朝鮮、そして、インドネシアの人々がいます。そこの中で、ただ一つ高度に発達した資本主義国、日本、そこでは、世界のいかなる資本主義国にもない素晴らしい国民運動が展開されています。

われわれ日本人は、明治以来、ヨーロッパのあとを追っかけてきた。ヨーロッパのものといえば、なんでも先進的だと、思いこんできた。労働者までが、大巾賃上げと言いさえすればよいのに、わざわざ「ヨーロッパなみの賃金を」などと、物欲しそうな言い方をしている始末です。冗談をいってはいかん。今や、アジアが、われわれが世界史の中心なのです。ヨーロッパの人々に、「アジアなみの闘いをしてみよ」と呼びかける時なのです。

この壮大なアジアの闘いの中に、わが日朝友好運動をしっかりとはめこみ、われわれはわれわれの部署から、闘いに参加しましょう。日韓会談を粉砕し、日本の独立と平和を闘いとりましょう。

南朝鮮の人民の闘争を支持し、朝鮮の南北統一の闘いを支えていきましょう。日朝間の相互自由往来を実現し、日朝間の正常な関係をつくり出していきましょう。朝鮮に対する無関心と偏見と蔑視を、日本国民一人一人の心のなかから拭い去っていく努力をつづけましょう。朝鮮に対する差別扱いをなくし、在日朝鮮人の権利を擁護し、かれらの祖国との往来実現をかなえさせましょう。朝鮮の実情を日本に紹介し、日朝間のさまざまな交流事業をさかんにし、在日朝鮮人との懇親を深めていきましょう。多種多様な千変万化の創意ある活動を「明るく楽しく勇ましく」展開し、戦前の苛酷な息詰るような情況下でも、日朝双方人民の連帯の素晴らしい闘いがあったことを想い出しつつ、頑張っていきましょう。

日朝友好運動に参加しているすべての人々が、日中国交回復運動に加わり、日中国交回復三千万署名活動の先頭に立ちましょう。そして日中国交回復に賛成した三千万日本人に、日本と朝鮮の友好を支えてくれるよう訴えていきましょう。戦前の侵略の嵐のあれ狂っていた時代でも、日本人民と朝鮮人民と中国人民の絶えることとなき連帯と友好の闘いが続いていたことを想い出しつつ、新しいアジアの関係をつくり出すために奮闘しましょう。アジア諸民族が団結し、なかんずく、日本、朝鮮、中国の三国人民が友好連帯のきづなを固めていくなら、向うところ敵なく、戦争勢力の封じ込め政策をはね返すことができる、という確実な希望を多くの人々の胸の中にともしていきましょう。日朝友好運動や、日中友好運動は、他の資本主義国のなかに比類のないものであり日本人民が誇ってよい運動だと自負を胸中に秘めて、堂々と仕事をすすめていきましょう。

日朝友好運動の苦難の中に蓄積されていく経験と知恵こそが、日本の、アジアの、世界の平和と諸民族の解放にとってかけがえのない宝となることを確信し、誇りをもって日朝友好運動をすすめていきましょう。

読者のみなさんへ

この本を読まれた感想やご意見を
どうぞ　おたよりください。
また　研究所の出版物としてふさ
わしい企画や　お考えなどを　ぜ
ひともお知らせください。

日・朝・中三国人民連帯の歴史と理論

1965年10月15日　第2刷発行

発行者　古屋　貞雄

発行所　日本朝鮮研究所
東京都新宿区新宿1丁目68
TEL (352) 1835・2601

落丁・乱本はおとりかえします　250円

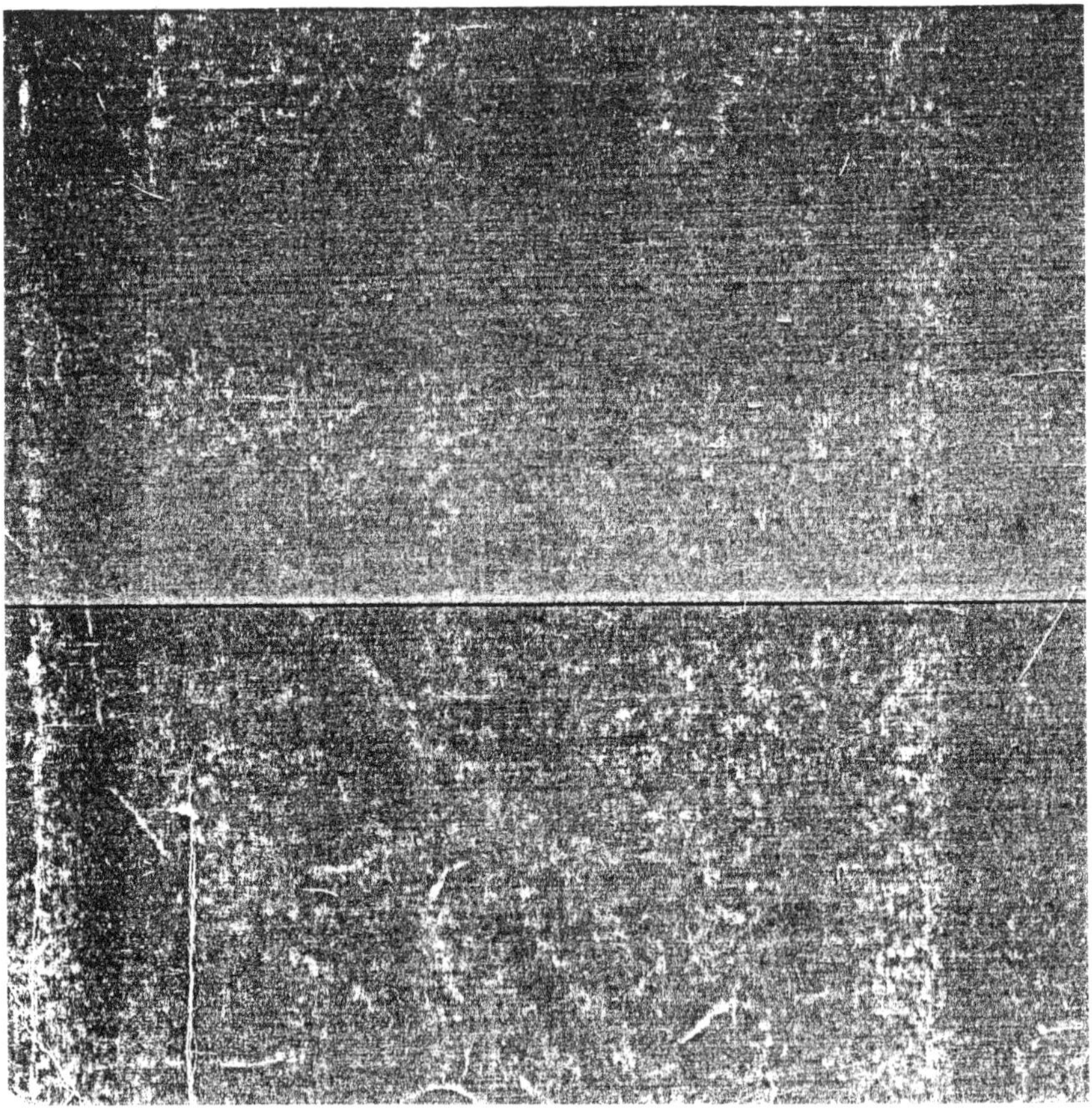

『朝鮮研究月報』創刊に際して

朝鮮は日本にとつて、もつとも近くてもつとも深い関係をもつ国であり、われわれ日本人にとつて、朝鮮および朝鮮人についての正しい理解を得ることはなによりも緊急事である。しかるに明治以来、日本人の眼はつねに西欧にのみむけられてきたきらいがあり、朝鮮を対象とする科学的研究は、ほとんど無視されてきた。

なにごとにも正しい認識なくして正しい態度をとることはできない。朝鮮の政治・経済・思想等に関する詳細で正確な知識の蓄積こそは日本と朝鮮の正しい関係をうちたてていくための第一歩であると信ずる。

今日、昔のあまい夢を追つて対韓再進出を考えているような諸君も、南北を問わず独立と平和と統一を望んでいる朝鮮人民の心を知ることによつて、その考えが改まるのではないかと思う。

われわれは以上のような考えから、真に科学的な朝鮮研究を組織的におこなうべく昨年11月11日、日本朝鮮研究所を設立し、今日まで努力を続けてきた。本年1月より「朝鮮研究月報」を定期刊行し、朝鮮の政治・経済・文化・歴史に関する科学的な研究に対して広く誌面を開放し、上記の目的を達するための活動をおこなつていきたいと考える。

諸般の研究者および志を同じくする諸君の厳しい御指導、御叱正をお願いしたい。

1962年1月1日

日本朝鮮研究所

理事長　古屋貞雄

編　集　后　記

今回この月報の編集長をおうけすることになつた。編集を計画化し長期安定化をはかれという大役ではなはだおぼつかないが、皆さんの御協力を得てしばらく努力してみたい。この月報を広く朝鮮研究者の自由に、しかし一定の文脈を持つての、次々と登場する舞台としたい。舞台の上で演ずるしぐさは短い時間でもそこに至る裏でのけいこは長い努力を要するし、数多くの裏方たちの努力の結晶でもある。編集長の演出にどうか御援助をお願いします。月報の発展にはしかし観客の批判が必要である。

月　報　へ　の　批　判　を　!!

月報の編集に関してであれ、所載論文への批判であれ、どうぞすすんで一文をお寄せ下さい。月報誌上にできるだけ紹介して、朝鮮研究のただしいそして活発な進行に資することゝしたい。（渡部　記）

月報の編集方針管見

編集長 渡 辺 学

2．3月合集号をおくる。5月号から活版印刷化を企図しているのでその準備のため2.3月と別々に編集し難いからである。しかし、分量としては2号分に余るほどのものを擁し内容は充実させたつもりである。しかも、有力な原稿のいくつかを4月号にまわしたうえのことであつて、原稿不足に悩んだ去年にくらべてうれしい悲鳴ともいうべき幸いこの上もない状態である。朝鮮研究の一般的な高まりと、所員の蓄積の増大の結果である。

この機会にこの月報の編集についての私見を記して、今後月報をもり立てるための討議の材料を提供しておきたい。

18世紀フランスのアンシクロペディスト（百科全書派）の思想は必ずしも革命的ではなかつたが、絶対主義と結びついたキャソリックへの急進的な批判を根幹として、その当時における人間知の総ざらえをなし、博学なおぼえ書きと漠然とした社会的指向とだけながら、大革命の理論的表現への初発段階としての役割りを果した、といわれている。

日本における朝鮮研究のおくれた現段階はこれと相似た事情にある。私は、その政治的実践的帰結が何であれ、日本人の朝鮮——その過去、現在をふくめて——に対する無知、無理解、偏見そのものこそは、それを招来したものや、その根底にあるものの摘出に先立つて、またそれがどのような実践的指針に結びつこうとも、まずわれわれが敵として取組まなければならないものである、と考えている。それらは思わぬ所に潜んでいる。われわれは一度ゲロをはき出してみる必要がある。不消化なものや有害なものあるいは異物さえもが一緒くたに入つているかも知れぬ。その過程をおそれて、目をつぶつたまま性急なもつともらしい帰結にのみ引きずり廻されてはならない。私は戦前、戦中、戦後を通観して、その種のものが如何にたのみ難いかを痛切に知らされてきた。戦術上の見地は別としても、確乎たる組織的認識の上に立てられた所信こそが究極的には求められるべきである。

その意味で、4月号以降では、所員およびそれをめぐる幅広い層の朝鮮知を洗いざらい提示してもらつて、相互にきたんのない討論を積重ねて行くことが望ましい、と思う。もちろん、知識それ自身の発展だけを追求しては、現実の生活から浮上つてしまうから、生活に直結した運動に即応したものも相当にとり上げて行かねばならぬけれども、本当は、それはまたそれとして別に単独に在ることが望ましいし、実際この研究所でも「朝鮮新書」のようなシリーズの形でそれを計画中であり、近く公表の運びになると思う。

「朝鮮研究」の発展のために

――「月報」活版化と改題に当つて――

このたび，わが日本朝鮮研究所は，かねてからの懸案であった「月報」の活版化を断行するとともに，従来の「朝鮮研究月報」を「朝鮮研究」と改題，面目一新，あらたな前進にとりくむことにいたしました。

これは，ただに，わが研究所の事業面での強化というような些事ではありません。

雑誌を活版化することは，当然，読者を大きくひろげることと，内容質量ともに一層充実させることと結びついております。

われわれは，活版化を契機として，朝鮮の研究者と日朝友好運動の活動家とが，より一層かたく提携されることを望んでおります。研究と運動の交流が，より一層深められることを望んでおります。

目下の情勢を見るに，今ほど研究者が運動の課題に深い関心を払わねばならぬ時はないし，今ほど活動家が学習を真剣にやらねばならぬ時はないと申せましょう。

研究と運動の提携は，決して充分とはいえない状態です。しかし，この提携なくして，真の運動の発展はあり得ないし，また研究の真の深化もあり得ないでしょう。

われわれは，この研究と運動の提携のために，いささかでも寄与したいと念願するものであります。

われわれは，研究者が本来の研究を深め，発表することとともに運動に対しての提案，批判の発言をもっと盛んにし，本誌に寄せて下さらんことを心から願います。また，活動家のみなさんが，運動の当面する課題について寄稿されるとともに，研究分野での要望や批判をも，本誌に寄せられんことを心から願うものです。

研究者と活動家とが，お互に協力し，励まし合い，切瑳琢磨するところに朝鮮研究の真の発展がありましょう。「朝鮮研究」はその道に奉仕したいと思います。

一言，われわれの決意を述べるとともに，みなさん方の御指導と御協力を心からお願いする次第です。

『朝鮮研究月報』(『朝鮮研究』)総目次

第1号(1962年)—第80号(1968年)

朝鮮研究総目次

自　創刊号（1962年1月）
至　第52号（1966年7月）

《論文》

《紀行文》

《朝鮮史のひろば》

《講座》

《書評》

〈翻訳〉

〈報告〉

〈記録・報告〉

《資　料》

《推薦文・随想・その他》

「朝鮮研究」総目次（53号〜79号まで）

一斑　小野寺逸也
韓雪野『過渡期』(その2)　梶井陟訳
私の意見　日朝友好運動と民族教育の諸問題(1)　船山厚治
資料　朝ソ貿易の推移と品目別内訳
新しくきめられた世界の国名と首都名(北朝鮮)

一九六七年四月号(六〇号)

「安保体制」確立の一環としての「外国人学校制度」　吉岡吉典
座談会・民族教育の背景
大槻健・五十嵐顕・佐藤勝巳・小沢有作
在日華僑の学校教育の一端について　細川廊真
第一回日朝教育問題全国研究集会　佐藤勝巳
基礎知識Ⅰ　朝鮮民族の基幹精神としての花郎道　渡部　学
朝鮮現代史の手引Ⅰ　畑田重夫
時評　西欧に奪われるプラント市場―社会主義朝鮮　高田保夫
動向　日朝科学技術交流の現段階　平井巳之助
日本人の朝鮮観2　治安責任者の朝鮮観　小沢有作
私の意見　庶民の常識　港　司
資料　金東希氏の亡命願
資料　朝鮮民主主義人民共和国社会科学院からの寄贈図書目録1
李箕永・創作方法の問題について(Ⅰ)　梶井陟訳
書評　姜在彦『朝鮮』　旗田　巍
朝鮮民主主義人民共和国科学院経済法学研究所「わが国での自立的民族経済建設」　伊谷清和

一九六七年五月号(六一号)

特集　南朝鮮の政治と経済

ベトナム戦争と「韓国」経済―米・韓・越の三角経済協定と日本独占の役割　高田保夫
韓国の大統領選挙について　田　駿
時評　韓国大統領選挙と日本財界　島上六助
朝鮮における産業　川口寅之輔
南朝鮮の資本家―金成斗「財閥と貧困」を訳して　菊浦重雄
今日のソウル　伊谷清和
朝鮮現代史の手引Ⅱ　時代区分の問題　梶村秀樹
研究の基礎Ⅱ　朝鮮朱子学の発足とその意味　渡部　学
日本人の朝鮮観3　庶民のなかの朝鮮観―事務所移転仕末記　佐藤勝巳
動向　朝鮮大学校認可促進の会　五十嵐顕
古屋貞雄氏の喜寿と『朝鮮文化史』出版記念　木元賢輔
李箕永・創作方法の問題について(Ⅱ)　梶井陟訳
書評　『朝鮮史入門』　井上　学
東三河豊橋地方社会運動史　橋尾達正
豆知識　朝鮮人民共和国　樋口雄一
表紙説明　狩猟文肩当　中吉　功

一九六七年六月号(六二号)

特集　朝鮮戦争と日本

時評　派兵への演出―ベトナムと朝鮮に対する　立花隆興
朝鮮戦争と日本の経済　山崎三雄
ストーン『秘史朝鮮戦争』のもつ意義　畑田重夫
麗水・順天蜂起　樋口雄一
座談会　その道をくりかえさぬために
横溝正・田中克也・斎藤康春・山本兼吉
川瀬京子・長保治・佐藤勝巳
資料　朝鮮戦争(抜萃)／海員港湾労働者の反戦平和闘争＝内外評論／占領下の日本海運＝有吉義弥／朝鮮戦争のいけにえになった女性たち＝真相／軍人のなかの外交官＝ロバート・マーフィー／日本占領外交の回想＝W・J・シーボルト／動乱時の在日志願兵に防衛褒賞授与＝韓国時事／在日朝鮮人と朝鮮事変＝ワグナー
資料　朝鮮戦争関係文献目録
動向　第12回大会を迎えた日朝協会　清水克巳
私の意見　亡命と偏見　鹿毛武二
韓雪野・プロレタリア芸術宣言　梶井陟訳
朝鮮現代史の手引きⅢ　文献解題　書目・年表　梶村秀樹
豆知識　朝鮮戦争　藤尾達正

一九六七年七月号(六三号)

特集　朝鮮と教育
時評　帰国協定打切の論理　川越敬三
朝鮮教育の思想と実践
—地理・歴史教育をつらぬくもの　桑ケ谷森男
南朝鮮教育のもつ後遺症状　渡部　学
〝朝鮮〟をどう教えているか　原　忠彦
動向　在日朝鮮人民族教育問題懇談会　大槻　健
日朝協会大会
—第三回教育関係者交流会をふりかえって　日朝協会東京都連教師部会
書評　小沢有作『民族教育論』　大槻　健
梶井陟『朝鮮人学校の日本人教師』　前島幸子
朝鮮現代史の手引きⅣ　概説書について　梶村秀樹
研究の基礎　為己之学としての朱子学の完成　渡部　学
創作　おばあちゃんのなみだ　吉田比砂子
私の意見　グループと人間関係　小山桟吉
豆知識　全般的九年制技術義務教育　小沢有作

一九六七年八月号（**六四号**）
特集　朝鮮と文学
時評　日米合作の佐藤訪「韓」　山本太吉
小説「糞地」裁判をめぐって
—南朝鮮の文学状況　大西　岳
金達寿の朝鮮文学史観をめぐって（その1）　梶井　陟
金日成の文学論　大村益夫訳
金東希とわれわれ　林　功三
日本人の朝鮮観4　人間形成と朝鮮
—近藤芳美『青春の碑』より　小沢有作
私の意見　現代朝鮮文学
—われわれに影響を与えないか　太田義久
書評　姜魏堂『生きている虜囚』　たけさきしゅん
尹世重『赤い信号弾』　斎藤尚子
朝鮮現代史の手引Ⅴ　樋口雄一
豆知識　朝鮮の文学・芸術組織　坂本良実
付録　朝鮮近代文学に関する日本語文献目録
大村益夫・石川　節・小倉　尚・樋口雄一

一九六七年九月号（**六五号**）
特集　近代日本と朝鮮
時評「韓国」軍ベトナム増派と
日本の新借款　高田保夫
日本資本主義と朝鮮　守屋典郎
「朝鮮併合」と日本の世論　吉岡吉典
〝新潟港で想う〟　三宅鹿之助
動向　日朝貿易の現況　宮原正宏
書評　朝鮮問題研究所編『朝鮮問題研究記念号』　川越敬三
山辺健太郎『日本の韓国併合』　小林英夫
朝鮮現代史の手引Ⅵ　樋口雄一
研究の基礎　李朝思想の「傾斜」から「転回」へ　渡部　学
植民者の回想(1)
—浦尾文蔵の記録　村松武司
私の意見　自分のことで一杯？　斎藤　力
資料　朝鮮独立運動の真因(1)

一九六七年一〇月号（**六六号**）
特集　南朝鮮の経済
時評　絶望の罷業　佐藤勝巳
韓国の民族意識　堀端亮輔
朴政権の経済政策の意味するもの
—韓国「高度成長」の問題点　吉永長生
朴政権の農業政策と小農の問題　竹本良平
動向　犯される人権に抗して　田代博之
朝鮮現代史の手引Ⅶ　南朝鮮の農地改革(1)　伊谷清和
組織者自身　佐藤勝巳
研究の基礎　実学思想のあゆみ
—田制改革を中心として　金　哲央
豆知識　乙巳保護条約
植民者の回想(2)
—浦尾文蔵の記録　村松武司
書評　村常男『韓国軍政の系譜』　神宮　滋
資料　朝鮮独立運動の真因(2)

一九六七年十一月号（**六七号**）
特集　北朝鮮の社会と経済
時評　矛盾の反映・張基栄の失脚　佐藤勝巳
『政治経済学』と『経済学教科書』
—「資本主義から社会主義への過渡期」の理論について　伊谷清和
金達寿の文学史観をめぐって(2)　梶井　陟
今日の南朝鮮の諸政党　山畑正吾訳
書評　姜徳相編「現代史資料二五　朝鮮(1)」　宮田節子

動向　むくげの会
—在日朝鮮婦人の歴史の会　菅間きみ
私の意見　朝鮮文学の「特色」と文化大革命　大村益夫
少しちがう　由井鈴枝
朝鮮民主主義人民共和国を訪れて　奥　保男
朝鮮現代史の手引Ⅷ　南朝鮮の農地改革(2)　伊谷清和
植民者の回想(3)
—浦尾文蔵の記録　村松武司
豆知識　朝鮮民主主義人民共和国の社会団体　坂本良実
資料　視察の結果から見た苹果栽培の改善意
見(1)　渋川伝次郎・小笠原惣助
朝鮮史研究会大会

一九六七年十二月号（六八号）

特集　日朝友好運動論
時評　民族擁護運動の今日的段階　大槻　健
座談会　日朝友好運動の意義と役割を
めぐって
吉岡吉典・清水克巳・佐藤勝巳・宮田節子
日朝友好運動の当面の課題と日朝協会
清水克巳
動向　石の上にも六年
—愛知県朝鮮人教育問題研究会
小笠原師孝
朝鮮現代史の手引Ⅸ　朝鮮戦争(1)　畑田重夫
日本人の朝鮮観(5)　旧日本人地主の朝鮮観
—ある農園経営者の娘の回想録　小沢有作
金日成の文芸に関する論文(2)　大村益夫訳
植民者の回想(4)
—浦尾文蔵の記録　村松武司
豆知識　韓国の労働団体組織
資料　視察の結果から見た苹果栽培の改善意
見(2)　渋川伝次郎・小笠原惣助

一九六八年一月号（六九号）

年頭のことば　渡部　学
八・一五をめぐる日本人と朝鮮人の断層　山田昭次
古代日本の南朝鮮経営は史実か　石田英一郎
偏見と蔑視と恐怖　秋元良治
書評　旗田巍「近代における朝鮮人の日本観」
渡部　学
斎藤尚子『消えた国旗』　石田雅子
朝鮮現代史の手引Ⅹ　北朝鮮の土地改革　伊谷清和
金達寿の文学史観をめぐって（その三）　梶井　陟
金日成の文芸に関する論文(3)
—千里馬時代にふさわしい文学・芸術を創
造しよう　石川節訳
植民者の回想(5)
—浦尾文蔵の記録　村松武司
豆知識　金属活字の発明　欄木寿男
資料　視察の結果から見た苹果栽培の改善意
見(3)　渋川伝次郎・小笠原惣助

一九六八年二月号（七〇号）

時評　仕組まれたプエブロ事件
—プエブロ事件と日本軍国主義　谷田慎次
三八度線をめぐる五日間
—武装遊撃隊・プエブロ事件　編集部
座談会　農業の協同化と思想問題
吉永長生・伊谷清和・佐藤勝巳
朝鮮の差額地代理論について
—ソ連・中国と対比しながら　鎌田　隆
朝鮮現代史の手引Ⅺ　朝鮮戦争(2)　畑田重夫
日本人民にとっての反帝思想
—角田房子・『墓標なき八万の死者』を読
んで　井上　学
私の意見　一二月号の「座談会」を読んで
つるまきさち子
革命的文学芸術の創造について
—金日成の文芸に関する論文(4)　大村益夫訳
植民者の回想(6)
—浦尾文蔵の記録　村松武司
豆知識　地代と差額地代
三つの国学（朝鮮学）セミナー　楠原利治訳
資料　「闘争日誌」
—麻生全坑争議団本部　田中なおき

一九六八年三月号（七一号）

時評　加害者の独善
—金嬉老事件に思う　佐藤勝巳
「武装ゲリラ」とプエブロ号事件をどうみる
か　編集部
シンポジウム　日本における朝鮮研究の蓄積
をいかに継承するか（その12）
朝鮮の考古学研究
三上次男・渡部　学・宮田節子・後藤　直
朝鮮現代史の手引Ⅻ　朝鮮戦争(3)　畑田重夫

『絞死刑』をみて　荻　森彦
「イムジン河」　大村益夫
三韓三国の日本列島内分国について　金　錫亨

一九六八年四月号（七二号）

時評　物より思想　斎藤　力
「朝鮮併合」と日本の世論　吉岡吉典
「日朝友好運動の意義と役割」—12月号座談会についての意見　井口和起ほか9名
第二次大戦前夜の炭坑における朝鮮人労働者—石炭連合会資料を中心にして　田中直樹
朝鮮現代史の手引XIII　朝鮮戦争(4)　畑田重夫
植民者の回想(7)—浦尾文蔵の記録　村松武司
金宇鐘「流謫地の人間とその文学」　坂本孝夫訳
資料　『闘争日記』(2)—麻生全坑争議国本部　田中直樹

一九六八年五月号（七三号）

時評　なにが起るかわからない　坂本良実
外国人学校法案のねらい　藤島宇内
民族教育に関する資料　編集部編
敗北の記録　朝鮮の子とのふれあい　梶井　陟
組合めぐり　区別できる環境を—日教組
朝鮮現代史の手引XIV　朝鮮戦争後の朝鮮—一九五三年七月二七日　一九六〇年四月一九日　樋口雄一
金嬉老氏と在日朝鮮人問題　西　順蔵
私の意見　朝文研活動を通じて　石津由美子
植民者の回想(8)—浦尾文蔵の記録　村松武司
第二回朝教研開かる

一九六八年六月号（七四号）

特集　金嬉老問題

時評　米・「韓」ホノルル会談の意味　川越敬三
日本人と在日朝鮮人の壁　嶋　遼
座談会　金嬉老問題をどうみるか　伊藤成彦・霜多正次・田村　孟・佐藤勝巳
親日分子とは
金嬉老の行為を支持するわけ—Yさんへの返事　佐藤勝巳
金嬉老に関する資料　金嬉老の訴えと詩・起訴状・アンケート・金嬉老公判対策委員会の発足にあたって
植民者の回想(9)—浦尾文蔵の記録　村松武司

一九六八年七月号（七五号）

予備軍の矛盾　山本　剛
南朝鮮における労働運動　竹本良平
南朝鮮の国民所得と社会総生産額の実態　イ・リョンサン・柏木　信訳
戦後朝鮮における法規範の変遷(一)—婚姻法を中心として　李　丙洙
日本人の朝鮮観(6)　現代朝鮮に生きる日本婦人の体験(上)　小沢有作
植民者の回想(10)
朝鮮現代史の手引XV　朝鮮戦争後の朝鮮(2)　梶村秀樹
組合めぐり　失対事業と朝鮮人—全日自労
資料　予備軍設置法及規定改正案　井上　学

一九六八年八月号（七六号）

時評　高まる基地反対闘争と第二朝鮮戦争阻止への展望　高田保夫
在日朝鮮人の戦後史と日本国家　梶村秀樹・佐藤勝巳
「日朝友好運動の意義と役割」についての討論経過　編集部
戦後朝鮮における法規範の変遷(二)—婚姻法を中心として　李　丙洙
書評　浅田喬二『日本帝国主義と旧植民地体制』　権　寧旭
植民者の回想(11)—浦尾文蔵の記録　村松武司
戦後在日朝鮮人問題に関する文献目録
戦後在日朝鮮人運動年表　内海愛子

一九六八年九月号（七七号）

時評　在日朝鮮人帰国問題の原則と現況　小林　哲
わが党の自衛路線を徹底的に貫いて全人民を武装させ、全国を要塞化しよう　崔　賢
朝鮮の統一問題と十大政綱　中谷和夫
戦後朝鮮における法規範の変遷（完）—婚姻法を中心に　李　丙洙

（63頁よりつづく）

朝鮮研究

No. 80
12月号

日本 朝鮮研究所

Ⅵ　日本朝鮮研究所関連新聞資料

日本の将来と朝鮮問題（1）

日朝関係の現状

アメリカ帝国主義は中国問題をはじめ、ベトナム、キューバその他世界各地で孤立化を深め、極東政策まきかえしのために日韓会談の早期妥結を求めて日韓双方に圧力を加えている。国内政策で危機に立つ南朝鮮の朴正熙（パク・チョンヒ）一派も、日本からの〝テコ入れ〟を必死に求めている。池田内閣もまた日ごとに高まる自民党内の派閥抗争をそらす意図もふくめて、アメリカの意のままに、早期に日韓会談を妥結する気構えを固めた。こうしたなかで、日本の将来と真の日朝友好、親善関係をうち立てるために日本人民のなすべきことはなにか。この連載企画は、日本と朝鮮との関係を歴史的に見、現実の姿を直視し、そのなかでの日韓会談の真のねらいを明らかにし、日朝両国人民のたたかいをの本質をみきわめ、将来の展望考えるためのものである。

不当、民族の権利奪う

仮想敵国視つらぬく日米反動

▽……数々の文化の伝え

「アジアの諸国、とりわけ日本、朝鮮、および中国は、悠久数千年にわたる文化交流の伝統を有し、共通の特色をもつ世界に誇るべき文化遺産を互いに保持している。…」

これは昨年八月、日本、朝鮮および中国の学術代表団が北京で発表した三国間の学術文化交流促進にかんする共同声明の冒頭のことばである。事実、三国は遠いむかしから兄弟のように親密な結びつきをもってきた。日本と中国との伝統的な関係については論証するまでもないが、朝鮮はその間にあって大陸文化を日本に伝える窓口の役割を果たしただけでなく、直接に無数の人びとが日本に渡来して独特の朝鮮文化をもたらし、われわれの祖先の生活に大きな影響を及ぼした。

朝鮮人渡来者の足跡はいまも各地に残っている。埼玉県日高の高麗（こま）神社、高麗寺をはじめ全国の白鬚（しらひげ）神社、大宮神社、広瀬神社などは、いずれも千二、三百年前にやってきて産業文化の開発に貢献した朝鮮人の徳をたたえて建立されたもので、有名な東京の浅草観音、調布の深大寺もこれと関係があるという。仏教、儒（じゅ）教はいうまでもなく、織物、陶器、紙など伝統を誇る工芸品をふくめ、日本の文化は多くの分野で朝鮮文化をひきつぎ発展してきた。徳川時代にも日本は朝鮮を先進国として交流をつづけ、朝鮮人を尊敬こそすれ、これをべっ視するようなことはなかった。

▽……日朝人民裏切る政策

朝鮮人が中国人とともに日本国民の一番身近な外国人であ

り、もっとも親しかるべき友人だという関係は今日も変わらない。より友好を深める必要は日本の独立、アジアの平和という上からもますます増大している。第二次大戦後日本を占領したアメリカ軍は同時に朝鮮の南半部を占領し、いまも居すわって朝鮮を南北に分断している。アメリカ帝国主義は日朝両国人民共通の敵である。

日朝両国の友好連帯の増進という課題について日本国民は特殊な便宜をもっている。日本国内には六十万人近い朝鮮人がいて日本人と生活をともにしている。そのなかには著名な芸能人やスポーツ選手も数多くいる。生涯一度も朝鮮人に接したことがないという国民はごくまれである。

だが、現実の日朝関係は両国人民の希望とはひどくかけ離れたものになっている。池田内閣と自民党は最近しきりに「近隣外交」を唱え、また「一衣帯水の隣国との友好」と称して「日韓会談」の妥結を急いでいるが、じっさいにとっている政策は、朝鮮民族にたいする敵意とべっ視に満ちている。日本人民の身辺にいま山積している朝鮮問題あるいは朝鮮人問題は、どれ一つをとってみても、池田内閣と自民党のこうした朝鮮敵視政策に根のないものはない。

▽……民族の権利、往来自由

朝鮮総連を中心とする在日朝鮮人は、昨年春以来、かれらの祖国―朝鮮民主主義人民共和国への往来を池田内閣にみとめさせる運動をすすめている。渡航費用を日本政府が負担しろといっているわけではない。ただ日本からの行き来をみとめよというそれだけのことである。考えてみればこれは奇妙な運動である。自分の祖国との間を往来するという当然のことのためになぜ運動を起こさなければならないのか。理由は一つ、日本政府が在日朝鮮人にかぎって国際法、国際慣例でも保障された民主的、民族的権利を乱暴にもふみにじっているからである。

同様に、朝鮮あるいは朝鮮人なるがゆえの不当な差別待遇の事例は数限りなくある。在日朝鮮人は非人道的な外人登録法にしばられた上、進学にも就職にも営業にも制限を加えられ、さらに絶えず迫害を受けている。日本の官庁用語で「朝鮮人問題」といえば「治安問題」の意味とされ、朝鮮総連は破防法にもとづく調査対象にされている。一昨年ごろから各地にあいついで起こっている朝鮮中高校生にたいする殺傷事件は、警察と報道機関の不公正な取扱いによって在日朝鮮青少年を生命の危険にさらしている。

政府はまた、朝鮮民主主義人民共和国だけを特殊に差別している。日本人民が同国へ旅行しようとしても外務省は旅券を出さないどころか渡航申請書を受取ろうともしない。朝鮮からの入国も、昨年二月の世界スピード・スケート選手権大会（軽井沢）への選手団参加を唯一の例外として、全面禁止してある。貿易にしても通産省は日本からの延べ払い輸出を許さず、朝鮮側の商社員や技術者の来日をみとめないというやり方でその発展をおさえている。同じ国交未回復国でも朝鮮のようなひどい取扱いをされている例は他にはない。

▽……敵視貫く日米反動

同時に注目を要するものに池田内閣の軍事政策がある。「日韓」会談の進行につれて、中国と朝鮮民主主義人民共和国とを仮想敵国視する政府の方針はいっそう露骨になってきている。北海道とならぶ軍事上の重点地域として九州北部を決め、同地域への軍事配置の増強を急いでいる目的が、対中国・朝鮮戦争に備えるためだということを防衛庁当局はかくそうともしていない。

しかも重大なことに、政府のこうした朝鮮敵視政策について人民のすくなからぬ部分は無関心であり、なかには理由のない偏見とべっ視で朝鮮人をみる人さえいる。偏見はかつての軍国日本に育っていまなお排外思想を残しているような年配の人たちだけに固有のものではない。

▽……注入されたべっ視

昨年十月東京の国電十条駅で日本人のやくざが朝鮮高校生を襲ってあばれまわり、警官隊一個小隊が出動したとき、おそらく国鉄労組の組合員であるはずの電車の車掌は「朝鮮の学生が暴動を起こした」と車内放送した。ひんぱつする朝鮮青少年殺傷事件の加害者の多くも戦後に生まれた高校生なのである。

なにがこのような事態を生み出しているのだろうか。どうすれば日朝関係は本来あるべき正しい姿にもどれるのか。池田内閣と自民党がアメリカの筋書きにしたがって、朝鮮人民をなんら代表しない朴正熙（パク・チョンヒ）政権との日韓会談の妥結を強行しようとしているいま、われわれは日本人民にとって朝鮮問題がもつ意味をあらためて真剣に考えてみないわけにはいかない。（つづく）

日本の将来と朝鮮問題

（2）

日本帝国主義の朝鮮支配

中世的な略奪の歴史

六百万の朝鮮人民を動員

▽〝かぶんにして存ぜぬ〟

日朝関係の歴史の上で最大の汚点は三十六年にわたる日本帝国主義の朝鮮支配である。だが池田首相は昨年一月二十八日の参議院本会議で共産党野坂参三議長の追及にたいし、「朝鮮を併合してからの日本の非行にたいしては、私は寡聞（かぶん）にして十分存じておりません」（速記録による）とうそぶいた。古い歴史をもつ朝鮮という国をまっ殺し、朝鮮民族を「奴隷（どれい）状態」（カイロ宣言）におとしいれてきたことにたいする反省の拒否は、そのまま朝鮮再侵略の野望につながっている。

大野伴睦自民党副総裁は昨年末のソウル訪問にあたって臆面もなく日本と南朝鮮の「親子関係」について語り、日本独占資本の代表者たちも南朝鮮への食指を露骨にうごめかしている。「経団連月報」一月号の誌上座談会で石川島播磨重工業社長土光敏夫、日本精工社長今里広記氏らが日本、南朝鮮、台湾を結びつけた「共同市場」構想をとりあげ「労働集約的な産業はだんだんと台湾や南朝鮮へ移すことを考えたい」と話し合ったり、財界の出資で設けられている日本経済調査協議会が一月はじめに発表した報告書「韓国経済の実情」の中で「韓国政府はかつて日本がアメリカからシャープ勧告やドッジ・プランを受け入れたように日本の意見に従え」といたけだかに論じているのはほんの一例である。

▽海外侵略で国内矛盾そらす

日本の朝鮮支配は厳密にいえば一九一〇年（明治四十三年）のいわゆる「併合」以後の三十六年間にとどまらない。侵略はもっと早くから計画され、かつ実行された。一八六九年（明治二年）には木戸孝允、岩倉具視らが中央権力確立のため諸藩の兵力を「征韓」に転用することを計画し、アメリカは武器、軍艦、顧問を提供してこれを援助しようとした。旧士族の不満を海外へそらすための西郷隆盛らの「征韓論」も有名である。一八七五年（明治八年）には軍艦「雲揚」が朝鮮沿岸を侵して発砲、開港をせまり、最初の不平等条約である「江華条約」をおしつけ、ついで一八八二年の朝鮮軍人の暴動に乗じて日本軍のソウル駐在権を手にいれた。さらに日本の支配層は一八九四～五年の日清戦争、一九〇四～五年の日露戦争を通じて朝鮮にたいする支配を確立してこれを「保護国」とし、その上で「併合」を強行した。

日本の朝鮮侵略の手口は、国内の階級矛盾の激化を海外侵略によってそらそうとする帝国主義者の常とう手段をまねておこなわれ、アメリカは一九〇五年の桂太郎首相・タフト陸相間の秘密覚え書きにみられるように終始日本の朝鮮侵略を支持、後援した。

▽……………膨大な金、食糧運びだす

朝鮮総督治下の朝鮮人民は言語に絶する苦しみにさらされた。日本は「併合」直前の一九一〇年六月から一九一九年（大正八年）の朝鮮人民の反日ほう起（三一万歳事件）まで、憲兵と警察による武断政治を実施し、朝鮮人を徹底的に武力で弾圧した。旧朝鮮官吏は全部ヒ免され、朝鮮人の結社、集会の自由は否定された。刑罰として中世的なムチ打ちの刑もおこなわれた。この間、総督府は大規模な「土地調査事業」をおこない、それを通じて十二万五千ヘクタールの公田の全部と九十万ヘクタールの農民の土地を没収した。土地を奪われた農民は日本あるいは中国東北への流出を余儀なくされた。

略奪はあらゆる資源に及んだ。朝鮮銀行を通じて搬出した金（きん）だけで三十六年間に二百四十九トンに達し、日本はこの金によって金本位制度を確立した。このほか鉄鉱石、黒鉛、明ばん石、マグネサイト、ほたる石、唐しょう石、亜鉛、タングステン、雲母などの地下資源が大量にはこび出され、一九四四年ごろには総鉱物生産額の九七パーセント以上を日本資本が独占した。

日本は朝鮮を食糧供給基地として最大限に利用した。日本に運ばれた米は一九三一年から三六年までの期間には年平均八百七十五万石（一石は百五十キログラム）を越え、これは当時の朝鮮の米穀総生産高の三分の一ないし二分の一に相当した。第二次世界大戦の時期にはいって食糧収奪はとくにひどく、朝鮮人に多くの餓死者が出た。

▽……………数かぎりない残虐行為

日本はまた中国大陸にたいする侵略戦争をすすめるなかで朝鮮を軍需兵たん基地化し、朝鮮人労働者を日本人労働者の二分の一ないし三分の一以下の飢餓賃金で酷使した。朝鮮語の使用は厳禁された。

さらに日本は一九三九年十月の「労務動員計画」によって敗戦までに七十二万人を「徴用」と称して強制的に日本へ連行し、鉱山、土木工事、工場などに投入したのをはじめ、軍人・軍属として三十七万人、朝鮮半島内の「道内動員」に四十四万人、また戦場へ「慰安婦」として送った多数の女子をふくめ、合計六百万人に近い朝鮮人を侵略戦争のために動員した。

朝鮮人にたいする残虐行為は日本国内でも数かぎりなくおこなわれた。一九二三年の関東大震災のさい日本の支配階級が河合義虎ら革命的労働者とともに六千人を越える在日朝鮮人を虐殺した事件はあまりにも有名だが、太平洋戦争中に強制「徴用」され、虐待されて死んだ者の数は六万人以上と推定されるだけで実情はまだよくわかっていない。中国人殉難者の場合がそうであるように、日本各地の鉱山や土木工事現場で虐殺された朝鮮人の遺骨はいまも各地に埋まったまま放置され、あるいは幾つかの寺に無縁の遺骨として残されている。その実情調査は最近民間の努力でようやく手がつけられはじめたばかりで、政府は対策を講じないばかりか責任さえも感じていない。

▽……………日朝人民の利害は一つ

日本帝国主義の朝鮮侵略は日本の勤労大衆にはなんらの利益をもたらさなかった。反対に侵略政策はつねに国内の労働者にたいする抑圧の強化をともなって推進され、極端に低い賃金での朝鮮人労働者の酷使は日本人労働者の低賃金のささえとされた。第二次大戦後の多くの事例でも明らかなように、在日朝鮮人にたいする弾圧のあとにはかならず日本の労働者階級にたいする弾圧がつづいて、る。日本、朝鮮両国人民の利害が特殊に結びついてきたことは歴史上きわめてはっきりした事実なのである。（つづく）

日本の将来と朝鮮問題

（3）

アメリカの南朝鮮支配

アジア侵略の足場に　目おおわす朝鮮人民虐殺

▽数知れぬ住民虐殺事件

日本帝国主義にとってかわって太平洋戦争が終わった直後から南朝鮮を占領しているアメリカは、朝鮮人民にたいして暴虐のかぎりをつくしている。昨年十一月、京畿道漣川郡で米軍が農事作業中の住民を標的がわりにして原子砲オネスト・ジョンを発射、九人を即死させ、九人に重傷を負わせた事件は記憶に新しいが、これは十九年間の米軍の蛮行の何万分の一でしかない。朝鮮戦争前の一九四九年の一年間だけでも十万九千余人が虐殺され、済州島では一九四八年から五〇年までに総人口の四分の一にあたる七万余人が殺された。新聞に報道されたものだけを拾ってみても、米兵の朝鮮女性にたいする強かん事件は一九五九年はじめの四ヵ月間だけで百件を越えた。

最近も米兵の住民殺傷事件は六二年の百二件から六三年の百五十七件へとかえって増加している。ことし二月二日から十日までの間にも十六歳の少年、三十四歳の主婦および二十九歳の農民が米兵に射殺され、二人の少年が重傷をおわされた。日本のジラード事件と同じような事件である。このため南朝鮮ではいま、「韓米行政協定」の締結が朴正熙一派によって問題にされている。米軍が好き勝手にふるまえる現状では、人民のアメリカにたいする憤激をおさえきれないため、在「韓」米軍の行動を規制したいというのである。

さる一月二十九日ソウルを訪問したラスク米国務長官と朴一派との会談でも「行政協定」問題は議題の一つとされた。しかし、このときのラスク・朴共同声明にも明らかなように、ラスクは「行政協定」を早く締結するとはついに約束しなかった。日本人にたいすると同様、アメリカは朝鮮人民の人権など頭から無視してかかっている。

▽占領の最初から侵略企図

アメリカの南朝鮮占領は一貫して朝鮮民族の主権と国際法、国際協定をふみにじって強行されてきた。かれらの占領は最初から侵略の意図にもとづいて計画された。

一九四三年十一月のカイロ宣言は、「…前記の三大国（米、中、英）は朝鮮の人民の奴隷（どれい）状態に留意し、やがて朝鮮を自由独立のものにする決意を有する」と述べ、一九四五年七月のポツダム宣言はこれを受けて、「カイロ宣言の条項は履行せらるべく…」（第八項）と宣言した。カイロ宣言に朝鮮の即時独立でなく「やがて」（適当な時期に）という文字が挿入（そうにゅう）されたのは、のちの大統領トルーマン、同国務長官ハルらの手記によれば、朝鮮で長期の信託統治を実施し、朝鮮人民をアメリカの従属下におく意図によるものだったという。ソ連は一九四五年二月のヤルタ会談で信託統治案に反対し、必要なら朝鮮の完全独立に協力する手段としての後見制を採用すべきだと主張した。アメリカもいったんこれに同意したが、実際は約束を守らなかった。

ソ連は同年八月九日対日戦に参加し、八月十五日までに北緯三十八度以北の朝鮮を解放した。一方、アメリカは九月八日になってから南朝鮮占領を開始した。ソ・米両軍の朝鮮進駐の目的は在朝鮮日本軍の武装解除と降伏の受領などポツダム宣言の実施に限定されており、北緯三十八度を境とする管轄の分担は、朝鮮における日本軍の編成に対応するものだった。当時北朝鮮にあった日本軍は関東軍に編入されてソ連に対抗しており、南朝鮮にいた部隊は大本営に直属して米軍の本土上陸作戦に備えていた。

ソ連軍が朝鮮人自身による独立の達成を援助したのと対照的にアメリカ軍は南朝鮮占領と同時に侵略活動を開始した。かれらは独立をめざして立ち上がった労働者、農民を弾圧するとともに、内輪に見積もっても当時の南朝鮮財産総額の八割を越える膨大な旧日本財産を没収し、その一部を親日分子や買弁資本家、地主に払いさげて占領制度の支柱となる親米勢力を育成した。アメリカはまた、一九四五年十二月のソ・米・英三国外相のモスクワ会議決定にもとづくソ米共同委員会を故意に破たんさせたうえ、かれらの侵略を「正当化」するため、一九四七年十月不法にも朝鮮問題を国連にもちこみ、ついで一九四八年八月、政治、経済、軍事の実権を米軍の手に残したままで、「大韓民国」をでっちあげた。

日本には民主陣営の一部をふくめて、朝鮮の南北分断を「冷戦の所産」とし、その責任は東西両陣営の双方にあるとみる見方があるがこれは事実に反する。

朝鮮の南半部に勝手に反共カイライ政権をつくりあげ、これによって朝鮮の分断を永続化しようとしたのは、アメリカ帝国主義である。

▽……北朝鮮人民みな殺し作戦

アメリカの南朝鮮占領の目的は、ここを足場にさらにアジアの他の地域へ侵略の手をのばすことにある。朝鮮戦争のときの手口がなによりの証拠である。米軍は北朝鮮にたいする侵略戦争の開始と同時に台湾海峡に第七艦隊を派遣して台湾占領を永久化し、またフィリピンとベトナム（バオダイ政権）への軍事援助を決定して、中国革命の圧殺と東南アジアの民族解放闘争の鎮圧にのりだした。

三年余にわたる激烈な戦闘のなかで、米軍は北朝鮮の人びとのみな殺しをくわだてた。日本の三分の一の面積のところに五十五万余トンの爆弾――太平洋戦争中に日本本土に落とされた量の三・五倍――を投じ、あらゆる方法で無差別に人びとを殺りくした。黄海道信川郡だけでも一九五〇年十月から十二月にかけて住民総数の四分の一にあたる三万五千余人が殺された。そのやり方としては、たとえば四百人の母親と百二人の幼児を別の倉庫にとじこめ、ガソリンをかけ火を放つというような残虐きわまる方法がとられた。米軍はまた北朝鮮各地と中国の領土内に細菌弾を投下した。

朝鮮戦争にさいしてアメリカは日本を最大限に利用し、日本の支配階級は積極的にこれに協力した。侵略戦争開始の前夜、マッカーサー司令部と吉田内閣は下山、三鷹、松川事件をでっちあげて労働運動を弾圧し、在日朝鮮人連盟を解散させ、ついで共産党中央委員全員の「公職追放」をおこなった。戦争開始とともにアカハタ停刊、全労連解散、レッド・パージと、弾圧が全民主勢力に及び、他方では日本はあげてこの侵略戦争の道具として動員された。サンフランシスコ「平和」条約と第一次日米安保条約および日台条約の締結、第一次「日韓会談」の開始はこの戦争中のできごとである。これは対日支配を永続化するとともに日米軍事同盟を柱とするアジア反共軍事同盟の結成によってアジア人をアジア人と戦わせ、朝鮮、中国両国をはじめとするアジア諸国への侵略をすすめようとするアメリカのたくらみから出たものであった。

（つづく）

日本の将来と朝鮮問題

（4）

反戦平和を軸に発展

朝鮮戦争反対で堅く結ぶ

日朝両国人民連帯の歴史

▽日本共産党の創立とともに

日本の革命的労働者と人民は、日本帝国主義の朝鮮および中国侵略にたいして勇敢にたたかいつづけた輝かしい伝統をもっている。

日本共産党の創立者片山潜は、中国と朝鮮を略奪するための日露戦争にさいし、幸徳秋水、堺利彦らとともに勇敢に反戦運動の先頭にたち、日露両国人民が手をたずさえて自国の専制政府とたたかうことを主張した。日露戦争後、侵略戦争の犠牲をおしつけられた人民大衆の不満は爆発して労働者、農民のたたかいがあらたな高まりをみせた。

天皇制政府は一九一〇年の朝鮮「併合」にさきだち、同年いわゆる「大逆事件」をでっちあげて幸徳秋水らをとらえ、革命的民主主義運動の弾圧をおこなった。

ロシア十月社会主義大革命の影響は、一九一八年八月日本に「米騒動」を呼び起こし、翌一九一九年には朝鮮に「三・一運動」、中国に「五・四運動」と、反帝独立運動の高揚をもたらした。そうした革命的機運の高まりのなかで一九二二年七月創立された日本共産党は党綱領草案の「対外問題の分野における政策」のなかに、「朝鮮、中国、台湾、樺太からのいっさいの軍隊の撤去」を掲げ、「日本と朝鮮の労働者は団結せよ」のスローガンのもとに朝鮮人民の解放闘争を支持した。

関東大震災に際し天皇制政府が共産主義青年同盟河合義虎らの革命的労働者と六千人以上の在日朝鮮人を虐殺した背景に、日朝両国人民の連帯にたいする非常な恐怖があったことはいうまでもない。そのためかれらは大虐殺だけではあきたらず、震災のどさくさに乗じて勅令で「治安維持」のためにする罰則なるものを設け、やがてこれを「治安維持法」にひきなおし、共産党の弾圧に狂奔した。だが死刑をもっておびやかす弾圧も、労働者の革命的なたたかいをおさえることはできなかった。

▽反帝同盟結成し勇敢に活動

共産党は「二七年テーゼ」にもとづいて大衆との結びつきをひろげつつ、天皇制政府の海外侵略に反対した。プロフィンテルンの指導下に一九二七年（漢口）と二九年（ウラジオストク）にひらかれた汎太平洋労働組合会議は各国の労働者階級に中国への干渉反対を呼びかけたが、日本共産党は労働者に働きかけてこれらの会議に山本懸蔵らの代表を派遣し、かつ大衆的な反戦闘争を組織した。このたたかいのなかから反戦同盟が生まれ、同盟は一九二九年日本反帝同盟（国際反帝同盟日本支部）に発展した。同盟は「帝国主義戦争反対」「中国にたいする干渉反対」「朝鮮、台湾の解放」などのスローガンを掲げ、毎年八月一日の「国際反戦デー」をたたかうなど勇敢に活動した。こうした闘争の経験は「三二年テーゼ」のなかに「朝鮮および中国の革命家の即時釈放」「朝鮮人・台湾人の二重搾取反対」「朝鮮、台湾、満州、その他中国から略奪せる地域の解放、それらの地域よりの日本軍隊の即時撤退」などの要求として掲げられた。

日本共産党の指導者故市川正一は一九三一年七月の公判廷で陳述した「日本共産党闘争小史」のなかでつぎのように述べている。

「…日本プロレタリアートにとってもっとも記憶すべき事件は、一九一九年の三月における朝鮮のほう起、かの万歳事件の名をもって知られている独立のためのほう起である。…当時、日本プロレタリアートはこの朝鮮民族のほう起にたいして積極的な援助をあたえることができなかった。これは日本プロレタリアートの朝鮮民族にたいする一つの恥辱である。しかしながら、今日においては日本プロレタリアートも成長して、朝鮮、台湾の植民地民衆、中国労働農民大衆のもっともよき信頼すべき忠実なる革命的盟友となりつつある」

▽……

朝鮮戦争反対の先頭に立つ

朝鮮人民との連帯の伝統は敗戦後の日本労働者階級の闘争のなかでいっそう発展した。再建された日本共産党は朝鮮人民のもっとも信頼できる友人としてたたかいをすすめた。一九四五年十二月の第四回党大会、四六年二月の第五回党大会、四七年十二月の第六回党大会はいずれも行動綱領のなかに「朝鮮の完全な独立」をうたった。アメリカが一九五〇年六月、朝鮮侵略戦争を開始するや、日本共産党はアメリカ占領軍と吉田内閣の党中央委員全員の追放、アカハタ停刊など過酷な弾圧のもとに困難をおかして「アメリカ帝国主義は朝鮮から手をひけ」のスローガンを掲げ、広範な大衆とともに不屈のたたかいを展開した。日本を基地とする侵略戦争を阻止し、単独「講和」による日米軍事同盟結成に反対するたたかいを通じて全面講和を要求する署名四百八十万、ストックホルム・アピールの署名六百四十万、ベルリン・アピールの署名五百七十万が集められた。共産党の呼びかけにこたえて労働者、農民はアメリカ占領軍と日本の官憲と対決する勇敢な闘争をつづけた。

国会では一九五一年三月、共産党の川上貫一代議士が朝鮮戦争反対、全面講和、全占領軍の撤退を主張し、そのために反動勢力によって除名された。内灘その他全国の軍事基地では基地闘争がおこなわれ、労働者はエリコン陸揚げ阻止闘争、全国一千万人が政治ストライキに参加した破防法反対闘争をはじめさまざまなたたかいをくりひろげた。

朝鮮全土で朝鮮人民がアメリカ侵略軍と英雄的にたたかい、中国人民が志願軍をおくってこれを援助しているとき、世界の平和愛好勢力と連帯して日本の勤労人民がおこなった反帝独立、平和の闘争は、日本の革命運動史にさらに光輝ある一ページを加えるものであった。

（つづく）

日本の将来と朝鮮問題

（５）

占領支配、破局のフチに

南朝鮮に高まる「日韓」反対

米帝国主義の政策の破たん

▽南朝鮮に「祖国統一」の叫び

朝鮮戦争で敗北して以来、アメリカ帝国主義の南朝鮮支配は失敗の連続である。最初の大きなつまずきは一九六〇年四月の人民ほう起により、十五年間、アメリカの忠実な番犬として君臨していた李承晩政権が打倒されたことである。不正選挙の責任追及にはじまった学生デモは次第に拡大して、極度の圧制と生活の窮乏にあえいでいた南朝鮮人民各層の怒りと結びついた。「もう生きられない！」の叫びが南朝鮮全土にわきたった。ちょうどそのとき、日本では安保闘争の巨大な波が全国をゆるがしていた。ぼう大な軍事力で占領していながら、ついにアメリカが李承晩政権延命のために南朝鮮人民に手をくだせなかったのは、それをあえてすればより先鋭な反米闘争を呼び起こし、かれらの極東支配をいっそう危機におとしいれるとみたからである。

アメリカは李承晩にかえて張勉を登場させ、みせかけの「自由」をすこしばかりあたえて民衆をだまそうと試みた。しかしかれらには、積年の収奪の結果である経済の破たんを多少なりともとりつくろい、民衆にアメをなめさせることすらできなかった。人びとは唯一の生きる道として、李承晩時代にはおくびにも出せなかった祖国平和統一の旗をかかげた。広範な人士を結集する「統一戦線」として「民族自主統一中央協議会」も発足し、国会でも公然と統一問題の討議がおこなわれるようになった。学生たちは既成政治家にまかせておけないとして一九六一年の春、「行こう板門店へ」を合いことばに、軍事境界線を実力で突破して北朝鮮の学生と手をにぎる計画を発表した。アメリカの支配はふたたび危機にさらされた。かれらはついに軍事クーデターの非常手段に訴え、朴正煕一味を登場させた。だが、朴正煕の軍事独裁もまもなく行きづまり、結局昨年秋、「民政移管」を実施しなければならなかった。

▽米支配のドロ沼に手をかす

こうした経過が示しているように、アメリカが最近四年間に南朝鮮でくり返してきたことは、朝鮮人民の反撃が強まり占領支配がゆらぐたびに、「政権」担当者の首をすげかえてその場その場をごまかすことだけである。しかも首のすげかえの方法は、李承晩顔負けの不正選挙とクーデターという、いずれもなんら民意を反映しないやり方である。他方、政治、経済、軍事にわたる全権を依然としてアメリカの手中ににぎりながら、「ドル防衛」の必要から「援助」を削減して逆に収奪を強め、核戦争準備にはいっそう力をいれてきたため、当然、経済危機は破局的なものとなり、植民地支配はますます動揺を深めなければならなくなっている。池田内閣と朴正煕政権にたいするアメリカの「日韓会談」妥結促進は、かれらの南朝鮮支配のこのような危機的状況から起こっている。

「日韓会談」十三年の足どりをふり返ってみると、ほぼ三つの段階に区切ることができる。第一は吉田内閣のもとでの「会談」で、これはさきにのべたように、朝鮮侵略戦争と結びつき、その戦火の拡大をめざして推進されたが、アメリカの敗北とともにしりつぼみになった。第二は岸内閣のもとでの「会談」である。これは岸内閣の警職法改悪のもくろみ、安保改定交渉の開始、日中貿易の断絶という一連の反動政策の一環として着手され、安保反対闘争の高揚と李承晩政権の打倒によってざ折した。第三は新安保条約実施のにない手として出てきた池田内閣のもとでの、現在の「日韓会談」である。いずれもアメリカ帝国主義と日本の売国反動勢力が結託して東北アジア反共軍事同盟の結成をめざしている点では本質は変わりがないが、背景となる情勢と具体的なねらいには多少ちがいがある。現在の日韓会談は、アメリカの南朝鮮支配がどろ沼におちいり、それを助けるために日本が手をかそうとしている点に大きな特徴がある。

池田内閣と自民党および独占資本の代表者たちは、日韓会談が妥結した場合、南朝鮮の経済を助けることができ、日本の国民的利益にもなると宣伝している。これがでたらめなことはすでに事実によって証明済みである。

▽……日本商社の激しい進出

現在、ソウルには「会談」の妥結をまたず三井、三菱、住友をはじめ数十社の商社とメーカーが駐在員をおき、現地企業の看板をかりて活発に商売をやり、また「会談」妥結のあかつきに日本が供与するはずの六億ドル以上の有償・無償の「経済協力」を予定して資本輸出や技術提携の話し合いをさかんにやっている。

日本商品の進出は一昨年の統計でも南朝鮮の輸入物資のうち、たとえば鉄道車両とテレビの九八㌫、乗用車の九四㌫、船舶の八〇㌫といったぐあいに高率を占めたが、日本独占資本はさらに、国内の「合理化」競争で古くなった施設を南朝鮮に売りこむことを計画してさきを争っている。つまり、経済面では「会談」妥結と同じ状態がいち早く実現されているのである。

では、これはよって過剰生産になやむ日本経済は幾分でもプラスになっただろうか。いや、国民の血税から支払われる有償、無償の供与を予定して南朝鮮進出をはかる一部の独占資本の利益にはなっても日本経済の困難が緩和されたきざしはまったくない。中小企業の倒産は相変わらず激増しているし、「合理化」はひどくなり、労働者の状態は悪化している。事情は南朝鮮側にとっても同じである。朴正煕は経済危機乗り切りのため日本資本受入れもやむをえないといってきたが、日本資本がはいっても経済は悪化の一途をたどり、民衆の生活は低下している。そのうえ日本資本の強引な再進出は朝鮮人民のあいだに、日本の再侵略反対と日韓会談反対の機運を高めさせている。これでどうして、アメリカの支配維持と朴正煕一味の安定化に助けになるだろうか。

日韓会談は、日朝関係の将来にかかわる重大問題であるが、その重要なねらいはやはり軍事問題にある。国民の目のとどかぬところで事実上でき上がっている東北アジア軍事同盟が、日韓会談進行のかげで急速度に強化されている。だが、日本人民がいまアメリカ帝国主義反対と平和と独立の大闘争をもり上げつつあるように、朝鮮人民もまた強力なたたかいを準備している。

（つづく）

日本の将来と朝鮮問題

（6）

たたかう朝鮮人民

生きる道、南北平和統一
"北の建設"にふるいたつ

▽……活発化した「南北交流」論議

南朝鮮からの報道は、同地の最近の情勢が一見、軍事クーデター直前のそれに似てきたかのような感じを与えている。昨年春ごろから、「アメリカの"援助"に依存するだけではもうだめだ」との論議が知識層の間で活発に起こり、政治的には自主、経済的には自立の道を求めなければならないとする主張が言論界をおそい、そのため朴正熙までが「自主」「自立」を口にしないわけにはいかない空気が生まれた。世論は夏ごろから一歩すすんで「自主・自立を達成するためには南北交流、南北合作にふみきらなければならない」という主張に変わった。議論は政界にも波及し、秋の「国会選挙」では、徐珉濠自民党最高委員が「書信と報道関係者の南北交流」を公約にかかげて当選した。「選挙」後の「国会」でも統一問題の論議が展開され、「国会」のなかに統一問題の研究機関を設置する案が公式に検討されはじめた。「朝鮮日報」一月二十二日号にのった「国会議員」のアンケートによると、李承晩時代に「国是」とされた「北進統一」（武力統一）に賛成する者は皆無で、三九％が「南北平和統一によって生きる道をさがすべきだ」と答えている。「民族日報」事件にみられるように、平和統一を口にしただけで死刑にされた軍事政権発足直後とくらべ、隔世の感があるといわなければならない。

だが、情勢は張勉時代よりももっと発展してきている。昨年末以来の労働争議には南朝鮮の組織労働者総数の七〇％が参加し、重要産業各部門と米軍関係部門のストライキ宣言でアメリカの支配をおびやかしている。農民は土地闘争と朴正熙一味の営農資金回収反対闘争をくりひろげている。学生運動の動向はとくに注目される。"南朝鮮革命で橋渡しの役割を遂行すべき学生運動"（朝鮮中央通信）はいま、広範な大衆とのつながりによる組織的かつ大衆的な進出を準備している。四月人民ほう起当時と張勉時代の学生運動は、勇敢ではあったが広範な勤労大衆との組織的な結びつきは弱く、軍事クーデターによって圧殺された。その経験に学んで慎重に再進出をはかっているのである。

▽……日とともに反米・反日機運

こうした闘争のなかで民衆の反米機運は日とともに強まっている。一月末ラスクが金浦空港に到着したとき、「ラスク帰れ」のビラがまかれたのはその一例である。アメリカの過酷な支配下のことだから、反米機運がいつもなまの形で表面化するとはかぎらない。それはしばしば〝日帝反対〟とか〝外勢排撃〟とかの表現で主張される。アメリカ帝国主義にせよ、日本独占資本にせよ、外国勢力に支配されるのはもうごめんだというのが、民衆の声である。

日本の再侵略にたいする反対は、朴正熙一味が対日接近をあせればあせるほど強まっている。朴一味が最近、日本の創価学会の南朝鮮への進出について、「日本の方向を拝ませる」とか「日本語でお題目を唱えさせる」とか非難し、これを「反国家的団体」と認定して弾圧にのり出したり、日本のテレビの聴視を禁止したりしているのは、民衆から「対日屈服」を非難されていることにたいする申しわけである。

▽…………

〝北のツチ音〟に無限の励まし

南朝鮮人民のこれらの闘争が、それなしには生きていけない窮乏のどん底から出ていることははっきりしている。しかし、それだけではない。北朝鮮における社会主義建設の成功と、それによって確固とした物質的裏づけをもった朝鮮労働党と人民共和国政府および人民のひたむきな呼びかけこそ、南朝鮮人民を今日の闘争にふるいたたせている原動力である。

かつてはひどい植民地的へんぱ性をおび、たちおくれた農業と原料供給のための基地にされていた北朝鮮には、現在では豊かな社会主義工業・農業国家が建設されている。重要な工業部門の幾つかの人口一人当たり生産ではすでに日本の水準を軽く抜き、食糧を完全に自給し、さらに将来の祖国統一にそなえ、南朝鮮の窮乏を救うための膨大な予備さえもっている。人口は東京都のそれに近い程度だが、「世界最強」を誇ったアメリカ侵略軍も、三年余の激戦のすえついに敗退しなければならなかった。

ことばも同じ、顔も同じでたがいに血のつながった同一民族が、北と南ではまったくちがった生活をしているという事実は、アメリカや朴正熙一味がどんなにかくそうとしても南朝鮮の人民に伝わらないはずはなく、これを奮起させないはずはない。

▽…………

在日朝鮮人も大団結へ動く

闘争は六十万在日朝鮮人の間でも急速度で高まっている。祖国往来の実現をめざす運動は共、社、総評など約三十団体を結集した日朝往来自由実現連絡会議や日朝協会の協力をえて、すでに全国九百に近い地方議会の決議をかちとった。二月一日以来「韓国居留民団」が各地で決行している集会とデモも近来の重大なできごとである(二月十八日付本紙参照)。民団内部の良心的な人びとはさる一九六一年、四月人民ほう起の一周年にあたって在日「韓国代表部」の妨害をけり、朝鮮総連翼下の人びとと祖国平和統一促進のための文化行事や懇談会をやったことがある。軍事クーデター以後民団にたいする「韓国代表部」のしめつけは強く、日韓会談支持の強制もきつかった。しかし、いわゆる「法的地位問題」をはじめ「会談」の中身が伝えられるに及んで、民団所属の人びとも、これにたいする反対に決起したのである。この人びとが十四日のデモでかかげた「民族の分裂策絶対反対」のスローガンは、全朝鮮人民の叫びを現わしている。民団の下部ではあらたに総連との団結の機運が高まってきた。

(つづく)

日本の将来と朝鮮問題（7）

社会党指導者の見方

▽……日本の植民地支配の責任

同じ日韓会談反対勢力といっても、その内部には朝鮮問題についての考え方にいろいろなちがいがある。それ自体は一向さしつかえない。基本的な方向で一致できれば可能な限り力を統一してたたかうことが必要なのだから。だが、そのことと労働者階級は朝鮮問題にたいしてどのような認識をもつべきかということとはむろん別問題である。現在、民主陣営内部には、一見「民主的」なようで、その実そうとはいいがたい朝鮮問題の見方がすくなからず存在する。この克服は指導階級としての労働者階級にとって急務といえよう。

たとえば二月十八日付毎日新聞にのった社会党国際局長和田博雄氏署名の論文がある。日韓会談について書かれたこの論文は、結論として「政府はまず中国との国交回復に向って必要な措置をとるべきだ」「いまの日韓会談はやめるべきだ」

〝分断〟の原因をそらす
米日の侵略排除こそ根本

とのべている。この結論はきわめて正しい。しかし、そこに至る議論の運び方には多くの問題がふくまれている。

論文は、朝鮮の南北分断は「東西両陣営の冷戦の所産としておしつけられた」ものと断定している。さきに本欄で指摘したようにこの断定は事実に忠実ではない。この見解をとれば論理の帰結としてアメリカ帝国主義の侵略と南朝鮮占領こそ朝鮮分断の原因だという厳然たる事実がおおいかくされ分断の責任の一半を社会主義陣営に負わせることになってしまう。この見方はまた、朝鮮の統一はいわゆる冷戦が完全に解消しないかぎり実現しないかのように人びとに印象づけ、朝鮮人民にはみずからの手で祖国平和統一を実現できるだけの力量があることを見失わせる。

論文は、日本と朝鮮はかつて「支配者と被支配者という不幸な関係になった。だから日本人は朝鮮民族が独立国として安定するためにできるだけの力添えをしなければならない」とのべている。さらに、日本と朝鮮との関係が古いということは「やはり日本が朝鮮にたいしては、他の国よりは大きな影響をもちうるということでもある」と指摘し、〝日本は将来南北朝鮮のあいだに立ってあっせんする可能性も多いだろうから、南とだけ結びつくことはよくない〟と論じている。一応もっともらしくきこえる意見である。

しかし、これは池田首相の「大国日本」論と本質的にどれだけちがうのだろうか。

再侵略の実体を無視

日本は朝鮮にたいして、ながい植民地

支配で与えたばく大な損害のつぐないをまだまったくやっていない。「力添えする」とか「影響をもつ」とか「あっせんする」とかのおこがましいことがいえる立場にはないのである。当面、日本としてすることができ、かつ、やらなければならないことは、朝鮮および朝鮮人にたいする不当な敵視や差別扱いをやめ、朝鮮人民の自主的な統一事業にたいする妨害（その中心が日韓会談である）を中止し、日本と南朝鮮から米軍を撤退させるために、朝鮮人民と連帯してたたかうことでなければならない。

論文が北朝鮮との貿易の障害をとりのぞけと主張していることは正しいし、「軍事経済そのものである韓国経済に、現状のままで貴重な日本の税金をつぎこもう」とする「対韓経済協力」に反対を表明している点も一応妥当といえる。すくなくとも、ばく然と「南北朝鮮との経済文化の交流」をうたっていた従来の社会党の主張よりも多少前進している。

けれども、池田内閣のいう「対韓経済協力」の最大の問題点は、これが朝鮮人民をなんら代表しないアメリカのカイライ朴正熙一味との取引きであり、またその実体は日本独占資本の再侵略だということにある。論文はそのことにはふれないで次のようにいっている。「予算の四割をも軍事費に使っていたのでは健全な経済とはほど遠く…そういう経済の根本を改めない限り経済協力の対象にはならないはずだ」。日本の財界のなかにも、同じようなことを唱えつつ朴正熙一味の「内政」にたいする干渉権を手にいれようとしている意見があることを指摘しておかないわけにいかない。

論文はさらに「李ライン」問題に言及して次のようにいう。「五億ドルにしかも漁業協力をつけて先方に与えてまで、しかも韓国に譲歩させることができないということは、よほど交渉の仕方がまずいのか、それとも、日本の足もとを見ぬかれているからではないだろうか。…漁業協力という問題を中心にしてもう一度話をほぐしてみてはどうだろうか」。これは保守政治家の「李ライン」にたいする主張とどれだけちがうのだろうか。もともと日韓会談は日朝両国民間の諸問題の解決を目的としてすすめられているものではなく、したがってここで「李ライン」問題を解決することは不可能なのである。

▽………

真の障害から目そらせる

論文は最後に、「日本は南北両朝鮮と、さらには関係国全体との話し合いに主導的な努力をして、朝鮮問題解決の糸口をつくるぐらいの気迫をもちたいものだ」とのべている。朝鮮問題解決を主題とする国際会議の前例がなかったわけではない。一九四五年十二月のモスクワにおけるソ・米・英三国外相会議とこの決定にもとづくソ・米共同委員会、朝鮮停戦協定にもとづく一九五四年のジュネーブ会議（十九ヵ国が参加）である。また第二回国連総会以来、毎回の国連総会でも「朝鮮問題」が討議されている。モスクワ三国外相会議とソ・米共同委員会は第二次世界大戦における反ファッショ連合勢力の勝利を背景にひらかれたが、アメリカはこれを破たんさせた。ジュネーブ会議は朝鮮戦争における朝中側の勝利、「国連」軍側の敗北という力関係のもとでひらかれ、これまたアメリカが破壊した。国連総会の討議は一貫してアメリカの指揮棒のもとででたらめな決議ばかりやってきた。これらの事実は、アメリカが決して「話合い」だけでは南朝鮮から撤退するはずがなく、また「話合い」にさえ容易に応じないことを示している。社会党の指導者の幻想的な国際会議構想はこうした事実をまったく無視し、真の南北朝鮮統一の障害から人びとの目をそらさせるものである。（つづく）

日本の将来と朝鮮問題

（8）

▽他民族を圧迫する民族に自由なし

レーニンは抑圧民族の労働者の地位と被抑圧民族の労働者のそれとの差異について次のように指摘した。第一に抑圧国の労働者階級の一部は、抑圧民族のブルジョアがつねに被抑圧民族の労働者からむごい搾取をして手にいれる超過利潤のおこぼれをもらい、被抑圧民族の労働者よりも労働貴族になる割合が大きい。第二に抑圧民族の労働者は被抑圧民族の労働者にくらべて政治生活の幾多の領域で特権的地位をしめている。第三に抑圧民族の労働者はつねに、学校でも実生活上でも被抑圧民族の労働者を軽べつまたは軽視する精神で教育されている。（マルクス主義の戯画と「帝国主義的経済主義」について）

レーニンの正しさは明治以来の日朝関係の歴史が証明している。第二次大戦後の事実だけをみてもそのことは明らかである。日本の独占資本は朝鮮戦争にさいしていわゆる特需景気を「神風」と呼び、朝鮮人民の血を吸って肥えふとり、今日の「高度成長」の基礎をつくった。労働者は犠牲に供され、その過程で一部のものだけがボス化した。日韓会談がすすめられ、政府が朝鮮敵視と在日朝鮮人にたいする圧迫を強めているなかで、「戦後世代」の青少年のあいだにさえ朝鮮と朝鮮人をべっ視あるいは軽視する傾向が出てきたのは偶然ではない。

「戦後世代」には朝鮮民族にたいする責任はまったくないという俗論は否定されなければならない。また「過去の責任を反省するからこそ韓国民を援助するのだ」という〝日韓会談〟推進論者のごまかしの宣伝を粉砕しなければならない。

労働者階級はいまこそ、「他民族を圧迫する民族は自由とはなりえない」というマルクス、エンゲルス、レーニンの教えを思い起こす必要がある。

▽「日韓」妥結ゆるせば将来に重大な悔い

ことに最近のアジア情勢は、日朝両国をはじめとするアジア諸国人民連帯のたたかいがますます急務になってきたことを示している。たとえば、中仏復交にともなう世界情勢の激動のなかで、これへの巻き返しをねらってさる一月二十五日に開始されたアメリカ軍の「緊急発進」（クイック・リリース）演習がある。二月二十五日までおこなわれるこの演習はハワイと沖縄とフィリピンおよびタイにまたがり、そのほこ先はまずベトナムに向き、日本本土からも板付のF105D機が

むすび

「日韓」粉砕は当面の急務

日朝人民に光明の歴史を

参加している。同じ時期に台湾では米第七艦隊を中心とする「後衛」（バック・パック）作戦が開始され、南朝鮮では三月はじめから「北からの侵略を想定」した予備役動員演習が展開される。

日本からのアメリカ軍の追放と沖縄の奪還、台湾と南朝鮮の解放および東南アジア諸民族の独立が共通の敵にたいするたたかいとして互いに結びついていることがここにあざやかに浮かび上がっている。日韓会談の妥結を急ぐアメリカと池田内閣が、一九七〇年の日米安保条約再改定問題をにらみつつ、日米軍事同盟をより冒険的なものにしようとたくらんでいることははっきりしている。米国務長官ラスクは一月末、大平外相と朴正煕にたいして日韓会談の早期妥結を要求すると同時に、池田首相にたいし中国の核武装は近いと称してこれに対抗するための日本の軍備増強を要求したといわれる。同様の趣旨のことは一月二十七日の米下院軍事委員会におけるマクナマラ国防長官の証言でものべられた。

池田内閣と自民党は国内的措置としてもすでに安保再改定にそなえている。憲法改悪のための作業が鳴りものいりで開始されたのはその一つである。新暴力法案の国会提出にみられるように、ひきつづき、労働法規改悪や秘密保護法をふくむ弾圧立法が用意されている。

日韓会談における日「韓」の話し合いは、商業新聞の「まだかなりの開きがある」との報道にもかかわらず、実際はもう最終段階まできている。残された問題は双方がそれぞれの内部事情をみて、いつ、どんな方法で「政治折衝」をおこない、交渉を妥結させるかということだけである。日韓会談反対勢力がいまここで反撃の手をゆるめることは、重大な悔いを将来に残すことになるだろう。

▽……………

切り開かれている日朝両国人民の大道

だが、民主勢力のたたかいにとって条件はますます有利に発展している。南朝鮮でいま危機におちいっているのはアメリカの占領支配とその道具朴正煕一味である。かれらはあがけばあがくほど困難を深めている。そのことは最近の池田内閣の態度にも反映されている。日韓会談が最終段階まできているのに政府が「政治折衝」の開始にふみきれないでいるのは、一つには共産党を先頭とする日本勤労人民の反撃を恐れているからであり、二つには南朝鮮の情勢が民族的階級的矛盾の激化から見通し困難なためである。いまこそ日韓会談粉砕の闘争をもりあげて、決定的な打撃を加える必要がある。

日本と朝鮮の関係をどうするかということは、日本の将来にとって重大な問題である。中国との関係がそうであるように、朝鮮とのあいだに正しい関係を樹立しないかぎり、日本の将来の正しい発展はありえない。それなしには世界の平和愛好諸国人民、なかでも反帝反植民地運動をたたかってきているアジア、アフリカ、ラテンアメリカ諸民族の信頼をうけることはできないし、日本の労働者階級がみずからを解放することもできない。

しかし、道は大きくひらかれている。朝鮮人民を代表する唯一の主権国家朝鮮民主主義人民共和国は、南北朝鮮を平和的に統一する力量をもち、これを指導する朝鮮労働党と政府は一貫して日本人民に友好的であり、その信頼できる友である。日朝友好はかならず発展させることができ、日中両国人民の連帯とあいまって再びアジアに輝かしい歴史をきりひらかずにはいない。日韓会談の粉砕はその第一歩である。

（おわり）

日本と朝鮮

（1）

「隣国との関係を正常化するために」というふれこみで、いま池田内閣は「日韓会談」をしゃにむに妥結させようとあせっています。「関係の正常化」——大いに結構といいたいところですが、池田内閣のいう「関係」、その「正常化」ということばの内容について、わたしたちには重大な疑惑があります。池田首相はさる一月二十三日の参院本会議で、共産党野坂参三議長の質問に答えて「日本の朝鮮にたいする非行については、私はカ（寡）聞にして存じません」といっています。そもそも日本と朝鮮とは、過去においてどういう関係をもち、現在またどういう関係にあるのでしょうか。ほんとうに「正常化」しなければならない「関係」とは、いったい何でしょうか。

池田内閣がすすめている「正常化」は、それらの関係と少しでもつながりがあることでしょうか。まったく逆の方向にむいているのではないでしょうか。以下、わたしたちはさし迫った情勢のなかで、幾人かの専門学者、研究者の話を聞きながら、日本と朝鮮の関係の過去と現在、そしてほんとうに正さなければならない関係について、いま一度考えてみたいと思います。（文責＝編集局）

歴史の真実

京大人文科学研究所教授

井上清氏の話（上）

久保田代表の発言

一九五三年（昭和二十八年）十月の第三次日韓会談で、日本首席代表久保田貫一郎は「自分が外交史の研究をしたところによれば」、もし日本が朝鮮を領有しなかったら、中国かロシアが領有したかも知れないといいました。そのうえかれは、日本は朝鮮を併合して「鉄道や港をつくったり、農地を造成しました」ので、朝鮮に悪いことばかりしたのではなく、よいこともしたのだと、日本帝国主義の朝鮮支配を恥知らずにもほめたたえました。重要なことは久保田のこの発言は、かれ一個人の考えだけでないことです。

井上教授

これは最近の池田発言などにも表われているように日本の支配者たちの共通の考え方を代表したものです。だからこのような考え方は最近の文部省検定の歴史教科書にまで陰然、公然とあらわれていて、日本帝国主義の朝鮮どれい化を批判的に正しく書いた歴史教科書は文部省の検定に合格しないのが現状です。だが歴史の真実はどうだったでしょうか。

初期の朝鮮政策

歴史上の事実は久保田らの発言に反して、一八六八年徳川幕府を倒して成立した天皇制政府は、その最初の日から朝鮮侵略をくわだてていました。天皇制政府の初期の朝鮮政策のねらいは、政府に不満をもつ反動的士族の勢力を対外戦争にふりむけること、欧米列強から不平等条約をおしつけられていることに反対して民族の独立を完成しようとする国民の正当な要求を朝鮮あるいは台湾の侵略にすりかえようとすること、そして天皇制の領土を拡張することにありました。

天皇制政府はやがて一八七六年（明治九年）朝鮮政府を武力で脅迫して最初の日朝修好通商条約を朝鮮におしつけました。それは日本が朝鮮で治外法権をもち、日本の輸出品は無税とし、朝鮮の関税自主権をみとめないというもので、日本が欧米に苦しめられていた不平等条約よりもっと不平等な朝鮮圧迫の条約でした。しかもこの条約は日本が朝鮮と歴史的、地理的に親近関係にあることを利用して欧米列強の朝鮮進出の門を開いてやり、これによって欧米の日本にたいする好意を得ようというねらいももっていました。

これ以後日本の朝鮮にたいす

一貫した侵略と抑圧

天皇制政府成立の日から

る経済的進出だけでなく政治的軍事的進出が急速になっていきました。一八八〇年（明治十三年）には日本政府、軍部はすでに朝鮮への進出で清国と戦争することを予期して軍備の大拡張をはじめました。八二年には日本政府は朝鮮軍隊に日本の教官をつけることを承認させました。このち日本政府は朝鮮貴族内部の勢力争いを利用して着々と政治的勢力をうえつけました。

クーデターの失敗

このころフランスは清国の属領安南（ベトナム）と台湾を奪い取ろうとして、清国に戦争をしかけていました。そのため清国が朝鮮のことをかえりみる余力のすくないのをさいわいにして、日本はフランスの援助のもとに朝鮮を自分の支配下にとりこもうとし、八四年、朝鮮の親日貴族をそそのかし、日本軍隊と警察を利用してクーデターをおこさせました。

このクーデターは失敗に終わり、これ以後朝鮮の国王や貴族の大部分、さらに民衆も日本の侵略と干渉を恐れて清国をたよるようになりました。ですから久保田がいうように清国が朝鮮を侵略し、それを根拠地として日本を脅かしたのではありません。それと正反対に日本が朝鮮を侵略しようとして、朝鮮の人びとを清国にたよらせたのです。日清戦争も日本が朝鮮の支配と収奪をするのに清国がじゃまになるため、日本がわからはじめられた侵略戦争でした。

このように日本政府はその成立の当初から朝鮮につぎつぎに難題をふきかけ、圧迫と収奪を強めましたが、朝鮮の米、大豆およびとくに金をただ同然で独占することが天皇制とようやく成長してきた日本資本主義の最大の経済的なねらいなのでした。

（この項つづく）

日本と朝鮮 (2)

歴史の真実

京大人文科学研究所教授
井上清氏の話（下）

王妃たちを虐殺

日清戦争のあと日本支配層の朝鮮侵略はいっそう露骨になり朝鮮をまるで属国同様に扱いました。日本のいうことをただちに無条件できかない朝鮮の役人はすぐやめさせました。それどころか一八九五年（明治二十八年）十月には日本公使は深夜に軍隊と警官と日本人ゴロツキの一隊を王室に乱入させ、王妃と侍女たちの寝室にふみこみ、これを虐殺し、その死体をはずかしめ、はだかにして庭先にすてるという古来のどんな残虐な植民地支配者もしたことのないようなことを、平気でやってのけました。当然、朝鮮のすべての勢力が日本に反抗するようになりました。

一九〇四ー五年の日露戦争も、日本が朝鮮を完全にその植民地にすることと中国の東北地方（旧満州）に帝国主義的に進出することを目的とするものでした。日露開戦の直後に日本政府は韓国政府（朝鮮国は一八九七年〔明治三十年〕に大韓帝国と国号を改めた）に、第一次の「日韓協約」なるものをおしつけました。これは現在の日米安保条約とそっくり同じような「協約」です。これで韓国の独立と領土保全はすっかり失われ、日本は韓国を事実上の植民地にしてしまいました。

一方、日本の桂首相は一九〇五年（明治三十八年）七月アメリカ陸軍長官タフトと東京で密約をむすび、アメリカのフィリピン領有と日本の朝鮮領有を相互にみとめあい、ついで八月、第二回の日英同盟条約でもイギリスのインド支配と日本の朝鮮支配を相互に認めて攻守同盟を結びました。つまり日本帝国主義は英、米帝国主義の極東の憲兵として忠勤をはげむかわりに、英、米から日本の朝鮮支配を保障してもらったのです。

その結果、日露講和条約に、ロシアの領土でも日本の領土でもない朝鮮を日本が支配することをロシアがみとめるという条文がいれられました。

武力で抵抗運動を鎮圧

朝鮮併合 中国侵略の足場に

軍事力でごり押し

この後日本帝国主義は朝鮮民族の抵抗以外にはどの帝国主義国にもじゃまされないで朝鮮の完全植民地化を急速にすすめました。その第一歩は一九〇五年十一月の第二次日韓協約です。これは日本が韓国に「統監」を置き、韓国の外交を「監理・指揮」することなどを定め、朝鮮を日本の「保護国」にしてしまったものです。これにたいし韓国皇帝も大臣、貴族たちも猛烈に抵抗しましたが、日本は強大な軍事力をちらつかせて、ごり押しに押し通しました。

また一方では朝鮮貴族の売国的分子を買収して「一進会」という団体をつくらせ、〝韓国は独立の実力がないから「友邦の指導によりその誠心を信じて」形式的独立の虚名をすてて実質上の利益をおさむべきである〟という運動をおこさせました。

伊藤博文の役割

初代の韓国統監には伊藤博文がなりました。伊藤博文はその就任のあいさつで「韓国の開発およびその幸福を助ける」と演説しましたが、現実の韓国開発とは韓国の鉄道、港湾、郵便、電信、鉱山そのほかいっさいの公共事業を日本資本の支配下に置くことでした。「幸福を助ける」とは民族独立のためにたたかう朝鮮民衆と貴族をかたっぱしから逮捕し、あるいは虐殺することでした。そして一九〇七年には第三次協約をむすんで、ついに朝鮮軍隊を解散させてしまいました。

滅亡した朝鮮国

日本はこのようにまず韓国の外交権を、つぎには軍事、警察権をうばい、それと並行して収奪を進め、朝鮮民族の抵抗をもっとも野蛮な残酷な方法で鎮圧し、李完用ら売国分子に政府をつくらせ、一九一〇年（明治四十三年）八月朝鮮を完全に併合してしまいました。反対者は虐殺されました。朝鮮皇族と売国的貴族の身分だけは保障し、日本皇族および貴族に準ずる待遇をあたえましたが、朝鮮国はほろぼされてしまったのでした。

日本帝国主義の朝鮮支配が鉄道や港湾をつくり、農地を造成するなどよいことをしたように久保田らはいいますが、その鉄道や港湾はなによりもまず朝鮮を日本帝国主義の中国侵略の拠点とするため、また日本資本が朝鮮で収奪した富を日本にもってくるための輸送路をつくるため以外のなにものでもなかったのです。朝鮮の民族産業、商業は完全にほろぼされました。また耕地造成で朝鮮の産米がふえればふえるほど、朝鮮人は米を食うことができなくなりました。その米はみんな日本にもちさったのです。数字をあげると、上の表になります。これが歴史の真実です。

	朝鮮産米高	朝鮮内の一人一年の米消費高
1912年	1，160万石	78升
1918年	1，370万石	60升
1933年	1，630万石	41升

日本と朝鮮（3）

略奪

朝鮮問題研究所
副所長 呉在陽氏（談）

土地に目をつける

日本帝国主義は植民地支配の全期間を通じて徹底した略奪をおこない、朝鮮人民にはかり知れない被害と苦痛をあたえました。かれらは朝鮮を植民地にしたその日からまず朝鮮の土地をはじめとして、すべての主要な生産手段を強奪して朝鮮経済を完全に独占し、人民を収奪し、それとあわせて貴重な文化財もすべて略奪しました。日本帝国主義は朝鮮を日本工業のための原料供給地、商品販売地、資本投下地として収奪したばかりでなく、朝鮮を大陸侵略のための兵たん基地にしました。

朝鮮を経済的に略奪するうえで、日本帝国主義はまず土地の略奪に大きい関心をはらいました。なぜかというと、当時朝鮮は封建社会で、土地は基本的な生産手段だったので、これを掌握することができれば朝鮮を完全に経済的に支配できるからです。そういうわけですでに統監時代に日本人による土地略奪を合法化するための法律がつくられ、一九〇八年（明治四十一年）には植民地経営会社である「東洋拓殖株式会社」をつくりました。そして一九一〇年の「併合」までに八万六千㌶の土地が日本人の土地になっていました。

クイ一本打って

本格的な土地略奪は、一九一〇年から一九一八年まで全国的におこなわれた「土地調査令」による「土地調査事業」というものです。この法令の第四条は「土地所有者は朝鮮総督が定める期間内に、その住所、姓名、所有地の名称および所在、地目、字番号、目標、等級、地積、臨時土地調査局長に申告すること」とし、それまで朝鮮の民間で利用されてきた土地所有「文記」を証拠文献として認めず、申告のない土地は所有者のない土地とみなし、「国有地」として総督府が没収することにしました。

しかし大多数の朝鮮農民は調査令そのものを知りませんでしたし、知っていても、当時は無学で文盲の農民が多かったので複雑な申告手続きはできませんでした。また農民のなかには日本帝国主義による地税の略奪がひどかったので、それをおそれて所有地の申告をしないものもずいぶんありました。これらの農民はきのうまで自分のものだった土地を全部取りあげられてしまいました。

“無申告”の土地すべて没収
日本に運んだ金25万キロ

それだけでなく朝鮮総督府と日本人は名称のごまかしやおどかしで農民の土地を自分の土地にして申告する者も多くありました。このほかに軍用地、鉄道用地など各種の名目で取上げました。日本人がくいを一本うってしまえば、それで日本人の土地になってしまうという状況でした。

こうして「駅屯田」「宮庄田」といったいわば以前の朝鮮の「国有地」十二万五千㌶、その他の土地九十万㌶、あわせて百万㌶余りの土地が略奪され、朝鮮総督府は朝鮮最大の大地主になりました。この期間に日本人地主数は二千人から一万人余りにふえ、東洋拓殖株式会社の所有は十倍にふえ、朝鮮の良田、肥よくな土地はほとんど日本のものになってしまいました。こうして、朝鮮の農村には植民地的・半封建的搾取関係が確立されました。これは農民だけでなく全朝鮮人民の苦痛の重要な原因の一つになりました。

日本はその後も植民地支配の全期間を通じて土地と農民を収奪、略奪しました。農民は破産し、離農者の数は日本自らの発表によっても一九二五年（大正十四年）度一年間だけで約十五万人にのぼりました。土地を奪われ、生活の道をたたれた人たちは中国東北や日本に流れていきました。戦時中には軍属、徴用、強制労働などで多数の朝鮮人が日本に強制的に連行されましたが、それ以前に日本にきた人たちの大部分は一切の生活の道をたたれ、安い労働力として日本におわれた人たちです。

膨大な金持去る

日本帝国主義はこれとまったく同様の強盗的な方法で朝鮮の豊富な森林資源、地下資源を手あたりしだいに略奪しました。地下資源ではとりわけ金の略奪に力をいれました。金の略奪は「併合」前からおこなわれ、日本の金本位制の基礎はこれによってつくられました。日本が発表したものによっても、朝鮮銀行を通じて、日本が持ち去った金だけで二十四万九千五百九十四㌔に達しています。

これらは日本帝国主義の野ばんな略奪のごく一部分です。三十六年間の植民地支配を通じて、日本帝国主義は略奪の限りをつくし、朝鮮人民をいうにいえない苦しみにおとしいれました。日本の軍国主義者たちはこの夢が忘れられないのです。

＝つづく＝

日本と朝鮮

（4）

血に染まった3・1独立運動弾圧

太平洋戦争で600万人を動員

虐待・虐殺

併合の以前から

朝鮮大学教員　朴慶植氏の話

日本帝国主義の朝鮮侵略の歴史は、朝鮮人民の愛国運動を徹底的に弾圧し、多くの朝鮮人民を虐待、虐殺した歴史でもありました。日本はまず朝鮮を強制的に占領、合併するために朝鮮人民の反日義兵闘争を軍隊、憲兵の武力をもって弾圧し、一九〇七年（明治四十年）から一九一一年までに一万七千六百九十七名の朝鮮人民を殺害し、三万六千七百七十名を負傷させ、多数の検挙を行ない、百九十九名を内乱罪として死刑をはじめとする重刑を強行しました。この間に忠清北道だけでも一千七十八戸、江原道一郡でも三百五十二戸の民家を焼き払いました。

朝鮮を併合したのち朝鮮人民の反日運動にたいする弾圧はより徹底しました。その一端を示すと一九一二年（明治四十五年）には五万二千件、一九一八年（大正七年）には十四万二千件にのぼる検挙事件がありました。また有名な三・一独立運動にあたっては日本の軍隊をはじめ憲兵、警察は公式記録によってみても七千九百九名の朝鮮人民を殺害し、一万五千九百一名を負傷させ、五万二千七百七十名の検挙をおこない重刑を加えました。京畿道提岩里では憲兵が教会に石油をかけ、集まっていた村民二十八名を焼き殺し、同村の民家三百十七戸を焼き払いました。三・一独立運動ではこのような虐殺がほうぼうでおこなわれたのです。

関東大震災で

われわれの記憶になまなましい事件に一九二三年（大正十二年）九月の関東大震災時の朝鮮人大虐殺があります。この事件は内務省の指令で「朝鮮人暴動」のデマがとばされ、軍隊、警察ならびに〝自警団〟などの手でなんの罪もない朝鮮人六千名以上が殺されました。

一九二五～一九二八年の朝鮮共産党弾圧では、七百名以上が検挙され、二百五十三名が重刑を受け、一九二九年の光州学生反日闘争では五万四千名にのぼる学生らが検挙されました。

一九三〇年（昭和五年）のいわゆる間島共産党事件では二百六十余名が検挙され、死刑二十二名を含む二百十三名が重刑に処せられました。一九三四年を見ると、二十万千六百三十名が検挙され、そのうち思想犯が六万六千五十五名にのぼっています。一九三七年～一九三八年の恵山事件でも二千名以上の愛国者が検挙され、死刑、重刑を受けました。以上はいずれも官庁統計による数字ですから実際はこれをはるかにうわまわるでしょう。弾圧、拷問、虐殺は中日戦争下にも数えきれません。

戦争への強制動員

この朝鮮人民にたいする弾圧、虐殺とあわせて、日本帝国主義が中日戦争以後とくに太平洋戦争中におこなった、侵略戦争遂行のための大量的な強制動員があります。朝鮮人は日本帝国主義によって炭鉱をはじめ各種鉱山、水力発電、飛行場建設の土木工事現場、軍需工場なら

千里馬の社会主義建設

収穫の喜びにわくマキュンダイ農場（朝鮮北半部）

びに戦線に、朝鮮内はもちろん、日本内地、サハリン、南方、中国各地に強制連行されました。その数は一九三九年から一九四五年に日本内地に連行されたものだけでも七十二万五千余名にのぼり、軍人、軍属として戦線に狩り出されたものは陸海軍合計三十六万四千余名というものでした。

さらに道内動員として狩り出された朝鮮人は、一九三八年から一九四四年の間で合計四百十三万五千余名にのぼりました。日本帝国主義はこれ以外にも朝鮮女性を〝慰安婦〟として戦線に狩り出しました。これら動員された総計は実に五百九十五万名以上になります。

故郷追われた人民

また日本帝国主義の侵略のため故郷を追われて日本、中国などに生活のカテを求めて自由労働者その他の浮動的な生活を送ったものが三百万名以上にのぼります。このようなぼく大な数字にのぼる朝鮮人の精神的、肉体的、物質的苦痛はいかほどだつたろうか、想像にあまりあります。これらの朝鮮人は各地の鉱山、土木現場や戦線で虐殺されたものを含めて多数の死傷者を出しました。厚生省でさえ軍人、軍属の死亡者を約三万人としていますが、実数はもっとうわまわるにちがいありません。炭鉱関係の朝鮮人死亡率平均〇・九%から計算すると、日本内地に連行された朝鮮人労働者の死亡者はおそらく六万名以上になると思われます。これに軍人、軍属の死亡者、さらに朝鮮内や中国地域での労働者死亡者を入れると数十万人になるのではないかと思います。

まだ放置される遺骨

しかも、現在日本各地の鉱山や土木工事場には朝鮮人労働者の遺骨が埋まったままに放置されており、また各地のお寺にも無縁の遺骨として残っています。日本の為政者はこれらにたいしてなんらの対策を講じないだけでなく、道徳的責任をも感じていません。日本政府は中国、ソ連、朝鮮での日本人死亡者の遺骨調査、送還、墓参などはそうとうすすめていますが、それとは本質的に異なるべき朝鮮人労働者の死亡者名簿の作成、遺骨調査収集についてはまったく非人道的な取扱い方で、日本支配層の残酷さを物語っています。

＝つづく＝

日本と朝鮮 (5)

朝鮮戦争

また朝鮮侵略の足場に

アメリカの前進基地日本

日本朝鮮研究所副所長
畑田重夫氏の話

畑田　重夫氏

つづく〃不正常〃

一九四五年（昭和二十年）八月、朝鮮は日本の長年の植民地支配から解放されました。当然のこととして日本と朝鮮の関係は正常化されなければならなかったのでした。その正常化の方向は、これまでにのべられた歴史によってすでに十分明らかにされているといえます。国際的にもカイロ宣言、ポツダム宣言が厳存していました。しかし実際には、歴史的にも地理的にももっとも深くまた近い間柄の両国は、いまもってもっとも遠い、不正常な関係におかれています。

なぜでしょうか。この戦後の日、朝両国の不正常な関係を規定している最大の要因はアメリカ帝国主義です。日本を占領し、また朝鮮の南半部を占領してきたアメリカ帝国主義の極東政策をぬきにしては、戦後の日、朝両国の関係を正しく見ることはできません。

米の対日政策

アメリカは戦後、一貫してそれまで競争者であった日本の敗退をけい機にして中国大陸の独占的支配の道を追及してきました。だから、アメリカは、中国共産党の指導する中国革命の進展をおさえることに全力をあげたのでした。そのため、戦時中の対華援助（十五億ドル）を上回る二十億ドルの援助を蔣介石につぎこみました。だから戦後初期のアメリカの対日政策は、いわゆる「日本民主化政策」ないしは「日本無害化政策」をその骨子としていました。しかし、中国情勢が、蔣介石軍つまりアメリカ側に不利に傾くにつれて、アメリカの対日政策の性格は変わってきました。

一九四八年の一月には、ロイヤル米陸軍長官が、日本に「極東に生ずべき全体主義的戦争の脅威に対する制止役」をになわせるべきだとする信念を表明し、同年七月には、マッカーサー元帥が、「日本は不敗の反共防壁」という有名な声明をしました。これらは、アメリカのアジア政策の中心が中国から日本へ移ったことを意味すると同時に、一九四七年いらいのトルーマン・ドクトリン（ギリシャ、トルコへの軍事経済援助）、マーシャル・プラン（対欧経済援助）などにみられるアメリカの対ソ包囲網の一環に日本をくみいれたことでもあったのです。いらい、日本は、あるいは「極東の工場」として、あるいは「不沈空母」としてアメリカ極東政策の足場とされてきたのです。アメリカの対日占領政策に反対する勢力、民主主義的勢力にたいする弾圧がはじまりました。一九五〇年六月二十五日の「朝鮮戦争」ぼっ発一年前の出来事でした。

前進基地日本

この「朝鮮戦争」は周知のようにアメリカが極東侵略のためにおこした戦後もっとも大がかりな侵略戦争です。しかも、このときには、アメリカ帝国主義は公然と国連ならびに国連軍の名を盗用したのでした。開戦と同時に、日本は軍事的前進基地になり、朝鮮の戦場でアメリカが必要とする兵員の移動も、兵器の製造、運搬もみな日本からなされました。開戦後二週間もたたぬ七月八日には、マッカーサー元帥によって、警察予備隊七万五千名、海上保安庁八千名の増員が指令されました。経済的には「特需」という名で、兵器の部品が米軍から注文されるようになり、旧軍需工場は次第に生き返ってきました。

アメリカはまた、朝鮮戦争ぼっ発と同時に、中国、ソ連をはずして対日講和条約を早めようと努めました。そして、一九五一年九月四日、サンフランシスコで講和会議をひらき、対日平和条約ならびに日米安保条約をむすびました。これいらい、日本はアメリカの対中ソ封じ込めラインのアジアにおける主要な一角とされ、経済の軍事化、政治のファッショ化を深め、再軍備から軍備増強の道を一路歩みつづけることになったのです。

つまり日本は関係の正常化どころか、戦後五年で早くも戦前と同じように朝鮮侵略の一翼になり、悪の上に悪を重ねる関係と体制を確立することになりました。

＝つづく＝

日本と朝鮮

（6）

日本独占の企図

日本朝鮮研究所所員

梶村秀樹氏の話

日本支配層の発言

戦後の日朝関係を考える場合、アメリカ帝国主義の役割をぬきにしては正しくみることができないということは、しかし日本の支配層を免罪するものではけっしてありません。両国関係の正常化をサボってきた日本の支配層は朝鮮戦争とサンフランシスコ条約を契機にして、朝鮮にたいする非友好的態度はつよまり、露骨になってきました。

梶村　秀樹氏

一九五三年（昭和二十八年）十月十五日に開かれた「日韓会談」で日本側の久保田貫一郎代表は「カイロ宣言の〝朝鮮人民のドレイ状態に留意しよう…〟というのは連合国が興奮状態のうちに書いたものである」とまで発言しました。さらに一九五八年六月十一日、東京ステーションホテルで開かれた「日韓会談政府代表をかこむ会」で当時の沢田廉三日本首席代表はつぎのようにのべました。「三十八度線がだんだん南下し、ついに釜山に近づくという形勢を心配する。それはやがて日本全土におよび、われわれはまくらを高くして寝ることができない。日清、日露の両戦争は、いずれも日本をおびやかす勢力が朝鮮半島に進出してきたので、鴨緑江の外におしかえしたたかいであった。われわれは三度立って三十八度線を鴨緑江の外におしかえさねば、先祖にたいして申しわけない」

ついで池田首相は一九六一年六月、ケネディ米大統領との会談で「なんといっても韓国は……日本の死命を制する立場にある。とくに釜山が赤化した場合、日本の治安にたいし大きな影響をおよぼすだろう。南朝鮮の反共体制にたいし日本は重大関心を払わねばならない。日本は現状でも韓国を積極的に援助したい。そのためにも日韓交渉は再開したい」と発言したといわれています。

植民地支配の再現へ

過剰生産、労働力不足の解決

明治政府とウリ二つです。明治政府が、清国やロシアの脅威を口実に朝鮮を日本防衛の〝生命線〟にして侵略したのが、いまは〝共産主義の脅威〟という口実にかわっただけです。そして日本人民にとって大事なことは、こうした発言は単に久保田、沢田、池田といった個々の人物が軍国主義思想の持ち主だからというわけではないことです。

朝鮮戦争を一つの足がかりにして復活強化した日本資本主義が、いまその内部の矛盾のはけ口として海外進出を必要とする段階にきているのです。

南朝鮮進出のねらい

そのような諸矛盾のうち、おもに高度成長政策の結果の過剰生産とここ二、三年表面化してきた若年労働者不足などがあげられています。日本の独占資本はこれらの問題を再び朝鮮人民の犠牲において解決しようとして南朝鮮への再進出を策しているのです。

　これにたいして朝鮮人民が猛反対するのは当然なことです。それは北半部の人民だけではありません。南部の人民もつよく反対しています。そこで日本側は軍事政権とヤミ取り引きで「対日請求権」などを目あてに過剰生産物を輸出する道を強引に開こうとしているのです。

　そしてさらに、独占資本は「韓国」の五ヵ年計画も根本的に修正させ、南朝鮮を日本が必要な原料や食糧を供給する下請け的な地域に組み込み、南朝鮮の経済を完全に掌握し支配したいと望んでいます。

　も一つのねらいは南朝鮮のぼう大な失業者を利用して低賃金労働力の不足を解消することです。日本の三分の一の賃金で働かざるをえない「安くて良質な労働力」を日本の労働者の賃上げをおさえる口実に使おうというのです。実際政府の経済審議会人的能力部会の「人づくり構想」のなかに「低開発国の人的能力を受けいれる」とあります。昨年九月「韓国」を訪問した経団連植村甲午郎副会長は、「韓国の唯一の資源は、豊富な、安価で比較的質の高い労働力である」と指摘していますが、ここに南朝鮮進出のねらいがきわめて露骨にのべられています。

　これが三十六年間にわたる日本の朝鮮植民地支配関係を「正常化」するものでないことはいうまでもなく、まさに「植民地支配」の関係を新しい形で再現しようとするものであることは明らかです。

日本と朝鮮

（7）

正式入国、スケート代表団が初めて

日本政府の〝敵対〟政策が障害

交流

日朝協会理事長

畑中政春氏の話

現状はどうか

民族的には血族的関係にあり、歴史的にもまた地理的にももっとも深くかつ近いあいだがらの日・朝両国間には、どこの国にもましてあらゆる分野の交流が盛んになることは当然です。ところが、実際はそのようになっていません。

その原因は、まず第一にアメリカ帝国主義の植民地支配のもとに大韓民国というカイライ政権が南朝鮮に存在し、日本人民との真に互恵平等、平和友好の交流を阻害しているからです。第二には、朝鮮民主主義人民共和国は、日本人民との互恵・平等・平和の自由な交流を呼びかけているにもかかわらず、アメリカ政府の意向を体して、日本政府が非友好的、ないしは敵対的政策を固持しているためです。

畑中氏

日本と南朝鮮とのあいだには「日韓会談」と歩調をあわせ人事の往来がきわめてはげしく、日本からは政治家、実業家、ジャーナリスト、芸能人、スポーツ関係者などがひっきりなしに訪問し、また南朝鮮からの渡来も日増しにふえ、「日韓親善ムード」づくりに躍起になっています。しかし、南朝鮮とのこのような交流は、一言でいえば、侵略、れい属、戦争につながる交流であって日朝両国人民が熱望している互恵、平等、平和の交流ではけっしてありません。

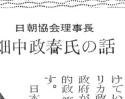

それでは朝鮮民主主義人民共和国との交流の現実はどうなっているでしょうか。これはまったくとざされています。そして、日朝両国人民の協力が、国際的平和勢力の強化にささえられて、さまざまな困難を突きやぶりながら、そのとざされた関係をやぶり、当初は小さな窓口を一日一日と大きくひろげてきたというのが現状です。

政府の妨害つづく

新しい朝鮮との接触は、一九五三年、朝鮮戦争が休戦になるとすぐはじまりました。日本平和連絡会は「朝鮮休戦祝賀親善使節団」を編成しました。しかし政府は旅券を出さなかったので海外滞在中の故大山郁夫氏らが使節団として同年十一月平壌を訪問しました。日本人が新しい朝鮮の客となったのはこれが最初です。それ以来各界からの朝鮮訪問者があいつぎ、現在ではその総数は一千名をはるかに突破しています。しかし重要なことは、これらの朝鮮訪問者はいずれもいわゆる〝横すべり〟方式で入国していることです。日本政府は現在まで新しい朝鮮訪問の旅券を一度も出していません。一九六〇年四月、帰国者の生活状況視察という名目で、衆議院の院議をもって訪問した岸本信行、帆足計氏ら一行四名の

日本に初めて正式入国した朝鮮民主主義人民共和国のスケート選手団一行、左端が高相俊団長（２月14日）

旅券の行く先も「朝鮮民主主義人民共和国」ではなく「平壌」となっていました。

一九六一年には日朝協会が「三百名訪朝使節団」を計画し、大衆的運動として正式旅券の発給をせまりましたが、日本政府は「日韓会談の妨げになる」というただそれだけの理由で、不当にも広範な日本の大衆の要求を拒否しつづけました。

朝鮮の友人の来日も同様です。毎年夏ひらかれる原水爆禁止世界大会への朝鮮代表の出席、崔承喜舞踊団招請、朝鮮貿易関係者の入国、朝鮮赤十字代表の招待などさまざまな形で熱心に運動がつづけられていましたが、そのつど障害にぶつかってきました。

現在世界には独立国は百十八カ国あります。そしてそのうちで、日本政府が原則的に出入国を禁止しているのが隣国、朝鮮民主主義人民共和国ただ一国なのです。その真の理由は、アメリカ帝国主義の極東政策への追随であり、アメリカの南朝鮮の支配体制の擁護にほかならないのです。

初めての正式入国

しかしこれもついに突破口をひらく日が到来しました。さる二月十日、軽井沢の世界スピード・スケート選手権大会に出場する朝鮮選手団十名は朝鮮民主主義人民共和国の旅券をもって羽田入管を正式に通過したのです。このことの歴史的意義はきわめて大きいと思います。それにしてもこれが朝鮮民主主義人民共和国が成立してから十六年目にはじめての入国だということに、戦後の日朝関係の姿が象徴的にあらわれているといえます。

貿易、文化の面も

日朝貿易についても日本政府は一貫して妨害を加えてきました。朝鮮民主主義人民共和国との間に最初の取引きが実現したのは一九五六年でしたが、それは日朝貿易としてではなく中国銀行経由決済、大連渡しという日中貿易の一形態という不正常なものでした。日本政府が朝鮮と直接貿易を許可したのは、その五年後のことです。

その翌年の六二年十一月には直接決済もたたかいとりましたが、依然自由な往来が禁止され、朝鮮向け輸出への延べ払いは全然認められないため、日朝貿易発展の可能性はいちじるしく抑圧されています。同じことは文化交流についてもいえます。

「日韓会談」を粉砕し、池田内閣の朝鮮にたいする敵対的政策を打破ることによってこそ、本当の日朝交流は前進します。

＝つづく＝

訂正 昨報、畑中政春氏の談話中、朝鮮スピード・スケート選手団の来日が「二月十日」となっているのは「二月十四日」のあやまりでした。

日本と朝鮮 (8)

南北統一

障害は米の南半部支配

日韓会談、分断を固定化

日本朝鮮研究所専務理事

寺尾五郎氏の話

米が勝手に分断

ご存知のようにいま朝鮮は南北に分断された不幸な状態にあります。自民党筋では、分裂しているのは朝鮮自体の問題で、日本はこれと何の関係もないし、責任もないという態度をとり、あるいは表向き"お気の毒に"といった顔をしています。しかしそもそも朝鮮はなぜどうして分断されたのでしょう。

いわゆる三十八度線というのは日本の敗戦によって朝鮮が日本から解放されたとき、ソ連とアメリカが朝鮮にいる日本の軍隊の武装解除をおこなうための分担範囲をきめるために引かれたものでした。つまり三十八度線の北をソ連、南をアメリカがそれぞれに分担して、朝鮮にいた日本軍隊の武装解除をうけもったもので、朝鮮の分割をきめたものではありません。ところが南朝鮮に進駐したアメリカ軍はまったく勝手に軍政をしき、三国外相会議その他朝鮮の独立をたすけるための国際会議がもたれているあいだに、一九四八年八月十五日「大韓民国」をでっちあげていきました。つまり南朝鮮の政権はそもそものはじまりからアメリカのカイライ政権であり、朝鮮人民の意思でつくられたものではありません。

寺尾氏

一方、一九四八年九月九日創立された朝鮮民主主義人民共和国は南北全朝鮮の選挙によってつくられた朝鮮人民の国家であり、唯一の政府です。だから朝鮮には二つの国家があるのではなくて、朝鮮人民自身の国家の統治権がアメリカの暴力で南半部におよぶことを妨げられているというのが歴史の真実です。

幅二キロの無人地帯

この三十八度線は、朝鮮戦争以後は現在の軍事境界線に変わりました。アメリカ軍はこの軍事境界線にそって南へ幅二キロの無人地帯をつくり出し、そのことによって南北交流をまったく不可能な状態にしています。この点では南北ベトナム、東西ベルリンいずれの状態より深刻です。親兄弟がバラバラにされ、文通さえもできません。こういう状態が朝鮮人民自身の意思によるものでないことはいうまでもありません。だから「分断」という事実のなかにみられるものは、北に住む朝鮮人と南の朝鮮人の対立ではありません。またソ連の進駐軍はとうの昔に朝鮮から引きあげているのですから、いわゆる「米ソの冷戦」ですらないのです。このようにして朝鮮の分断は、日本の朝鮮植民地化の事実のかかわり合いからはじまり、もっぱらアメリカが終始一貫した中国封じこめ政策の第一線基地として南朝鮮を不法占領していることからおこっています。こうして同じアメリカ帝国主義によって従属国にされている日本の真の独立のためのたたかいと朝鮮の統一のためのたたかいには深い関連が生まれています。

朝鮮人民がこういう状態を打ち破って平和統一を実現するためいま全力をあげてたたかっています。共和国政府は、たとえば電力生産では、はじめから南半部に供給する分まで組みこんで国家計画を立てていますし、個々の人民もその人生設計まで南北統一と結びつけながら考えているほどです。これは北半部だけのことではありません。一昨年の朴一味のクーデターそのものが、四・一九蜂起(ほうき)以後ほうはいとして南朝鮮をおおった統一機運をおしつぶすためにアメリカによってたくまれたものでした。

日本政府の責任

北と南とを問わず、全朝鮮人民の意思がこのように明らかである以上、朝鮮との関係を正常化しようとする日本の態度がどのようなものでなければならないかはいまさらいうまでもありません。ところが日本政府は、朝鮮戦争ではアメリカ軍の基地になることによってアメリカが全朝鮮を支配しようとする侵略行動を応援しました。それが不可能になると、こんどはことごとにアメリカの南朝鮮支配維持に協力し、いまは倒れかかった朴政権を助けようとしています。これは朝鮮の分断を固定化させるものであり、全朝鮮人民の意思にまっこうから反するものです。どうしてこれが隣邦との関係の正常化などといえるでしょうか。まったく反対にそれは日本人民を再び朝鮮侵略の道に引きこむものです。だから南北の分断状態を固定化する「日韓会談」に反対し、朝鮮の統一を支持することは、両国の関係の正常化の第一歩であるとともに日本人民自身のためのたたかいでもあります。　＝つづく＝

日本と朝鮮（9）

朝鮮人観

早稲田大学教授
安藤彦太郎氏の話

作り上げられた偏見

引継がれ広がる真の連帯

のこる強い偏見

日本と朝鮮の戦前戦後を通じての不正常な関係は日本人民の思想にはなにをもちこんだでしょうか。このことを素通りしては日朝の関係を正常化するわたしたちの運動は真の強さをもたないでしょう。

最近では中国については関心も高まり、戦争責任の問題もひろく受けとめられるようになって〝シナ人〟などという呼びかたはすくなくなりました。ところが朝鮮のばあいは正しいよびかたであるのにかかわらず、進歩的な人びとでもまともに朝鮮人とはいわず、「朝鮮のかた」などといってしまう気分が残っています。それなのに一方では北朝鮮を「北鮮」という。いったいよその国の略称に下の字を使う例がほかにあるでしょうか。

安藤氏

雑誌「世界」三月号泉靖一氏の論文「日本人の人種的偏見」によると、日本人の異民族にたいする態度のうち朝鮮人にたいする偏見がもっともつよいという調査結果が紹介されています。そのうえこの調査では、朝鮮人については「みた」「交際した」の接触度が一番高いのに、あまりみたこともない異民族について「親しみやすい」といった回答がよせられています。つまり日本人の人種的偏見は政治的につくりだされ、歴史的に積みあげられてきたものであることがわかります。しかもこの問題に無責任になるように仕むけてきました。戦争責任の問題でも、日本人の意識がなかなか朝鮮にはおよびにくいという状態もここからきています。

こうした日本人の朝鮮人観はいつ、どうしてつくられたのでしょうか。江戸時代までは大陸文化の紹介者として、朝鮮人はむしろ重視されていたのでした。それが明治時代になると、秀吉の「朝鮮征伐」物語まで動員され、いわゆる征韓論の風潮が高められたのです。それは「併合」後は一段とつよめられたのです。こうして日本の支配階級の朝鮮侵略と表裏一体の関係で、朝鮮人にたいする偏見が日本人民の心のなかにクサビのように打ちこまれ、日朝両国人民の心のつながりのなかに、いまだに不正常なものがのこる状態をつくりだしたのです。

民族連帯の伝統

しかしながら、これをはねのけて国際連帯を説き、朝鮮人との提携をとなえた伝統も、ひとすじの赤い糸のようにあったことは忘れられません。たとえば自由民権の植木枝盛は、不明確な点や歴史的な限界をもちながらもすでに明治八年、征韓論に真っ向から反対していますし、明治十五年には興亜会主催で「日本国人、支那国人、朝鮮国人」との交歓をおこなっています。これらは、西欧の侵略にたいし、東洋諸民族が団結しよう、という主張です。明治十八年、朝鮮の独立を策した自由党左派の大井憲太郎の大阪事件にも、朝鮮との連帯と進出の両面がみられます。

明治四十年一月二十二日から四日間『平民新聞』に連載された田添鉄二「満韓植民政策と平民階級」では、日露戦後の日本の大陸進出を「資本家政策」だと指摘して満韓侵略に反対していますし、幸徳秋水も同年八月『大阪平民新聞』に「吾人は朝鮮人民の自由、独立、自治の権利を尊重し、之（これ）に対する帝国主義的政策は万国平民階級共通の利益に反対するものと認む」と書き、片山潜らはさらにすすんで『社会新聞』に、この問題の解決は「実に両国国民生活の基礎をなしつつある平民階級の握手による」と「切言」しました。

一九一九年（大正八年）の三一運動について吉野作造が「中央公論」四月号に「朝鮮の暴動は何といっても大正の歴史における一大汚点である」とのべたのも、中国の五四運動へのかれの発言とならんで注目されるものです。

ひきつがれた遺産

私たちが民族問題を正しくつかむようになったのは、いうまでもなく一九二一年、コミンテルン第二回大会の「民族および植民地にかんするテーゼ」以来です。翌年結成された日本共産党はこの実践の先頭にたったわけです。これ以後のたたかいには、誤った朝鮮人観の土台を全面的にくつがえす力には足りなかったにせよ、貴重な遺産が数多くふくまれています。しかし、右にあげた前史ともいうべき伝統にも、受けつぐべき遺産と教訓は十分あるはずです。

そしてこうした伝統はいま日韓会談粉砕のたたかいにひきつがれ、日本人と朝鮮人の真の連帯は、このなかで急速にひろがりつつあります。＝つづく＝

日本と朝鮮

……(10)……

在日朝鮮人

評論家
藤島宇内氏の話

外国人に扱わない

日本と朝鮮との関係は在日朝鮮人の問題を無視しては語れません。なぜならそこに日本と朝鮮との関係、また日本政府の朝鮮にたいする政策が集中的にあらわれているからです。

いま日本にいる朝鮮人の数は六十数万人といわれています。この朝鮮人は本来独立した外国の国民です。ところが日本政府はそれを認めません。

在日朝鮮人にたいする日本政府の態度がどんなものかを一番はっきりしめすものに「日韓会談」のなかで問題になっている「在日朝鮮人の法的地位の問題」があります。これはひとくちにいえば、アメリカと協力して「日韓会談」を強行しようとする日本政府が日本にいる朝鮮人に植民地主義的弾圧を強行しようとするものです。

藤島氏

日本にいる朝鮮人の状態はまず正当な国籍があたえられていません。在日朝鮮人の大多数は「朝鮮籍」に登録していますが、「日韓会談」では「韓国政府」だけを朝鮮の正当な政府だとみとめて「韓国」籍にはいった人だけを外国人として扱い、その他の人たちを無国籍状態において差別しようとする意図をもっています。またさらに、たとえ「韓国籍」の人であっても、朝鮮の南北平和統一をねがうような人びとにたいしては、日本政府が韓国政府の代理人になって迫害を加えています。

日本政府は在日朝鮮人を外国の国民として扱わないで、人間としてあたえられなければならない基本的人権をふみにじり、在日朝鮮人が朝鮮民族としての教育をする権利もみとめていません。そこでいま在日朝鮮人は、自分たちの手で寄付を集め、全国で五百くらいの自分たちの学校をつくって自分たちの手で民族教育をおこなっていますが、日本政府はこれを公式に認めないばかりか、しばしば迫害を加えています。昨年二月ごろには、栃木県の朝鮮人中学校が日本官憲に捜索され、そのあ

無国籍扱いの日本政府

権利認めず、不当な差別

ありません。「韓国」籍をもつ人で「韓国政府」に服従するとみとめられるような人たちだけが南朝鮮とのあいだの自由往来の権利をあたえられているだけです。新潟から北朝鮮にかえる帰国船は、あくまで帰国だけであって、自由往来ではありません。同じ社会主義国で、同じ日本の隣国でもソ連人、中国人にはこんながん迷な態度はとっていません。朝鮮人にだけとくに不当な差別政策をとっています。

ひどい避難者の処遇

南朝鮮から避難してきた人にたいする問題も重要です。軍事政権が南朝鮮に成立するまでは日本にいられた人まで南朝鮮へ強制送還の迫害をうけるようになりました。その一方では南朝鮮に軍事政権が成立してから日本に避難してくる人たちが非常にふえています。政府答弁でも

その数は五、六万人といっています。こういう人たちはみんな無登録のかたちで地下生活をしています。それはもし登録をするため出頭した場合、日本側に逮捕されて、大村収容所にいれられて南朝鮮へ強制送還される恐れがあるからです。

これらの人びとは凶暴なファッショ体制の政治的迫害をのがれてくる人も多く、また虐政によってますますひどくなる生活難のために老人やこどもまでそろってにげてくる場合もあります。こういう人たちはこの前の国連総会の満場一致の決議や、国際法からいっても手厚く保護しなくてはならない義務を日本政府はもっています。これらの人たちは決して刑事上の犯罪人ではありません。それなのに日本政府はそういう人たちをみつけしだい、大村収容所にいれます。大村収容所は普通の刑務所よりもっとひどい待遇です。これは赤十字のジュネーブ条約にも違反しています。十二月初め、収容されている人たちが待遇改善を要求してデモをやったが、弾圧され、中心になった人は刑務所に隔離されているということです。最近では一月に強制送還された人が釜山につくとすぐ数十名逮捕されました。

日本政府は「韓国」軍事政権の代理人になっていることになります。その一方では日本政府は南朝鮮から警察や右翼関係者がにげてきたときに限って法務大臣の裁量で手厚く保護しています。

見ぬけぬ　植民地主義

また日本政府はまだ「南朝鮮」とも国交が樹立されていないのに「韓国」駐日代表部を東京におくことを許しています。こんなことは外交上の常識からいってもためしがないことです。しかも駐日代表部はＣＩＡでかためられていて在日朝鮮人にたいするいろんな陰謀をやっているというウワサです。政府のこうした在日朝鮮人にたいする不法な政策がそのまま政府の朝鮮にたいする政策です。こういう日本国内での事実に鈍感であることはつまり、日本自体の悪い社会体制を日本人民が黙認していることになるわけですから、日本の民主勢力にとっても恥であるといわなければなりません。

しかし、現実には朝鮮問題に関する限り日本では、割合進歩的な人でも政府のとっている植民地主義が十分に見えない場合があるという弱さがあります。これは沖縄問題の場合にもいえることです。日韓会談粉砕の運動でもそういう弱点を克服しないと本物にならないし、朝鮮統一という問題も在日朝鮮人の問題も十分認識できないのではないでしょうか。

日本と朝鮮

（11）

人民連帯会議の決議

日本と朝鮮の関係がどんな状態にあるかということは日朝両国人民にとってきわめて重大な問題ですが、それは同時にアジア・アフリカのすべての人民にとっての重大問題でもあります。

A・A諸国人民との連帯

日本アジア・アフリカ連帯委
理事長　愛大教授
坂本徳松氏の話

坂本氏

わたしはさる二月四日から十日まで東アフリカの新興独立国タンガニーカの景勝地モシで開かれた第三回アジア・アフリカ諸国人民連帯会議に出席してこのことをとくに痛感しました。

アジア・アフリカの五十四ヵ国から三百八十一人が参加してひらかれたこんどのモシ大会は「日韓会談」反対の決議を、沖縄の米軍基地撤去・日本即時復帰の決議などといっしょに採択しました。その決議は「第三回A・A諸国人民会議は、アメリカの戦争と侵略の政策に反対する日本、朝鮮人民のたたかいを支持し、日韓会談を即時中止すること」を要求するものです。

会議はまた、アメリカの朝鮮侵略の記念日である六月二十五日から朝鮮休戦協定十周年にあたる七月二十七日までを南朝鮮からアメリカ帝国主義侵略軍隊を撤退させるための共同闘争月間としてたたかうという「朝鮮に関する決議」を採択しました。いいかえればアジア・アフリカ諸国人民が帝国主義と植民地主義に反対する共同闘争の一環として「日韓会談」中止とアメリカ帝国主義軍隊の南朝鮮からの撤退を要求してたたかうことになったわけです。

この二つの決議について、日本代表団と朝鮮代表団は密接に協力して両国人民の共同の敵にたいする闘争を通じての相互支援を実践しましたが、これがアジア・アフリカ諸国人民の共同の闘争課題として採決されたことは重要な意義をもっています。東北アジア軍事同盟をめざす「日韓会談」は単に日朝両国人民にとって危険なだけではなく、アジア・アフリカ諸国すべての独立と平和にたいする脅威でもあることをアジア・アフリカ諸国人民が一致して宣言したのだからです。

諸国の独立、平和へ脅威

「日韓」粉砕へ　モシ大会、一致して宣言

印象深い朴団長報告

わたしにもっとも印象深かったのは朝鮮代表団長パク・セエチャン（朴世昌）氏の団長報告でした。朴氏は「かつて国連の旗を利用して朝鮮を侵略したアメリカ帝国主義はいままたコンゴを侵略している」「アメリカ帝国主義はアジア・アフリカの共同の敵であり、世界人民のもっとも悪質な共同の敵であり、侵略と戦争の主謀者であり、世界文明の破壊者である」と、アメリカ帝国主義のアジア侵略政策を朝鮮人民の体験を通じて、もっとも痛烈に攻撃し、それとともに、アメリカ帝国主義がいま南朝鮮ですすめている、いま一

つの新しい戦争の準備を具体的に暴露しました。アジア・アフリカ諸国人民は、朴団長の報告にもあるアジア・アフリカ共同の敵、アメリカ帝国主義にたいする共同のたたかいで結ばれているのです。

このたたかいのなかで日本人民の責任は特に重要です。なぜなら日本軍国主義はアメリカに従属して「日韓会談」にみられる朝鮮再侵略だけでなく、アジア・アフリカ侵略の中核になりつつあるからです。

朴団長はこの点について「アメリカ帝国主義者は日本の軍国主義者を復活させて、かれらをアジアにたいする侵略の突撃部隊に利用しようとしている。そして『日韓会談』によって『韓国』の軍事ファシストと日本の軍国主義者とを結びつけ、日本を中核とする東北アジア軍事同盟を結成しようとしている。これはアジア人民にとって大きな脅威である」とのべました。

会議では日本政府がアジア・アフリカ人民にたいしてとっている非友好的、侵略的態度が非難されました。朴団長は「星条旗はドルのあとにつづく」ということばを引用しましたが、日本の軍国主義と反動勢力は星条旗とドルのそのまたあとにつづいているのです。そして日本軍国主義は遠いアフリカでも、近いアジアでもアメリカ帝国主義に従属して自ら孤立化しつつあります。

孤立か、連帯の道か

孤立化の道には日本人民は絶対に反対です。この孤立化をやめて独立と平和と繁栄の道をゆくために、日本人民は朝鮮人民、さらにアジア・アフリカの全人民と完全に協力し、連帯をすすめなければなりません。このたたかいは、アジア・アフリカ二十億の独立と繁栄のためのたたかいでもあります。アジア・アフリカ諸国人民の激励と期待にこたえ、「日韓会談」を粉砕し、日朝両国人民の友好と連帯、たたかいを通じての相互支援に立った正しい日本と朝鮮の関係を確立しなければならないと思います。

日本と朝鮮 (12)

この「日本と朝鮮」のシリーズを終えるに当たって、最後に九州の炭鉱町に住んでいる一人の主婦がつづった短い手記を紹介したいと思う。筆者の渡辺スミ子さんは、全日自労福岡県支部田川分会に所属する人。十八年前の自分の見聞をそのままつづったこの手記には かつての日本の支配者によってつくられ、そしていまも新しい形で補強されようとしている日朝両国の関係が、朝鮮人民だけでなく、日本の人民をも苦しめ、死においこむものであったし、現にあることを最も端的に示しているものと思われます。

渡辺スミ子さんの手記

カゼで一日休んだと なぐり倒された朝鮮人

同じ青竹、日本人労働者にも

三井田川炭鉱

18年前のこと

十八年まえ、わたしは、三井田川炭鉱の斜坑労務課で働いていました。

戦争中で、炭鉱が軍需工場に指定され、「徴用」でつれてこられた日本人や朝鮮人労働者、アメリカや中国の捕虜まで「増産、増産」で、しゃにむに働かされていました。

そのころのこと―

ある朝鮮人労働者が休んだので、労務に呼びつけて「人が足らんから、いますぐ、したくをしてこい」といいつけました。その朝鮮人は「カゼをひいたので、きょう一日だけ、休ませてください」と、たのみました。

すると「このヤロー、つけあがって」と青竹で、なぐりつけ、ビシビシとたたきつけました。そのうち、とうとう気絶して倒れてしまったのです。

労務係は「こいつ、要領よく、気絶のまねしやがって」とバケツで頭から水をぶっかけ、カミをつかんで、ひきずりおこしながら、グッタリしている顔を、真正面からなぐりつけ、鼻から、口から、血がふきだし、顔が血まみれになってきました。

とても、まともに見ていられません。わたしは、じぶんの方が、気絶するような思いでした。

憲兵の命令で

朝鮮人だけでなく、日本の労働者も、ひどい目にあいました。

ある日、課長が「三日以上休んでいる者を呼びだせ」と命令し、労務係は、帳簿からひろいだし、ハガキで呼びだしました。

呼びつけた日は、十五日、炭鉱の給料日で、呼びつけられた人たちは、労務まえ広場にならばされました。その当時、斜坑の所長は、若林さんで、三池炭鉱の闘争のとき、三池の所長になった人です。若林所長、課長など、オエラ方がウヤウヤしく出迎えるなかを、サイドカーでのりつけた憲兵が、軍刀をさげ、イバった姿で入ってきました。

憲兵は、つかつかとならんだ人たちの前にいき「うでたせ伏せッ」と号令をかけました。みんな、地面にウデをたて、からだをささえました。いくらたっても、ヤメの号令は、かかりません。しばらくすると、みんなくたびれ、腰がまがり、からだが地面についてきます。

　すると、憲兵が「コラッ！」と青竹で、たたいてまわり、

「なんだ、このかっこうは…」

とどなりちらします。

　ほとんど、四十歳から五十歳ぐらいの年よりでした。みんな、ひたいから、油汗をながし、青竹でビシビシたたかれています。

　ある五十歳ぐらいの人が、力つき、地面にからだがついてしまいました。

　憲兵は、青竹でなぐりつけながら、「なんで休んだのか」と。その人は、とぎれとぎれに「カゼをひいたので……」と答えました。憲兵は「なにイ、カゼだ。キサマ、第一線の将兵のことを考えろ。カゼぐらいがなんだ」と、力つきてたおれているのに、皮ぐつで力いっぱい、腰のあたりをケあげました。

　そのあと、フラフラになっているのに、タタミぐらいの大きな紙に
「わたしは、大事な戦争のさなか、三日も仕事を休みました。わたしは、非国民、国賊です」

という意味が書いてあるまえに立たされました。給料日なので、従業員や家族が、労務まで給料をうけにくるのです。そのまえを通る奥さんや、こどもは、どんな思いだったでしょうか。

　たった三日、仕事を休んだだけなのに、それも病気だったのに――。そして「非国民だ、国賊だ」といわれて、青竹でたたかれる……。

もうまっぴらです

　わたしは、いま、「日韓会談」が、戦争への道をすすむものだときいています。

　また、大金持ちのために、戦争させられるのは、まっぴらです。上の命令には、絶対服従の戦争政治を、二度と、くりかえしたくありません。

　「日韓会談」の話をきくたびに、十八年まえのわたしが学校をでたばかりの、あのときのことが、思いだされるのです。


（おわり）

解説1・2／日本朝鮮研究所のあゆみ

解説1

樋口雄一

はじめに

日本朝鮮研究所に関する資料は膨大であり収集、収録出来たのはその一部にすぎない。特に第一回総会資料は関係者に尋ねたが所在は判らなかった。編者の井上學と私の手元にあった資料で編年形式で構成したものであることをまず、お断りしておきたい。研究所の刊行図書については巻数の制限が在り一部しか収録出来なかった。研究所が刊行した雑誌も著作権などの問題があり八〇号までの総目次の紹介だけである。なお、資料の構成については解説の最後に簡単にふれる。

すでに日本朝鮮研究所の関係者の大半は故人となられ、一部研究者によって語られることがあっても今日、殆ど忘れ去られた組織であると言っても過言ではない。あえて散逸の危機にある資料を資料集として残すことにしたのは研究所の研究成果も重要であるが、日本人の日本人による朝鮮研究はいかにあるべきか、という問いに実践的に対応した研究組織であったためである。もう一つ加えておかなければならないのは、なぜ、在日朝鮮人資料叢書の一つに加えたかということである。日本人の在日朝鮮人史研究は日本朝鮮研究所の活動で関心をもった人々の一部を巻き込んで始まったという側面をもっているからで、新たな朝鮮史研究の始点となっているからである。

そもそも、日本では近代以降の朝鮮研究は重要視されてこなかっただけではなく、権力に追随し、朝鮮史の独自な展開や朝鮮民衆史の視点での研究は行われてこなかった。敗戦後もこうした傾向が継続していたが、戦前の韓国併合条約の評価と新たな日韓条約問題は朝鮮史のあり方を問うものであった。日本の敗戦をはさみ新たな日韓条約が結ばれようとしていた現実を前にして、民衆の立場からの朝鮮研究を基軸にして、日本人が新しい朝鮮史への取り組みを始めようとしたのである。朝鮮史は敗戦後、個人的な「業績」としての研究成果はあったが、新たな日韓・日朝関係を築くための朝鮮史研究、それを組織的に実践しようとしたことが日本朝鮮研究所の設立の目的であった。

日本朝鮮研究所については創立者の一人である寺尾五郎について論じられる場合が多いが、実際は彼だけでなく、発起人名簿（第1巻所収）に見られるように、旗田巍を始めとする朝鮮史研究者、日本史関係者、ジャーナリスト、弁護士などが幅広く参加して組織的に展開されたのである。敗戦後の朝鮮史研究を問う時に画期的な出来事であった。

この朝鮮史研究運動とも言うべき日本朝鮮研究所の活動は、日韓条約の締結以降の運動の収束とともに終止符を打ったが、その後の朝鮮史研究に大きな影響を与えたと考えられる。現在、特に日本を含めた東アジア全体の近代歴史像の再構築が求められているときに、日本朝鮮研究所の設立の意義を再検討しておくことは、決して無駄ではないと思う。関係資料の散逸を防ぎ、新たな朝鮮研究を始めるための原点の一つとして、日本朝鮮研究所の資料集の発刊を思い立ったのである。

なお、ここでは研究所の事務所のあった場所を区分の基準とした。事務所移転の背景にはそれなりの理由があったためである。

一　日本朝鮮研究所の設立・湯島時代（一九六一年～一九六五年九月）

一九六〇年、安保闘争が展開され、広範な市民の参加が見られ、その中心には学生達がいた。これは日本だけではなく、大韓民国（以下韓国と略称）でも学生を中心にした不正選挙に反対する運動が展開されていた。馬山で起きた選挙不正反対運動はソウルでの運動に火をつけて四月革命が起こった。それによって長く継続するかに見えた李承晩大統領は退陣し、韓国での民主的新政権への展望が開かれた。朝鮮民主主義人民共和国（以下共和国と略称）の発展も伝えられていた。中国でも安定的に発展する基盤整備事業が実施されていた。

こうしたなかで日本国内では、朝鮮に関心を持つ日本人のなかに、朝鮮問題で結びつきを強めようとする動きが始まった。日本人が新たな朝鮮との関係を考えようとしたのである。それまで日本での朝鮮研究は在日朝鮮人研究者の意見を聞いて、という姿勢から日本人が日本人の問題として朝鮮についての課題を考えようとする人々が生まれてきたのである。朝鮮戦争後、在日朝鮮人側では組織的に『朝鮮月報』その後は『朝鮮問題研究』などの歴史研究雑誌が刊行されていた。しかし、それは現状分析が中心であったが、共和国で刊行した文学、歴史関係の刊行物も購入できるようになっていた。日本人研究者などの間では個人として朝鮮・韓国、朝鮮史に関心を持って発言をする人々はいたが、組織的に日本人が朝鮮史や朝鮮の社会問題について取り組むことは少なかった。「大学」の枠組を含むが、それを超えてさまざまな朝鮮に関心をもつ社会人が集まろうとしたのである。「日本人の手による、日本人の立場からの、日本人のための」を掲げる日本朝鮮研究所は六一年一一月一一日に設立総会が開催された。日本橋の精養軒で多くの人々が参加して結成されていた。朝鮮に関心を持つ人々以外にも、竹内好など中国研究関係者も集まった。いわば市民が集まっていたのである。旧植民地時代を批判的に見る日本人市民が新しい朝鮮人との関係を築こうとする試みであった。

発起人として集まった三四人のなかには、衆議院議員、都議会議員、区議会議員、ジャーナリスト、中国史、日本史、朝鮮史研究者、弁護士、文学者などがおり、多彩な顔ぶれであった。この内の主要メンバーの幾人かを紹介しておこう。

寺尾五郎　寺尾は一九二一年北海道室蘭で生まれ。敗戦直前に逮捕され豊玉摩刑務所で服役、一〇月一〇日に他の政治犯と共に解放された。日本共産党の本部専従、朝鮮戦争について吉武要三名で『アメリカ敗れたり』を執筆。その後『三八度線の北』を発刊、一九六一年の日本朝鮮研究所創立に参画、専務理事となる。一九六七年一月に日本朝鮮研究所を退任した。背景には日本共産党を中国問題で除名されたことがあった。彼自身も中国に関心を移していたのである。日本朝鮮研究所が最も活動していた時期の専務理事。

藤島宇内　慶應義塾大学卒、当時の著名な文芸評論家。日本朝鮮研究所の創立に寺尾と共に参画し準備活動を行った。初期の『朝鮮研究』(『朝鮮研究月報』を改題)に執筆。その後、朝鮮総連が組織した強制連行調査の日本側代表として調査に参加、多くの報告書を作成した。

古屋貞雄　弁護士。戦前に朝鮮・台湾の労働・農民運動の弁護活動を行った。戦後、山梨県選出の左派社会党代議士。日本朝鮮研究所の理事長、訪朝団団長として金日成などと会談。詳しくは本巻の解説2の井上學の聞き書きを参照されたい。同じ社会党左派の石野久夫も研究所の維持に尽力した。

畑田重夫　日本朝鮮研究所参加当時、名古屋大学助教授、朝鮮現代史。専門は朝鮮戦争史。労働者教育教会にも所属。朝鮮研究所設立後、名古屋大学を退職。日韓会談反対運動講演などで活躍。

旗田巍　朝鮮史研究者、都立大学教授。戦後、新しい朝鮮研究を始めた。『朝鮮史』(岩波書店)などを刊行し、多くの研究者を育てた。発起人には戦前からの朝鮮史研究者である四方博、末松保和なども加わっていた。

秋元秀雄　読売新聞社記者、ジャーナリストとして研究所に協力。

川越敬三　ジャパンプレス記者、現状分析を得意とした。日本朝鮮研究所共和国訪問団の一員。

安藤彦太郎　早稲田大学教授、専門は中国史。寺尾五郎と近く、初期研究所の設立、維持に協力。

渡部学　元朝鮮総督府学務課長、戦後、武蔵大学教授。専門は朝鮮教育史。

吉岡吉典　アカハタ記者。生涯を通じて朝鮮問題について執筆を続けた。朝鮮関係著作多数。在日朝鮮人研究者との交流も深かった。米騒動についての研究でも知られている。

（なお、上記の中心人物の内、生存されているのは畑田重夫氏のみである。また、『朝鮮研究』にはペンネームで執筆されていた方がいる）

若手の研究者としては宮田節子、梶村秀樹、楠原俊治、桜井浩等がいた。

他にも多くの有力な日本史研究者が参加していたが、研究所の会議などへの参加は少なかった。

設立した一九六一年には、『当面の朝鮮に関する資料』の第一集、第二集を刊行した。

翌年から研究会も実施され、シンポジウム「日本における朝鮮研究の蓄積をいかに継承するか」は全一〇回実施され、大きな成果を生んだ。一九六二年、機関誌『朝鮮研究月報』が創刊され、以降、原則として月刊が守られていた。

一九六二年にはシンポジューム、座談会、公開講座、朝鮮語講座などがテーマを掲げて実施された。まだ、朝鮮に関する講座などが少ない時期で、日本人が参加者の中心であり、成果を生むこととなった。

一方、こうした中で日韓会談が政治的な課題となり、日韓会談反対運動の支えとなるパンフレットの発行は、研究所にとって大きな役割を果たした。それはこのパンフレットが日本人が明治以降の朝鮮侵略をどう見るか、植民地支配をどう考えるか、を問う内容をもっていたからである。日韓会談の経済侵略論、アメリカ主導の日韓会談論などにはない、日本人の朝鮮侵略に反対する運動の歴史に力点を置いた日韓会談反対論であった。過去の朝鮮侵略に反対した朝鮮人と日本人の足跡から学ぶという視点を提示した。朝鮮人の日韓会談反対運動と連帯した日本人の歴史的な役割を示したのである。このパンフレットの発行は何回かの寺尾の住んでいた日朝協会世田谷支部での講演での反応、意見を聞きながら改訂を重ねた結果として作成された。講演者は寺尾五郎で、満員の聴衆からの反応をみて、パンフレットを作成した。即ち、『私たちの生活と日韓会談』『日本の将来と日韓会談』の刊行とその後に刊行された『日・朝・中三国人民連帯の歴史と理論』(一九六四年六月刊)となって結実した。この三種のパンフレットは朝鮮研究所の財政を支えただけではなく、多くの研究者、活動家を集め、研究所の基盤整備と事業拡大につながった。なかでも『日・朝・中三国人民連帯の歴史と理論』は版を重ねた。著者は安藤彦太郎、寺尾五郎、宮田節子、吉岡吉典の四人になっていたが、実際は中身の構成に参加した幼方直吉、小沢有作、梶村秀樹、木元賢輔、楠原利治、渡部学との合同作品である。

こうした出版事業を支えていたのは、一九六一年から事務局長として働いていた木元賢輔であった。木元は京都で日朝協会の仕事をしているときに、寺尾五郎に説得されて東京にきた。寺尾の家のすぐ近くに住み、共に活動していた。研究所には偉い先生はいたが発送・校正などはしない。彼は誰もいない湯島の事務局で黙々と、機関誌の刊行・発送などに休まず働いていた。実務の面で日本朝鮮研究所の最盛期を支えていた。もちろん、他にも活動を支えていた人は多くおり、中川秀子氏などもその一人であった。

次第に日本朝鮮研究所の活動は多くの研究者、市民活動家に支えられるようになった。こうした日韓会談の朝鮮問題に対する日本朝鮮研究所の姿勢が日本人に支持された。なかでも日本人がどう朝鮮と係わりを持つかという提起が支えになっていた。研究会活動も活発になり、桜井浩、梶村秀樹などが度々報告していたが、分野別に研究が実施されていたのもこの頃であった。

こうした中で、日韓会談反対運動が全国で展開され、講演会が開催されるようになると、研究所の主要メンバーは手分けして全国に出掛けて日韓条約の問題を訴えていた。講演依頼に応えられない場合もあった。福岡では寺尾の講演をパンフレットにして配布していた。その他、広島等でも運動が展開され、それらの地域から研究所を訪ねてくる人々もいた。運動の一つの拠点的存在になったのである。

一方、日韓会談反対運動と同時に韓国の民衆との連帯も必要とされたが、韓国との往来や人的なつながりはできなかった。これに対して共和国との関係は深くなった。寺尾は共和国を訪ね、著作活動や交流を重ねていた。一九六三年、研究所は訪朝団(団長・古屋貞夫理事長)を組織して共和国を訪問した。訪朝団の記録は一九六五年に『日朝学術交流のいしずえ　一九六三年訪朝日本朝鮮研究所代表団報告』として刊行されている。交流の成果として、当時は入手出来なかった多くの共和国の刊行物が研究所にも送られてくるようになった。歴史学はもちろん、文学、自然科学を含めた研究書と雑誌などで、極めて貴重な共和国の経済・社会・歴史資料であった。これらを元にした共和国研究が所内研究会でもたれ、梶村、桜井浩等が報告していた。後に、その成果が刊行されている。統計数字などは幾つか判らないこともあったが、新しい研究もあって、歴史などについての評価も注目された。また、共和国内での統制が強くなる前の刊行物である。当時、民間機関にこうした資料が届いていたのは、本研究所だけであったと思う。資料が集まるところには人も集まることにもつながった。日韓会談反対だけではなく、朝鮮との学術交流を進めようとする気運が生まれていたのである。

研究所の成果を載せた月刊誌『朝鮮研究月報』が刊行された。創刊号は一九六一年であり、多くの研究者等の論文や研究所の動向資料を掲載することが出来た。本資料集（第3巻所収）には一～八〇号までの総目次などが収録されている。『朝鮮研究月報』から一九六四年に判型を改めた『朝鮮研究』にも多くの論文が発表されるようになった。基礎研究として有用な論文も多くある。各種の出版物も刊行できた。所員も九二名に増えた。当時としては大きな組織になりつつあった。第3巻に総目次を収録したのは初期の八〇号部分である。入手はほとんど出来ないであろう。以降の各号については刊行部数も多く、公共機関でも所蔵されているところもある。

湯島の事務所は木造の二階にあり、極めて手狭になってきて、事務局員も増員して一九六五年一〇月に、新宿御苑近くの三階建てのビルに移転し、二階・三階を使用した。

二　新宿時代（一九六五年一〇月～一九六七年二月）

湯島から新宿に移転することになった理由は、研究会、資料の増加などで事務所内では会合が開けないような状況であったこと、第一の要因としては、朝鮮文化史の刊行が予定されていたことである。共和国で刊行された文化史を翻訳して刊行したのである。翻訳は大村益夫等が行い、本文印刷は朝鮮新報社であったが、図録集であるため、一流の京都の便利堂で行うという念の入れ方であった。こうした体制は日本朝鮮研究所という枠内では処理しきれず、亜東社という別会社を作って対応したが、新宿事務所内に同居したので二つの事務所を同じ建物の二階と三階のフロアーに別に置くことになったのである。これにともない日本朝鮮研究所の事務局長には佐藤勝巳が、亜東社事務局長には木元賢輔がなった。事務局員もそれぞれ増員された。佐藤勝巳は帰国運動の中心であった新潟の日朝協会にいた活動家である。研究所というが、事務局長の二人が大学院生や非常勤講師ではなく活動家であった点は、研究所の姿勢を示すものであろう。新しい日本朝鮮研究所の発展を試みたのである。

日本朝鮮研究所では朝鮮語講座を始めさまざまな事業活動が実施された。前述のように、『朝鮮研究月報』は誌名を『朝鮮研究』に改題し、判型もB5判からA5判にし、内容も朝鮮問題についての読みやすいものを中心にということで論文的なものは少なくなった。これにともない財政的な問題もあり朝鮮に関する史料や読みやすい本を刊行することになった。これは湯島時代からの延長線上の課題でもあった。梶井渉『朝鮮人学校の日本人教師』、梶村秀樹『最近の朝鮮の協同農場』、同『朝鮮民主主義共和国の水産業』などを刊行した(第3巻所収「日本朝鮮研究所の歩み」を参照されたい)。ただし、研究所の意図とは違い、それなりに売れたのは『朝鮮人学校の日本人教師』と資料ぐらいで、印刷費用を支払うことが出来るような本はなかった。共和国についての梶村の農業・水産業の研究と資料は、朝鮮の初期社会主義の検討をする上では必読の書であると思われたが売れなかった。取次店を通さないと売れず、そうした配慮も出来ていなかった。『金玉均の研究』など翻訳も刊行し、毎月刊行する雑誌とこれら史料の刊行は、次第に研究所の財政を圧迫していった。また、日韓条約が締結されると日本人の間では、朝鮮に関する関心が急速に低下した。月刊雑誌や資料集も、事務所と事務局員を維持が出来るほどの利益を生み出すことは困難となった。後に見るような運動との乖離が背景にあったが、日本人側の朝鮮問題に対する一般的な理解がなかったのが大きな要因であった。

亜東社の『朝鮮文化史』上下二巻は高価なこともあり、販売は思うにまかせなかった。これも取次店を通せなかった。寺尾五郎は松本清張宅まで持参し、買ってもらったこともある。『朝鮮文化史』刊行は朝鮮人側の支援もあったようだが、結果的に大きな赤字を抱えることとなった。

全体的に困難な状況になりつつあったが、これに加えて中心人物である寺尾五郎が、全く日本朝鮮研究所に姿を見せなくなっていた。ある日、『反修簡報』という通信を刊行していたとして日本共産党を除名されたことをアカハタ紙上で知ることになる。日本朝鮮研究所の所員も事務局も全く知らなかった。その後も寺尾は研究所には姿を見せず、寺尾のいないところで研究所は運営されることになった。藤島とともに力を尽くして設立した日本朝鮮研究所の中心人物がいなくなったのである。寺尾との関係で参加していた人々は離れ、古屋理事長は変わらなかったが、政治的な理由で離れた人々もいる。

こうした事もあって、財政的な困難さから研究所は家賃の安いところへの移転し、事務局で働いていた人もすべてそれぞれの道を歩むことになった。移転先は地下鉄淡路町駅から数分の距離にある木造二階建ての二階であった。

三　淡路町時代（一九六七年三月〜）

研究所は佐藤勝巳事務局長が一人常駐し、維持することになった。ここに出入りしていたのは若手の所員であった小沢有作、梶村秀樹、宮田節子等の人々であった。狭い事務所であったが、機関誌『朝鮮研究』は維持された。朝鮮について知ろうとする若い人を中心にした研究員制度は新宿から継続し、火曜講座と題した講座を近くの会場を借りて開催していた。安保、日韓会談反対運動の中で、意見を異にする人々が講座を妨害したこともあった。しかし、当初は研究所の維持が出来ていくかに思えた。

日韓条約が締結され、次第に韓国との往来も始まり、韓国系の人も来るようになっていた。しかし、軍事政権が成立し、経済関係は別として民間機関での「交流」といった次元では、公的に往来などは出来なかった。

一方、共和国への帰国運動は帰国者が減少し、停滞し始めていた。帰国者から朝鮮戦争後の復興が容易でないという情報が伝わるようになっていたためである。勢い日本国内で日朝友好運動の中心となっていた全国組織・日朝協会などの運動も一時よりは弱くなった。

月刊で維持していた『朝鮮研究』誌上でも大きな問題が起きた。座談会に出席していた朝鮮史研究の第一人者である旗田巍が被差別部落への差別発言をしていたにも拘わらず、校正の段階でも気付かれず、そのまま紙上に掲載されたのである。解放同盟からの厳しい指摘があり、紙上で何人かが謝罪を表明した。このことをめぐって幾度かの会合がもたれ、運営に当たっていた人々も問題点についての考えを紙上で表明した。朝鮮人、在日朝鮮人差別を認識しながらの被差別部落発言であり、研究所内部で、個々人に影響を与えることになった。その後の梶村秀樹、佐藤勝巳などの在日朝鮮人問題に対する姿勢に影響を与えたと思われる。

これが直接的な影響ではないが、研究所の財政は赤字が続き、家賃の支払い、職員給与の手当も支払う見通しが立たなくなっていた。この頃になると若い研究者等が中心で費用を相応に持つことの出来る日本人の支援者がいなくなっていた。

さまざまに再建策を検討したが、ついには佐藤の自宅に事務局を置いて研究誌の発行を行い、研究所を維持することとなった。中心は梶村秀樹、小沢有作、後に内海愛子等であった。

一九六九年のことである。以降、機関誌は刊行されたものの、佐藤を中心にした数人で維持する状況であった。当初の研究所の設立趣旨が生かされることは難しくなっていた。以降の資料については収録していない。

四　本書の構成

第1巻は、「Ⅰ　準備から設立まで　一九六一年」と「Ⅱ　設立から各事業の展開」を収録。Ⅱの収録資料は、1　研究所関係資料、2　研究事業関係資料(①部会報告・動向、②シンポジウム、③講座、④出版物案内、⑤その他)で構成。

Ⅰは設立準備から設立までの経緯と研究所の設立趣旨・概要がわかるようにした。Ⅱの1は研究所の動向・活動を時系列で示した。2は研究所の研究や啓蒙活動の内容がわかる様に、事業別に分類し、示した。

第2巻は、Ⅲ　定期総会資料(一九六二年～一九六九年)とⅣ　運営委員会資料(一九六八年・一九六九年)を収録。

Ⅲ　定期総会資料は、一九六一年の第一回は不明で第二回から収録。前の年度の総括と新年度の方針を知ることができる。研究所の活動の実態を知る上で貴重な資料。

Ⅳ　運営委員会資料は、一九六七年、新宿から神田淡路町に研究所を移し、研究所運営の執行を行ってきた常務理事会と研究委員会、同幹事会の三機関を運営委員会に統合した。定期総会資料と合わせて、研究所の実態を知る資料。

第3巻は、Ⅴ　日本朝鮮研究所の刊行物、Ⅵ　日本朝鮮研究所関連新聞資料、解説1(樋口雄一)・2(井上學)、「日本朝鮮研究所のあゆみ」(一九六一～一九六九年)を収録。

研究所は一九六一～六九年の間に機関誌はじめ多くの単行本・資料を刊行した。巻数の都合で、ここには刊行物の一部しか収録できなかった。機関誌も収録できなかったが、研究所の研究内容・動向を理解してもらうために第一号～第八〇号の総目次を収録した。

解説1は研究所の設立の意義と位置づけを明らかにしており、収録資料を理解する助けになると思う。解説2は理事長であった古屋貞雄に焦点をあて、その生い立ちから朝鮮との関係をたどることで、どの様な人がこの研究所にかかわっていたかを知る資料である。

「日本朝鮮研究所のあゆみ」は、収録資料に基づいて、その内容を細かく記録したもので、資料を読み解く上で参考となるものである。
なお、日本朝鮮研究所についての最近の研究論文を紹介しておきたい。
板垣竜太「日韓会談反対運動と植民地支配責任論—日本朝鮮研究所の植民地主義論を中心に—」『思想』二〇一〇年一月号　岩波書店
内海愛子「日韓条約と請求権—「朝鮮研究」などの同時代史的検証—」『歴史学研究』二〇一四年八月号ほか
なお、この資料集の整理については南里知樹氏のご協力を得た。感謝申し上げたい。

追悼　本書は井上學さんと二人で編集した。彼のたっての希望で彼の解説は本書に掲載した「古屋貞雄の生涯」について古屋邦子夫人からの聞き書きである。古屋の行動が日本朝鮮研究所を象徴しているという思いである。この原稿は一二月一五日頃、緑蔭書房の南里さんから届いた。この返事をしようと思っていた矢先に井上學さんの急逝の報があった。一二月二一日のことである。半世紀にわたる友人であった。心より冥福を祈る。

二〇一六年一二月二五日記

解説2　古屋貞雄の生涯について――古屋邦子さんからの聞書

井上　學

日本朝鮮研究所は一九六一年に創立され、理事長古屋貞雄、専務理事寺尾五郎、事務局長木元賢輔の体制で運営された。古屋貞雄は、一九七六年に逝去するまで理事長であったが、その生涯についての資料として、『朝鮮研究』一五三号（一九七六年二・三月合併号）「古屋貞雄追悼特集号」があり貴重だが、越境した民衆の弁護士古屋貞雄の全生涯を知るためには、なお多くのことを研究する必要がある。

古屋貞雄自らが語った資料は限られており、とくに「生い立ち」についてわからない事が多い。

筆者（井上）は、古屋貞雄と半生をともに歩まれた夫人古屋邦子さんに、一九八六年一〇月一五日および一九八七年四月一一日の二回、ご自宅でお話を伺った。邦子さんは茨城県北相馬郡利根町早尾の実弟岡山久志氏宅に同居されていた。

二回にわたる聞書きを、古屋貞雄の生涯をほぼ時期順にたどるかたちに整理して紹介する。そして各項ごとに、邦子さんのお話を理解するために必要だと思われるその当時の関連事項を他の資料から注記した。

なお、この聞書きは、主に古屋貞雄の戦前期（出生から台湾引揚まで）に限られている。

1　古屋貞雄の生い立ち、弁護士になるまで

古屋は三人兄妹です。父親が同じ妹が二人いました。

古屋は九歳で父に死なれ、朝鮮のオジさんのところへ頼っていったそうです。最初は味噌屋の小僧までやったようですが、簿記学校を出て郵便局に勤めたのです。遠藤という局長が、「君のような頭のよい青年がこんなところで算盤をはじいているのはもったいないから、もう一度日本へ帰って勉強しなさい」と言ったので、古屋は日本に戻り、苦学して明治大学の法科を

出たのです。

古屋は小さい時から、大きい人にやられると悔しいという性格だったようです。弱い者の味方、その気持はまあ変わらなかったですねぇー、一生。

注記
古屋貞雄の生い立ちと家族については、未詳のことが多い。

古屋貞雄は、一八八九年（明治二二年）一二月二日、山梨県東山梨郡七里村下於曽に生れた。「戸籍」で確認できればよいのだが、この間、筆者（井上）にはそれができなかった。塩山市役所戸籍係に電話で問い合わせて聞くことができたのは、「明治二二年一二月二日生。父古屋喜作、母みね（旧姓根津）」ということだった。

なお、邦子さんは「古屋は三人兄妹、父親が同じ妹が二人」と語られたが、古屋貞雄の甥の降矢健二氏（古屋貞雄の二番目の妹が降矢健二氏の母）の話では、古屋貞雄は「弟一人、妹五人の七人兄弟の長男」だということだった。

邦子さんが語る「簿記学校を出て郵便局に勤めた」以前の「学歴」については、七里（ななざと）村尋常小学校、塩山高等小学校卒業後、日本簿記学校に学んだ。小学校時代、広瀬久忠（後、厚生大臣）が一年上、天野久（後、山梨県知事）が同級にいた。子供同士の喧嘩では「広瀬豪族派、古屋貧農派、天野様子見」だったという（降矢健二氏談）。

邦子さんが語っている「朝鮮のオジさんのところへ頼っていった」ことや「（朝鮮で）郵便局に勤めた」ことについて、詳しいことはわからない。

2　古屋貞雄との出会いと結婚

私は、明治三三年一〇月二五日、愛媛県野村町（現宇和島市）で、岡山久吉（ひさよし）、イヨノの長女として生れました。父は時計商です。九人兄弟（女三人、男六人）の一番上で、いま同居している久志が末弟（六弟）です。

早くから東京へ出ました。若い時赤十字の看護婦になりたくて、看護学勉強のため医者の家で見習いになりました。巣鴨の中西さんという医者です。

私のオバが赤坂で小さな旅館（赤坂館）をやっていましたが、そのオバの親友が内幸町で食堂をやっていまして、人手不足で手伝いを頼まれました。私はオバに世話になっており、嫌とはいえず手伝いに行きました。

その食堂の前のビルの三階に古屋の事務所があったのです。三階にある部屋は一つだけで、中は応接間と書斎、三畳のタタミ、二畳ほどの台所という間取りでした。

古屋は独身で、書生が一人、塩山出身の一七、八歳の男の人がいました。大掃除をやっていました。ご飯をつくることも出来ず、私が手伝っている食堂に来ていました。それで知り合って、結婚したのです。

結婚して最初、鍋や釜を買って、その三階の事務所に住んでいました。留守番みたいでした。古屋は弁護士の看板かけたばかりで、商売はやっておらず、年中山梨へ行っていて、農民運動。小作組合作りで、金儲けはそっちのけでした。私も質屋通いをしました。古屋は「要視察人」で、赤坂にいる頃、刑事がよくきました。

古屋は、いつからかは知りませんが、当時クリスチャンでした。関東大震災の時、東京のクリスチャン連中が何もしなかった。それでクリスチャンが嫌になり止めちゃった。それまでは聖書を持ち、私にも見せてくれたほど熱心なクリスチャンでした。

判事か検事になろうか、弁護士になろうかと考えて、判事・検事は取り調べる方、弁護士は助ける方、弱い者の味方、だから弁護士になった、と言いました。なんでも弱い者の味方が好きだったんですね。子供の頃から喧嘩すると強かったそうですよ。駄々っ子で有名だったそうですよ。散髪屋に行くと、ぼくの頭を刈りながら、「よう、このいたずらっ子の頭にキズがない」って言って刈ってくれたと言ってました。

関東大震災の時、お腹に子供がいました。三階では上り下りが大変なので、赤坂丹後町のオバさんのところの二階屋においてもらっていました。オバは旅館やめて、引っ込んでいたんです。そこで大震災に遭ったのです。豆を煎るように揺れて、昼寝の布団に壁が落ちた。階段も壁で埋まっていまいました。空き地の小屋がけに避難しました。武装した連隊の兵士が「今清水谷公園に二千人の朝鮮人が攻めてくる」と。どうせ死ぬのなら一人でも殺してと思っていたが、来なかった。あたりはなめたように焼けて、両国の灯りが見えました。

古屋は山梨にいたんです。山梨も相当揺れたようです。裁判所の出口で人を助け、人命救助の賞状をもらってきました。

注記

古屋貞雄は明治大学法科専門部特科在学中から無産運動に入っており、一九二〇年、「弁護士資格合格」した。最初の「古屋貞雄法律事務所」(内幸町)の住所は未詳である。

邦子さんが「古屋は弁護士の看板かけたばかりで、商売はやっておらず、年中山梨へ行っていて、農民運動。小作組合作り」だったと語っているが、一九二〇年四月下旬、「遅霜により農産物、特に桑園大被害」の時、古屋貞雄は「団結して地主と対等の立場で小作料引き下げを要求すべきだ」と説き歩き、九月一九日、下於曽妙善寺で東山梨郡七里村下於曽小作組合発会式、翌年、古屋貞雄の「精力的遊説により続々小作組合誕生」、一二月一五日、塩山の七宝館で東山梨郡小作組合連合会発会式を行った(山寺勉『女性が主役　山梨の労働運動史』一九九〇年)。

3　長男誕生

出産に備えて宇和島に帰ったのですが、初産は夫の側がいいということで、父が一緒に上京しました。父が震災を心配して、ミルク、消毒アルコールを神戸で仕入れ、大きなトランクをかかえてきました。長田〔治人 - 弁護士〕の家内になっている義妹〔古屋の妹〕が東京・青山にいました。その近くにこざっぱりした家を借りました。その時また余震があって、どうでも塩山へ行くことにしましたが、途中が大変でした。満員の石炭列車でトンネルをぬけたり、途中の上野原、与瀬では、徒歩連絡でした。

山梨に行ってみたら大変な騒ぎでした。〔県会議員選挙中で〕古屋の事務所に石がなげられるやら、大喧嘩です。両方とも〔警察に〕ひっぱられ、選挙どころではない。父が廣友館という小さな温泉旅館を宿にして、古屋を訪ねて交渉しました。〔娘を〕引き受けなければ宇和島へ連れて帰ると言ったのです。古屋は「申し訳ない」と言って引き取ることになったので、父は帰郷しました。私は、その旅館に一か月放り出され、置き去りにされました。その後迎えが来て甲府へ行ったのです。

引き取られていったのは、古屋が懇意にしていた大和民労会支部長、侠客の小林さんのところでした。佐渡町のアサヒ館〔朝日館？〕という、おばあさん一人の素人下宿屋へ預けられ、そこで出産したのです〔一九二三年一一月一九日、長男耕治出生〕。そして、また小林さんの二階へ戻りました。

そして、その後東京へ戻りました。甲府ミツエ村の大地主の息子で古屋の親友の矢崎さんが、若い夫人と東京、小石川伝通院下にいまして、その隣の豆腐屋に借家しました。

その頃のことですが、宇和島へ行きました。日掛け無尽会社が倒産し、貧しい人たちの掛け金を取り返すため、父が古屋に手紙で相談したのです。「取れる」という古屋の言葉に、旅費を送るから来てくれということで、それで親子三人宇和島へ行きました。無尽会社の幹部(金持ち)に対して古屋が闘い、泣き寝入りしていた市民を救ったのです。

宇和島の夕鶴座で大演説会を開きました。小さな新聞の記者が応援してくれたりして、宇和島の顔役だった無尽会社の社長もみっともなくなり、頭を下げて金を返したのです。はじめは侠客を差し向けて脅しましたが、古屋はそんなことは平気ですからね。

ところが、東京駅に着いたら、小石川の家がないという。妹と書生が留守番していたのですが、騙されて借りていた家を返してしまったのです。それで、赤坂中ノ町に借家することになりました。中ノ町にいる時、「これから僕朝鮮に行くよ」と言いだしたのです。「何しに行くんですか」と聞くと、「なにか事件があるから」と言うのでした。

注記

古屋貞雄は、長男誕生の直前、一九二三年一〇月の県会議員選挙に「東山梨郡農民組合連合会」から立候補したが、落選。「小作組合から擁立された古屋貞雄(弁護士)に対して、政友会側では『百姓助けの自称宗五郎はやがて百姓を食う油虫』などと書いた中傷ビラをまいて対抗した。両派の競争激烈のあまり、甲府憲兵分隊から憲兵が派遣される状況」だった(『山梨県の歴史』山川出版社、一九九九年)。

邦子さんが語っている「宇和島へ行き、日掛け無尽会社と闘った」年月は特定できていないが、このころ古屋貞雄は「伏石事件」(一九二四年)の弁護活動で高松にも行っている。

伏石事件(香川郡太田村伏石、昭和一五年、高松市に編入、伏石町)は、日本農民組合伏石支部が一九二三年末、「小作料三割減要求」に端を発し、二四名が起訴された事件だが、古屋貞雄は「若林三郎、若林の友人で明治大学同期の長田治人」とともに「中心になって働いた」(東京弁護士会図書館編『稀覯』、日本評論社、一九八六年)。香川県立図書館には二三名の「聴取書」が保管されてあるが、どれも第一頁目は朱罫の「辯護士古屋貞雄法律事務所」名入り用箋が表紙として使われている(「伏石事件」の判決は、一九二五年九月)。

「伏石事件」について筆者(井上)の問いかけに、邦子さんは「あの時長田さんも行ったのかな。長田さんはやはり山梨の人で、古屋の妹が嫁いだんです。長田さんは早く亡くなったが、妹はまだ元気で息子のところにいる」と語ってくれた。

4 朝鮮へ、台湾へ

朝鮮へは布施辰治さんが最初にいらした。なにか朝鮮人がひっぱられた事件、何の事件か知りませんけどね。その弁護に、布施さんが用事で戻ったその後に古屋が行きました。その時の写真も沢山あったのです。甲府で何かの会をやった時にかざったのですが、だれかがみなもって行ってしまったのです。深編み笠の四人の写真とかがありました。

朝鮮で刺客におそわれて傷がありました。他のことは聞かなかったですね。後のことですが、社会党の人と訪朝した時、天皇を迎えるように軍楽隊で迎えられ、一緒に行った人がビックリしていたと言ってました。

朝鮮の事件が終って、台湾に行くことになりました。私は台湾の留学生の侯朝宗に連れられて下関へ行き、そこで朝鮮から帰ってきた古屋と合流しました。子供は五歳でした。

最初、日本人が多いところには行かず、台北・大稲埕、という台湾人だけが住んでいる町でした。漆屋のコウさんの奥さんのテイシカンさんの家に泊まりました。写真があります。

台湾人の農民組合があっちこっちで演説会を開き、台湾人は古屋を神様扱いでした。日本人より台湾人の知り合いが多いです。

台中に事務所を構えました。働く人は皆、台湾人でした。台中の豊原で懇意にしていた江川病院(台湾人)の奥さんが、後に東京へ訪ねてきました。

昭和一七年に息子を亡くしました。生後すぐに一歳で心臓弁膜症と診断されていました。昭和一五年春、明治大学予科入学して、在学中でした。昭和一七年二月二一日、東京で死んだんです。一九歳の直前です。こういう追憶集(『くちな志の花』、昭和一七年九月一〇日)があります。

注記

邦子さんの語る「朝鮮の事件」は、朝鮮共産党事件公判(第一次・第二次)のことで、古屋貞雄は一九二七年九月一三日、公判開始から、同年一二月一七日〜翌年一月一三日の弁護団最終弁論まで全力でかかわった。この裁判闘争については、『朝鮮研究』「古屋貞雄追悼特集号」に収録されている、古屋貞雄自身が「語り手」の「暗黒下日朝人民連帯」、および梶村秀樹「東亜日報にみる朝鮮共産党事件と古屋貞雄」が詳細に伝えている。

「朝鮮で刺客におそわれて傷」は、朝鮮共産党事件公判の合間をぬって、全羅南道荷衣島小作争議の応援に行ってソウルに戻った夜、宿舎で暴漢に襲われた額の傷である。

邦子さんが台湾に行ったのは、一九二七年一二月から翌年一月の間であろうと思われる。この時期古屋貞雄は、朝鮮共産党事件の弁護活動、台湾農民組合第一回大会参加、第一回普選(一九二八年二月)立候補(山梨、労農党公認。得票一三〇〇余、落選)など、東奔西走の日々であった。

台湾に行くときの話に出てくる「台湾の留学生の侯朝宗」については未詳だが、『近代日本社会運動史人物大事典』に「劉啓光　一九〇五・四・四－一九六八・三・二　本名侯朝宗」が採録されている(執筆陸偉)。それによれば「台湾・嘉義出身。一九二三年、蒜頭公学校代用教員中日本統治批判、農民運動に参加し免職処分。一九二七年一二月、台湾農民組合第一回大会で書記長に選任」とある。この大会(一二月四日―五日)には、古屋貞雄も「朝鮮からかけつけ」た(桜井浩「古屋先生と台湾」)というから、おそらく同一人物ではないだろうか。

古屋貞雄の「台湾時代の二〇年間」については、その間、古屋と親しかった劉明電氏の聞書きをもとにまとめられた桜井浩「古屋先生と台湾」が『朝鮮研究』「古屋貞雄追悼特集号」に収録されており、基本的な事情を知ることができる。

古屋貞雄はすでに「一九二七年七月四日、台中市に弁護士事務所を開業」していたが、これは、台湾農民組合の要請を受けた労働農民党の派遣で、一九二七年五月四日から二二日まで、台湾各地で講演会を行った直後である(桜井論文)。

邦子氏が語られた「台北・大稲埕、という台湾人だけが住んでいる町」というのは、そこで一時過ごし、台中市へ移ったということかもしれない。

その後、時期は特定できないが、台北市に事務所をもっている。一九三七年四月三〇日の第二〇回総選挙に「内地人弁護士社大党公認トシテ立候補ス　住所台北市京町四―三　弁護士古屋貞雄」との記述がある(『台湾島内情報』台湾軍参謀部五号、昭和一二年五月)。

このように、古屋貞雄は「台湾時代」にも、日本を舞台にする政治活動、社会活動も行っていた。一九二八年「三・一五」事件の直後の「無産者新聞」(二八・七・二五)は、「解放運動犠牲者救援会東京府支部協議会の住所」を「東京市牛込区市ヶ谷富久町一二八古屋貞雄法律事務所方」としている。

一九四二年二月、古屋夫妻は、長男耕治氏を亡くされた。筆者(井上)は邦子氏から追憶集『くちな志の花』(昭和一七年九月一〇日)を見せていただいた。「父貞雄」の文章(無題)、「母邦子『生ひ立ちから死まで』」が収められている。

5　台湾引揚

日本敗戦後、台湾人をいじめた学校教員で半殺しにあったもの、自殺した医者もいました。引揚の日本人は、所持金は一人千円ということでした。台北から基隆へ、それから日本へ引揚げたのです。台北駅では纏めた荷物が盗まれました。古屋はヤクザの親分に番を依頼したのでそういう目には遭いませんでした。この親分は古屋が助けたことがある人で、恩返しだと言ってました。

台湾の偉い人が古屋先生はいくらでもお持ちになってもいいですよ、と言われたが、僕だけがそうできない、志はありがたいが、と言って千円だけでした。

日本人は台湾人をリーヤ、リーヤと馬鹿にしたが、古屋は台湾人だろうと日本人だろうと、中国人だろうとみんな同じ人間だ、わけ隔てをしてはいけないという考えだった。古屋は台湾人をかわいがっていました。後になってから、永福町へ訪ねてきた人もいます。

〔帰国後〕全国引揚者団体の相談役で、毎日毎日事務所へ行っていました。次長が北条さんでした。当時社会党に籍を置いていて、この団体から選挙に出てくれといわれたが出ないで、北条氏が立ち当選しました。古屋は山梨から出たかったのです。

注記
「リーヤ」という侮蔑語について。「儞や。雇い人、車夫、物売りに呼びかけるに使うといわれるが、日本人はふだん台湾人に平然と使った」（黄昭堂『台湾総督府』教育社新書、一九九三年）。

帰国後の全国引揚者団体での活動については、「古屋先生の略歴」（『朝鮮研究』「古屋貞雄追悼特集号」）に「戦後は、全国引揚者連合会の結成に参画、副委員長兼事務局長となる」とあるが未詳。

古屋貞雄は衆議院議員選挙に五回立候補した。一九四七年（第二三回）、四九年（第二四回）は落選。一九五二年一〇月（第二五回）衆議院総選挙山梨全区に、左派社会党から立候補、当選、五三年四月（第二六回）総選挙ではトップ当選、五五年二月（第二七回）総選挙で三選し、三期六年衆議院議員として活躍した。その後、一九五八年（第二八回）、六〇年（第二九回）には落選した。

6 古屋貞雄の最期

病院でいきなり風呂に入るといって、寝巻きを脱ぎ出し、暴れだしました。医者、看護婦を呼んで、注射して寝付いたのですが、やがて大きないびきをかきだし、そのまま死んでしまったのです。

これまで病気らしい病気はした事がなかったのです。

古屋は頭がよく、真面目でしっかりした人でした。

とにかくなんだかんだといろいろありますが、弱い者の味方、人類愛というんですか、中国、朝鮮であろうと同じ人間、どの人であれ、いじめられている人は助けるという人でした。

古屋には、とくに、「朝研」（日本朝鮮研究所）が命だったのです。

注記
古屋貞雄は、一九七六年一月四日逝去、享年八六歳であった。
位牌法名は、普済院大禪貞雄居士　昭和五一年一月四日
遺品は山梨県史編集委員会に遺族が寄贈、寄託された。
なお、岡山久志氏は、「池袋の土地問題が命をちぢめた」と言われた。池袋駅西口の「闇市」約四百坪をめぐっての、東京

都との長期にわたる係争問題である。古屋貞雄は旧権利者であった多くの朝鮮人とかかわり、この問題に取り組んでいた。

日本朝鮮研究所のあゆみ　一九六一〜一九六九年

一九六一年

一、準備会から設立まで（研究所　文京区湯島時代）

三月　日本人の手による朝鮮研究所設立の必要を主張していた寺尾五郎の提唱により藤島宇内、鶴田三千夫、中川信夫が集まる。研究活動も始め、韓国の政治経済の分析を中心に、七月末までに六回の研究会を開く。七月末で参加応諾者三〇名。また、四〇余名と交渉中。

八月一六日　発足の検討会

八月二五日　寺尾五郎ら一二名出席のもとに世話人会を開く。設立趣旨書案、研究所所則案、事業計画案を審議、決定する。

八月三一日　常設的な研究機関の設立をめざし、準備会として事務所をもち、寺尾と藤島が半常勤的に設立準備に当たることになった。世話人会の下に日本朝鮮研究所準備会事務局を設置し、初歩的な資料の蒐集と整理を開始。

二、正式設立と諸事業の開始

一一月一一日　設立総会・祝賀会を開く（於銀座精養軒）

一一月　全所員研究会発足

一一月一一日　『当面の朝鮮に関する資料』第一集（日本朝鮮研究所準備会）刊行

一一月二八日　第一回理事会
一二月一五日　『当面の朝鮮に関する資料』第二集（日本朝鮮研究所）刊行
一二月　五日　所員会議（六二年四月まで毎週火曜日開く）
一二月一三日　年鑑定期刊行物委員会（於研究所）
一二月一九日　高度経済成長政策と日韓会談

一九六二年

一、全体の動き

第一年度は未だ名実ともに体をなさない不安定なものであった。孤立無援、ただ自力と意志だけで維持された。研究者の集まりに成っていないという構成上の弱点もあり、全力を結集するに到らなかった。研究上では具体化の成果はあったが、所員の能力を全面的に発揮するまでに到らなかった。対外関係は順調で、朝鮮科学院との交流が開始された。

二、研究活動の成果

①所内研究会を定期的に開催できなかった。
②公開講座は対外普及活動とも意義は大きかったが、所員の参加は少なかった。
③シンポジウムと座談会

各方面人士と相互に、各自の研究の成果をもちより、それを踏まえながら端的に問題と構想とを打ち出し交換して、研究の視野と角度の裾野を広め、深め、かつ共通にして行くことを目指して実施してきた。シンポジウム「日本における朝鮮研究の蓄積をいかに継承するか」（全一〇回）は一貫したテーマとレギュラーメンバーで行ったイヤー・ワークの一つで、研究所の存立を研究内容で示したものであった。所員がグループをなし、共同の研究事業に取り組んだ点、評価されるものであった。従来の日本における朝鮮研究が獲得し得た実質的知識の質・量とそれを規制した対朝鮮姿勢もしくは態度の構造が解明された。日本にあって、現代朝鮮を研究しようとする者で、研究所となんらの関係をもっていないものはない、といって過言ではない。

④朝鮮語研究

朝鮮研究の基礎的条件であるが、講座に参加した所員はわずかに二名であった。成果としては、ｉ翻訳研究グループの組織ⅱ日本人による講座の開催、ⅲ朝鮮語テキストの編輯を行った。

⑤出版物

『朝鮮研究月報』は研究発表を具体化した唯一の事業として発行したことの意味は大きい。

研究所の活動の中核として、所員・各研究部会の研究成果を発表するほか、実践場面における問題状況を絶えず反映させて研究の発展をはかり、合わせて研究成果・啓蒙的解説を掲載してゆく。

三、研究所の動き

一月一八日　第一回理事会（合同）
二月　六日　第一回在京理事会（於古屋事務所）
二月　六日　朝鮮労働党第四回大会に出席して（西沢富夫氏）
二月一三日　所員会議、編集会議
二月二三日　日中国交回復・日韓会談粉砕の統一行動
三月下旬　朝鮮民主主義人民共和国より研究所代表団を約五名招請
四月　四日　第二回理事会
四月　七日　関西在住所員支持者との懇談会（京都）
四月八日～一〇日　天理・名古屋行
四月一六日　第三回幹事会
四月二二日　第三回理事会（常任委員会）
五月　二日　所員臨時総会（訪朝代表団派遣問題を中心に、於参議院議員会館）・拡大事務局会議（於研究所）

五月　三日　拡大事務局会議
五月　八日　所員会議
五月一八日　第二回常任理事会(於古屋事務所)・研究所常任委員会
五月二一日　第四回幹事会
六月　二日　第一回企画会議(於研究所)
六月　五日　所内報発行
六月一八日　第五回幹事会
七月　三日　第二回企画会議(於研究所)
七月一六日　第六回幹事会
八月　三日　第四回理事会
八月　八日　中国研究におけるフォード資金の受入問題
八月二〇日　第七回幹事会
九月　四日　第五回理事会
九月一七日　第八回幹事会
一〇月　一日　第三回在京理事会(於古屋事務所)
一〇月一五日　第九回幹事会
一〇月二〇日　創立一周年記念基本金カンパについてのお願い
一一月　九日　第一〇回幹事会
一一月一六日　日本朝鮮研究所創立一周年、第二回総会
一二月　二日　第六回理事会
一二月　九日　第七回理事会(合同)
一二月二四日　間宮氏帰朝談。第一回幹事会

四、機関誌・出版活動

一月二五日　『朝鮮研究月報』創刊号（この年、一二号刊行）日本朝鮮研究所
三月　三日　月報第四号編集委員会
一二月　『私たちの生活と日韓会談』寺尾五郎・野口肇・畑田重夫編

五、研究部会の活動

①シンポジウム

二月一七日　朝鮮研究シンポジウム打合会
三月　六日　シンポジウム「「日韓経済協力」の問題点①―日韓会談の経済的側面」（秋元秀雄他）
三月一二日　シンポジウム「民族教育の問題をめぐって―日教組教研集会第一三分科会の報告書を中心に」（小沢有作他）
一〇月　丁茶山の思想の理解のために
現在における日朝貿易の問題点―貿易実務家の立場から

「前史的研究と明治」（旗田巍）シンポジウム「日本における朝鮮研究の蓄積をいかに継承するか」（全一三回　～一九六八年）
三月二二日　第一回　「明治期の歴史を中心として」（上原専禄他）
四月二七日　第二回　「朝鮮人の日本観」（金達寿他）
一一月　第三回　「日本文学にあらわれた朝鮮観」（中野重治他一〇名）
一二月　第四回　「「京城帝大」における社会経済史研究」（四方博他五名）

②座談会

（開催日不明）　在日朝鮮人問題について殉難の歴史とその調査・研究を中心に　その1　藤島宇内ほか
七月一六日　南朝鮮の学生運動
七月二三日　南朝鮮の農業問題
八月　六日　韓国のジャーナリズム

九月一八日　朝鮮戦争研究会
一二月一日　編集会議
③公開講座
五月二九日　第一回　みてきた北朝鮮　藤島宇内　約一〇〇名参加
六月一三日　第二回　みてきた南朝鮮　仁尾一郎　約八〇名参加
八月　八日　第三回　憲法改正と日韓会談　星野安三郎　約三〇名参加
九月一八日　第四回　みてきた北朝鮮　高沢義人　約二〇名参加
一一月九日・一〇日　公開学習講座　テーマ「日韓会談」(創立一周年記念)
一一月一〇日　ライシャワー路線と学術交流—アジア・朝鮮研究をめぐって　所員安藤彦太郎
一一月〜一二月　公開研究講座「朝鮮問題の今日的意義」
五月二二日　世田谷支部講演と映画の夕　寺尾五郎(研究員関連活動)
④朝鮮語研究会
四月一三日　朝鮮語講座開講(毎週月・金)
四月一三日〜七月三一日　中級学習会　週二回
七月三一日　初級速成講座　八名申込
一一月一三日〜六三年二月二六日　同右第二期
一一月初〜　初級・中級講座　申込七名
一〇月一九日〜　中級輪読会(テキスト　抗日パルチザン回想記)
九月八日・二二日　翻訳委員会テーマ・方法等打合会
一〇月二〇日〜　翻訳研究会(テキスト　朝鮮近代文学選集)毎月一回

一九六三年

一、全体の動き

第二年度、研究所は大きく発展した。一つは日韓会談に関する二種類のパンフレット（「私たちの生活と日韓会談」「日本の将来と日韓会談」）の発行によって、大衆運動と結びついたこと、もう一つは、古屋理事長を団長とする第一次訪朝団を送り出したこと。日朝交流の最初の道を切り開いた。

理事会・幹事会は定期的に開かれ、研究活動も各部間で活発に行なわれた。学術交流では、初めての訪朝団も送り、文献交流も盛んになる。

二、研究所の活動

一月一二日　第二回幹事会
一月一八日　第一回常任理事会
三月　七日　牧野内武人氏AA大会帰国報告会
三月二九日　中研・AA研・朝研の三研究所合同会議
四月　三日　合同役員会（常任理事会・幹事会）
四月五日〜七日　常磐炭砿地帯における朝鮮人労働者殉難者の現地調査
四月　九日　在日朝鮮人殉難問題に関する三団体会議
四月一六日　第三回幹事会
四月二二日　常任理事会（選考委員会）
五月　二日　所員臨時総会（於参議院議員会館）
五月　五日　第二次訪朝代表団会議
五月一二日　朝鮮人殉難者問題埼玉県本庄市の現地調査に参加
五月一六日　訪朝代表団会議
五月二一日　第四回幹事会

六月一八日　第五回幹事会
七月一六日　第六回幹事会
八月二〇日　第七回幹事会
九月一七日　第八回幹事会
一〇月一五日　第九回幹事会
一一月　九日　第一〇回幹事会
一二月一一日　日本朝鮮研究所創立二周年、第三回総会

三、日朝交流事業

①研究所訪朝・訪中代表団の帰国
八月～九月　代表団は一三日全員帰国、直ちに報告講演活動に入る。
九月二六日　研究所主催の報告会、一ツ橋学士会館で開催。一三〇余名の参加をえて、盛会であった。
研究機関、学校、労組等で一〇数回の報告が行なわれた。北京で結ばれた三国学術共同声明は、中国研究所の『アジア経済旬報』に全文発表され、『日本と中国』や中国学術代表団歓迎実行委の機関紙にも掲載。
②日朝往来自由実現連絡会議結成
八月二八日　日朝協会、日朝貿易会をはじめ、政党・労組・民主団体が参集し、日朝間の往来の自由を実現するための共同行動の組織として、連絡会議を結成した。
一〇月二一日　東京で全国会議をひらき、運動を一層強化にすすめることになった。

四、研究部会の活動

①現代朝鮮研究会（毎月二回定期的に研究会を開催）
一月二五日　現代朝鮮研究会発足　第一回
スカラピノ論文を中心としてみたアメリカの朝鮮政策（報告者　野口　肇）

二月　八日　第二回現代朝鮮研究会
内外情勢の変化と日韓交渉の問題点の変遷―軍事政権成立以後を中心に（報告者　川越敬三）
二月二二日　第三回現代朝鮮研究部会・朝鮮近代史研究会
朝鮮民主主義共和国の千里馬作業班運動（報告者　桜井　浩）
三月　八日　第四回現代朝鮮研究部会
南朝鮮における新しい局面について（報告者　藤島宇内）
三月二二日　第五回現代朝鮮研究部会
南朝鮮の諸階層の現状（報告者　梶村秀樹）
四月一二日　第六回現代朝鮮研究部会
最近のアメリカの極東政策（報告者　畑田重夫）
四月二五日　第七回現代朝鮮研究部会
日朝貿易の現在の問題点（報告者　相川理一郎）
五月一〇日　第八回現代朝鮮研究部会
「日韓経済協力」の最近の特徴（報告者　立山一夫）
五月二四日　第九回現代朝鮮研究部会
アジア・アフリカ講座のための予備討論（報告者　安藤彦太郎・畑田重夫）
六月一四日　第一一回現代朝鮮研究部会
ＡＡ講座予備討論

②現代朝鮮研究会（農業）
従来の現代朝鮮研究会が状況分析に集中しがちであったことから生ずる不足点を補うとともに、基礎的な研究を一層深めるねらいで、現代朝鮮研究会の中に設置された。
六月　北朝鮮の農業研究についての若干の問題（報告者　寺尾五郎）
七月　日帝時代の農業問題―土地改革の前提として（報告者　楠原利治）

九月　研究会運営プラン
一〇月　土地改革について（報告者　桜井浩）
一二月　日本にある朝鮮の農業問題研究文献目録作成について
③アジア・アフリカ講座　ＡＡ研・中研・朝研合同主催
五月　八日　アジア・アフリカ講座打合会
五月一五日～七月五日　講座開催
五月一五日　第一回アジア・アフリカ講座第一部開講
五月一五日～六月五日　第一部　毎週一回　参議院議員会館第一会議室
六月一〇日～七月五日　第二部　毎週三回（毎週月曜日　日本朝鮮研究所担当）
六月一〇日より四回　アジア・アフリカ講座第二部　テーマ「日本と朝鮮」
・日本朝鮮研究所担当講座
六月一〇日　日本帝国主義と朝鮮（安藤彦太郎）
六月一七日　日韓会談反対運動の歴史的意識と役割（寺尾五郎・畑田重夫）
六月二四日　南朝鮮の政治と経済（川越敬三）
七月　一日　朝鮮の経済建設と平和的統一問題（藤島宇内）
④朝鮮近代史研究部会
一月二六日　近代朝鮮史研究部会
三月　四日　朝鮮近代史編集委員会
四月一三日　殉難史委員会
二回の準備会の後、四月二〇日から毎月第三土曜日、「大安書店」で定期的に研究会を開催
四月二〇日　第一回　「日韓併合」をめぐって（問題提起者　朴宗根）
五月二五日　第二回　植民地の基礎的支配の確立（報告者　姜徳相・宮田節子）
六月一六日　第三回　一九一九年から一九三二年までの時期に関する問題提起（提起者　井上學・楠原利治）

⑤シンポジウム
日本における朝鮮研究の蓄積をいかに継承するか（続）
一月　第五回　総督府の調査事業（善生）
三月　第六回　朝鮮史編修会の事業を中心に（末松保和他四名）
一〇月　第七回　朝鮮語研究について（河野）
一一月　第八回　アジア社会経済史研究について（森谷）
⑥座談会
五月　第四回　在日朝鮮人殉難の歴史
五月二日　日朝友好と民族教育座談会参加（小沢・辻本）
五月七日　関東大震災問題座談会（日朝主催）に参加
九月　北朝鮮学術界の現状
一〇月　関東大震災における朝鮮人虐殺の責任（対談）
在日朝鮮人問題について殉難の歴史とその調査の研究を中心に　その1　藤島宇内他（開催日不明）

五、教育研究部会の活動

隔週火曜日、武蔵大学渡部研究室で行う。六月より朝鮮民主主義人民共和国教育学教科書の輪読を行う。
①朝鮮語学講座
九月四日　朝鮮語第二期中級講座開講　週二回（菅野裕臣・梶井陟）
五月三日　第三期朝鮮語初級講座開講
会話教室　隔週火曜（大村益夫）
②文学研究会　「教育学」輪読会、「朝鮮通史」の学習会等を週一回開催

六、出版活動

『朝鮮研究月報』第一三号（一月）〜二四号（一二月）刊行
一月一五日　パンフレット第二版発行
一月二八日　パンフレット第三版発行
二月二〇日　パンフレット第四版発行
二月二一日　月報編集委員会
三月　五日　パンフレット編集委員会
三月二三日　翻訳委員会
四月　八日　編集委員会
所内報　月不明　日本朝鮮研究所
五月二〇日　「所内報」第四号
年末に『朝鮮研究月報』読者アンケートを実施
八月　『日本の将来と日韓会談―ポラリス段階での日韓会談の諸問題』寺尾五郎・川越敬三・畑田重夫著（学習の友社刊）

七、その他

二月七日　殉難の記録、打合会
二月九日　映画「日韓会談」試写会
「朝鮮スケッチ」と題する訪朝八ミリカラー映画を完成
九月三日　在日朝鮮人の人権を守る会結成の発起人総会を開き、正式に結成を決定。朝鮮中高生に対する暴行事件の調査活動を中心に広く国民へ訴えていくことになった。

一九六四年

一、全体の動き

第三年度は一層の前進をした。前年度に引き続き日韓会談の問題を中心に朝鮮に対する関心は高まり広がった。

①月報の活版化をかちとり、②『日・朝・中三国人民連帯の歴史と理論』を発行、③北京シンポジウムの際、第二次訪朝団を送り、朝鮮と本格的な業務連絡を進めたこと、④研究活動も休みなく行われた。

二、研究所活動

研究所は設立の趣旨を実現するために、三年目の諸活動に取り組んだ。日本人の朝鮮観を改め正して行く仕事を引き続き推進。学問認識の方法において、植民地研究＝地域研究から離脱し、日本人の立場からの統一的総合的研究を必要とする方向を明らかにした。

研究所への期待と要望は少しずつ高まってきたが、それにこたえていくための活動は不十分であった。所員各員の多忙と常勤者不在から研究・事業活動の全面的発展は弱点を残した。

財政的活動は引き続き困難をきわめたが、常任理事などの団結と出版活動等により、財政活動を展開しうる基盤を作り上げた。全体として、研究所の存在意義を内外共に明確にした。

一二月五、六日　創立三周年（於熱海園）、地方所員をふくむ四〇名参加。

一二月一二日　創立三周年、第四回総会

三、研究部会の活動

①全所員研究会　一九六四年発足の新しい試み。成果は一九六四年度北京科学シンポジウムへの提出論文の完成。第一回（一月）〜第七回（一〇月）の集会実施。

四、機関誌活動

六月に活版化（通三〇号から『朝鮮研究』と改題）を実現し、定期刊行と編集委員会の定期化を実現し、『朝鮮研究』の存在が認められ、権威も高まりつつあった。『朝鮮研究月報』二五号（一月）〜二八・二九号（五月）、改題『朝鮮研究』三〇号（六月）〜三五号（一二月）を刊行。

五、出版活動

六月、単行本『日・朝・中三国人民連帯の歴史と理解』（安藤彦太郎他著）を刊行。所員一同協力し、財務活動の一助ともなり、研究所出版部の展望を切り開いた。中国研究所・アジア・アフリカ研究所編『アジア・アフリカ講座』を印刷中。『日本朝鮮研究所所報』を再刊。

六、啓蒙普及活動

①講師の派遣活動

日朝協会、平和民主団体、各種研究機関、学生青年組織、地域サークル等の要請に従って、所員の派遣を斡旋した。

②講座の開催は創立三周年記念公開講座と語学講座をのぞいては、とくに取り組むことはできなかった。語学講座では、六四年末で、語学講座、延三〇人の修了者を世に送った。

七、学術交流

①一九六四年北京シンポジウムに研究所として正式に代表一名を派遣。

②北京シンポジウム参加所員四名と各分野代表七名の計一一名によって、第二次訪朝団を編成、朝鮮訪問する（第一次は一九六三年）。朝鮮と本格的な業務連絡をとる。日朝学術交流の重要な役割を果す。

③文献交流　朝鮮科学院、社会科学院との交流進む。文献資料交換は約六〇種。

④国内交流　中研、AA研と連携。労働運動史研究会、朝鮮史研究会、在日朝鮮人との交流では、科協との相互交流をはじ

め、朝鮮大学校、朝鮮問題研究所とも交流。

一九六五年（一〇月一五日　研究所を新宿区新宿に移転）

一、全体の動き

全体として拡大と充実の一年間であった。日本の歴史にとっても、日本朝鮮研究所にとっても重大な年であった。日韓条約の賛否をめぐり国論は大きく揺れ動き、朝鮮問題に対する関心はかつてなく高まった。

二、研究所活動の総括

一九六四年一二月の第四回総会で研究活動を重視して、「研究会議」を新設。六五年は①日韓条約に対する活動、②『朝鮮文化史』（翻訳）刊行、③新事務所移転の三大事業を実施。「事務所建設委員会」を結成し、新事務所に移転。所内の研究会、会合の会場問題が解決。所員数も九二名となる。ほかに顧問六名、個人賛助会員一六名。一月から五月まで事務局は、局員不在のため、事務局長と常勤所員で運営。七月から「文化史」事務局を含め四名の事務局となる。六月に新事務所に移転、事業・事務局の強化などを行い、研究所としての体制を飛躍的に前進させることができた。

三、研究部会活動の総括

一九六四年一二月の第四回総会で、研究活動を重視して、「研究会議」を新設した。研究団体であることの内容的裏付けを持つためにも、研究面を重視するにふさわしい組織形態を持つべきであるという全所員の総意に基づくものであった。そのために、同会議を常務理事会から独立した存在とし、形式的にもその比重を強めるという方針がとられた。その上で、会議議長に旗田巍所員を選任し、研究担当常務理事の畑田、川越両所員が常務理事会との連絡その他の任務をおびることが決定された。しかし、六五年の研究・教育活動は低調であった。既設の研究会としては、現代朝鮮（農業）研究会と文学部会の活動のみであった。新たに実施されたのは、火曜講座と畑田ゼミ、語学講習会（実際に行われたのは初級のみ）程度であった。

四、研究部会の活動

①現代朝鮮（農業）研究会

各部会のうち、この研究会がもっとも着実に蓄積してきた。

一月二九日　書評　わが国農業経済部門での物質的関心の原則の創造的適用（桜井　浩）
二月二七日　紹介　日帝下社会経済の構成に関する若干の問題（李東訳、楠原利治）
四月　三日　全人民的所有制への移りに関する論争（一九五九）についての紹介（梶村秀樹）
五月　八日　『朝鮮研究』第三八号、農業特集の合評会（近藤廉男氏出席）
六月一二日　郡綜合農場について（桜井　浩）
七月二四日　郡協同農場経営委員会の構成と機能（梶村秀樹）
九月二五日　北朝鮮農業における「物質的関心の原則」の適用の特徴について（桜井　浩）
一一月二七日　朝鮮の郡協同農場経営委員会について（梶村秀樹）
一二月一五日　里統合の問題と青山里現地指導（一九六五）について（桜井　浩）

②現代朝鮮（現状分析）研究部会

この部会は活動停止しており、批判の対象となった。

③文学部会

農業研究会と並んで共同研究活動を続ける貴重な部会であった。研究は原則として月一回の開催。四月以降は各人の研究発表・報告の形式かわる。

趙潤済著『朝鮮詩歌の研究』をめぐって（梶井　渉）
近代詩の発生と時間（梶井　渉）
朝鮮プロレタリア文学と「民族主義文学」（大村益夫）
在日朝鮮人の文学運動と文学作品（任展慧）

「文学」一一月合評会　全員

本研究会は他に朝鮮文学関係資料の保存・収集を行なっている。

④火曜講座

全所員集会に代わり、「火曜講座」という名の所員の研究発表兼大衆啓蒙の恒常的公開講座を開催することを決めた。

九月　七日　南朝鮮の日韓条約反対運動と日本人（川越敬三）

九月二一日　激動するアジアと日韓条約（寺尾五郎）

一〇月一九日　朝鮮統一の展望（藤島宇内）

一一月一六日　朝鮮併合の思想

一二月一五日　近世・近代の朝鮮の教育（渡部　学）

⑤『日・朝・中三国人民連帯の歴史と理論』にかんする研究部会も年度当初には組織されていたが、活動停止状態。

五、シンポジウム

日本における朝鮮研究の蓄積をいかに継承するか　第一一回

一〇月　朝鮮の美術史研究について（報告者中吉功　出席者旗田巍他）

六、出版活動

機関誌『朝鮮研究』は三六号（一月）～四五号（一二月）を刊行。

二月に第一次訪朝代表団『日朝学術交流のいしずえ　一九六三年訪朝日本朝鮮研究所代表団報告』刊行。

四月に『朝鮮民主主義人民共和国国民経済発展統計集』を五名の所員の協力作業で製作、出版。

一〇月に日韓闘争のさなか、『日・朝・中三国人民連帯の歴史と理論』を再版。

日韓問題をより具体的に理解するための素材として、『資料その1　日韓条約・協定集』と『日本の漁業と日韓条約』（朝研シリーズ1　寺尾五郎・佐藤勝巳著）という小冊子を作成。

『朝鮮民主主義人民共和国の水産業』（調査研究資料）『朝鮮の国際路線―国際共産主義運動と朝鮮労働党』（川越敬三編）

他に、中国研究所、ＡＡ研究所との三研究所の協力による『アジア・アフリカ講座』全四巻も完結に近づいた。

七、教育活動

①語学学習会

一般の要望に応えて、例年、語学学習会を設けてきた。従来、会場が不安定という悪条件もあり、必ずしも盛会ではなかったが、会議室が恒常的に開催できるようになった。九月から三ヵ月の予定で、初級・中級の両コースの受講生を募集して開講。現在、初級のみ実施。

②ゼミナール

「帝国主義と民族・植民地問題」をテーマとして毎月二回ずつ、一一名の固定参加者によって九月以降継続。担当は畑田所員。

八、運動の記録

①日韓条約についての講師派遣活動

八月から一一月までの四ヵ月間で、講師活動に参加した所員数は一三名、その他三名の計一六名。派遣回数は一九四回、聴取者数約二六、五三二名。

②文書による啓蒙宣伝活動

寺尾五郎講演記録『激動するアジアと日本の進路』を六月から三ヵ月間で五万部販売。

九月に「日韓会談」に対する啓蒙活動の一環として、『パンフレット　アジアの平和と日韓条約』を短期間に多量に配布し、一二月までに四六、五〇〇部販売。

その他、『朝鮮研究』四二号—日韓条約緊急特集号、『日韓条約・協定集』、『日・朝・中三国人民連帯の歴史と理論』も多数販売した。

九、学術交流の記録

朝鮮社会科学院との共同事業、『朝鮮文化史』の翻訳出版のための活動。刊行準備のために七月に三名の実務代表団を派遣。文献交流では、朝鮮側より社会科学院、対支協、中央通信社などより単行本、定期刊行物、写真などの寄贈を引き続き受ける。

一九六六年

一、全体の動き

日韓条約が発効。最大の成果は過去・五年間に累積された複雑な問題を、中心所員の団結強化という方向で解決した。一九六四年秋以来、二年余の歳月を要し、翻訳・編集した『朝鮮文化史』の刊行事業も無事終了。内外に研究所の声価を高めた。研究所は拡張・前進を続け、内外にその存在価値を高め、ようやく社会的な市民権をかちとることができた。反面、限られた所員に負担が集中し、所員の結集が充分ではなかった。研究所の今後のあり方を検討する必要があるとの声が上がる。今一つは、研究会の不振によって組織的蓄積が不充分であった。財政問題をはじめ多くの困難が予想されるが、前記の成果によって克服、解決の途が開かれた一年であった。

二、研究所活動の総括

前年の一二月上旬、常務理事会で財務問題を含む今後の研究所のあり方が議題となり、本総会案が出来るまで、本問題について常務理事会で八回、研究委員会幹事会で六回、全所員集会で一回、約五〇時間を費やして次の意見の一致をみた。五年間の総括を行い、新しい発展の基礎を作り、複雑な国内外の情勢が所内に反映してくることは避けられない状況下で、創立趣旨に基づき団結を図っていくことになった。

二月一三日　第五回定期総会

常務理事会は月二回平均開かれた。年間通じての多くの議題は、財務問題と研究所のあり方についてであった。事務所も湯島から新宿へ移り、常勤事務局は二人から四人へ、財務規模も数倍に増加。常務理事会を月二回平均開催し、関西支所準備会を設立した。

三、研究部会の活動の総括

「研究会議」と「編集会議」を一つにし、新たに「研究委員会」を設け、約二〇名の委員で構成、若干名の幹事を置いた。研究委員会は月一回の定例会議は欠かさず開かれた。しかし、出席率も四〇％と少なく、研究テーマの選定などの原因でもあり、全体としてつっこみ不足で、初期の成果はあげられなかった。

研究委員会幹事会は出席率も八〇％と高く、会合としては一番多く開かれた。研究、事業、運営の面で立案・実行の中心となってきた。

所内研究会は八研究会（在日朝鮮人研、日朝中連帯研、現状分析研、思想史研、教育研、南朝鮮研、農業研、文学研）があるが、農業研、文学研が定例で開かれたほかは、現状分析研が三回開かれたのみで、他の研究会はほとんど開かれないで終わった。

研究者養成という点で最も重視すべきものの一つとして、研究生制度が創設され、年一回募集した。所員以外の人々と直接つながりをもち得たことは、今後の研究所のあり方を示唆する貴重な成果。

六月三〇日、研究生の新規募集を締め切り、四五名応募、七月七日、研究生全員集合には四〇名参加。日朝関係史、朝鮮史、現代朝鮮論の三つのグループに分かれて七月末より活動を始める。

四、研究部会の活動

①農業研

六三年六月に発足して以来、解放後の北朝鮮農業を歴史的に跡付けながら、特に重要と思われる問題については、個別的にできる限り深く掘り下げて検討するという方向で進んできた。メンバー、開催回数ともほぼ従来のまま三名、月一回で継続してきた。

一月二九日　第二四回　協同所有と国家所有の差の問題（梶村秀樹）

二月二六日　第二五回　北朝鮮の土地改革について（楠原利治）
三月二六日　第二六回　社会主義について（梶村秀樹）
四月二三日　第二七回　紹介　金承俊著『わがくにでの農業問題解決の歴史的経験』（労働出版社、一九六五・一〇）（桜井　浩）
六月四日　第二八回　『わがくにでの農業問題解決の歴史的経験』（楠原利治）
七月二日　第二九回　『わがくにでの農業問題解決の歴史的経験』（楠原利治）

②教育研究会
朝鮮語講習会　上半期初級週二回、中級週一回、四月一一日〜七月八日開催
初級二期　参加者三一名、修了者二三名
中級二期　参加者一一名、修了者五名

③座談会
五月　「日韓条約」の実施と民族問題（その1）（川越敬三他四名参加）
七月　日本人の見た朝鮮文化―『朝鮮文化史』発刊にあたって（末松保和他三名）
　　暗黒下の日朝人民の連帯―昭和初期日本人先覚者の体験を聞く（古屋貞雄他三名）
　「朝鮮戦争」とＬＳＴ輸送労働者（畑田重夫他）
　『日韓条約』発効一年（寺尾五郎他八名）

五、機関誌活動

『朝鮮研究』は四六号（一月）〜五七号（一二月）を刊行。民間研究所が五年間存続、継続して機関誌（六〇号）を発行しつづけ、発展の土台を固めつつあることは、日本の歴史にかつてない偉業であり、合併号を出さなかったのは、六六年度が最初で画期的なことであった。

六、出版活動

研究蓄積の具体化でもある出版物も、『朝鮮研究』をはじめ一二点を刊行。単行本だけでも、年間四点は今までの最高であっ

た。『朝鮮人学校の日本人教師』『朝鮮近代史の手引』『北朝鮮の国際路線』(朝研)。とくに前記の『朝鮮文化史』の出版事業は、日朝学術交流に具体的に貢献、高く評価された。出版物の内容も逐年多方面にわたり、読者層も厚みを増し、影響を広めてきた。朝研シリーズ2『朝鮮近代史の手引』梶村秀樹・宮田節子・渡部学著(勁草書房刊)を刊行。平均した売れ行きを示す。

七、交流事業の記録

過去五年間の学術資料の交換により、かなりの資料が蓄積された。

一九六七年(三月、研究所を新宿より千代田区神田淡路町に移転)

一、全体の動き

総務活動は事務所の移転・縮小(新宿より淡路町に研究所移転に伴い)、事務局員の削減、執行部の大幅改造、意見の相違など多くの困難をかかえての出発であったが、所内研究会と出版計画を別にして、他はほぼ方針が実行された。各部会は前年度に比較し、かなりの進歩であった。

その他の問題として、機関誌への執筆者の選定及び内容について色々な批判が寄せられた。いずれも学問的な内容にかかわるというより研究所のあり方、研究路線に係わるものとしての批判や意見が多かった。

二、研究所活動

二月一二日　第六回定期総会開催(於日本朝鮮研究所会議室)

常務理事会は研究活動を除き、一切の研究所運営の執行の任に当たってきた。常務理事会、研究委員会、同幹事会を廃止し、従来三機関が行なってきた業務を、新設の「運営委員会」の一ヵ所で行うことになった。執行の責任を分担し、運営するために事業活動方針は全て運営委員会で検討、決められることになった。月二回の定例は一回も流会なく実行されたが、二〇名の運営委員の出席率は年間を通じ、約三〇%弱であった。

正式に関西支所を設立、提携・協力を行う。

財務関係では、過去五年間の研究所の研究所の財政は、所員の労働奉仕を基礎に成り立ってきた。六七年度は、事務局の縮小により所員の負担が従来より一層強化された。六万円の赤字。しかし、集金に努力し、前年度に比べ賛助会費収入は六七万余増加。書籍の売上も四三七万円で、前年比で約二一四万円の売上増。運営委員会は月二回の定例、一回の流会もなく実行された。

五月一六日「在日朝鮮人の民主的民族教育への迫害に反対する声明」を出す　日本朝鮮研救助全所員集会

三、機関誌活動

事務局移転や局員の削減などによってかなり困難な状況が生じたが、紙面の工夫や内容も多方面にわたる親しみやすい雑誌作りの努力によって、一四四名の読者増となってあらわれた。本誌の購読者数は約一〇〇〇名。『朝鮮研究』は第五八号(一月)～六八号(一二月)を刊行。

四、研究活動委員会活動

三月、四月、六月、七月、一〇月、一一月、全所員研究会を実施。新設されて、二回の会合をもった。機関誌と全所員研との有機的連関をもたせるという方針を具体化したものであった。
三月　現在の政治動向と民族教育弾圧の意味(吉岡吉典)
四月　ベトナム戦争と韓国経済(奥村晧一)
六月　北朝鮮の教育制度(桑ヶ谷森男)
七月　分組都給制について(梶村秀樹)
一〇月　連帯の歴史と理論をめぐって(吉岡吉典・宮田節子・佐藤勝巳・樋口雄一)
一一月　再び連帯の歴史と理論をめぐって(清水克巳・吉岡吉典・佐藤勝巳)

五、講座部活動

部会は六七年二月一二日の第六回定期総会で新設されたが、活動自体は二年前から始められていた。

①火曜講座

二年の歴史をもつ。六六年度二八回開催、参加者延べ人員（除く所員）は四三八名。五月三一日～七月二一日まで三ヵ月、毎週二回開催。一本は時事問題、一本は基礎問題。参加者六、七～三〇名。（一九六八年度は事務所移転でしばらく休む。四月から再開する。新宿ビル九階に移動）

四月一八日　民族教育問題の背景（藤島宇内）
四月二五日　朝鮮の国際路線（川越敬三）
五月　九日　韓国大統領選挙と今後の政局（師田　駿）
六月一三日　ベトナム戦争と韓国経済（高田　保）
六月二七日　朝鮮の古代史（三上次男）
七月一一日　日本文学に現れた朝鮮観（朴春日）
八月　　一ヵ月休講
九月一二日　昭和初期の日朝人民の連帯（三宅鹿之助）
九月二六日　古代日本の南朝鮮経営は史実か（石田英一郎）
一一月　七日　「琿春事件」について（姜徳相）
一二月二一日　近代思想史をめぐって（旗田巍）

②座談会

（開催日不明）在日朝鮮人問題について殉難の歴史とその調査・研究を中心に　その1（藤島宇内ほか）
七月一六日　南朝鮮の学生運動
七月二三日　南朝鮮の農業問題
八月　六日　韓国のジャーナリズム

九月一八日　朝鮮戦争研究会
一二月一日　編集会議
③研究生制度
第一期の研究生の学習は七月に修了。九月に総括を行い、一〇月から第二年度の仕事を再開。第二年度は新しい募集(一年)と前年度の研究生で学習を継続する有志(二年生)の二本立とした。研究生(二年生)は本格的な朝鮮問題と取り組もうとする九人の前年度の研究生で構成。第二期の新しい研究生(一年生)の応募者は三一名に達した。二期生は一〇～一二月まで三回の学習会を開く。
④ゼミナール
畑田所員の指導のもと、民族問題について基礎的な理解を深めていくゼミナールは毎月一回、二年にわたり続けられた。もう一つ、集中的な連続講座を開催。最初の講座は、旗田所員「朝鮮人の日本人観」をテーマに、一月から一二名の参加ではじまる。
⑤朝鮮語講習
初級(春、秋二回)、中級、上級三コースですすめられた。しかし、研究所の取り組み体制が弱かったので、講師及び受講者の教授・学習条件に欠陥があった。
六、出版活動
機関誌以外は、ここ数年間で最も少ない年であった。『朝鮮民主主義人民共和国の水産業』(調査研究資料2　梶村秀樹著)、『最近の朝鮮の協同農場』(調査研究資料3)の二冊であった。他に『金玉均の研究』、『朝鮮語テキスト』の刊行のための前年からの継続作業があった。

一九六八年

一、全体の動き

二月の第七回総会で、一年間の見通しを「日韓条約」発効三年目を迎え、日本と朝鮮の「人民連帯強化」に役立つ「理論創造と啓蒙活動」が今年度の中心課題と判断し、所内研究、編集、講座もこれを軸として展開するという方針を決めた。一年間、方針がほぼ実行された。新宿時代に比較し、総てが縮小されたが、それが可能になったことは、全体の結果の質と量が高まったことの表れ。あらゆる決定や企画の執行に新運営委員会が当たることになった。財政面でも名実共に自主財源での運営であった。

二、研究事業の総括

二年余を費やして実施してきた研究制度は、着実に成果をあげ定着した。新年度からは所内研究会の成果を基礎に、機関誌の編集が基本的に可能になり、論文の内容(研究)も個人から集団に移行するという質的変化の手懸りをつかむことができた。反面、国内外の錯綜した諸動向の一定の影響を受け、全てがスムースに運んだわけではなかった。多くの弱点や財政的困難をもちながらも、「縮小案」の討議を契機に、研究生及び若い所員が中心になり、所内研究会の再編成が行われ、活動が活発化し、名実共に「日本人の手により日本人の立場での朝鮮研究」が実現できるという明るい展望が開けつつあることは、今期最大の成果であった。

三、研究所活動の記録

第七回定期総会のほか、運営委員会は月二回を定例としたが、実績は会議が一五回もたれた。委員の総数は一九名(関西在住三名)、平均一回七・三名、四五%強で、前年度より改善がみられた。

運営委員会で四つの委員会を作る。①編集委員会(毎月一回)、②研究委員会(一回)、③講座委員会(一回)、④財政・事業委員会。②の研究委員会担当の「全所員研究会」は二回で中断。③の講座委員会の「火曜講座」は四月まで開催されなかった。一月から新講座開講。

慢性的な財政的危機を背景に、財政的問題が三度(第一四回・第一五回・第一六回)にわたり運営委員会に提起・検討された。その結果、創立当初からみれば赤字は大幅に減少し、機関誌の発行部数も拡大しており、新しい研究や活動家も生まれ、日朝からみて研究所の存立意義が一層重大になっていることを確認した。研究所の「縮小」案も出されたが、研究所としての機能と責任を果すために現状の維持が妥当との結論に達した。

二月一八日　第七回定期総会

二月二八日　第一回運営委員会で決まったこと

二月二八日　第一回運営委員会資料

付属資料(案)日本朝鮮研究所「所債」募集についてのお願い

七月　九日　第九回運営委員会の決定

七月一三日　西田氏(たち)と研究生との話合

七月一八日　第一〇回運営委員会(臨時)

七月一九日　第一一回運営委員会(臨時)

七月二四日　第一二回運営委員会(定例)

七月二八日　第一三回運営委員会(臨時)

八月　六日　第一四回運営委員会

八月一九日　第一五回運営委員会

八月二六日　第一六回運営委員会

八月二七日　第一七回運営委員会

八月三〇日　第一八回運営委員会

九月　九日　第一九回運営委員会

九月一三日　第二〇回運営委員会

私の考え(文面から九月と推測される。筆者不明。第一八回、一九回、二〇回の出席の内の一人と思われる)

九月一七日　第二一回運営委員会

九月二一日　第二二回運営委員会

九月二八日　第二三回運営委員会
一〇月二日　第二四回運営委員会
一〇月八日　第二五回運営委員会
一〇月一一日　第一回理事会
一〇月一四日　第二六回運営委員会
一〇月　一日　再建についての私案　樋口〔再建案〕
総括―研究の姿勢を中心に〔研究所再建案　梶村秀樹〕

四、機関誌活動

機関誌の三月号、一二月号の二つのシンポジュウムの「特殊部落問題」発言問題で多くの批判が寄せられた。読者より日本人の朝鮮問題を問う態度の欠如を問われるものであった。機関誌の内容の向上と読者拡大の努力と相まって、年間二百数十部の固定読者を増やすことができた。

五、研究活動の記録

①全所員研究会
四月「武装ゲリラ・プエブロ号事件後の韓国をテーマとする」、五月七日「民族教育」、以上二回をもって中断。
②一九三〇年代研究会(七名)
一〇月　一二月テーゼと朝鮮共産党
一一月　コミンテルン第六回大会前夜の中国共産党について
一二月　三〇年代前半期の朝鮮労働運動について
③南朝鮮研究会(五名)
六八年一一月に発足。毎月一回の研究会。「現代南朝鮮史の諸問題」及び「現状分析」の二本柱で研究。韓国の「労働運動」資料集作成。

④在日朝鮮人研究会（五名）
一一月、一二月、二回の打合会をもち、一月から具体的研究に入っている。
⑤文学研究会
四月より「朝鮮文学史の近代小説の登場」というテーマで毎月一回行われる。六月九日「崔南善の文学について」、七月二八日「李光洙の文学について」
⑥「なぜ朝鮮を研究しなければならぬか」研究会（四名）
「日朝友好運動の歴史と問題点」「民族責任について」「アジア主義と戦争責任」など五回開催。

六、講座部会活動

①研究生制度
丸二年が経過し三年目に入った。研究所にとって研究生の占める位置はきわめて大きいものがある。第一期生は一九六七年八月、希望者九名で発足。二年生は六八年中一～七月、七つのテーマで研究会を開く。八月、一年間の総括をもって二年生を終わり、九月以降、ほぼ同数で、「一九三〇年代研究会」として所内研究会へ移行。第一期生の有志六名の成果は、機関誌一一月号に結実。第一期生は二年目を迎えて八名が残り、梶村秀樹所員のもとに「満洲における抗日武装闘争」を年間テーマとして取り組む。第二期生は六七年一一月、三一名が応募、宮田節子所員指導のもと毎回二〇名を越える良い出席率。年間テーマは「朝鮮近・現代史」。一月～九月まで八回の学習会を開く。第二回生は六八年現在、一〇数名が二年生に残り、活発な研究活動を続ける。第三回生は一九六八年一一月に一三名で発足。月一回で朝鮮近代史を続ける。
②朝鮮語講座
初級は五月六日から毎週月、金曜日の週二回、上甲米太郎氏を迎え九名で発足。七月二九日に終了。中級は五月九日から毎週木曜日の週一回、四名でスタート。七月二七日終了。秋期講座は講師の都合がつかず中止。一回、大体一〇名前後の応募者があった。
③火曜講座
しばらく休んでいた火曜講座を四月二三日より再開することになった。

④テーマ別講座

テーマ別の新講座を開講。一月二七日より四月下旬まで毎週土曜日、全一〇回開催。講師は旗田巍で、テーマは「朝鮮人の日本観」、参加者一三名。五月二七日より六月二五日まで「朝鮮戦争の歴史」（講師畑田重夫所員）を毎週火曜日、連続五回開催。参加者一〇名。九月下旬より「民族教育論」（講師小沢有作所員）を毎週一回、連続五回開講、参加者八名。参加者の中から一部研究生が生まれる。

七、出版活動（一〇点の出版計画に内、実現したもの）

機関誌は六九号（一月）～八〇号（一二月）を刊行。

財政上の理由で研究所の縮小が検討され（第一四回運営委員会　八月）、出版は研究所でという従来の方針を、資料集を除き原則として出版物は、出版社から出すという方針に変更した。

『現代朝鮮外交資料集』そのII　川越敬三編、『金玉均の研究』自主出版

『日本と朝鮮』（勁草書房刊）

一九六九年（一九六九年の活動方針を中心に）

一、基本方針

前年同様、日本人の手により、日本人の立場での朝鮮研究を目的とし、日朝両国民に連帯の強化こそが、最も重要な中心点であると考え、昨年に引き続き、研究所の諸研究、諸活動を多面的に、それに役立つように、ここに集中していく。

二、総務方針

数年来の研究所内外での著しい意見や評価の相異を不問にするのでなく、冷静に討議し、その成果を機関誌に発表し、研究の向上、運動の発展に寄与するという立場を堅持する。行動のできる運営委員会を実現する。研究生制度が大きな成果を上げて

いるので、この制度の強化発展に特に力を注ぐ。

三、機関誌活動の方針

前年同様、日本人の朝鮮問題への関心を多角的に掘り起こすために、日本自体の問題と朝鮮の問題を結合した特集を企画（例えば、沖縄と朝鮮、安保と日韓・民族主義、太平洋戦争と朝鮮、在日朝鮮人にとっての日本人とは何か、日本人の南北朝鮮観など）。又、朝鮮についての初歩的な関心に応じ、「読者質問・意見の欄」「史料解説」「朝鮮歳時記」などのコマを常設する。

四、研究活動方針

前年度の活動の継続に加え、北朝鮮に力点をおく現状分析の研究会の設置を考える。

五、講座部会活動方針

①研究生制度
二年間の実績で、その重要さ、評価が確定し、最も重視しなければならないものの一つ。
②テーマ別講座
前年に引き続き、数回のテーマ別講座を行なう。
③火曜講座
前年度実施できなかったので、月一回でも是非実施する。
④朝鮮語講座
一回、大体一〇名前後の応募者があり、その成果は講師の問題にかかっており、その体制の確立を急ぐ。
⑤財政問題
相変わらず財政的危機は続いていたが、所費を値上げし、基礎財源の増収を図った。前年同様、賛助会費、カンパの促進、その他、機関誌や在庫の売上を見込む。所員によるカンパ、機関誌の購読者を増やす努力をした。研究生や読者の物心両面の協力など、研究所が多くの人に支えられていることを実感した。

六、定期総会・運営委員会

二月二三日　第八回定期総会
三月　五日　第一回運営委員会の決定
（三月二六日　第二回運営委員会）
三月二六日　第三回運営委員会
四月一二日　第四回運営委員会議題（四月二三日　第四回運営委員会）
五月一〇日　第六回運営委員会決定のお知らせ
五月二四日　第七回運営委員会決定のお知らせ
六月　「特殊部落」発言への批判に対する日本朝鮮研究所の対応の経緯をまとめた文書
六月一三日　第八回運営委員会決定のお知らせ
六月二八日　第九回運営委員会議題
　第九回運営委員会で決まったこと
六月二八日　第九回定期総会
七月　六日　お知らせ　運営委員宛　事務局長佐藤勝巳
（七月五日）拡大編集会議資料
七月二六日　第一一回運営委員会討議資料
七月二六日　第一一回運営委員会決定のお知らせ
　第一五回関連資料「財政の現状と問題点」佐藤勝巳
一〇月九日　第一八回運営委員会決定
議題　一〇月二九日
議題　一一月五日
資料　朝鮮研究購買状況、年間支出情況（一月～一一月）、年間収入情況（同上）

拡大幹事会討議資料
一二月七日　常務理事会
一二月一一日　朝研と亜東社の貸借処理打合せ会
一二月一二日　幹事会

七、日本朝鮮研究所発行及び関連資料

『日本朝鮮研究所第二期研究生文集』第一集　一九六九年二月
『日本の将来と朝鮮問題』①〜⑧
『日本と朝鮮』①〜⑬

編纂者紹介

井上學（いのうえ　まなぶ）

1943年岡山県生まれ。法政大学修士課程修了
日本朝鮮研究所・亜東社の後、日本図書館協会勤務。海峡同人
著書　『日本反帝同盟史研究』不二出版、2008
訳書　金炅一『李戴裕とその時代』共訳、同時代社、2006
論文　「研究ノート　1945年10月10日「政治犯釈放」」『三田学会雑誌』105巻４号、2013。『海峡』掲載論文　「史料紹介　軍事委員会「罪状書」1948年５月１日」23号、2009、「戦後日本共産党の在日朝鮮人運動に関する「指令」をめぐって」24号、2011、「資料紹介　高充京「強制退去」関係資料」25号、2015、「日本共産党第４回・第５回大会決定「行動綱領」「党規約における朝鮮問題」」26号、2015、「戦後変革期社会運動と朝鮮問題―1946年４月～５月」27号、2016
＊『海峡』創刊号～25号の総目次は井上氏が作成し、25号に掲載されている。井上氏の戦前期の反帝同盟関係論文は同誌が参考になる。『戦後日本共産党関係資料』解題不二出版、2008。他に２編の資料集がある。なお、本資料集の解説は絶筆と思われる。

樋口雄一（ひぐち　ゆういち）

1940年生まれ。中央大学政策文化総合研究所客員研究員、在日朝鮮人運動史研究会会員、海峡同人
著書　『協和会―戦時下朝鮮人統制組織の研究』1986、『戦時下朝鮮農民の生活誌』1998、『金天海―在日朝鮮人社会運動家の生涯』2014（以上、社会評論社）、『日本の朝鮮人・韓国人』2002（同成社）、『戦時下朝鮮民衆と徴兵』2001（総和社）、『朝鮮人戦時労働動員』2005、『東アジア近現代通史５』（以上、岩波書店、共著）ほか
論文　「朝鮮人少女の日本への強制連行について」『在日朝鮮人史研究』20号、1990、「植民地下朝鮮における自然災害と農民移動」『法学新報』109巻１・２号、2002、「植民地末期の朝鮮農民と食」『歴史学研究』867号、2010、「朝鮮人強制動員研究の現況と課題」『大原社会問題研究所雑誌』686号、2015ほか
資料　編・解説『協和会関係資料集』1995、編・解説『戦時下朝鮮民衆の生活』2010（以上、緑蔭書房）

在日朝鮮人資料叢書15　〈在日朝鮮人運動史研究会監修〉

日本朝鮮研究所初期資料 3

2017年４月15日　第１刷発行

編纂者……………井上學／樋口雄一
発行者……………南里知樹

発行所……………株式会社 緑蔭書房
〒173-0004 東京都板橋区板橋１-13-１
電話 03(3579)5444／FAX 03(6915)5418
振替 00140-8-56567

印刷所……………長野印刷商工株式会社
製本所……………ダンクセキ株式会社

Printed in Japan
落丁・乱丁はお取替えいたします。
ISBN978-4-89774-180-2